Margot et Jacques Desmergers
Noël 1989

Nouveau propriétaire :
Raymond Picard

BERNARD GRASSET

Vie et passions
d'un éditeur

DU MÊME AUTEUR

LA BRETAGNE CONTRE PARIS, la Table ronde, 1969.

CHOISIR, entretien avec Pierre Mendès France, Stock, 1974, et Livre de Poche.

PAROLE DE PATRON, entretien avec Jean Chenevier, PDG de BP France, le Cerf, 1975.

LA RÉPUBLIQUE MONDAINE, Grasset, 1979.

UN PRINCE, *Essai sur le pouvoir ordinaire*, Grasset, 1981.

HISTOIRE DU SEPTENNAT GISCARDIEN, tome I, LE PHARAON, Grasset, 1983.

LETTRE OUVERTE AUX DOUZE SOUPIRANTS DE L'ÉLYSÉE, Albin Michel, 1984.

TOI, MON FILS, Grasset, 1986.

JEAN BOTHOREL

BERNARD GRASSET

Vie et passions
d'un éditeur

BERNARD GRASSET

PARIS

Remerciements

Sans l'accueil et la coopération de plusieurs personnes, je n'aurais pu entreprendre ce travail.

Ma gratitude va tout d'abord à Jeannette Privat, qui a mis chaleureusement à ma disposition un ensemble de lettres et de papiers personnels appartenant à Bernard Grasset. Même accueil chez Jean-Claude Fasquelle, qui m'a fourni, par-delà les archives de la Maison, qui me furent très largement ouvertes, une documentation des plus précieuses.

Comment remercier comme il faudrait Daniel Brun — fils de Louis Brun, le plus proche collaborateur de Bernard Grasset trente ans durant — qui m'a offert de consulter une correspondance énorme et jamais dépouillée, héritage de son père ? L'usage de ces richesses n'engage que moi. Je suis seul responsable, il va sans dire, de cette biographie, comme du rôle que je prête à Louis Brun et de l'analyse que je fais de ses relations avec Grasset.

Grâce à l'obligeance d'André Giraud, alors ministre de la Défense, qui a répondu favorablement à ma requête, le chef du dépôt central des Archives de la justice militaire a pu me communiquer un nombre important de pièces relatives au procès intenté à Bernard Grasset dans le cadre de l'épuration. De leur côté, Philippe Méry et André Doazan m'ont permis de découvrir toute une correspondance qui concerne des périodes difficiles de la Maison, en particulier la Première Guerre mondiale, les années 1933-1936, et surtout les quatre ans de l'occupation allemande, de 1940 à 1944. Qu'ils en soient ici remerciés.

Je dois aussi toute ma reconnaissance à ceux qui ont évoqué, pour moi, le souvenir de Bernard Grasset : André Bay, Hervé Bazin, le général de Bénouville, Célia Bertin, Rainer Biemel, André Brincourt, Maurice Chapelan, Robert de Châteaubriant, Francis Crémieux, André Fraigneau, Guy Hamonic, Mme Robert Jung, Dominique Lapierre, Robert Laffont, Jacques Laurent, Mme Mattéi, Pierre Sipriot, Antoine de Tavernost, Berthe Zlotykamien.

Il me faut dire enfin un grand merci à Denis Bourgeois, Jacques Brenner, Jean-Paul Enthoven, Bernard-Henri Lévy et Monique Mayaud qui m'ont aidé de leurs conseils et ont suivi attentivement l'élaboration et la rédaction de ce texte.

Merci à tous.

A Chantal.

« Grasset me fait l'effet d'un hercule à
qui l'époque n'offre plus à soulever que
des poids en carton. »

ANDRÉ MALRAUX

1

LES TRACES

La naissance à Chambéry en 1881 dans la bonne bourgeoisie de province. — Son père meurt en 1896. — Son oncle, le neuro-logue Joseph Grasset, l'accueille à Montpellier. — Les tour-ments d'un adolescent surdoué et psychologiquement fragile. — Premiers séjours en maison de santé. — La mort de sa mère en 1906. — Le modeste héritage.

Parfois la mort transforme une existence en destin. Celle qui surprend Bernard Grasset le 20 octobre 1955, loin de nourrir la légende d'une superbe et folle aventure, va creuser l'oubli autour d'un des plus prestigieux éditeurs du xxe siècle.

> Grasset n'était pas un éditeur comme les autres, écrit Jean Cocteau, parce qu'il mêlait le commerce et l'amour. Grasset aimait passionnément les livres qu'il lançait. Il se désintéressait des autres. C'était un grand seigneur du monde des lettres. J'exprime ici ma surprise de constater que la presse française n'a pas su rendre à Bernard Grasset mort l'hommage qui lui est dû. Un jour, lorsque le cyclone qui balaie la librairie aura passé, il se reformera un calme et on honorera la mémoire d'un homme qui rêvait du rare et de le faire triompher coûte que coûte[1].

Brutal, vexant, farouche, brillant, c'était une présence. Une présence exorbitante qui encombrait, à elle seule, toute la rue des Saints-Pères, siège de sa Maison.

D'où venait-il pour avoir été ce qu'il fut? D'où tenait-il cette aisance dans l'autorité, cette assurance dans ses choix, lui qui édita Proust, Alphonse de Châteaubriant, Ramuz, Cendrars, Jean Gi-raudoux, Cocteau, Radiguet, Malraux, Jacques Chardonne, Giono et « les quatre M », Mauriac, Maurois, Montherlant, Morand?

Il y a un mystère du texte et rares sont ceux qui savent discerner dans la multitude des manuscrits qui s'écrivent chaque jour le trait du talent ou la force du génie. Bernard Grasset fut de cette race des sourciers.

S'il y avait à la Sorbonne un cours d'explication française, avoue
Jacques Laurent, nul ne l'eût mieux tenu que lui. Je l'ai vu éplucher un
manuscrit de Claude Martine qui était pourtant destiné à un autre
éditeur. En marge il jetait des notes brèves. Il n'est pas une de ces notes
qui n'ait été justifiée et ne constituât une leçon de style. Rue des
Saints-Pères je ne l'ai revu qu'entouré de ces manuscrits annotés et biffés
qui l'ont escorté toute sa vie. La cendre de sa cigarette les brûlait. Il
besognait sur eux comme une machine à voir et à sentir juste[2].

D'où venait-il? Profondément pénétré du sentiment d'être sans
famille, il n'a rien dit, dans son énorme correspondance, dans ses
carnets intimes, ses livres, qui éclaire son enfance ou son adolescence. Il naît avec sa Maison, en 1907.

Avant, c'est le territoire interdit, peut-être la clé de son personnage, si, comme l'affirme Charles Péguy, qui fut son maître et son
modèle, « tout est joué avant que nous ayons douze ans ». Vingt-
cinq années qu'il entoure d'un voile opaque, s'employant à répéter
qu'il fut malheureux. Terriblement malheureux. « Mon drame,
confie-t-il en 1934, est l'histoire d'un homme auquel on a dénié un
cœur dans son enfance, que, dès l'âge de quinze ans, l'on a confié
à la direction morale de médecins, quand il n'avait d'autre maladie
de l'âme que son besoin d'être aimé, surtout d'aimer. » En 1951, il
reviendra sur cette blessure précoce, d'une façon plus anecdo-
tique : « Quand j'étais tout petit, mon père pour me réduire me
disait : "Ne fais pas tes yeux de poisson bouilli." Il fallut plus de
vingt ans — et les moyens de l'amour — pour qu'une femme me
persuadât que je n'avais pas des yeux de poisson bouilli. »

Curieuses confidences. Elles disent trop et pas assez. Son père,
Eugène Grasset, chaque fois qu'il y fait allusion, prend les traits
d'un homme injuste et rigide. Pourquoi? Bernard Grasset ne
l'explique jamais, comme s'il voulait se convaincre qu'un chagrin
originel l'aurait pour toujours rendu insensible aux jouissances
quotidiennes de la vie et proprement inapte au bonheur. Où puise-
t-il cette farouche volonté de gommer celui qu'il fut et ce qu'il
vécut avant d'être éditeur? Que veut-il cacher et pour quelle
raison? Ce deuil d'une part de lui-même, diront les nombreux
médecins qui le suivront, est la source de la névrose qui le
conduira, dès les années vingt, chez un psychanalyste. Mais il n'y a
rien dans sa généalogie familiale, rien dans les premières années
de sa vie qui fasse écho à son « malheur ».

*

Les Grasset appartiennent à une lignée de marchands, de tabel-
lions et d'hommes de loi du département de l'Hérault. L'arrière-
grand-père de Bernard, Joseph Bruno Grasset, né en août 1775,

mort en juillet 1855, fut notaire, d'abord à Castries, ensuite à Montpellier. Il eut huit enfants, dont le cinquième, Joseph Félix Eugène, appelé Félix, né le 7 août 1813, allait rompre avec la tradition et entrer dans l'administration des douanes à vingt ans. Félix, le grand-père de Bernard, envoyé en service aux quatre coins de la France, se marie à la cathédrale Saint-Pierre de Montpellier en novembre 1847 avec Marie-Marthe Antoinette Estor et se fixe enfin à Chambéry en 1865, comme inspecteur des douanes.

Félix Grasset est un catholique convaincu, peut-être même un militant catholique. A l'avènement de la Troisième République il est victime de la vague anticléricale qui marqua, de 1879 à 1885, le temps de Jules Ferry: le 14 août 1880, la Direction des douanes l'invite à rendre son tablier dès le 1er septembre et lui impose la retraite anticipée. « C'est parce qu'il allait à la messe et à la procession, que papa a été ainsi mis brutalement à la retraite en dehors de toute prévision et de toutes convenances administratives », rapporte, dans un « livre de mémoires », son fils aîné, Joseph Grasset, bientôt éminent professeur de médecine à Montpellier. De son côté, Marie-Marthe écrivait à l'une de ses belles-filles :

> Laissez-moi commencer par vous dire que votre beau-père va bien. Depuis ce jour-là, il n'a pas eu de fatigue. Est-ce une compensation du Bon Dieu? Lui, avec sa foi profonde, le croit. Je n'ai jamais vu une pareille résignation. Si on veut dire que c'est la faute du préfet, il ne le veut pas et personne ne lui a entendu un mot d'aigreur. Et pourtant, Marie et moi avons été effrayées de sa fatigue quand il est descendu de la Direction. Ses jambes ne le portaient plus. Il s'est vite remis. Il nous a dit que son directeur était bien bon et avait été très aimable. Et puis, ç'a été tout... Seulement en se couchant le soir, il me disait: « Je ne croyais pas être une gêne pour nos enfants... Ça m'est bien dur... Enfin, ce sacrifice m'enlèvera un peu de purgatoire... »

Marie, que Marie-Marthe Grasset évoque dans sa lettre, est la future mère de Bernard : Marie Ubertin. Elle vient, au mois de janvier de cette sombre année 1880, d'épouser Eugène Grasset, le troisième enfant de Félix.

Marie Constance Céline Ubertin descend d'une vieille famille florentine, les Degli Uberti, fondée par un compagnon de Charlemagne nommé Hubert. Celui-ci aurait suivi l'empereur à Rome et se serait établi en Toscane. Au xiiie siècle, les gibelins, conseillés par Farinata Degli Uberti, livrèrent un combat aux guelfes de Florence, le 4 septembre 1260, à Monte Aperto, et remportèrent une belle victoire. Les généraux gibelins résolurent de détruire Florence de fond en comble. Farinata s'y opposa et sa magnanimi-

té se retourna contre lui : les guelfes revinrent. Mais son geste lui
valut d'entrer dans l'Histoire. Dante lui a réservé une belle page
de *la Divine Comédie,* le chant dixième de « l'Enfer » : « Je me
montrai seul là où, lorsque tous permettaient qu'on détruisît
Florence, je la défendis à visage découvert », soupire l'âme de
Farinata Degli Uberti. Et Dante lui répond : « Que Dieu ne refuse
pas la paix à vos descendants !... »

Les Uberti quittèrent la Toscane à la fin du XVIIIe siècle et
vinrent s'installer en Corse, où ils francisèrent leur nom. Dans sa
jeunesse, Bernard Grasset portait une chevalière aux armes des
Uberti.

Quand Eugène se marie, il a vingt-sept ans. Il a passé son
adolescence et sa première jeunesse en Savoie, cette terre récemment annexée par la France. Brillant élève au lycée de Chambéry,
étudiant à la faculté de Grenoble, il obtient le diplôme de docteur
en droit en 1878, à l'heure même où les partisans de la laïcité
s'installent au pouvoir. Comme son père, Eugène est un catholique ardent. Disciple de Joseph de Maistre, c'est aussi un conservateur légitimiste, un patriote passionnément épris de la grandeur
de la France et qui refuse les principes de la toute jeune république. Pour toutes ces raisons il renoncera à embrasser la carrière
de magistrat comme celle d'avocat vers lesquelles le poussait son
ambition et, quand naît Bernard Grasset, le 6 mars 1881, Eugène
est à la veille d'abandonner le barreau de Chambéry contre une
charge d'avoué. « Pourtant ses débuts à la barre avaient révélé un
orateur de talent, nerveux, précis, à la dialectique puissante, à la
parole chaude, vibrante et acérée, raconte son ami François Descostes. Plusieurs de ses plaidoiries, l'une entre autres qu'il prononça dans un de ces procès de presse, si nombreux à cette époque,
peuvent être citées comme des modèles. » Il lui en coûta de quitter
le barreau et Descostes se rappelle les larmes qu'il lui vit verser ce
jour-là. Mais il semble que là encore, Eugène Grasset fut frappé,
comme son père Félix, de quelque ostracisme politique. C'était
l'avocat des journaux conservateurs, et il pressentait qu'en dépit
de sa combativité, de son brio, il piétinerait. Il ne pouvait pas
attendre. Son mariage lui imposait des devoirs. Il posa sa candidature à la succession de Me François Revuz, avoué à la cour
d'appel, mort brusquement en mars 1882. Il fut agréé et s'installa
le 21 juin suivant.

*

Henry Bordeaux, ami des Grasset, a souvent décrit le Chambéry
de cette époque : une société d'élites extrêmement cultivée et
spirituelle se grisant des plaisirs de la conversation. Dans le monde

du Palais, surtout, on faisait assaut d'anecdotes et de reparties. Eugène Grasset y était réputé pour son esprit mordant. « Il aimait fortement, il repoussait de même ; sans rancune toutefois, toujours empressé à réparer les erreurs que sa vivacité avait pu lui faire commettre[3]. » Ce Savoyard du Midi — ses racines étaient à Montpellier — avait visiblement conquis la bourgeoisie active de Chambéry et on le voit qui s'occupe de promouvoir des œuvres artistiques, littéraires, scientifiques ; qui préside le cercle choral de la ville ; qui participe à des débats politiques.

Mais Eugène Grasset est avant tout un fin lettré, un brin écrivain et philosophe. Il se passionnait pour Joseph de Maistre, en qui il admirait l'apôtre des vérités éternelles, l'avocat de la Providence et « le grand ami de la France ». Maistre était son inspirateur, son guide, presque son fétiche. Sur les rayons de sa bibliothèque une place d'honneur était réservée à l'édition complète publiée par Vitte et Pérussel, et à tous les ouvrages que l'auteur des *Soirées de Saint-Pétersbourg* avait inspirés. Il passait le meilleur temps de ses loisirs — « mes intervalles lucides » — à lire, à disséquer, à savourer la pensée hautaine et tragique du champion des catholiques ultramontains. Espérait-il attacher son nom à celui qui le fascinait tant et qui connaissait alors un regain de gloire ? De son travail de bénédictin il a, en effet, tiré un ouvrage, *Joseph de Maistre, sa vie et son œuvre,* qui fut édité en 1901 par André Perrin, libraire à Chambéry. Ouvrage posthume, Eugène Grasset étant mort depuis cinq ans.

Jamais Bernard Grasset n'évoquera ce livre de son père. Jamais non plus ne citera l'élogieuse et amicale préface de François Descostes. Pourtant, le portrait qui est tracé ici d'Eugène n'annonce-t-il pas déjà le tempérament de Bernard ?

> Cette figure si vive, si mobile, si impressionnable, si parlante... figure sympathique jusqu'à dans ses brusques variations, ses indignations généreuses, ses sautes d'humeur vite apaisées. Parce que cet enfant du Midi, devenu un fils adoptif de nos Alpes, cumulait en quelque sorte les qualités et les vertus des deux races... Le Midi lui avait donné la flamme, l'enthousiasme, l'imagination créatrice, de nobles ardeurs, le verbe abondant, la plume féconde, ce que Joseph de Maistre appelait si bien pour lui-même « le soufre de Provence ». De nos Alpes il semblait avoir reçu l'indépendance d'esprit, le sens exact des hommes et des choses, le besoin d'investigation et de critique.

Bernard Grasset grandit donc auprès d'un père impétueux, généreux, très ouvert aux controverses intellectuelles. Et non pas, comme il le laisse supposer, à l'ombre d'un rond-de-cuir poussiéreux, aigri. Certes, Eugène Grasset est un homme à principes. Dans son esprit, le bonheur, la liberté, le progrès sont inséparables du message délivré par Dieu. Pénétré des idées de Joseph de Maistre, convaincu qu'il n'y a pas de civilisation, de société sans fondements religieux, il promène sur son temps un regard pessimiste et il élève ses enfants dans la foi des Évangiles. Des convictions qui auraient pu enfermer sa famille dans un corset rigoriste, étouffant. Au vrai, l'ambiance chez les Grasset est détendue, gaie. Le couple, uni, enjoué, reçoit beaucoup. En dépit de sa foi sans mélange, de son attachement aux formes les plus traditionnelles de la pratique religieuse, de sa nature autoritaire, Eugène n'est ni un bigot, ni un parangon de vertu. Il aime la vie. Bernard, qui est l'aîné, aurait-il été, dans cette atmosphère harmonieuse, mal aimé, comme il le prétendra? Quelques lettres échangées entre ses parents témoignent du contraire. Le petit Bernard, que son père appellera longtemps « Nadet », est très choyé, très entouré. Eugène n'a pas de mot assez tendre pour lui. « Vous allez donc bien, mes doux trésors, écrit-il de Montpellier à Marie. Que Dieu soit mille fois béni. J'aime bien mes petits neveux, mais je n'ai pas mon Nadet et sa jolie petite parole... Que tu es bonne et courageuse de faire sortir ainsi le petit trésor aimé. Tu me le fortifies encore pour le moment où j'arriverai. Tu es bien sage, bien sage, et tu sais bien le soigner comme il faut... » Plein d'une touchante attention, il note dans le « calendrier de famille » la date du « premier pas de Bernard », de la « première dent de Bernard », ce qu'il ne fera pour aucun autre de ses enfants.

On apprend ainsi que Bernard fit le 17 avril 1882 — il venait d'avoir un an — une chute qui eut des conséquences assez graves : des convulsions, puis une congestion cérébrale.

> Papa et maman ont déjà eu beaucoup de chagrin depuis leur mariage, confie-t-il à treize ans, dans son Journal, un cahier d'écolier joliment décoré et intitulé *Mes vacances de l'année 1894.* J'étais fort délicat étant petit ; le frère qui m'a suivi leur a été enlevé ; il y a trois mois à peine nous avons eu tous la douleur de perdre un petit garçon de deux ans. Voilà déjà deux petits anges au ciel ! Pour ma santé et celle de mes frère et sœurs, papa a fait l'achat de notre campagne des Charmettes. Entourée de tous côtés par de hautes montagnes, située dans un joli vallon, notre campagne, tout en étant très près de la ville, n'en a pas les désagréments. En effet, nous respirons l'air de la montagne qui nous vient en droite ligne de la gorge de la Chartreuse. Notre maison s'appelle depuis quelque temps villa des Chèvrefeuilles, pour la distinguer des propriétés des environs et surtout des vrais Charmettes de Jean-Jacques Rousseau. La proximité de cette habitation rend notre chemin très gai, à cause des étrangers qui s'y pressent chaque jour pour visiter les souvenirs laissés par Jean-Jacques et Mme de Warens.

Sont-ce là les confidences d'un enfant malheureux ? La réponse n'appartient qu'à lui, et peut-être n'a-t-il pas ressenti les marques d'affection, de tendresse qui lui étaient prodiguées. Peut-être n'a-t-il pas trouvé dans le regard de son père ou le sourire de sa mère, dans les mots et les gestes, les preuves de l'amour, de la compréhension qu'il attendait.

Dans son Journal d'adolescent, il parle de lui-même avec une spontanéité qui ne reflète pas le mal de vivre :

> Aucun événement bien seyant ne s'est passé aux Charmettes depuis la sortie. Nous menons toujours notre train de vie habituel. Nous voyons très souvent une petite fille de dix ans qui demeure tout près de chez nous et avec laquelle nous nous amusons beaucoup ; c'est la compagne la plus assidue de nos jeux. De temps en temps nous allons nous promener tous ensemble. Nous ne sommes pas tranquilles avant d'avoir obtenu de notre père que la promenade soit accidentée, car nous aimons bien à monter. [...] Lorsqu'après des efforts inouïs nous sommes arrivés au sommet de la colline nous sommes bien aises, surtout ma mère et mes sœurs, de nous étendre sur l'herbe et de nous reposer un moment. Quelque temps après, papa prononce le mot qui est sacramentel : « En route ! », et nous voilà tous sur le chemin de la maison où un bon dîner nous attend. Nos promenades ne sont pas longues mais n'en sont pas moins bien amusantes. A la maison, le jeu que mes frère et sœurs préfèrent, mais qui ne fait pas mes délices, est le croquet. [...] Le soir, après le dîner, et les jours de pluie, nous jouons quelquefois aux cartes. Ah ! quelles fameuses parties nous avons faites...

Bernard est l'aîné de la famille. Joseph, son cadet de trois ans, « est connu à une lieue à la ronde par les bêtises qu'il débite à qui veut l'entendre... » Et Mathilde, qu'il appelle familièrement « Didi », est née en 1885. Marguerite Grasset — « Guiguite » — a six ans de moins que lui. C'est sa préférée. « Je m'occupe, écrit-il, assez souvent de jardinage avec mes frère et sœurs. Nous avons chacun un petit morceau de terrain que nous cultivons ; nous possédons des fleurs et surtout des légumes que nous vendons à nos parents... » Il apprend à dessiner, à peindre et, plus tard, la peinture sera l'une de ses rares récréations. « Il y a déjà deux ans et plus que je prends des leçons. Ce qui me permet de faire passablement quelques croquis, cela m'intéresse beaucoup... » Il fait aussi de la gymnastique :

> Ce qui me vexe, c'est que je suis petit pour mon âge et, m'a-t-on dit, la gymnastique fortifie et fait grandir. C'est pour cela, et cela m'amuse, que j'en fais si souvent. Papa a fait installer il y a déjà longtemps à la maison une balançoire, un trapèze, des anneaux, des barres parallèles. Je ne manque pas un seul jour, excepté lorsqu'il pleut, de faire mon tour de gymnastique. Aussi j'espère qu'à force d'en faire, j'aurai à vingt et un ans la taille d'un soldat. Qui le sait, peut-être que non ?

Ces souvenirs-là, il va les enfouir. Ils n'existeront plus. Son orgueil le poussera simplement, au hasard d'une phrase, à rappeler qu'il fut un élève très doué, sinon surdoué. Collégien à Saint-François-de-Sales où l'avait précédé, dix ans plus tôt, Henry Bordeaux, il obtiendra son baccalauréat de philosophie à seize ans, avec une « dispense d'âge ». Chaque fin d'année, à la distribution des prix, il rafle la plupart des « excellence » et pour le peu qui reste, il prend les accessits.

Il a tout effacé. Oublié les nombreux voyages qu'il fit en train, « au milieu des bêtises que débitait Jojo, des éclats de rire de mes sœurs et des plaisanteries de nous tous ». Oublié les séjours à Montpellier dans la maison, la Pierre-Rouge, de son oncle Joseph Grasset, où il vient régulièrement retrouver la tribu familiale. « Car il faut le dire, ils sont nombreux les cousins et cousines, oncles et tantes à Montpellier ; ils sont nombreux et gentils... Nous avons aussi auprès de nous notre grand-mère que nous appelons familièrement, mais peu respectueusement je l'avoue, "Bounette". »

Il est du même âge que son cousin Pierre, le fils de Joseph Grasset, avec lequel il s'entend merveilleusement :

> Notre jeu favori est la course de taureaux. Ceux qui en font partie sont Louise, Pierre, Jojo et moi ; les autres sont spectateurs... Nous jouons souvent à cache-cache courant, quelquefois à colin-maillard, à chat perché. Nous nous amusons souvent aussi aux voleurs. C'est pour cela que nous nous sommes fabriqué une cabane... Le soir après souper, nous jouons avec les grandes personnes à des jeux d'esprit aussi amusants les uns que les autres. A 9 h 30 tous les enfants vont se coucher...

Ces moments sont-ils, dans le cœur de Bernard Grasset devenu adulte, comme s'ils n'avaient jamais été? A relire ces pages, éprouvait-il l'inexprimable angoisse d'un temps à jamais révolu? Ce temps béni où il formait sa sensibilité dans la chaleur rassurante d'une famille patriarcale, entre la maison de Chambéry à l'abri de la cathédrale, le collège de Saint-François-de-Sales, le frais cottage des Charmettes, la belle résidence de la Pierre-Rouge, à Montpellier. Il s'ouvrait aux « joies de la nature », comme on le disait alors, aux charmes de l'amitié, adorant la compagnie et les jeux, correspondant régulièrement avec plusieurs camarades de classe.

*

Un drame viendra briser ce bonheur apparent: la mort, après une longue maladie, d'Eugène Grasset, le 30 avril 1896. Bernard a quinze ans et s'apprête à passer la première partie du baccalauréat. Il n'a rien dit sur la disparition de son père, et on ne sait rien de son chagrin. On sait seulement que cette mort va bouleverser les habitudes familiales. Le professeur Joseph Grasset décide d'accueillir sa belle-sœur Marie et les enfants à Montpellier. Bernard, toutefois, terminera son secondaire à Saint-François-de-Sales, où il sera pensionnaire l'année de sa philo.

Faut-il chercher dans cette brusque rupture avec un équilibre paisible et rieur les raisons de son silence sur les premières années de sa vie? A-t-il tant souffert de la mort de son père et des conséquences qu'elle entraîna, au point de vouloir nier, annuler un quart de siècle? La perte du père aimé, admiré, protecteur. Sa douleur serait si intense que la plaie ne se referme qu'au prix de la négation même de sa cause. Il aurait enterré deux fois son père, dans la terre et dans son cœur. Et c'est vrai que dès cet instant, il va sombrer dans des moments de profonde mélancolie. Il est à un âge des plus fragiles, l'âge des attentes inquiètes, des appels rarement entendus, des amours sublimées. Son père ne sera plus là pour parer à cette fragilité, pour lui prendre la main. Le voilà terriblement seul, désespéré. « Je suis l'homme des chambres nues, dira-t-il soixante ans plus tard à Christine Garnier. Vous savez même que je songe à symboliser ma vie par un écrit qui porterait comme titre "la Chambre d'hôte". J'ai des souvenirs très précis de certaines chambres d'hôtes, à commencer par la première, que je partageais avec mon frère quand j'avais seize ans, tout en haut d'une gentilhommière dauphinoise, d'où on voyait vingt villages. C'est de là que, pour moi, tout est parti. » Tout, c'est-à-dire l'immense solitude qui l'habite, si prégnante qu'il se sent partout un invité, y compris chez lui aux Charmettes.

Il reviendra l'été passer quelques semaines dans la maison des Charmettes. Il y découvrira l'amour. La petite fille qu'il esquisse dans son Journal d'adolescent a grandi avec lui. Elle s'appelle Marie-Thérèse Vial. Il l'aime d'un amour qui, à l'en croire, devait marquer toute son action d'éditeur. Le père de Marie-Thérèse l'avait pris en affection. Il lui refusera pourtant la main de sa fille, et Grasset, pour combler le vide immense provoqué par cet amour contrarié, allait s'investir dans une autre passion, celle de sa Maison qu'il évoquera, avec, chaque fois, un *m* majuscule. Mais cet amour pour Marie-Thérèse ne comblait-il pas un autre vide, celui que venait de créer la mort de son père?

Il lui est resté, semble-t-il, de ce premier sentiment, une façon d'envisager l'amour, à tout le moins de le reconnaître avec certitude. Dans sa préface à *Claire*, le roman de Jacques Chardonne qui paraît en 1931, il ne peut s'empêcher de rappeler cet amour lointain, à jamais perdu, confondant son aventure avec celle de son ami et auteur:

> J'ai peur, en parlant de ton livre, de trop le ramener à moi-même. Claire fut aussi mon amour. Mais j'ai redouté de la perdre avant même

de l'aborder, et c'est tout ce qui nous sépare. Pourtant, j'ai connu Claire plus tôt que toi. Elle avait quinze ans et moi dix-sept. Elle habitait ce pays dont je t'ai si souvent parlé, et dont la grâce se confond encore pour moi avec la sienne. Sans doute en ces jours anciens étais-je retranché dans cette chimie du cœur qui m'a valu, tu le sais, plus de louanges que de bonheur.

A-t-il voulu, dès sa jeunesse, comme le suggère Henry Muller, qui fut son collaborateur de 1923 à 1943, écarter de son chemin tous les attachements sentimentaux et familiaux, fuir ce qui pouvait atteindre une sensibilité qu'il savait vive et contre laquelle il se défendait? Très tôt, il a dû saisir qu'il n'était pas né pour l'amour sous ses diverses formes. A soixante-douze ans, évoquant une fois encore Marie-Thérèse Vial, il confie à une tendre amie :

> [...] J'ai l'impression que vous n'avez pas franchi un certain cap, que tous les êtres, hommes et femmes, rencontrent vers l'adolescence... Je sais que moi, par exemple, dans la seule époque de ma vie où une jeune fille représentait tout pour moi, tout l'univers, et avec laquelle j'étais sans audace, j'éprouvais le plus grand désir pour la fille d'un garde-chasse qui saisissait toutes les occasions de me montrer, de loin, ses cuisses, et qui couchait d'ailleurs avec un de mes oncles. Il y avait ainsi pour moi, d'un côté l'amour et de l'autre le désir, et je ne pouvais qu'opposer les deux choses. Conséquence: je n'ai jamais osé dire à la jeune fille mon amour et très vite j'ai transporté dans mon métier ce grand sentiment.

Avec une sorte de désespoir qu'il maquilla en férocité, en tyrannie, il a choisi l'action. « Nous n'avons qu'un cœur à dépenser, tout ce qui est donné à l'action est pris à l'amour. » Cette pensée, qu'il exprimera en 1928 dans son recueil *Remarques sur l'action,* est probablement celle qui le résume le mieux. A l'action, il a tout donné et la création de sa Maison ne fut, au fond, qu'un moyen d'apaiser ses tourments, de soulager son âme malade.

*

Bachelier en juillet 1897, il quitte, sans retour, le pensionnat Saint-François-de-Sales et rejoint sa mère à Montpellier. Toute la famille habite chez l'oncle Joseph, « l'un de ces géants à l'ombre desquels rien ne pousse[4] », dira Bernard Grasset.

Le célèbre neurologue de l'école vitaliste fit-il mauvais accueil à son neveu? Là encore, la prudence s'impose. Il semble plutôt que le jeune Bernard est, décidément, incapable de surmonter les déchirements qui viennent d'assombrir sa vie. Il ne reprend pas normalement le cours de ses études et ne s'inscrit à la faculté de droit de Montpellier qu'à la rentrée d'octobre 1898. Qu'a-t-il fait pendant un an? Fatigué, mélancolique et angoissé, était-il au bord

de la dépression nerveuse ? Dans un récit autobiographique qui ne
sera jamais publié, et qu'il écrira entre 1951 et 1953, il parle d'un
séjour qu'il aurait fait cette année-là à Remoulins, dans un établissement d'hydrothérapie que dirigeait un cousin de son oncle.
« Celui-ci, affirme Bernard, avait la déformation de son métier et
il ne trouva rien de mieux que de me confier à un spécialiste de
son espèce quand je n'avais besoin que d'affection et de distraction. » Ce centre thermal a bien existé et il était spécialisé dans le
traitement des malades mentaux par des techniques de relaxation,
de bains d'eau tiède, de massages. C'était une vieille demeure en
bordure du Gard, que l'on appelle à cet endroit le Gardon. Durant
son séjour à Remoulins, Bernard Grasset court le pays. On sent
déjà la Provence, cette Provence romaine qu'ouvre l'arc de
triomphe d'Orange, où l'on ne peut labourer sans faire surgir
quelque pièce à l'effigie d'Auguste. Il pousse plusieurs fois jusqu'à
Uzès, qui garde le souvenir de Racine, et d'autres fois jusqu'au
Rhône. Sa promenade la plus familière est celle qui le conduit de
Remoulins à Nîmes, par la route des oliviers, et il rattache aux
longues marches qu'il fit alors son plaisir de peindre.

> Le cousin de Remoulins était un homme fort pittoresque, écrit-il. Il
> s'était donné à la médecine, par besoin de vivre ; mais ses goûts étaient
> ailleurs. Court sur pattes, une tête énorme, avec des cheveux hirsutes,
> une longue barbe encore rousse. Une voix de stentor. Il fallait l'en-
> tendre, le matin, à l'heure de la douche, hurler dans l'escalier : « Faites
> descendre le chameau du 18 ! » Le chameau du 18 c'était parfois une
> charmante femme, toute craintive, qui était venue là tout simplement
> pour retrouver le sommeil ou pour oublier des contrariétés de ménage.
> C'était ainsi qu'il menait les dames. Avec cela, tout en finesse et très
> cultivé. Il lisait Virgile et Horace dans le texte, et aussi Mistral dont il
> savait par cœur presque toute l'œuvre étant félibre ardent. Il recevait le
> *Mercure de France.*

Mais à Remoulins, il y a aussi la faune particulière qui peuple
les établissements psychiatriques. « Toutes les manies, toutes les
craintes, toutes les singularités étaient là représentées. » N'est-ce
pas une étrange idée de la part de Joseph Grasset d'avoir exposé
son neveu à ce troublant et sinistre spectacle, lui qui paraît si
fragile, si perméable à son environnement ?

Plus tard, l'éditeur prendra l'habitude de se retrancher dans des
lieux de ce genre, où la vie est comme suspendue. Il ira de cure en
cure et il ne concevra plus d'autre façon de se reposer. Dès son
adolescence il fut ainsi gagné, admet-il, à une croyance quasi
superstitieuse en ces médecins « qui prétendent lire dans les âmes
et s'offrent à les diriger ». Porté par sa nature à attendre de
chacun d'entre eux la permission de vivre, il se considérera comme
une victime des ravages de la psychanalyse.

Était-il vraiment une victime ? S'il éprouvait, de loin en loin, le besoin de s'échapper, de s'abandonner aux médecins, n'est-ce pas plutôt que ce besoin était vital ? Reste ceci, qui est le plus surprenant : qu'il ait pu, en dépit de ses absences prolongées, en dépit de tout ce temps passé sur le divan d'un psychiatre, diriger et consolider sa Maison, voilà le miracle de son existence. Un miracle qu'il faudra tenter d'élucider.

A l'automne 1898, quand il revient à Montpellier pour commencer son droit, il va renouer avec le rituel familial. Il retrouve son frère Jojo, son cousin Pierre, ses sœurs Didi et Guiguite. Il retrouve sa mère.

Autre énigme que cette mère qui ne paraît avoir aucune place, absolument aucune, dans sa mémoire.

S'il a très peu évoqué son père, il a au moins cherché à le peindre sous un mauvais jour. Sur sa mère ? Quelques phrases très vagues, pour expliquer qu'à cinq ans, étant l'aîné de quatre enfants, « [il avait été] très vite enlevé aux soins de [sa] mère ». En janvier 1934, alors qu'il est en pleine dépression, il affirmera : « Ma mère, quand j'avais quinze ans, faisant bloc avec mes deux sœurs, crut pouvoir remplacer l'amour dont j'avais besoin, par de vagues hygiènes : par les "médecins de l'âme" d'alors, qui n'avaient pas, il est vrai, les monstrueuses prétentions de ceux d'aujourd'hui. Depuis lors, je fus tributaire de ces médecins et n'osais même pas me marier tant le foyer m'avait été douloureux dès mon enfance. » Pourtant, au faîte de sa gloire d'éditeur, il répétera volontiers qu'il adorait sa mère et beaucoup l'entendront dire : « Ma mère était un bonheur du jour. » S'épanchant auprès de son beau-frère et futur collaborateur Joseph Peyronnet, le mari de Guiguite, il écrira : « Guiguite a depuis longtemps choisi entre l'être infortuné que j'étais et cette famille dont vous avez voulu me retrancher depuis que ma mère que j'ai tant aimée m'en avait elle-même retranché parce que mon amour malheureux ne savait s'exprimer. »

A son retour à Montpellier, sa mère n'a-t-elle pas su ou pas pu le rejoindre, communiquer avec lui, répondre à cet amour qu'il revendique avec tant de violence ? Il renvoie, inlassablement, de lui, l'image d'un enfant à la recherche d'une lumière perdue.

*

Comment traverse-t-il ses années d'étudiant ? Sans drame, apparemment, et aussi sans allégresse. « Mon âme me semblait vide de vocation. J'avais seulement un grand besoin de dépenser mon enthousiasme à de l'utile[5]. » Aucun témoignage ne permet d'éclairer cette période de sa vie. Sinon des boutades, comme celle-ci :

« A dix-huit ans j'envisageais d'entrer dans l'inspection des chemins de fer, uniquement pour qu'il me soit possible d'aller à
Orange, sans bourse délier, voir la jeune fille que j'aimais. »

Il est certain, en revanche, qu'il évolue, comme à Chambéry,
dans un milieu d'universitaires, d'intellectuels et de bourgeois
éclairés. Joseph Grasset jouit à Montpellier d'une notoriété qui
rejaillit sur sa famille. Membre de l'Académie de médecine, ses
travaux sur les maladies nerveuses, la pathologie générale et la
déontologie médicale sont remarqués et discutés. C'est aussi un
philosophe, auteur de plusieurs ouvrages qui font autorité — dont
les Limites de la biologie. Sa position est d'autant plus en vue que
la faculté de médecine de Montpellier est alors la seule qui rivalise
avec Paris et qui, depuis longtemps, délivre un doctorat. Cet
environnement a dû porter l'étudiant Grasset, s'il ne l'a pas
affectivement abreuvé. Cette bourgeoisie de province, sans fortune mais pas sans argent, est fière de son rang et ne ménage pas
ses efforts pour garantir l'avenir de sa progéniture. N'est-ce pas le
temps où Agénor Bardoux fait l'éloge de sa classe? « Il n'y a dans
le monde qu'une bourgeoisie possédant des traditions, un esprit de
suite dans ses desseins, une clientèle pour les accomplir. C'est la
bourgeoisie française. »

Bernard Grasset, comme d'ailleurs ses cousins, répond à l'ambition qu'on lui assigne et passe brillamment son droit. Toujours et
toujours cette même impression affleure: le travail serait pour lui
le seul rempart aux turpitudes de son âme. D'un manque, d'un
renoncement serait née son œuvre; nostalgie en serait le mot de
passe. Collégien génial, étudiant exceptionnellement doué, jeune
homme au cœur triste, est-ce ainsi qu'il convient de le résumer?
Puisqu'il ne nous montre rien de ces années-là, il nous reste à
supposer. Étudiant exceptionnel, il le fut sans aucun doute. Licencié en droit en 1901, il s'inscrit au barreau de Montpellier dès
l'année suivante et prépare un doctorat. C'est, en tout cas, ce qui
transparaît à travers un document officiel dans lequel le préfet de
l'Hérault certifie que « Monsieur Grasset, Bernard, Félix, Joseph,
né le 6 mars 1881, a participé à la formation de la classe 1901 dans
le premier canton de Montpellier, qu'il a été déclaré bon par le
conseil de révision et dispensé du service militaire, premièrement
comme aîné de veuve, deuxièmement aspirant au doctorat en
droit ».

Ce fut un « avocat spirituel », affirme Ernest Gaubert, un de ses
amis de Montpellier, qu'il éditera à la naissance de sa Maison, en
1907. Lui-même, en janvier 1930, dans sa préface au livre de Louis
Roubaud *la Chose judiciaire,* se remémore son « court passage au
barreau » et s'étend sur son désenchantement et sa révolte:

J'abordais alors pour la première fois l'habileté de l'homme et l'usage qu'il fait dans ses compétitions de ce qu'il nomme des principes ; et j'étais, en ce temps-là, sans indulgence. Depuis j'ai connu d'autres jeux de l'homme et d'autres habiletés. Je sus même y prendre goût. Mais ma vieille rancune est restée... Capus disait : « Il faut toujours expliquer clairement ses affaires à son avocat ; c'est à lui de les embrouiller. » Je veux dire à peu près la même chose. Je devais, il est vrai, apprendre plus tard de la vie que, dans toutes les compétitions de l'homme, c'est le plus habile qui l'emporte. Il n'en reste pas moins que cette première rencontre que je fis, au Palais, avec l'habileté me choqua et fixa en moi pour toujours un sentiment de vérité pitoyable à l'égard de ceux qui vivent de la justice. Un jeu entre quelques-uns, sans rapport avec le réel. Telle m'apparut alors la chose judiciaire. J'avoue qu'il m'est, encore maintenant, fort difficile de la voir sous un autre aspect. Son divorce avec le réel : voilà bien mon grand grief contre la justice.

Cette querelle personnelle qu'il cherche à la justice n'est-elle pas querelle d'amoureux, se demande-t-il plus loin ? Singulière interrogation où il lève peut-être, et de manière inconsciente, le voile sur cette part cachée de lui-même. Parce que, en effet, la « chose judiciaire » le renvoie à son père qui « était de la basoche », à l'étude d'avoué près du château des ducs de Savoie, au premier clerc en manchettes de lustrine, bref, à toute son enfance et son adolescence. A tout ce qu'il a effacé. L'a-t-il effacé, est-il entré en révolte contre ces années si essentielles dans une vie par dépit amoureux ? Ou plus précisément par manque d'amour, cet amour qui lui fut prodigué enfant, et dont il ne retrouvera plus la saveur après la mort de son père ? On le pressent depuis qu'on cherche à le deviner, et au hasard d'une préface, il donne un début de réponse.

*

Par-delà sa « maladie de l'âme », a-t-il participé à l'agitation politique qui marque la charnière des XIXe et XXe siècles ? L'affaire Dreyfus vient de secouer la France tandis que le radicalisme et le bloc des gauches s'imposent sur la scène politique. Bientôt l'anticléricalisme va triompher. Les Grasset, fervents catholiques, sont à contre-courant. Bernard lui-même est du côté de Charles Maurras et de l'Action française. Celle-ci prolonge l'enseignement contre-révolutionnaire de Joseph de Maistre que son père a magnifié. Si l'identité originelle que chacun porte en lui, consciemment ou inconsciemment, infléchit, détermine la trajectoire de sa vie, alors Bernard Grasset n'a-t-il pas appréhendé le débat politique à travers le discours et les attitudes de son père ? Ses racines, sa trace aurait dit le philosophe Michel Foucault, sont là, dans ce catholicisme antijudaïque, sinon antisémite, nationaliste et teinté de jansénisme. Cette foi, plus mystique que religieuse, à la lisière de la superstition, il l'exprimera dès ses treize ans à l'occasion d'un voyage à Lourdes :

> Ce qui m'a le plus frappé et dont, je crois, je me souviendrai le plus, c'est la procession du Saint-Sacrement devant les malades... Tous ceux qui font partie de la procession supplient le Bon Dieu de guérir les malades ; mais ce ne sont plus des prières, ce sont des cris poussés vers le Ciel. Tous les assistants et spécialement les prêtres sont transportés et ne s'appartiennent plus... Devant un tel déploiement de foi, on ne pourrait rester sans être ému jusqu'au fond de l'âme. Les processions de la nuit, sont, elles aussi, magnifiques. Quelquefois plus de vingt mille personnes y prennent part. C'est splendide. La grotte est singulièrement attachante. Elle jouit d'un je-ne-sais-quoi qui fait que plus on la voit et plus on a de plaisir à y retourner.

Ces sentiments seraient sans doute ceux de n'importe quel jeune garçon dans les mêmes circonstances. Il y a que Bernard Grasset les exprime avec une gravité qui fait certainement écho à l'éducation catholique qu'il a reçue. Quand commence la perception idéologique du monde, sinon à cet âge où le cœur s'enthousiasme ou se défait d'un rien ? Bernard Grasset est de cette génération maurrassienne qui, au sortir du collège ou du lycée, n'avait de cesse de dénoncer les immenses lacunes des structures morales, spirituelles de la République.

> Le premier mot que je tiens à écrire parlant de Charles Maurras est le mot : ferveur. J'ai rencontré sa flamme à dix-huit ans. Elle me vint de son *Anthinéa*, cantique à la sagesse et à cet ordre qui fait le beau ; et, par surcroît, vivant portrait de lui-même. J'ai ainsi abordé le maître à l'heure la plus fervente de ma vie où un grand besoin de donner m'animait sans que je susse quoi et comment donner... Maurras ? Quelle nourriture pour un adolescent ! Quelle preuve vivante que la culture n'est point somme de connaissances, mais élaboration, perpétuel dégagement ! Quelle leçon d'harmonie, à l'orée de la vie, dans le grand débat du « sentir » et du « faire » qui précède toutes les vocations !

D'un côté, la ferveur catholique, héritage de son père et de Joseph de Maistre ; de l'autre la mystique païenne de Charles Maurras, une mystique du beau, de l'ordre harmonieux, de la synthèse idéalisée entre Rome et Athènes. Découvrant Paris, vers qui ira-t-il très naturellement ? Vers les amis de Maurras — Jean Moréas, Maurice Barrès, Jules Lemaître —, vers des écrivains catholiques comme Émile Baumann, Charles Péguy, Émile Clermont, vers des disciples de la droite intellectuelle comme Alphonse de Châteaubriant et Henri Massis.

Juin 1905. Il obtient son doctorat en droit ès sciences économiques. Sujet de sa thèse : « Exposé théorique du fonctionnement des lois, des prix en matière de transport par chemin de fer »... Ce travail de technicien dans un domaine des plus étroits l'aura certainement habitué à la dialectique des économistes. Éditeur, il interviendra très souvent, et violemment, dans les discussions entre sa profession et l'administration publique. Il se posera en véritable théoricien du marché du livre. Au début de 1906, les relations qu'il entretient avec l'économie et les prix vont, plus modestement, le conduire à Reims, à la Société générale. Son expérience bancaire fait long feu. Dès le printemps il est de retour à Montpellier. Revient-il auprès de sa mère, gravement malade ? En tout cas il habite, comme avant son départ pour Reims, chez son oncle Joseph Grasset, rue Jean-Jacques-Rousseau. Exerçait-il son métier d'avocat ? Non, très probablement. Il est au chevet de sa mère, sans plus. Elle meurt le 19 octobre 1906.

Un nouveau choc. Réfléchissant en 1937 à la place qu'occupe la mère dans l'œuvre de Marcel Proust, il fera, une fois encore, un étrange aveu par personne interposée. Une démarche décidément très fréquente, comme s'il voulait se démasquer timidement à travers d'autres, plutôt que franchement par lui-même. Proust, explique-t-il, a recherché toute l'audience, toute la récompense dont il avait besoin, dans les applaudissements ou l'approbation de sa mère. Et de préciser : « Jusqu'au jour où il fut privé d'elle — et qui décida de son destin — il ne vécut que d'elle et d'on ne sait quelle attente. A cette lumière tout s'éclaire des apparentes contradictions de sa vie, du long silence qui devait suivre ses premières tentatives d'écrivain, de ce tragique débat intérieur qui ne prit fin que par le don qu'il fit, si tard, de sa personne à son œuvre. » Parle-t-il seulement de Proust ou de lui et de Proust ?

La disparition de Marie Grasset née Ubertin ouvre la succession. Le partage entre les quatre enfants Grasset, Bernard, Joseph, Mathilde et Marguerite, se fera très vite et sur la base d'un accord amiable. Bernard affirmera, dans plusieurs lettres, que sa mère l'aurait déshérité. Ce qui est faux. Il est exact, en revanche, que Marie Grasset a laissé un testament aux termes duquel elle entendait privilégier Mathilde et Marguerite. C'était une pratique courante : les filles ne faisant pas d'études supérieures, n'ayant pas de métier, on compensait ces désavantages par une amélioration de la dot.

En vérité, cette succession ouvre surtout pour Bernard Grasset l'occasion de rompre les amarres avec Montpellier, de déchirer des pages tachées d'affliction et, peut-être, d'ordonner son chaos intérieur. Avons-nous trop longuement, et en vain, tenté d'explorer ce silence méthodiquement entretenu sur son enfance, son adolescence, sa jeunesse ? Les derniers fils où s'enracine Bernard Grasset sont cachés dans ce long refus — vingt-cinq ans ! — de lui-même, dans cet exil volontaire. Douloureux méandres dont les véritables causes restent une énigme.

Au fond, quand il prend son indépendance, Grasset n'a pas encore accepté le jeu cruel de grandir, qui a pour règle unique la déploration consciente de l'enfance perdue, ou le rejet de ce qu'elle pouvait contenir. Dans le train qui l'emmène vers Paris, songe-t-il que l'heure de sa renaissance a sonné ? Il se trouve dans un de ces moments à la fois hypothétiques et décisifs de l'existence, quand tout paraît commencer. Et il n'y a rien de plus fécond à scruter que les commencements.

« On publiait en ce temps des auteurs et non des sujets. »

BERNARD GRASSET

2

« MOUNETTE »

*Tout commença en 1907, rue Gay-Lussac, avec ce petit bou-
quin de quatre-vingt-douze pages, alertes et enjouées. — L'enseignement de Charles Péguy et d'Alfred Vallette. — Un stratège
de la vente. — Le compte d'auteur. — Jean Giraudoux, son
premier « poulain » et son ami. — 61, rue des Saints-Pères. —
Le succès des pastiches* A la manière de... — *Il édite Péguy.*

J'ai rencontré Paris dans cet âge qui précède les vocations. Temps
incertain où rien n'appelle... Immense vide. Je me suis d'abord donné à la
ville. J'ai rencontré Paris dans l'âge de mon plus grand besoin d'aimer.
Aujourd'hui j'ai cinquante-huit ans. Je me fais un peu violence pour
l'écrire... Il me semble que je me laisse aller. C'est un grand progrès sur
moi-même.

Ce lundi 6 mars 1939, quand il jette ces quelques phrases sur le
vaste registre cartonné qui ressemble à un album de photos et qui
lui tient lieu de journal intime, Bernard Grasset fait, comme il n'a
jamais cessé et ne cessera jamais de le faire, un retour sur lui avec
une pointe de nostalgie. Quand il ne sombre pas dans la neurasthénie.

Mince, nerveux, vibrant, Grasset débarqua dans la capitale en
février 1907. Sa vie à Montpellier n'est plus à sa mesure. Depuis sa
brève et décevante expérience professionnelle à Reims, il nourrit
de grandes ambitions ; il ne sait pas encore lesquelles. Il a le
visage, l'allure, d'un garçon de dix-huit ans. Il en a vingt-six.
Henry Rigal, un ami de sa famille, auteur d'études sur Victor
Hugo, Molière et le théâtre classique, a fait, avec lui, le voyage.
Quinquagénaire et incorrigible bohème en mal d'écrire, sorte de
pierrot malingre aux yeux de charbon, Rigal a quelques entrées
dans l'univers littéraire de l'époque. Il fréquente en particulier le
Vachette — aujourd'hui la brasserie Soufflot —, célèbre café du
Quartier latin où Verlaine eut sa table et où se retrouvent, sous la

houlette du poète Jean Moréas, « le philosophe Gillouin, subtil vulgarisateur de Bergson ; Léon Lafage, conteur à barbe légendaire, rival de Daudet ; Gabriel Boissy, organisateur des dramaturgies d'Orange et imitateur de Mounet-Sully ; André Billy, critique admirable de Flaubert ; le romancier Charles Dérennes, maestro en prose et en vers, qui s'est fait écrivain comme on se fait notaire ; Paul Souday, qui devait se faire une belle place de critique au *Temps* ; Jean Giraudoux, qui n'avait pas encore publié ses charmants volumes humoristiques et qui arrivait tous les jours avec une nouvelle épigramme[1]... »

Antoine Albalat, du *Journal des débats*, faisait régner la terreur dans les lettres. On se montrait les Tharaud qui prenaient une consommation unique avec deux pailles. Il y avait Toulet et Numa Saragnon, qui devait servir de modèle à Daudet pour son Numa Roumestan. Et beaucoup d'autres encore, comme Henri Menabréa, Joachim Gasquet, Jacques Dyssord ou André Tudesq, dont les noms n'ont pas survécu à l'usure du temps mais qui furent les premiers auteurs de Grasset, pour quelques-uns ses amis.

Tout cela sent l'olivier et l'influence méditerranéenne. Au Vachette, Moréas trône comme un dieu non classique, exécutant avec allégresse tous ses contemporains. Grasset raconte qu'il osait parfois interroger le poète : « Que pensez-vous d'Untel ? — C'est de la merde. — Et Untel ? — C'est de la sous-merde. — Alors, maître, que direz-vous dans ce cas de cet autre ? — Ça, Grasset, ce n'est rien du tout... » Le futur éditeur est à bonne école !

Bernard Grasset n'ira pas d'emblée à la conquête de ce petit monde, qui tout à la fois l'intimide et le fascine. Il se laisse d'abord gagner par la ville. Plus précisément par le Paris qui va du Panthéon à la Seine et de la Closerie des Lilas à Saint-Germain-des-Prés. Paris, dira-t-il plus tard, le prit comme prend une femme, le retint jusque par son odeur, qu'il trouvait poivrée et où il puisait chaque matin, à peine le nez à la fenêtre, on ne sait quelle volonté d'agir, de bien faire.

Il habite rue Toullier, à l'hôtel des Mathurins, en face de cet hôtel Toullier où Rainer Maria Rilke, qu'il publiera et préfacera en 1937, avait séjourné. Il reprend aussitôt son habitude de noter ses impressions dans un cahier qui lui survivra. Il traîne, en effet, derrière lui son amour de jeunesse, la douce Marie-Thérèse Vial. Il réveille avec émotion les étés passés en Dauphiné, avec l'élue de son cœur et, dans son souvenir, il aime d'un amour égal le pays qu'elle habitait ; la chambre « haut perchée » d'où il découvrait la Dent du Nivolet ; ce « fichu Marie-Antoinette » réservé pour la messe du dimanche ; ces promenades qu'ils faisaient ; ce château Louis XIII de Moissieu, avec ses tuiles rouges ; ces soirées où la grand-mère leur jouait des valses de Chopin ; et ses rêves sur la terrasse. « Pour moi, écrit-il, l'amour est essentiellement une chose qui illumine et qui donne le goût des prouesses. »

Paris allait détrôner la jeune Dauphinoise dans son cœur avide. A l'hôtel des Mathurins, il médite sur le titre d'un roman, très à la mode, de Jean de Tinan : *Penses-tu réussir ?* Qu'il puisse réussir, Grasset n'en doute pas. Il n'est pas encore fixé sur la direction à prendre. Début mars, il écrit à son oncle Joseph et lui expose son projet de tenter le concours du « rédactorat » du ministère du Commerce. Il est classé premier. Il se présente pour occuper le poste qu'on lui propose. Le fonctionnaire qui le reçoit lui explique le travail, le plan de carrière, le système d'avancement. Cette morne existence dans l'ambiance désabusée des bureaux de l'administration l'effraie ; elle lui rappelle l'expérience qu'il prête délibérément à son père, « mort d'ennui, n'ayant jamais pu plier son âme aux pauvres choses de son métier ». Il remercie avec politesse, de son plus fin sourire, l'œil distrait. Henry Rigal, le hasard et un peu d'argent viennent alors à son secours.

*

Bernard Grasset a maintes fois raconté la façon dont il a fondé sa Maison. Sa version, sinon dans les détails, n'a guère varié, et l'on devrait, par conséquent, la tenir pour conforme à la réalité.

Un jour du mois d'avril 1907, peu de temps après avoir dédaigné la fonction publique et s'être installé 49, rue Gay-Lussac, Henry Rigal lui donne à lire son dernier manuscrit, *Mounette,* qui chante les charmes d'une gamine du Quartier latin. « Tu cherches un emploi pour ton activité ? Un bel usage à faire de ton or ? lui dit Rigal. Les éditeurs coalisés ont refusé mon texte. Ils sont intoxiqués par les médiocrités quotidiennes et ça les change trop. Sois plus avisé. La petite est là sur mon cœur. Vous êtes faits pour vous entendre. Prends-la. »

Il accepte. Pour utiliser son « or », comme paraît le suggérer Rigal ? Parce qu'il se sent investi d'une mission, habité par une vocation, par le souci de « servir un groupe », celui du Vachette[2] ? Ou plus simplement parce qu'il a besoin de gagner sa vie ? Dans l'*Évangile de l'édition selon Péguy,* une œuvre posthume qu'il rédigea à l'orée de sa mort, il écrit :

> Comment n'aurais-je pas ressenti comme premier devoir celui de vivre ? Là, il semble que le hasard joua... Je devins éditeur parce que Henry Rigal avait besoin d'un éditeur, qu'il n'en connaissait pas, et moi pas davantage. Simplement j'ai continué. Mais doit-on parler là de hasard ? Le vrai est que le métier d'éditeur m'apparut comme la prise particulière sur le réel qui s'imposait à moi, se trouvant au carrefour de

tout ce qui valait, selon moi, d'être poursuivi... Je croyais m'affirmer suffisamment par mes choix et tirer assez de gloire de celle des autres.

Le métier d'éditeur, ce fut — et cela aussi il le dira — sa « façon d'écrire ».

Et cet or qu'évoque Rigal? Bernard Grasset disposait-il d'une coquette somme d'argent, assez ronde pour le dégager du souci du quotidien? Grasset, quant à lui, a toujours prétendu qu'il n'avait « pas un liard ». Il avait hérité, en 1906, à la mort de sa mère, de 13 997 francs, environ 200 000 de nos francs. C'est, apparemment, dérisoire. La comparaison n'est pas significative. Au début du siècle, le lancement et la gestion d'une « librairie », comme on le disait à l'époque, ne sont pas soumis aux mêmes impératifs financiers qu'aujourd'hui. Les frais de fabrication et de diffusion d'un livre de deux cent cinquante pages sont estimés, selon Grasset lui-même, à quelque 850 francs pour le premier mille. Avec son pécule, il pouvait, théoriquement, éditer seize ouvrages. En 1989, pour disposer d'une marge identique de sécurité, il faudrait avoir devant soi au moins 1 000 000 de francs.

A son héritage, faut-il ajouter 1 500 francs gagnés aux courses à Enghien? C'est ce qu'affirme Louis Brun, un homme qui accompagnera, au jour le jour, Bernard Grasset pendant sa période la plus glorieuse, un personnage central de sa vie, qui fut son « second » de 1907 à 1939.

« Sûr, fidèle, inoxydable, parant de son sourire d'Oc tous les trésors de la raison pratique, Louis Brun, qui savait déjà le papier, la casse et la librairie, commença fraternellement, à la tête de sept à huit livres, sa carrière de grand directeur. » Ainsi le décrit Léon Lafage, qui oublie d'ajouter que Brun fut également le souffre-douleur, la victime du caractère entier, infernal, césarien de son patron. Est-ce la raison qui le pousse, non sans laisser percer son amertume, à dépriser la légende d'un « Grasset parti de rien »?

Voici, en tout cas, ce qu'il écrit dans deux notes personnelles, identiques sur le fond, l'une de décembre 1919, l'autre de janvier 1933:

Ce grand éditeur qui prétend qu'avant lui l'édition n'existait pas, le voici tout nu! Une après-midi de mars 1907, je le rencontrai boulevard Saint-Germain. Nous nous connaissions de Montpellier. Il m'emprunta 20 francs qu'il joua à Enghien. Il gagna 1 500 francs qui l'aidèrent à publier *Mounette,* un livre de Rigal. Il me demanda aussitôt de travailler avec lui. Petit à petit, je lui donnai la confiance nécessaire; son ignorance des choses de librairie lui permettait de croire à une vente rapide et à un règlement non moins rapide des libraires. Puis, il me promit l'association. Mais devant le succès croissant, il préféra rester le seul maître. Première promesse non tenue.

Ce récit, on s'en doute, est loin de celui que livra Grasset aux
journaux, dans ses ouvrages, et plus particulièrement dans un
curieux factum de soixante-six feuillets qu'il remit, le 7 janvier
1934, à Alexandre Millerand, ancien président de la République et
avocat de profession :

> Commençons par ma Maison. Comme je vous l'ai dit plus haut, je l'ai
> créée à vingt-cinq ans, sans moyens pécuniaires et sans relations ; j'habi-
> tais un troisième étage rue Gay-Lussac, composé de deux pièces : l'une
> où je couchais, l'autre où je me déclarais éditeur. Quelques mois, je fus
> seul ; puis je rencontrai Louis Brun que j'avais connu à Montpellier, lors
> de mes études de droit (je suis docteur en droit). Il était alors très
> modeste employé chez un fabricant de papier ; comme il se trouvait être
> le fils d'une libraire de Montpellier, je me l'adjoignis, sans d'ailleurs lui
> confier aucune besogne délicate, pas même celle de tenir mes livres.
> Nous restâmes seuls pendant un an et demi ; puis, peu à peu, encouragé
> par mes premiers succès, j'agrandis ma Maison et formai des êtres autour
> de moi. Je gardai à Brun son titre de second, auquel il tenait et dont il
> abusa vite de la pire manière, comme je vous le dirai. Je lui pardonnerai
> néanmoins tout, tout au long de ma vie, n'ayant pas mon idéal dans le
> profit, mais dans la croissance de ma Maison.

En fait, à ses débuts, Bernard Grasset a surtout été aidé par son
oncle Joseph et son cousin Pierre. « J'avais connu Grasset, prétend Louis Serre, au temps où il fondait sa maison d'édition avec
les subsides que lui consentait son oncle, l'éminent professeur
Grasset[3]. » Une lettre du 29 novembre 1908 de Grasset à Brun
témoigne dans ce sens. La toute jeune maison vient de sortir, avec
retard, *Un conte bleu,* premier roman de Pierre Grasset. « Ci-
joint, carte de mon oncle qu'il me fait porter par son domestique,
avec "très urgent". Ils sont très fâchés que le livre n'ait pas paru le
15 octobre comme nous l'avions promis et je crois que c'est fini : ni
Pierre, ni mon oncle ne nous donneront plus rien. C'est très
ennuyeux. Je crois que mon oncle comptait beaucoup sur le
Goncourt où il a des relations. Ceci entre nous. »
Toutefois, ce soutien financier que lui apporte sa famille ne
ressemble en rien à ce qui s'appelle un investissement. Deux ans
plus tard, Bernard Grasset sollicitera à nouveau son oncle Joseph
pour une somme, non négligeable, mais qui ne constitue toujours
pas un capital : 10 000 francs.

> Je me permets, écrit-il, de faire passer cette lettre par Pierre, plus près
> de moi. Il a pu me suivre et pourra vous expliquer bien des points de ma
> lettre. Depuis longtemps je voyais l'utilité de vous exposer ce qui va
> suivre. J'avais été arrêté parce que, ayant fait appel à votre générosité
> dans des circonstances difficiles et présentant un caractère d'absolue
> nécessité, je craignais que vous confondiez cette seconde démarche avec

la première et les premiers mobiles avec les seconds. Or il n'en est rien. Je choisis précisément le moment où mes affaires sont en pleine prospérité, où je n'ai aucune inquiétude prochaine pour examiner dans son ensemble ma situation. Ce qui est acquis et ce qui est à faire.

... Si vous faisiez une petite enquête dans les milieux littéraires de Paris, vous verriez que le plus grand nombre de jeunes auteurs et même d'auteurs arrivés rêvent d'être édités par moi. Cette même réputation, je l'ai chez les libraires et chez tous mes fournisseurs... Pour toutes ces raisons, de nombreuses propositions de commandites me sont transmises. Toutes très élevées (de 300 000 à 500 000 francs). Je les ai d'ailleurs montrées au fur et à mesure de leur réception à Pierre, à l'oncle Louis, en un mot à ceux qui, près de moi, s'intéressent à mes efforts. C'est ici, mon cher oncle, que je vous demande de bien me suivre. Si j'ai refusé ces commandites, c'est que j'estimais que je n'étais pas actuellement en mesure de les accepter. Avant de négocier une commandite, surtout portant sur une grosse somme, il est nécessaire d'avoir un ordre intérieur parfait. Cette révision complète de ma comptabilité intérieure est, de ce fait, mon principal souci [...]. Je suis donc arrivé à la suite d'examens et de réflexion répétés à préciser ainsi une nécessité où je me trouve : ayant fondé et développé ma Maison sans capitaux, je ne peux donc en une seule fois acquérir une grosse commandite. Il faut que je divise en deux l'opération :

Premièrement : acquisition d'une certaine somme, beaucoup moins importante, et destinée à me permettre de mettre mon ordre intérieur au point désirable.

Deuxièmement : acquisition de la commandite importante.

J'estime que la somme nécessaire pour me permettre cette mise en ordre préliminaire est de 10 000 francs, c'est-à-dire la somme totale à laquelle s'élèvent mes frais mensuels. Vous comprenez très bien, mon cher oncle, que sous la pression des gains mensuels nécessaires, il m'est impossible de marquer un temps d'arrêt sans un appoint extérieur s'élevant environ à mon budget mensuel.

Ce courrier du 23 juillet 1910 situe parfaitement l'état des relations entre Grasset et sa famille et permet d'apprécier sa pratique des affaires, cet instinct qui a dominé toute sa vie, cette intuition qu'il avait de lui-même, de ses dons. Il manœuvre en militaire qui sait utiliser le terrain, en fin psychologue qui connaît son interlocuteur. Qu'on en juge plutôt :

A vous seul, mon cher oncle, je pouvais exposer la situation avec tous les détails nécessaires, et à vous seul je pouvais venir vous demander de me mettre en mesure de m'accroître. Je le fais cependant avec quelque appréhension, car je crains que vous ne compreniez pas suffisamment la situation. Il n'y a pas là chez moi un besoin immédiat d'argent [...]. La situation actuelle peut durer, mais au préjudice de mon avenir, peut-être et surtout de ma santé [...]. Je vous demande de me permettre de franchir le premier échelon. Cette somme de 10 000 francs dont je vous demande de me faire l'avance vous serait remboursée au bout de trois ans. L'intérêt serait de quatre pour cent. Je suis prêt à contracter le jour du prêt une assurance sur la vie que je vous remettrai en gage. En un mot j'entourerai cette avance de toutes les garanties possibles. Veuillez examiner la chose commercialement et surtout, je vous en supplie, ne pas assimiler cette demande à mon premier appel. La situation a bien changé depuis lors. [...] Si vous n'êtes pas encore persuadé, ne me répondez pas tout de suite. Mûrissez votre décision, renseignez-vous. Je vous supplie, mon cher oncle, de comprendre toute l'importance de votre détermination. Sans vouloir aggraver les choses, je crois qu'il en va vraiment de mon avenir... Je lutte avec acharnement depuis trois ans, j'ai fait mes preuves et je crois vraiment mériter l'aide que je vous demande [...].

Revenons à juin 1907. Grasset a tranché : il éditera *Mounette*. Et comme il n'est pas d'entreprise, si vaste soit-elle, « dont on ne puisse jeter la première base, dans la minute même où on l'a conçue », il fonde autour du 1er juillet les « Éditions nouvelles » — les statuts seront officiellement déposés le 21 octobre —, domiciliées chez lui, rue Gay-Lussac. Il envoie le manuscrit à des cousins, les Danel, imprimeurs à Lille. Mais ceux-ci refusent le travail : « C'est un roman licencieux et nous avons des femmes dans les ateliers. »

Finalement, *Mounette*, tiré à mille exemplaires, est fabriqué chez un imprimeur de Montpellier où Grasset avait édité sa thèse de doctorat en droit. Mounette, c'est la petite amie du Quartier latin dont on évoque, en s'attendrissant, la silhouette gracieuse encore qu'imprécise. Avec son lourd chignon, sa longue jupe et son odeur de citronnelle, elle passait devant la terrasse du Vachette. C'était l'époque des omnibus à chevaux que René Clair allait faire revivre dans *Le silence est d'or*.

Ainsi, tout commença avec ce petit bouquin de quatre-vingt-douze pages, alerte et enjoué, qui s'ouvre comme un poème en prose, très « d'époque » :

> C'était en octobre, je me le rappelle.
>
> Un soleil usé faisait sa promenade d'adieux, peut-être, dans le vaste jardin recueilli où quelques fleurs, sentimentales affligées, allaient mourir de regret, roses pâles et chrysanthèmes poitrinaires.
>
> Je vous regardais, petite fille jolie au grand chapeau enrubanné, tandis que vous attardiez votre rêverie soucieuse près du bassin enguirlandé, où sont les cygnes ; vous paraissiez vous intéresser à ces volatiles,
>
> > *De nos vaisseaux le modèle achevé*
> > *Se rabaissant en proue, en poupe relevé,*
> > *L'estomac pour carène, etc., etc.*
>
> ainsi que les figurait joyeusement l'abbé Delille.
>
> La robe que vous portiez était aussi bleue que tous les myosotis d'un printemps ravi et j'eus envie de vous comme des premières cerises, lorsque j'étais enfant.
>
> Je m'approchai et je dus vous demander, car c'est ma coutume en la

circonstance, si vous vouliez bien que nous fassions connaissance. Je me souviens parfaitement que vous m'avez répondu : « Ça peut bien se faire. »

... Alors, faisons tout simplement ce que nous avons à faire.

Voilà donc les premières phrases qui ont retenu l'attention de Bernard Grasset, et scellé son destin. Mounette, perdue dans la foule des boulevards, fut la marraine d'une des plus illustres maisons d'édition du siècle. Si Grasset avoue qu'« il y a peut-être une naïveté à l'origine de toute entreprise », il se flattera, avant tout, d'avoir eu ce flair, cette grâce des dieux qui permettent, sur la foi de quelques lignes, de repérer le talent. Était-il, lisant le manuscrit de Rigal, pénétré de la qualité supérieure de son jugement, de son bon goût?

> Souvent, dès la première page, je suis fixé... La première chose que je demande à un livre, c'est la sincérité. Je flaire tout de suite le fabriqué, l'œuvre qui ne répond en rien à un besoin du cœur, à une nécessité de dire, mais au seul besoin de faire figure d'écrivain, ce que Duvernois appelle quelque part l'ouvrage mensonger. Croyez-moi. Il est des mots, des idées, des images qui ne trompent pas. On est en présence d'un faiseur.

Maître de son métier, l'ayant en quelque sorte fabriqué, il n'a jamais cru devoir apprendre des autres. Sur le plan de son action, il était toute certitude. En cela tient le succès de son départ pour le moins audacieux. Il a, au mieux, 15 000 francs en poche. Il ne sait rien de ce qui l'attend. Il ignore tout du monde dans lequel il entre. Et pourtant, on a le sentiment qu'il s'engage sans l'ombre d'un doute. Il plonge d'abord pour ensuite apprendre à nager. Inconscience? Le mot s'applique mal à Bernard Grasset. Chez lui, toutes les décisions importantes sont déclenchées par cette étonnante force impulsive qui reste, au fond, la marque de son génie, de son originalité et, sans doute, de sa névrose. « Un blessé de l'âme », dira de lui Jean Cocteau.

*

Alors qu'il inaugure sa Maison, une personnalité du Tout-Paris mène la vie d'un « rentier dilettante, ami des arts et des femmes[4] » : Gaston Gallimard, qui sera bientôt son alter ego dans l'édition française. Né comme lui en 1881, Gaston Gallimard est l'héritier de Paul, bibliophile et célèbre collectionneur de tableaux. Les deux hommes n'ont en commun que l'année de leur naissance. Gallimard découvrira le métier en 1911, quand les six fondateurs de la *Nouvelle Revue française* — la fameuse *NRF* — chercheront à consolider leur entreprise et à créer un comptoir d'édition. Il a le profil idéal.« Assez fortuné pour contribuer à l'apport de capital et assez désintéressé pour n'espérer de profit qu'à long terme, assez avisé pour conduire une affaire et assez épris de littérature pour placer la qualité avant la rentabilité, assez compétent pour s'imposer et assez docile pour exécuter les directives du groupe, c'est-à-dire de Gide[5]. »

Singulière destinée que celle de ces deux monstres sacrés du Paris littéraire. Dès l'instant où ils commencent à exister professionnellement, tout les sépare.

Bernard Grasset a créé, seul, sa Maison. Gaston Gallimard a été coopté par six écrivains, ambitieux et talentueux, pour les soutenir et bientôt les encadrer. L'un occupe un modeste deux-pièces, « un entresol, presque un tournebride », et restera très longtemps un provincial ; l'autre, parisien jusqu'au bout des ongles, habite un hôtel particulier, rue Saint-Lazare, dans le quartier cossu de la « nouvelle Athènes », le nom que lui donnèrent les impressionnistes. L'un est sans fortune ; l'autre joliment nanti. L'un est un aristocrate moderne, un aventurier doublé d'un amateur de littérature ; l'autre un bourgeois généreux. L'un est passionné, braque, violent ; l'autre madré, conciliant, courtois. L'un ne supportera jamais les concepts d'« école », de « chapelle littéraire » ; l'autre n'aura de cesse d'imposer un cénacle, celui de la *NRF*, avec ses règles d'admission, d'allégeance, d'exclusion. L'un, agité, sec, a le teint gris-jaune des insomniaques et des grands fumeurs ; l'autre, rond, calme, montre le visage reposé des amoureux du luxe, de l'oisiveté, des loisirs. L'un a peur des femmes et elles seront ses esclaves ; l'autre les aime, « mais à bon escient et sans les craindre[6] ». Bref, le premier se fera un nom dans la dynastie des lettres, le second se fera un prénom. Grasset et « Gaston »...

Tout les sépare et ils vont, un demi-siècle durant, camper sur les mêmes terres, se nourrir des mêmes gloires ou presque. Ils bagarreront sans relâche, durement, jalousement, toujours dans une estime et une amitié réciproques. Entre les deux guerres, ils prendront l'habitude de déjeuner une fois par mois en dehors de Paris. Robert, le chauffeur de Bernard Grasset — celui-ci n'aurait pas accepté d'être véhiculé par d'autres —, les conduit au restaurant, les attend et les ramène. Le rituel prend l'après-midi entière. Les deux hommes n'en finissent jamais. Engueulades, réconciliations, anecdotes, éclats de rire... un festival d'histoires plaisantes ou féroces sur les auteurs, sur les femmes, sur les stars du moment. Grasset, « qui peut chanter, à peine un quart de ton au-dessous, les plus jolies villanelles et brunettes de France[7] », veut avoir le dernier mot. Gaston laisse aller, s'amuse. Ils ont une chose en commun : l'éditeur est supérieur à l'auteur. Le chauffeur prend le chemin des écoliers, s'attarde, tourne en rond jusqu'à ce que, brusquement, Grasset décroche.

Personne, hélas, n'a transcrit pour la postérité ces dialogues, qui, mois après mois, furent le reflet vivant et coloré d'une des périodes les plus glorieuses pour les lettres françaises. Robert, entré à seize ans au service de Grasset, a emporté avec lui plus qu'une page de notre histoire, un chapitre écrit en duo au fond d'une voiture et dont il nous reste à imaginer la grandeur, la cocasserie ou la médiocrité. Après 1945, Grasset et Gaston ne se verront pratiquement plus. Ils se téléphoneront.

*

Durant l'été 1907, Bernard Grasset n'a pas encore le téléphone... Il a pour lui son tempérament fougueux et il va s'employer à vendre *Mounette* en appliquant les recettes d'un grossiste qui cherche à placer ses produits et à se constituer un réseau. Il aurait pu, à l'instar de ses confrères, se reposer sur les messageries Hachette. Il se procure par l'intermédiaire de ses amis, avec l'aide de Louis Brun, le nom de plusieurs libraires du Midi et du Sud-Est, la région qu'il connaît le mieux. Le 18 juillet, les libraires de Montpellier, Nîmes, Pau, Béziers sont servis. Deux jours plus tard, annoncé comme le livre des vacances, *Mounette* est en vitrine sur les grands boulevards parisiens avant d'atteindre Lyon, Valence, Toulouse, Avignon, Grenoble, Orange et Chambéry. Enfin, les messageries Hachette reçurent deux lots de cent exemplaires à distribuer dans les gares de Paris et dans les kiosques. A chacun de ces libraires Bernard Grasset consentait une commission de trente-trois pour cent. Conscient de sa silhouette de « premier communiant », soucieux d'inspirer immédiatement confiance, il se présente aux gens qu'il visite ou qu'il reçoit comme le « secrétaire de M. Grasset ». Il utilise également — déjà ! — le bluff publicitaire : « Je me rappelle que je fabriquais de petites circulaires pour annoncer l'ouvrage et j'annonçais en même temps le nom de plusieurs écrivains connus dont je ne devais, bien entendu, jamais rien publier, comme par exemple Henry Bordeaux que je fréquentais de longue date, ayant passé ma jeunesse à Chambéry. En somme, ma Maison d'édition est d'abord partie d'un catalogue fictif[8]. »

Le sort qui fut réservé à la nouvelle de Rigal est difficile à déterminer. La première édition suffit largement à la demande et il est probable que *Mounette* ne parvint à charmer qu'une ou, tout au plus, deux centaines de lecteurs. Il en faut davantage pour décourager Grasset, qui, d'ailleurs, mettra près d'un an, comme l'explique justement Louis Brun, à prendre l'exacte mesure des lentes remontées d'argent dans l'édition, et des... mauvaises surprises. Coup sur coup, en deux mois, il édite cinq fascicules — on ne peut en effet parler de livres. *Hélène,* une pièce en trois actes de Roger Dumas, *la Dramaturgie d'Orange,* un essai sur le nouvel art théâtral, et *la Beauté vivante,* une biographie de la grande tragédienne Segond-Weber, deux textes de Gabriel Boissy. Rédacteur en chef de *Comœdia,* Boissy s'enthousiasma pour les fêtes dramaturgiques d'Orange. Il s'occupa du théâtre des arènes de Béziers, du théâtre du Ramier de Toulouse et du théâtre antique de Carcassonne. *Hélène* sera jouée à Orange en ce mois d'août 1907, et Bernard Grasset ira lui-même, dans les rues de la cité romaine, vendre à la criée les trois bouquins. Début septembre, Ernest Gaubert signe une brochure, *la Sottise espérantiste,* pour laquelle l'éditeur paie — c'est la première fois — une double page de publicité dans *la Bibliographie de la France.* Cette étude polémique qui exprimait « la protestation du sens national contre une tentative dangereuse et ridicule » lui permet d'étendre sa clientèle. Il touche de nouveaux libraires, dans l'est, le nord de la France et à l'étranger : à Bruxelles, Amsterdam, Genève, Lisbonne. Pour favoriser les commandes, il consent une remise de quarante pour cent à tout acquéreur de plus de cinquante exemplaires et parvient ainsi à en placer mille cinq cents[9]. Enfin, rompant avec le parfum méridional, le côté « amicale languedocienne » de ses premières publications, il met en vente, le 13 septembre 1907, *la Vie et la mort de Monsieur de Tournèves,* une nouvelle de soixante-dix pages de Charles Dérennes. Il ne saura pas retenir cet écrivain prolifique et talentueux qui obtiendra le Femina en 1924 pour son roman *le Bestiaire sentimental.*

*

Quel est le succès commercial de cette production ? Très modeste. Ses titres se vendent, au mieux, à deux cents exemplaires, à l'exception, peut-être, de *la Sottise espérantiste,* qui franchira, en quatre ou cinq ans, le cap des deux mille. En soi, ces chiffres n'auraient pas affolé un éditeur aguerri et installé des années 1900. L'édition s'est engourdie. La crise a commencé vers 1890. C'en est fini des tirages qu'atteignaient les romantiques et surtout Maupassant ou Zola, lequel, édité par Eugène Fasquelle, détenait tous les records de vente. La Belle Époque ne l'est guère pour l'édition. Ce n'est pas qu'elle manque d'éditeurs. Au contraire. Elle compte quelques seigneurs, tels Alfred Vallette, qui dirige le Mercure de France depuis 1889, Eugène Fasquelle, Henri Plon, Flammarion, Louis Hachette et le jeune Albin Michel ; quelques vieilles et célèbres maisons comme Stock, Alcan, Charpentier, Hetzel, Émile-Paul, Calmann-Lévy, Larousse, Firmin-Didot ; d'autres firmes enfin, plus ou moins importantes et de fortunes diverses,

Payot, Rider, Costes, Fayard, Ferenczi, Ollendorff, Champion, Lafitte, etc. Ce temps-là ne manque pas non plus de journaux qui font une large place à la critique. Anatole France vient à peine de renoncer à sa chronique régulière au *Temps* sur « la vie littéraire ». Ailleurs sévissent Brunetière, Faguet, Jules Lemaitre, Lanson, Moréas, Thibaudet, pour ne parler que de ceux qui tenaient des rubriques et dont l'œuvre a survécu. Quant à l'environnement économique, il est on ne peut plus encourageant pour un jeune homme téméraire. « Les pâtes à papier de bois chimique et les pâtes de bois mécanique ont fait baisser le prix du papier qui semble être à son minimum, la suppression de l'impôt sur le papier est venu encore dégrever les frais de fabrication. Les tarifs des imprimeurs sont plus bas en 1900 qu'en 1880, ils n'augmenteront que peu avant 1914[10]. »

*

Tout aurait pu concourir à prolonger « le puissant succès de la glorieuse pléiade des romanciers de 1875 à 1886[11] ». Mais l'intérêt, le snobisme n'appartiennent plus au livre. Celui-ci paraît à la traîne au regard de l'explosion technologique qui caractérise les débuts du XXe siècle. La bourgeoisie, qui forme le gros contingent des lecteurs et des lettrés, va vers les découvertes récentes, le téléphone, l'automobile, le cinéma... Pour elle, l'air du temps est frivole, la mode légère, la ville insouciante. Dépassés, un peu complexés, les éditeurs ayant pignon sur rue se cabrent et s'enferment dans des attitudes frileuses. Ils ont aussi une opinion assez méprisante du public, du « gros public ». Ils ne peuvent admettre que le talent véritable séduise la masse. Aucun d'entre eux ne perçoit qu'une clientèle nouvelle, la classe moyenne, avide de connaissances, soucieuse de se cultiver, est à leur portée et n'attend plus que l'éditeur qui sache la séduire. Aucun ne bouge, aucun ne veut recréer les heures bénies « des vraies piles aux étalages des libraires, les Zola étagés en cube, les 120 000 francs que gagnait par an Daudet[12] ».

Chez Albin Michel, Henri de Régnier, régent des lieux, ne permet que la littérature orthodoxe dont les idées sociales ne dépassent pas la moyenne admise dans les salons. Alfred Vallette, au Mercure de France, quand il vend deux mille exemplaires d'un roman de Léon Bloy, affirme: « C'est un succès. » La mentalité qui prévaut va vers la facilité: un livre est porté par sa seule qualité. « Je ne fais jamais de publicité pour les ouvrages que j'édite, déclarait le même Vallette à Georges Duhamel. Ou ils sont mauvais, et c'est bien inutile de faire quelque chose pour les sauver. Ou ils sont bons, et alors ils finissent par s'imposer tout seuls. »

Bref, l'éditeur ne se met guère en frais. Il se contente d'annoncer l'ouvrage dans le vieux journal des libraires, *la Bibliographie
de la France,* fait quelques envois gratuits à la presse et attend les
commandes. L'œuvre est « abandonnée à sa propre force », selon
la formule qu'emploiera Grasset en 1951, précisant : « Le mot
lancer n'avait pas cours dans le langage de la librairie. Lancer,
aujourd'hui, c'est créer l'événement. Et nul n'avait encore eu
l'idée, pour un livre, de créer l'événement. Créer l'événement,
éveiller la curiosité du nombre, provoquer le besoin du nombre,
cela supposait acquis aux choses de la littérature tout un public,
qui, à cette époque déjà lointaine, n'avait pas encore pris goût à
ces sortes de compétitions. Le sport avait là devancé la littérature. »

*

Pressent-il en 1907, alors qu'il court les rues d'Orange et va de
porte en porte chez les libraires des grands boulevards, les changements profonds et souterrains qui s'opèrent à l'insu de ses prestigieux concurrents ? Si l'organisation d'un « lancement », au sens
où il l'entendra au lendemain de la Grande Guerre, n'a pas encore
mûri dans son esprit, il est remarquable qu'il mesure très vite la
nécessité de préparer la mise en place d'un livre. L'idée d'une
stratégie commerciale, mêlant le bon sens, l'agressivité et l'imagination, le hante. Et il va, dès l'automne, déroger aux méthodes
traditionnelles de ses pairs, en essayant d'exciter la curiosité des
libraires à propos d'un récit de Léon Lafage, *la Chèvre de Pescadoire.* Il croit dans ce livre, et il éprouve de l'amitié pour son
auteur, jeune nouvelliste du *Journal,* le quotidien de Catulle
Mendès. Un soir, à l'heure anisée, quand le Luxembourg roucoule
de ramiers et de femmes, Lafage passe devant la terrasse du
Panthéon, où son ami Charles Dérennes boit un verre avec Grasset. Présentations.

« Monsieur, dit Grasset, avez-vous un roman ?
— Non...
— Des contes ? Parfait ! J'en ai lu un de vous ce matin même au
Journal.
— C'est le troisième épisode d'une histoire qui en comprend
quatre.
— Avez-vous un titre ?
— *La Chèvre de Pescadoire...*
— Très bien. Garçon, de quoi écrire ! »

La promesse d'éditer est signée sur-le-champ. Grasset vient de
prendre Léon Lafage au lasso. Sa façon à lui d'agir, de charmer. Il
voit dans son poulain le futur prix Goncourt, créé en 1903. Il

demande à Henri Deluermoz, peintre animalier, d'illustrer la couverture, ce qui était alors assez rare. Il alerte les libraires, tente, en vain, d'obtenir des échos dans la presse. En novembre, le livre, « encorné d'une chèvre à sonnailles, escarpée et sans révérence », est en vitrine. Il se vend bien. Le 9 janvier 1908, à un libraire qui lui réclame *la Chèvre de Pescadoire*, Grasset affirme : « Je ne peux vous en livrer actuellement que six exemplaires, car je fais tirer à cinq mille exemplaires cet ouvrage qui est un gros succès. » Il ne ment pas et, fin avril, il remet 800 francs — 12 000 francs actuels — de droits d'auteur à Léon Lafage[13]. Celui-ci, conteur savoureux et rieur, écrira quelque vingt années plus tard : « C'est sur cette bique que nous fîmes, Grasset et moi, notre véritable entrée dans les lettres. Depuis, l'éditeur a préféré acheter une auto. »

*

Une entrée, malgré tout, discrète. Grasset a compris, d'emblée, qu'il lui faut, pour sortir de l'anonymat, pour exister sur la place, décrocher un prix littéraire. Le Goncourt est la chasse gardée d'Albin Michel. C'est le Goncourt qu'il veut, dès cet instant. Il pousse sa *Chèvre,* sans relâche, jusqu'au moment ultime.

> Ce que vous me dites de Lafage, écrit-il à Brun, en novembre 1907, me désole : s'il ne fait pas cette campagne avec cœur, tout est foutu. Et il aurait eu ce prix s'il l'avait voulu. A-t-il vu Lemaître qui était disposé pour lui ? Se remue-t-il ? Tenez-moi au courant journellement de ce qu'il fait. Est-il allé voir Bordeaux ? Ce dernier ne s'occupera de lui qu'autant que Lafage sera allé le voir. Cela se comprend. Poussez-le, poussez-le.

C'est déjà le Grasset des heures glorieuses, impatient, directif, impérieux, chinois. Il y a déjà « une allure Grasset », comme Paul Morand devait dire « une allure Chanel ».

En 1908, une quinzaine de ténors règnent sur l'édition française. Ils ne vendent plus de livres, ils dégringolent dans une navrante torpeur. Bernard Grasset ne règne pas, il commence à vendre ; il se démène avec un dynamisme contagieux. Auprès de lui, rue Gay-Lussac, Louis Brun réalise concrètement les projets, suit au jour le jour les auteurs, les imprimeurs, les libraires. Rude besogne en soi. Combien plus rude sous la tutelle de Bernard Grasset ! Curieux tandem vraiment. Grasset va établir avec son « second » un type de relations d'une troublante perversité, combinant l'affection, le mépris, l'indulgence, la méchanceté, la mesquinerie et la générosité. Une forme d'autorité à la lisière du sadisme, sans le fouet, les clous et le cuir. Aussi étrange que cela puisse paraître, Louis Brun ne se rebellera jamais. Mais il est inutile, pour le comprendre, d'en appeler à Sigmund Freud. S'il fut, apparemment, l'esclave consentant de Grasset, il sut en profiter joliment. Il sut, en dépit des contraintes quotidiennes que lui imposait son « maître », s'offrir une existence de bon vivant, de jouisseur. Il sut aussi, en commerçant avisé et en amoureux des livres — il avait le goût de l'archivage, la patience du collectionneur —, se constituer une admirable bibliothèque nourrie de manuscrits, d'ouvrages signés et numérotés, de lettres autographes, d'éditions originales rares. La plupart des pièces de cette bibliothèque furent vendues, salle Drouot, en mai et juin 1942, par la veuve de Louis Brun. Celle-ci devait en tirer une petite fortune : deux millions de nos francs.

« Souviens-toi, mon vieux Bruno, de la rue Gay-Lussac », dira Grasset chaque fois qu'il voudra amadouer son second. N'est-ce pas avec raison ? Rue Gay-Lussac, ils naissent ensemble à la vie parisienne, clef de toute réussite. Ils démarrent ensemble une entreprise qui repose sur l'exaltation orgueilleuse de l'un et le travail aussi laborieux qu'indispensable de l'autre. Il leur faut sortir, se montrer, se lier aux journalistes, forcer l'entrée des meilleurs salons. Chez Cyprien Godebski — Grasset l'appelait familièrement « Cipa » — qui recevait, avec sa femme Ida, tous les dimanches soir. Chez Henry Bordeaux, chez Alphonse Brisson, le père de Pierre, qui deviendra le directeur du *Figaro,* chez Mme d'Arnoldi, chez Anna de Noailles... Ils n'ont qu'un seul habit pour deux. Grasset refuse volontiers certaines invitations et cède la place à Brun, impatient de se frotter aux gens du monde. Au début de 1908, le tandem prend lentement de l'assurance. Bernard cesse d'être le « jeune secrétaire de M. Grasset ». D'ailleurs, les Éditions nouvelles n'existent plus. Désormais, sur les lettres à en-tête figure la seule mention « Bernard Grasset Éditeur ».

*

Dans toute création, ex nihilo, d'une entreprise, il doit y avoir un moment magique, difficile à discerner, mais qui est le point de non-retour, et ce moment, pour Grasset, c'est donc la publication d'un titre cocasse et rustique, *la Chèvre de Pescadoire*. Il s'est piqué au jeu. Lui qui doutait fort peu de ses capacités de discernement, il est sûr maintenant de pouvoir « modifier l'ordre des choses ».

Cette certitude ne l'empêche pas d'appliquer quelques recettes des anciens. En particulier, le compte d'auteur. S'il n'impose jamais cette formule aux écrivains auxquels il prête du talent, s'il prend entièrement à sa charge *Mounette* et *la Chèvre de Pesca-*

doire, il va, de plus en plus fréquemment, y avoir recours. Pour assurer la trésorerie nécessaire au démarrage de sa Maison, et aussi pour ne pas assumer des ouvrages médiocres. Il ne fera jamais de publicité pour les écrivains qu'il éditera à compte d'auteur et il leur refusera jusqu'au droit d'utiliser son nom.

> Il était entendu que mon nom ne figurerait pas sur l'affiche et je m'aperçois que vous l'avez fait figurer, écrit-il à Maxime Blum qui vient de publier à ses frais *Pilar d'Algésiras,* l'histoire d'une petite danseuse espagnole. J'en suis extrêmement contrarié. Cette affiche est en effet la première annonçant un livre de chez moi, elle annonce un ouvrage qui entre peu dans l'ordre de mes publications habituelles et qui est susceptible de faire définir ma Maison dans un sens où je ne veux pas qu'elle soit définie[14].

Dans l'esprit de Bernard Grasset, et dans celui de ses confrères, le compte d'auteur est une pratique naturelle, une manière de trier l'ivraie du bon grain et d'éviter de graves revers. « Puisque aussi bien, dans ce métier [...] le souci de l'échéance traverse tout, commande tout, et peut bloquer un éditeur dans ses projets les plus profitables à d'autres. » Au soir de sa vie, Grasset continuera de fulminer, dans la tradition de Charles Péguy, contre les intellectuels, les écrivains totalement fermés à la notion d'échéance et il revendiquera haut et fort la « part prépondérante » qui revient à l'éditeur dans le succès d'une œuvre.

> Là, un seul jour vécu ferait plus image que l'exposé le plus consciencieux et le plus fondé en preuves, de ce qui revient à l'auteur et à l'éditeur dans l'entreprise commune, écrit-il dans son *Évangile de l'édition.* En tout cas, dans les faits d'un seul jour apparaîtrait, comme dans un microcosme, ce désintéressement dont parle Péguy, qui inspire les meilleurs d'entre nous. Je pourrais donner, par exemple, pour la journée d'hier la somme dépensée en publicité, pour un seul ouvrage qui a mes soins, et rendre clair que cette somme ne peut être récupérée sur ce seul ouvrage, pour en venir à ceci que je ne recule jamais devant une dépense qui sert la carrière d'un écrivain et sans même que je me demande si je finirai par rentrer dans mes débours.

Jean Schlumberger, l'un des fondateurs de la *NRF,* explique, plus simplement, qu'aucun auteur ne se sentait humilié de « payer d'avance pour trouver un gîte », et cite en exemples Charles-Louis Philippe, Gide, Claudel.

Le compte d'auteur procédait du cercle vicieux à l'intérieur duquel les éditeurs-libraires tournaient en rond et sombraient. N'ayant pas d'argent, en gagnant de moins en moins, ils ne prenaient pratiquement — et en toute légitimité — aucun risque sur des auteurs nouveaux. Que ceux-ci paient, partagent les risques, s'ils se sentent une vocation d'écrivain. Dans sa préface au roman posthume d'Émile Clermont, *Amour promis*, Grasset, évoquant ses souvenirs de 1907 à 1914, estime qu'il ne peut « négliger les tributs » qu'il percevait sur « la prétention fortunée, tribut que l'on appelait déjà compte d'auteur ». C'est qu'il lui fallait de l'argent pour le talent et, ajoute-t-il, sans scrupules, « je n'aurais rien voulu sacrifier à l'argent de mon indépendance ».

Sa bonne conscience doit être tempérée par un rien de cynisme ou, si l'on est indulgent, de réalisme. Les commentaires qu'il adresse à Brun sur les manuscrits de certains solliciteurs ne donnent pas dans la nuance :

> J'ai lu vingt pages, et absolument rien compris. C'est du galimatias d'un bout à l'autre. Faites venir ou écrivez au type et demandez 600 francs. Tirage mille exemplaires, 1,50 franc par exemplaire vendu. Faites valoir qu'on fera une édition très soignée, qu'on en tirera une épaisseur très raisonnable grâce à des procédés [...]. Faites valoir les gros droits d'auteur (1,50 franc), etc. *En fait* (ceci pour vous) vous en tirerez quatre-vingts à cent pages sur du papier bouffant. Cela fera une petite épaisseur, mais tant pis : c'est un type qu'on ne reverra pas, un livre idiot. Il faut gagner 400 francs dessus ou ne pas en parler. Si le traité se conclut, avoir bien soin de mettre une couverture différente de nos bons livres.

Dans sa note, Grasset souligne à gros traits une, deux ou trois fois les mots qui lui paraissent importants. Une pratique qu'il gardera toute sa vie. Ainsi, « en fait » est souligné trois fois...

L'éditeur se fait la main. Il a retenu des anciens le meilleur : la publication à compte d'auteur. En 1909, sur les quarante-huit écrivains qu'il édite, trente-cinq sont à compte d'auteur. En 1910 — date à laquelle ce système va se stabiliser, puis régresser sans jamais disparaître —, ils sont cinquante-six sur soixante-dix. Il ne s'agit pas d'un compte d'auteur aveugle, ayant pour seul but d'assurer les fins de mois de l'entreprise naissante. Parmi ceux qui le sollicitent, Grasset choisit de préférence des personnes riches, influentes, ou qui peuvent le devenir. Jusqu'à Wladimir d'Ormesson, qui publie en 1912 un recueil de poésie, *les Jets d'eau* — quatre-vingt-huit exemplaires vendus !

Toutefois, le recordman du compte d'auteur est, sans conteste, Armand Godoy, marathonien de la poésie, qui donna sa première « œuvre », *Carnaval de Schumann*, en 1928 — il paya son ticket d'entrée 8 500 francs, soit quelque 20 000 de nos francs — et la dernière, *Marcel*, en... 1963. Trente-quatre recueils de poésie, tous à compte d'auteur, jusqu'à la mort de Grasset. Celui-ci, rapporte Maurice Chapelan, rétorqua un jour au poète qui se plaignait de payer trop cher : « Oui, mais tes livres me déshonorent. Ça n'a pas de prix. » Godoy avait fait fortune à La Havane. L'éditeur l'avait baptisé « mon con cubain »...

Avec toutes les personnalités qu'il s'attache dans ces années 1910, par le biais du « compte d'auteur », il aura une attitude beaucoup plus déférente et plus habile. Elles l'aideront, souvent, à lancer les écrivains auxquels il croit, ses « bons auteurs ».

Il a l'instinct des relations ; il sait nouer des liens qui vont, au moins en apparence, au-delà du simple contact professionnel ; il use d'emblée de son charme, et il a une capacité à convaincre hors du commun. Il écrit personnellement aux libraires de province, il visite certains d'entre eux ou se fait représenter par un commis voyageur du nom de Terrasse. Celui-ci ne prend pas seulement les commandes. Il s'efforce d'imposer les conceptions littéraires, la philosophie de la maison Grasset. Terrasse contacte également les bibliothèques municipales, les salons de lecture, les écoles. Dans les premiers mois de 1908, Grasset lance une collection destinée aux jeunes élèves, « le Foyer à l'école », dans laquelle, d'ailleurs, *la Chèvre de Pescadoire* va trouver sa place. Il en fait l'apologie auprès des libraires et des directeurs de collège. A propos de cette initiative, le proviseur du lycée de Lille prononcera un éloge... en Sorbonne.

Dans le même esprit — entourer sa Maison d'un climat de sympathie, acquérir un renom, se faire une réputation — il s'emploie à toucher la clientèle catholique avec le roman *l'Immolé*, d'Émile Baumann. Il ne laisse rien au hasard et improvise ce qu'on appellerait aujourd'hui une « stratégie de lancement », repérant l'ensemble des personnalités et des journaux susceptibles de soutenir son effort. Il est malade au moment de la sortie de *l'Immolé*. Louis Brun, qui conduit la bataille selon un plan dressé par le patron, adresse à M. Constant, administrateur du Sillon — le mouvement démocrate-chrétien lancé par Marc Sangnier — une lettre très significative de la technique Grasset : « Si ce n'était pas abuser de votre amabilité, je vous demanderais de me donner quelques adresses de membres influents du Sillon à qui je pourrais faire hommage de ce si intéressant roman. N'auriez-vous pas la liste de quelques journaux catholiques, ou œuvres, sociétés, qui pourraient contribuer à répandre *l'Immolé*[15] ? »

Dès cet instant, Grasset s'efforce aussi de conquérir le marché étranger. *La Sottise espérantiste* d'Ernest Gaubert lui servit de tremplin. Ce thème était très à la mode, comme en témoigne le Congrès espérantiste organisé en septembre 1909 à Barcelone. Il fut largement « couvert » par des journalistes venus de partout, ce qui retint l'attention d'un Grasset toujours aux aguets, toujours aux ordres du quotidien, toujours provoqué par l'événement.

« L'édition ne doit-elle pas refléter tout ce qui est pensé et écrit dans le monde ; apporter aux choses qui le méritent la durée du livre ; proprement, prendre dans les "feuilles" ce qui doit demeurer ? Aussi, dans les réunions que je tiens chaque matin dans ma boutique, je ne puis supporter que l'un quelconque des miens ne soit pas informé de la presse du jour. »

Quand on lit sa correspondance durant ces années-là, ce qui frappe le plus, c'est l'effort qu'il fournit pour diffuser ses livres dans les pays francophones et accroître le rayonnement de la littérature française dans les principales villes d'Europe et d'Amérique. Pour répandre son catalogue qu'il tire déjà à cinquante mille exemplaires, il s'adresse à des libraires de Madrid, Londres, Lugano, Naples, Milan, Florence, Tokyo... Il a des correspondants en Belgique, en Hollande, Suède, Allemagne, Russie, au Canada, au Luxembourg, au Brésil, au Mexique, en Turquie... Il se fait recommander par des amis, sollicite le soutien de nos ambassadeurs, frappe à toutes les portes derrière lesquelles on est susceptible de l'aider. Lui-même voyage à l'étranger et, avant la Première Guerre mondiale, il se rend à Londres, à Berlin, dans les Balkans, pour « mettre sur pied le plus complètement possible » un service de diffusion et de propagande du livre français. Il travaille avec tant d'ardeur dans ce but qu'il se plaint à juste titre, en 1915, de ce que la guerre le prive d'une grande partie de sa clientèle habituelle[16].

Il tisse sa toile. Il met à contribution le Pr Joseph Grasset, qui jouit d'une relative célébrité dans la « société ». Son ami Henry Bordeaux, très attentif, ne ménagera pas ses efforts entre 1907 et 1914 pour le soutenir :

> Mon cher Bernard, lui écrit-il le 12 octobre 1908 — leur correspondance est abondante —, j'ai reçu une lettre de Descaves, très favorable à Lafage. Faites donc concourir celui-ci au prix Goncourt. Nous lui trouverons d'autres appuis. Je serai à Paris dimanche pour deux ou trois jours. Je tâcherai de passer vous voir lundi après-midi...

A travers cet acharnement qu'il met, dès l'origine de sa Maison, à se constituer des réseaux d'amitié ou d'intérêts dans tous les milieux et dans le monde entier, il se détache, sans aucun doute, de son temps ; il se distingue des grands éditeurs d'alors, y compris ceux qu'il admira le plus et auprès desquels il vint prendre quelques conseils, tels Charles Péguy ou Alfred Vallette.

Péguy fut son maître spirituel, un maître qui lui fit partager sa passion pour le manuscrit que l'on découvre et que l'on décide coûte que coûte, en dépit de tout, de lancer parce qu'on l'aime. La passion de l'écrivain « sans nom », dont on a deviné le talent et qu'il faut sortir de l'ombre. Rue de la Sorbonne, dans la petite boutique des *Cahiers de la Quinzaine,* où il se rend, pour la première fois, vers mai 1909, conduit par Jean Tharaud, Bernard Grasset est aussitôt fasciné par le Péguy « artisan », amoureux du texte, maniaque de la typographie. Le Péguy éternellement indigné, aux prises avec d'innombrables difficultés de diffusion et d'argent, mais qui « passe outre », qui veut grandir par lui seul pour servir les autres. Une leçon d'indépendance et d'abnégation que retiendra Grasset, convaincu d'avoir, avec Daniel Halévy, prolongé « l'esprit de Péguy », d'avoir assuré « la survie de Péguy » pendant un demi-siècle. Pourtant, sur le front commercial l'élève a dépassé le maître. S'il sait, comme Péguy, que dans son « sacré métier » la valeur personnelle est dissoute, qu'elle n'est appréciée que comme outil, il mettra, à l'inverse du pèlerin de Chartres, toute son énergie à révolutionner cet outil, à prévenir les bouleversements qui se préparent dans l'univers feutré et vieillot de l'édition.

A cette époque il fréquente aussi Alfred Vallette, patron du Mercure de France, alors à l'apogée de sa carrière. Grasset l'a connu par l'intermédiaire d'Henry Davray, correspondant du *Times.* Autour de Vallette gravite le Tout-Paris littéraire et, s'il lui rend souvent visite, c'est dans le but d'améliorer son carnet d'adresses, comme il l'écrit à son cousin Pierre. Nullement pour s'initier aux secrets d'une profession qu'il embrasse avec une assurance orgueilleuse. « Je suis un modeleur par nature », dira-t-il, agissant avec les manuscrits, avec les auteurs, avec sa Maison, avec ses relations comme un plasticien qui veut imposer sa forme. Chez lui, l'homme d'action ne peut s'attarder longtemps à polir des projets. Il doit avancer, réaliser. Très vite, Bernard Grasset, porté par ses certitudes, son ardeur, parvient à se faufiler dans le labyrinthe des lettres, sans s'y perdre. Il veut et il croit. Non : il croit d'abord avec un sens lyrique des affaires, un amour mystique et passionné pour sa Maison. Sa toute jeune Maison, qui, sur la place de Paris, est déjà promise aux plus belles ambitions.

Trop à l'étroit dans le deux-pièces de la rue Gay-Lussac, le couple Grasset-Brun s'était installé 7, rue Corneille dès la mi-août 1908, alors qu'il venait de conclure avec Émile Baumann pour *l'Immolé.*

Un matin, raconte son fidèle Léon Lafage, ce fut la rue Corneille : un rez-de-chaussée au fond d'une cour — un palais. Et vaste ! On se perdait, les premiers jours, dans les deux ou trois bureaux. La large table du patron — en chêne — appelait le déroulement des grandes cartes de batailles. On faisait antichambre. Moréas, du Vachette, le regardait grandir et, pour lui, adoucissait son regard d'aigle. A sa porte, les académiciens attendaient. Les créanciers aussi.

A peine a-t-il emménagé rue Corneille que Grasset tombe gravement malade. C'est le début d'un cycle à quatre temps, *activité-maladie-convalescence-reprise d'activité,* qui se prolongera jusqu'à sa mort. A cette époque il ignore — comme Louis Brun — que toute son existence sera rythmée par des absences qui dépasseront, parfois, l'année entière. Une part de lui-même se réveillera soudain, pour le plonger dans des phases de mélancolie torturantes ou d'excitation aiguë. En 1908, néanmoins, sa maladie est probablement des plus classiques et tient à la fatigue qu'il accumule depuis un an de travail aussi intense qu'obstiné. Rien qu'à l'aune de sa volumineuse correspondance, entièrement écrite de sa main, on devine le « boulot » qu'il se devait d'abattre quotidiennement. Des journées de quinze heures n'y suffisaient pas.

Il s'en va se reposer à Montpellier auprès de sa famille et s'absentera d'octobre à la mi-décembre. « Je rentrerai à Paris, le 10 ou le 15, écrit-il à Brun, donc activez l'organisation du chauffage. Veuillez avoir l'obligeance de faire prendre mon matelas par un matelassier pour le retaper. Pissard s'est-il occupé du chauffage ? Quel est votre avis pour que cela ne soit pas trop coûteux ? » De Montpellier, il suit au jour le jour la marche de sa Maison. Rien n'échappe à sa vigilance et il demande, expressément, à son second de lui répondre en ayant « toujours » sa dernière lettre sous les yeux. Quand il sent que Louis Brun flotte ou reste dans le vague, il l'interroge aussitôt : « Me lisez-vous bien ? Faut-il écrire mieux ? RSVP... »

*

Ce courrier qui nous renvoie dans un autre âge vient démentir tous ceux — ils seront nombreux — qui prétendront que Grasset n'a jamais lu un manuscrit et qu'il a suivi sa Maison de loin en loin. Ce qui frappe, au contraire, et il en sera toujours ainsi, c'est l'extraordinaire attention qu'il porte à l'ensemble de sa production.

L'artisan Grasset, l'héritier de Péguy, est à l'œuvre :

> Le livre de Pierre *Un conte bleu* [le roman de son cousin] est très bien. Comparez l'impression à celle de *l'Immolé*. Si on retire *l'Immolé*, il faut le donner à Colin. Excellente occasion de comparer exécution du travail et prix, n'est-ce pas ? L'impression de *l'Immolé* est une cochonnerie. Je crois que nous ne devons plus d'argent à Jouve, il faudra ne plus lui confier grand-chose... Il faut donner à Colin le plus petit manuscrit de vers, celui de Labarre : *le Fleuve.* L'autre à Jouve, *les Chansons de l'aube* de Jalabert. Nous verrons ce que Colin donne avec les vers.

Un autre jour :

> Je reçois votre lettre du samedi. En effet Colin pas cher. Il est de toute nécessité de se libérer le plus tôt possible envers Jouve afin de pouvoir le lâcher. Mais, pour le moment, comme il n'y a pas de rentrées, divisez à peu près la besogne par parties égales entre Jouve et Colin. Pour Jalabert, trop tard pour changer. Écrivez-lui que je fixe cent exemplaires de services sur le traité quitte à lui donner des exemplaires de plus si le lancement l'exige. Pour Perrot, dites-lui de bien se relire et de reporter les corrections que j'ai faites ; revoir aussi les pages 30 à 35 et 71 à 73, je crois. Voyez vous-même, j'ai souligné en rouge. C'est fabriqué.

Il s'agit d'un recueil de poèmes de Charles Perrot, *la Plainte intérieure,* qui allait recevoir le prix Jacques-Normand de la Société des gens de lettres. Ou encore ceci :

> Mme Varin a un certain nombre de *Chèvre* chez elle à recouvrir. Il faudrait les compter ainsi que celles à recouvrir qui sont chez nous. Il serait peut-être impossible de mettre quatrième édition sur la couverture à cause du titre portant soit : rien, soit : troisième édition. Il faudra mettre uniformément troisième édition. Occupez-vous de ces couvertures. Les faire tirer chez Jouve ou chez Renaudie, comme vous voudrez. Et faites attention au choix du couché et au tirage ; que ce ne soit pas à recommencer une troisième fois.

Et puis, bien sûr, les affaires étant ce qu'elles sont, Grasset, de-ci de-là, nous révèle ses petites combines. Par exemple à propos de *Roosje,* un roman à compte d'auteur de Didier de Roulx : « Faites prière d'insérer pour *Roosje.* Très courte. Une centaine d'exemplaires et nous lui compterons, plus tard, un tirage de prière d'insérer de vingt mille et un lancement formidable. Mais ne pas lui en parler à l'avance : il serait foutu de demander de les voir ! Donner ce petit travail à Renaudie. Me communiquer le prière d'insérer, avant de tirer. »

Singulier Didier de Roulx. Il voulait que son *Roosje* fût édité à cinq mille exemplaires et il avait versé à Grasset... 3 500 francs ! La moyenne pour ce genre de contribution s'élevait, en 1908, à 800 francs. C'était donc un record qui s'apparentait, côté auteur, à de la naïveté et qui frisait, côté éditeur, l'escroquerie. Comme le répète inlassablement Grasset à Brun : « Il faut, mon vieux Bruno, assurer les rentrées... »

*

Ces trois mois d'absence ne marquent aucune pause dans l'ascension de la Maison. La revue hebdomadaire *l'Illustration,* qui se présente comme « le premier périodique du monde » et qui n'en a que pour Plon, Fasquelle, Calmann-Lévy, Lafitte, le Mercure de France, mentionne le 22 mai 1909, dans sa rubrique « les Livres et les Écrivains », deux ouvrages des éditions Bernard Grasset : *les*

Lauriers et les Roses, de Henry Rigal, et *les Chansons de l'aube,* de Pierre Jalabert, des recueils de poèmes. C'est plus qu'un signe, le début de la notoriété.

En octobre 1909, le roman de Jean Nesmy *la Lumière de la maison* est discuté. Écrit dans une langue très classique, ce récit répond, il est vrai, à une préoccupation du temps : l'action du catholicisme social sur les « masses laborieuses ». Bien qu'il ait manqué le Goncourt, Émile Baumann avec son *Immolé* a retenu l'attention des critiques.

Bernard Grasset est en relation épistolaire avec Jules Renard, Charles Maurras, Maurice Barrès, Paul Claudel, Léon Daudet, Albert Thibaudet, Émile Faguet, Jean Giraudoux... Ce dernier, habitué du Vachette, s'était lié avec Grasset, d'un an son aîné, et lui avait remis, vers octobre 1908, le manuscrit de *Provinciales*. Giraudoux venait de Normale Sup et s'apprêtait à engager une longue carrière au Quai d'Orsay. Grasset était impressionné par sa fantaisie, son humour, ses connaissances de normalien. « La plupart des normaliens des dix dernières années, avouera-t-il en 1915, sont édités chez moi, et j'ai toujours été attiré particulièrement vers eux par la garantie que présentait leur culture au milieu de la surproduction littéraire... »

A ceci près qu'il laissa, en 1908, filer Jules Romains. L'auteur des *Copains* sortait de Normale et lui adressa un manuscrit — s'agissait-il d'*Odes et Prières*? — qu'il refusa, dans des termes amicaux :

> J'ai lu votre manuscrit avec la plus grande attention et y ai trouvé un réel plaisir. Mais voyez-vous : c'est un livre qui ne plaira qu'à des lettrés. Ce qui ne peut pas être un livre de grosse vente et je suis certain que la publicité du genre de celle dont vous m'avez parlé ne donnera rien. Il faut, je crois, que vous renonciez à un lancement de ce genre ; en tout cas, pour moi, je ne peux courir l'aventure de le tenter. Si vous passez près de l'Odéon, venez me voir...

Jules Romains ne lui proposera aucun autre texte.

*

En revanche, Grasset aima d'emblée le style de Jean Giraudoux et eut pour l'homme une profonde et constante affection. De tous ses auteurs, Giraudoux est celui qui fut — avec Jean Cocteau — en toutes circonstances son ami indéfectible. Entre les deux guerres, Giraudoux se rendra plusieurs fois par semaine rue des Saints-Pères, accompagné de son chien parfumé. Il y eut, très longtemps, sa petite chambre, où amener ses rencontres d'un jour. L'auteur de *Siegfried*, d'une élégance toute britannique, adorait séduire les jeunes et jolies vendeuses des grands magasins. Il passait souvent ses après-midi à trouver une proie conciliante et il l'emmenait en week-end dans une auberge de campagne. « Allô, ma chère Suzanne, je suis avec Jean, près de Chartres, téléphonait, de son bureau, Bernard Grasset à Suzanne Giraudoux. Nous nous sommes mis au vert vingt-quatre heures pour travailler. Ne lui en voulez pas de cette nouvelle escapade. Jean est sorti dix minutes prendre le soir. Je lui demande de vous appeler dès son retour... » Entre les deux amis le numéro était très au point et faisait le bonheur de Louis Brun, à l'affût de toutes les bonnes histoires d'alcôve.

Provinciales, un recueil de nouvelles, fut publié en avril 1909. Le jury Goncourt au mois de décembre remarqua le jeune écrivain sans lui donner le prix. L'ouvrage restera confidentiel. « C'est à peine si j'ai vendu quatre-vingts exemplaires de *Provinciales* », constatait Grasset quelques mois après la sortie. Jean Giraudoux mettra longtemps avant de trouver son public. *L'École des indifférents,* qui parut en 1911, n'eut pas plus de succès. Il faudra attendre 1922 et la sortie de son roman *Siegfried et le Limousin,* qui obtiendra le grand prix Balzac, pour qu'il franchisse le cap des trente mille exemplaires. Cependant, Grasset, en témoignage de confiance et d'attachement, se montra généreux avec son auteur et lui versa pour les deux premiers ouvrages 760 francs de droits. Ce qui était cher payé. Aux Affaires étrangères, Jean Giraudoux gagnait environ 100 francs par mois. « Vous savez, mon cher Giraudoux, lui écrira-t-il plus tard, qu'en ce qui concerne ce ne sont pas les buts d'argent que je poursuis[17]. »

Jean Giraudoux fut donc parmi ses premiers « poulains » que l'avenir devait consacrer. Dès cette époque de la rue Corneille, Grasset se proposait pour objectif la constitution d'un groupe d'écrivains qui porterait ses couleurs. Il voulait une « écurie ». C'était son mot, et il est resté. Il tenta d'ailleurs, selon la mode de ce temps, de soutenir des revues littéraires ou intellectuelles qui seraient le point de rencontre de ses auteurs. Il s'occupa de *l'Album comique,* de *la Coopération des idées,* qu'avait fondés Georges Deherme en 1894, de *l'Amitié de France* et de *la Revue d'Orient*[18]. Dans les années vingt, il fera de nouvelles tentatives. Ce n'était pas son terrain. Son éclectisme, ses extravagances, ses engouements pouvaient difficilement se concilier avec le minimum de cohérence et de continuité idéologiques que réclame la publication régulière d'une revue. Toute revue a son « comité éditorial » — véritable Chambre des lords, comme à la *NRF* — qui dicte le ton et donne la ligne. Des contraintes auxquelles Grasset était incapable de se plier. En revanche, il va lancer une collection,

« les Études contemporaines », réservée à des sujets d'actualité et il demandera à l'académicien Émile Faguet, qu'il croisait au Vachette, de l'inaugurer. Brillant critique littéraire, titulaire d'une chaire de poésie française en Sorbonne, Faguet était aussi un moraliste, un théoricien de la « chose politique », comme disait Grasset. Antoine Albalat raconte:

> Un jour, l'éditeur Grasset va lui proposer de faire un petit volume sur l'incompétence. Le critique résiste. « Oui, dit-il, le sujet est joli, mais je n'ai pas le temps. Enfin, je verrai. Revenez dans trois ou quatre jours. » L'éditeur revint trois jours après. « Mon cher ami, dit Faguet, j'ai déjà écrit mille lignes »[19].

Faguet reçut 300 francs d'avance, et Grasset lui accorda des droits de dix pour cent. Un contrat très honorable qui témoignait des espérances que plaçait l'éditeur dans ce projet. Le livre sortit en février 1910, sous un titre gentiment provocateur: *le Culte de l'incompétence,* et se vendit très bien. Quelque six mille exemplaires en deux ans.

*

La production de l'éditeur s'affine et s'affirme. Bientôt Bernard Grasset pourra écrire à son oncle Joseph: « [...] Je ne sais pas si vous vous rendez très bien compte de l'importance de la situation que j'ai acquise à Paris. Je crois être vraiment l'éditeur qui jouit de la meilleure réputation et j'y suis arrivé par mon travail acharné, par le choix de mes publications et mon activité. » Certes, pour mieux plaider sa cause — il vient, comme on l'a vu, solliciter financièrement son oncle —, il exagère un peu. Il n'en est pas moins vrai que, trois ans après sa fondation, la librairie Bernard Grasset occupe sa place dans le Landerneau des gens de lettres.

L'heure est venue de se fixer définitivement. Rue Gay-Lussac, Grasset n'a fait que passer: un an et demi. Rue Corneille, il en ira de même: un an et demi. Le 4 mai 1910, il s'établit enfin 61, rue des Saints-Pères. « Avec Nelson d'abord, par la grâce d'Émile Faguet. Deux ans après, sans Nelson. Je me suis agrandi, sur place, comme ça venait. En couvrant d'abord une vieille cour pour en faire un hall de vente (le mot "hall" est bien prétentieux); en perçant des murs, en collectionnant des propriétaires, mais sans rien changer aux lieux et en laissant chacun s'y installer à sa guise... »

Les éditions Nelson avaient été fondées en 1910 par un important éditeur britannique, Thomas Nelson and Sons Ltd. Ce n'est pas Faguet qui mit Grasset en contact avec Nelson, mais Reclus, le frère du géographe et théoricien de l'anarchisme français, Élisée

Reclus. Les éditions Nelson cherchaient un correspondant à Paris, auquel elles offraient un bureau et un traitement. Grasset trouva dans ce type d'arrangement un moyen de s'établir dignement et à bon compte. En février 1910, il alla à Édimbourg. Un accord fut trouvé. La collaboration dura moins d'un an et les deux éditeurs se séparèrent en avril 1911. Bernard Grasset demeura rue des Saints-Pères. Nelson émigra rue Saint-Jacques. Entre-temps, la Maison s'était consolidée et modernisée. Grasset avait engagé quatre employés, dont Yvonne Langevin — alors Mlle Bourdault —, qui sera la fidèle collaboratrice de toute une vie. Il avait acheté sa première machine à écrire et fait installer le téléphone — le 745 34.

Comme bureau, il s'était réservé une petite pièce assez obscure qui donnait sur la cour. Totalement indifférent aux apparences, aux signes extérieurs du pouvoir et de la richesse, il gardera ce bureau jusqu'à sa mort et donnera à la simplicité des lieux la portée d'une parabole, d'une philosophie. « Moi, écrit-il en 1955, je dis simplement de ma boutique : une vieille étude d'avoués. Les éditeurs s'installent maintenant comme des couturiers. Et comme eux, ils donnent des fêtes pour leurs collections. Pensez-vous que les lettres y aient gagné ? »

*

Le jeune éditeur s'aguerrit. Dans les dîners, sa façon hardie de dévisager son interlocuteur de ses beaux yeux verts, ses mots d'esprit, le timbre métallique de sa voix décidée font recette. Il fréquente le salon littéraire d'Augustine Bulteau, il rencontre Henri de Régnier, Anatole France, Rémy de Gourmont. Il devient un intime d'Anna de Noailles. Dans son Journal, il raconte comment il l'a raccompagnée en voiture de Fontainebleau à Paris et relate la conversation : « Elle me parle avec une grande simplicité de son intelligence, qu'elle sent immense, de son instinct, de son aptitude à tout comprendre, s'il est nécessaire. Je lui objecte la nécessité de se limiter : l'homme qui s'intéresse à tout ne peut pas être un homme de valeur. »

Louis Brun, également, s'affirme. Aussi blond que Grasset est brun, les cheveux clairsemés, il porte le binocle et a cet air d'importance aimable, cette cordialité des gens du Midi. A la fois égoïste et sociable, capable de se dire et de se croire l'ami d'un auteur qu'il exploite sans le moindre scrupule, il est sensible à toutes les jouissances de la vie, à la bonne chère, au bon vin, aux demi-mondaines.

Aucun des livres édités n'a, néanmoins, permis à la Maison d'imposer définitivement sa marque. Bernard Grasset n'a pas

encore réalisé le « coup » qui transforme un succès d'estime en
succès commercial.

L'occasion va lui être offerte avec la publication d'un ouvrage de
Paul Reboux et Charles Muller, *A la manière de...*, étonnant
recueil de pastiches. Quatre séries d'*A la manière de...* allaient
suivre, offrant une savoureuse imitation de quelque soixante auteurs célèbres, de Barrès à Victor Hugo, de Racine à Proust, de
Shakespeare à Baudelaire... *A la manière de...* continuera de se
vendre régulièrement jusqu'en 1960 et fera le bonheur de plusieurs
générations de potaches.

Quand Grasset lance *A la manière de...,* Reboux et Muller
s'étaient déjà assuré un public. C'était en 1906, en effet, qu'ils
avaient rodé leur formule, en compagnie de l'austère poète Fernand Gregh, lequel voulut rester dans l'ombre : « J'avais trop
d'œuvres plus sérieuses sur le chantier pour pouvoir signer cette
petite plaisanterie[20]. » Or, à cette époque, Reboux dirigeait une
revue, *les Lettres,* et fit paraître dans son numéro du 6 mars 1906,
en dernière page, un pastiche de Francis Jammes, sous le titre
Varia et la signature Sosie. Le Jammes eut un succès immédiat.
Les *Varia* succédèrent aux *Varia,* ceux de Reboux, ceux de Muller,
ceux de Gregh. Ainsi parurent tous les pastiches qui devaient
former le premier recueil.

La revue *les Lettres* coûtait cher à réaliser. Trop cher. Au
numéro 23, Reboux et ses amis décidèrent d'arrêter les frais. Il
fallait indemniser les abonnés qui avaient droit à vingt-quatre
numéros, et c'est pour eux que fut éditée une petite plaquette
d'une centaine de pages, *A la manière de...* Le succès est complet.
Si bien qu'un ami de Paul Reboux, Albert Mathot, éditeur de
musique, propose d'en retirer mille exemplaires. Les mille volumes s'enlèvent en quarante-huit heures.

Reboux et Muller vont alors porter l'affaire — car cela devenait
une excellente affaire — à Juven, éditeur du *Rire* et de *Fantasio.*
Celui-ci refuse : il ne croit pas à une vente suffisante. Ils
s'adressent à Bernard Grasset. Paul Reboux avait pour l'éditeur
affection et admiration, comme il l'écrit à Louis Brun : « J'aime
beaucoup ce garçon, intelligent, actif et dévoué aux Lettres. J'emploierai, je vous le promets, tout mon zèle pour le faire réussir. »
Grasset lui rendra la pareille et ne se ménagera pas pour lancer *A
la manière de...* Il fait passer des annonces dans *la Bibliographie de
la France, le Figaro, le Temps,* aux *Débats,* au *Journal,* au *Mercure* ; il en parle comme du « plus grand succès de librairie de
l'année » et affirme que vingt mille exemplaires ont été vendus en
trois mois ; il propose des affiches aux libraires et leur promet,
pour une commande ferme de douze exemplaires, l'envoi d'un

ouvrage dédicacé par les auteurs ; il organise un véritable snobisme autour du livre. A l'approche des fêtes de Noël et du Jour de l'An, il imagine un placard publicitaire qui donne un avant-goût de son talent dans ce domaine :

> L'usage d'échanger des cartes de visite au moment des étrennes va subir cette année une légère modification. Il paraît que la grande mode sera d'envoyer sa carte dans l'ouvrage si amusant de Reboux et Muller: *A la manière de...*, en agrémentant la première page d'une dédicace : « A la manière de quelque grand écrivain. » Si cette coutume s'étend on ne pourra que s'en louer : elle stimulera l'esprit inventif de nos contemporains et résoudra pour eux le problème des étrennes dans le sens le plus économique et le plus parisien. Gageons que la mode a été lancée par quelque snob épris de littérature et... soucieux de ses intérêts.

Son effort tous azimuts est couronné. *A la manière de...* connaît une belle vente qui se renouvellera chaque année, pendant près d'un demi-siècle. Toutes éditions confondues, le tirage approchait en 1950 les quatre cent mille exemplaires. Mais, dès 1910, Paul Reboux manifeste sa pleine satisfaction :

> Je suis ravi des bonnes nouvelles que vous m'envoyez. De mon côté, je reçois chaque jour des lettres extrêmement gentilles et la chronique parlée, si j'en crois ce qu'on m'en rapporte, est très favorable. Je suis content d'avoir pu contribuer à la prospérité et à la notoriété de votre maison. Mais cela n'empêche pas que votre aide a été grande. *L'Argus* m'a communiqué les coupures de vos notes de publicité, et je sais quel zèle vous déployez pour les livres de vos amis[21].

Cette fois, Bernard Grasset a franchi le Rubicon. Il peut se tourner vers les « grands », Charles Péguy, Henri Bergson, Romain Rolland, Abel Hermant, Henry Bordeaux, Maurice Barrès, les frères Tharaud, Henri Clouard... Peu, au bout du compte, viendront chez lui. C'est la génération suivante, celle de François Mauriac, d'André Maurois, d'Alphonse de Châteaubriant, de Robert de Jouvenel qui fera sa gloire.

Charles Péguy, pourtant, rejoindra la Maison pour y publier en mars 1911 ses *Œuvres choisies*. Le maître montrait le chemin ; il ne fut guère suivi. Grasset ne parvint pas à convaincre Romain Rolland, un habitué des *Cahiers de la Quinzaine,* un intime d'Alphonse de Châteaubriant, et pour lequel il était « disposé à faire tous les sacrifices possibles ». Barrès et Bergson ne trouveront jamais le temps de lui écrire le livre qu'il leur réclamera avec insistance. Il n'eut pas davantage à son palmarès Henry Bordeaux, l'ami de la famille, savoyard comme lui. A-t-il vraiment voulu l'éditer ? Rien n'est moins sûr. Leur relation était de nature trop filiale pour supporter les contraintes professionnelles. Bordeaux conseillait et soutenait Grasset. Cela suffisait à l'éditeur.

Il sut retenir Abel Hermant, auteur dramatique et critique littéraire influent, qui succéda, en 1914, à Jules Claretie dans *le Temps*. Henri Clouard, alors collaborateur de la *Revue critique des idées et des livres,* auteur plus tard d'une *Histoire de la littérature française du symbolisme à nos jours,* va lui promettre un essai sur Charles Maurras. Il ne paraîtra pas: la Grande Guerre viendra briser ce projet. De cette expérience restera une profonde et durable amitié entre Clouard et Grasset. Les deux hommes partagent une même passion pour Montaigne, un même penchant pour les « respectables convictions, les belles idées ». Mais ce qui intéresse Bernard Grasset chez Hermant et Clouard, ce ne sont pas leurs qualités d'auteur, c'est la position redoutée qu'ils occupent dans le Paris des lettres. Ils viennent conforter le réseau de l'éditeur.

*

La publication des *Œuvres choisies* de Charles Péguy s'inscrivait dans une autre perspective: asseoir le rayonnement, le renom, l'autorité intellectuelle et éditoriale de la Maison. Pari tenu.

Dès que Grasset connut Péguy, en 1909, il eut l'idée de bâtir, avec lui, un recueil de morceaux choisis. L'ouvrage qui mit plusieurs mois à être composé — Péguy revenait sur son texte, reprenait la présentation, discutait la mise en page, etc. — allait, enfin, lui permettre de jouer dans la cour des grands. Les *Œuvres choisies* vont le placer au centre du théâtre littéraire: l'Académie française, les principaux critiques, les écrivains les plus célèbres ne peuvent ignorer l'ouvrage. Quelle merveilleuse caisse de résonance, dans une époque où le bouche-à-oreille compte autant que les commentaires des journaux! Conscient de l'enjeu, Grasset entend associer Péguy à cette agitation:

> Vous m'avez d'abord promis, lui écrit-il, de vous occuper très sérieusement de l'extrait à paraître dans les *Annales*. Une chose capitale également est que Barrès s'occupe dès maintenant, avec toute cette activité cordiale qu'il déploie pour vous, de vous obtenir dans les grands quotidiens, en particulier dans *l'Écho de Paris* et dans *le Gaulois,* des extraits de vos pages choisies [...]. *La Revue hebdomadaire* serait à soigner tout particulièrement aussi. Mon cher Péguy, je ne veux pas en dire davantage pour le moment; la parution d'extraits est pour moi une condition même de tout succès, elle doit précéder tout article et en multiplier les effets[22].

C'était aussi le moment qu'avait choisi Charles Péguy pour briguer le prix de l'Académie française. Romain Rolland, avec qui il travaillait depuis dix ans, était déjà en lice. Le camp des nationalistes contre les autres. Grasset suivit de très près la compétition. Il rencontra, à cette occasion, l'un des supporters de Péguy, Maurice Barrès. L'Académie ne parvint pas à se départager et, cette année-là, le grand prix de littérature, qui venait d'être créé, ne fut pas décerné.

Ce fut Lavisse qui fit tomber Péguy. « Lavisse était alors considérable dans l'État, dans la société, les lettres. C'était le maréchal de l'Université[23]. » Il ne fallait pas que Péguy eût le prix. Telle était la consigne que l'on avait donnée à Lavisse. « Mais, sur l'initiative de Barrès, explique Grasset, il y eut un repêchage en faveur de Péguy qui obtint, un mois après, un "prix d'Académie", allant à l'ensemble de son œuvre. Et j'ai des raisons de penser que Barrès entendit, là, couronner au moins autant l'homme des *Cahiers* que l'écrivain. »

Cette bataille, qui entraîna, pour la première fois, l'éditeur dans la solennelle arène du quai Conti, eut un goût très amer pour Romain Rolland :

> Je suis très heureux que Péguy ait eu le prix, écrivait-il à son ami Alphonse de Châteaubriant. Il le méritait dix fois. Ce que je regrette, c'est qu'il ait laissé s'instituer un concours entre lui et moi. Et le plus fort, c'est que cette rivalité établie entre nous, à mon insu, et de son consentement, laissera des traces — non pas chez moi, mais chez lui. Il est furieux parce que mes partisans l'ont violemment malmené, à ce qu'il paraît, et l'ont empêché d'avoir le grand prix de 10 000 francs. Est-ce ma faute ? Je ne me doutais même pas que j'avais des partisans.

Quant aux *Œuvres choisies,* si elles durent se satisfaire d'une vente modeste, elles firent parler, beaucoup parler. « Tu ne devineras jamais d'où je viens, dit Grasset, vibrionnant de plaisir, un soir de juin 1911, à son ami Jean Giraudoux. Je viens de prendre le thé à l'ambassade d'Angleterre ! — Était-il bon ? » demande Giraudoux... Dans ce temps, une invitation à la table de Son Excellence l'ambassadeur de Grande-Bretagne était le commencement de la gloire.

« Bel artisanat que l'édition de ce temps-
là! A quoi peut-être la sagesse commandait de se tenir. N'est-ce point dans cette
forme toute personnelle que l'édition est
le plus près des Lettres? »

BERNARD GRASSET

3

L'ÉCLOSION

*Il découvre Alphonse de Châteaubriant, Robert de Jouvenel,
René Behaine, Émile Clermont. — Monsieur des Lourdines de
Châteaubriant et les Filles de la pluie d'André Savignon, prix
Goncourt en 1911 et 1912. — Le rendez-vous manqué avec
Roger Martin du Gard. — Un duel à l'épée pour Émile
Clermont. — Mai 1913 : l'Enfant chargé de chaînes de François
Mauriac. — Voyage en Roumanie et en Serbie. — Ses relations
avec Mauriac.*

Le souffle de cet impondérable que l'on nomme la réputation se
lève donc sur la Maison. Quand, bien plus tard, Grasset reviendra
sur ces années qui précèdent le drame de 1914, il s'exclamera
volontiers : « Quelle heureuse époque des Lettres ! » Et il reprendra à son compte le mot de Jules Romains : « Le visage du monde
était tellement plus plaisant. » Heureux temps, en effet. Il perçoit
que les vents tournent à son avantage et qu'il peut désormais
gagner la faveur des plus illustres pour l'aider à bâtir la renommée
des écrivains en herbe. A cette époque, les auteurs couronnés
avaient besoin, quelque part dans le Quartier latin, d'un coin à eux
pour s'asseoir et causer. Certains s'installaient dans la « boutique »
de Péguy. D'autres chez Delesalle, ancien militant syndical et
libertaire, qui tenait une librairie rue de l'École-de-Médecine ;
d'autres encore au Mercure de France, où ils trouvaient Vallette et
Léautaud. Bientôt, plusieurs prendront l'habitude d'aller au 61,
rue des Saints-Pères, sanctifiant, par leur seule présence, le jeune
éditeur.

Les grands écrivains, écrit Grasset en 1955, se sentaient le devoir de
consacrer les talents nouveaux... Quant aux éditeurs qui débutaient
alors, ils se dépensaient en circulation. Toute leur publicité était verbale.
Visites aux critiques. Audacieuses tentatives, longuement préparées,
auprès des quelques-uns qui conféraient la gloire. C'est ainsi que j'ai
connu les plus grands de ce temps-là. Et puis, il y avait les salons. On y
rencontrait alors moins d'hommes politiques qu'aujourd'hui. Ce n'était

point encore des officines de la gloire. Simplement, on y était curieux du talent et on savait l'accueillir. Mais je l'y précédais.

Guidé par cette clairvoyance que lui reconnaîtront amis et ennemis, il commence à se constituer un fonds d'éditeur. Il « découvre » Alphonse de Châteaubriant, Émile Clermont, Robert de Jouvenel, Marcel Proust, René Behaine, François Mauriac, André Savignon...

*

Il n'est pas grisé. Tout au contraire. Dès cet instant, il adopte une politique éditoriale qu'il ne changera plus et qui se déploie dans deux directions. Il s'y est souvent engagé depuis la sortie de *Mounette*. Sans avoir pu, toutefois, aller jusqu'au bout de sa logique.

D'abord gagner le grand public à « la chose littéraire », une expression qu'il affectionne. Conscient qu'un livre doit être « attendu » pour qu'il se vende, il va s'ingénier, par tous les moyens, à créer cette attente, ce besoin. Dans ces années-là, l'agitation qui précède et qui suit les prix littéraires est bien modeste. D'entrée, Grasset porte son effort sur ce terrain et c'est lui qui, le premier, avec un culot sans pareil, parviendra à transformer en véritable événement parisien le snobisme réservé qui entoure les prix. C'est lui qui, le premier, saura provoquer l'intérêt et piquer la curiosité du public. Avec Lafage, Baumann, Reboux, Muller, Péguy, il fourbissait timidement ses armes. Le voici qui se découvre, qui monte en ligne. La guerre de 1914 viendra conforter sa manière d'agir et bientôt il affirmera : « Quant à moi, je fis toujours passer ma préoccupation de créer le besoin avant mon souci de le satisfaire... Les livres de guerre étaient attendus, demandés... La guerre nous avait appris à tous que la demande bien plus que l'offre commande le succès : c'était donc sur la demande qu'il fallait agir. Et ce fut à cela que je m'employais. »

Ensuite, afficher clairement ses goûts personnels. Les choix d'un éditeur sont, par définition, arbitraires. Loin de vouloir gommer ou corriger cet arbitraire, Grasset entend en tirer sa force. Il veut marquer la frontière entre ses auteurs favoris, ceux qui l'atteignent dans son cœur, et les autres. Il s'en est, très souvent, et longuement, expliqué :

Quand un manuscrit parvient à ma Maison, on me l'apporte sur mon bureau. Je coupe moi-même les ficelles, j'ouvre à la première page, et, en général, toutes affaires cessantes, je lis cette première page... Quand, dès ce premier regard, j'ai acquis la conviction que je me trouve en présence d'une œuvre complètement méprisable, je la fais renvoyer sans délai à son auteur. Lorsque, au contraire, j'ai eu, dès la première page, la révélation subite de l'œuvre remarquable ou que, sans être fixé dès cette première page, j'acquiers, en lisant plus avant, la certitude que c'est là un ouvrage de réelle valeur, j'en fais porter le manuscrit chez moi afin d'en poursuivre la lecture en entière tranquillité. Cette œuvre-là reste « mon affaire » à moi, en attendant d'être la partie que je jouerai moi-même.

Entre ces deux extrêmes, le livre que je renvoie sans délai à son auteur et celui dont je fais « ma propre affaire », se place le cas le plus fréquent : l'ouvrage n'a pas réussi à m'intéresser, mais je ne repousse pas l'idée qu'il puisse intéresser ma Maison. L'auteur, à ce moment-là, a perdu sa partie avec moi, mais il peut encore la gagner avec ma Maison... Le manuscrit s'engouffre dans les rouages compliqués et mystérieux de ma Maison et je ne saurais moi-même prévoir ce qu'il en adviendra. Son sort, en effet, ne dépend plus de mon seul goût ou de ma seule opinion, mais d'une sorte de moyenne entre l'opinion de tel ou tel de mes collaborateurs ou de plusieurs à la fois, et ma propre opinion.

A cette subjectivité triomphante qui est son mode de fonctionnement, presque son sceau, il ajoute sa propension à corriger, à rectifier les manuscrits ou à suggérer des modifications.

Je conviens qu'un tel rôle déborde un peu mon métier. Mais j'ai toujours compris mon métier de cette manière. Et l'une des fiertés de ma vie est que, très tôt dans ma carrière, certains, parmi les plus grands, me firent là une entière confiance.

Dès 1910, Bernard Grasset s'est donc forgé une image et a, pour l'essentiel, arrêté la méthode, les recettes qui feront sa fortune. Obtenir que ses livres soient désirés, demandés ; forcer le destin avec quelques ouvrages qu'il admire véritablement, qui répondent « à un besoin du cœur, à une nécessité de dire ».

Deux auteurs vont inaugurer et illustrer merveilleusement cette politique éditoriale. Alphonse de Châteaubriant, qui obtiendra le prix Goncourt en 1911, avec *Monsieur des Lourdines,* et Émile Clermont, pour lequel l'éditeur n'hésitera pas à se battre en duel.

Il faut s'attarder un moment sur ces deux écrivains, dont le premier est resté dans l'Histoire tandis que le second est tombé dans l'oubli. A travers eux s'épanouit « l'allure Grasset ».

*

Alphonse de Châteaubriant fit la connaissance de Bernard Grasset chez Cyprien Godebski. Quand il venait à Paris, il était un intime de ce salon, où se rencontraient souvent Ravel, Satie, Gaston Gallimard, Léon-Paul Fargue, des collaborateurs de la *NRF.* Ce dimanche d'automne 1910, Châteaubriant avait apporté avec lui le manuscrit de *Monsieur des Lourdines.* Il a raconté la scène :

Le dîner fut fort amical. Il ne fut à aucun moment question de livre à éditer. Il fut simplement question de la beauté des jeunes filles... Après le dîner, on nous enferma, notre aimable compagnon de table et moi, dans une chambre, afin que nous puissions « causer affaires ». Je n'avais pas grand-chose à dire.

Lui non plus, je pense. Il avait des yeux souriants, très parlants, très intelligents. A cette époque-là, je n'étais pas non plus trop antipathique. « Naturellement, me dit-il, je prends votre livre. » C'était Bernard Grasset[1].

En juin 1911, Châteaubriant remettait la version définitive de son manuscrit, un gros ensemble cent fois feuilleté, retravaillé, malaxé par l'auteur. Les nombreuses années qui, par la suite, s'écouleront entre la publication de chacune de ses œuvres sont, chez lui, le répondant de cet énorme labeur. Il appartient à cette catégorie d'écrivains trop exigeants, trop minutieux, et qui, à l'instar d'un Proust, reviennent inlassablement sur leur texte, incapables d'y mettre la dernière main. Aussi, la part qui revient à Grasset dans les transformations successives des scènes et des épisodes qui composent *Monsieur des Lourdines* est probablement nulle.

Toute l'action de l'éditeur se porte sur la promotion du roman et de son auteur. Ce n'est pas tâche aisée. Aristocrate très fortuné, Châteaubriant partage son temps entre Piriac, port de pêche breton, son château du Petit-Portail sur les bords de la Loire, et le gotha des capitales européennes. Il répugne à toute forme de publicité autour de son nom. Il songe à prendre un pseudonyme. Grasset, évidemment, l'en dissuade. Il mesure les avantages qu'il peut tirer de cette heureuse et flatteuse homonymie avec... René de Chateaubriand. De fait, le nom piqua la curiosité du public et ne fut pas étranger au succès du roman.

De son côté, l'éditeur est résolu à ne pas marchander son dévouement. Fidèle à sa stratégie, il déclenche une campagne bien avant la sortie de l'ouvrage. Romain Rolland, le grand ami de Châteaubriant, lui apporte une aide précieuse, en usant de toutes ses relations littéraires et mondaines, politiques et d'affaires. L'opération est une réussite. Les articles importants pleuvent, avec en levée de rideau le *Times,* qui salue la naissance d'un talent et annonce — le livre n'était pas encore en librairie à Paris! — la traduction de *Monsieur des Lourdines* en langue anglaise. En France, dès la mise en vente du livre, au mois de novembre 1911, Châteaubriant est applaudi par les principaux critiques de *l'Opinion, la Revue, l'Action française* — devenue quotidien en 1909 —, le *Mercure de France, la Revue française, l'Écho de Paris,* où régnait Barrès un jour sur sept.

Toutes les conditions étaient réunies pour briguer le Goncourt ou le Femina. Grasset avait une nette préférence pour le Goncourt. C'est d'ailleurs le seul prix littéraire — avec le prix de l'Académie française et le prix Balzac qu'il crée en 1922 — qui a suscité chez lui de l'intérêt et des commentaires. Il se mobilise entièrement pour forcer la décision des Dix. Et il emporte la partie.

Monsieur des Lourdines est couronné le 4 décembre 1911, après une bataille acharnée, Châteaubriant ayant contre lui deux jurés très influents, Octave Mirbeau et Gustave Geffroy. Ils refusaient de donner le prix à un écrivain aussi fortuné et qui n'avait nul besoin d'être encouragé et soutenu. Pour l'éditeur, c'est une belle victoire. Il écrit sa joie à son oncle Joseph et à « sa chère petite sœur », Guiguite : « J'ai gagné. J'ai triomphé de tous les obstacles et ils étaient nombreux. »

Le châtelain du Petit-Portail, qui se trouve brusquement placé sous les projecteurs de la célébrité, ne partage pas le même bonheur.

> Je commence à éprouver une certaine fatigue de toute cette affaire *des Lourdines* qui vient me prendre dans l'ombre où je vivais si délicieusement ignoré. Dans cette atmosphère de réclame, de bluff et de cabotinage, je ne me sens pas du tout les dispositions qu'il faut avoir à l'intrigue pour réussir... Je suis en ce moment à l'ordre du jour ! Les photographes viennent sonner à ma porte, et je les fiche poliment dehors. Il s'agit d'organiser ma vie... Le grand, l'unique régulateur est le travail. J'écris ces lignes au lendemain, ou à peu près, du prix Goncourt. Je suis désorienté et mécontent. Décidément, je suis fait pour un autre bonheur... Rolland me disait que ma place n'était pas à Paris, mais à la campagne au milieu des arbres et sous le satin des nuages[2].

Les retombées du prix Goncourt sur la vente du roman seront immédiates. Elles ne s'apparentent en rien, toutefois, avec celles que l'on connaît aujourd'hui. Quelque dix-huit mille exemplaires furent vendus avant le début de la Grande Guerre, ce qui était un résultat exceptionnel.

*

A l'époque où il rencontre Alphonse de Châteaubriant, Bernard Grasset découvre Émile Clermont. Normalien — encore un —, ancien camarade de René Gillouin, Étienne Rey et Jean Giraudoux, les premiers amis de Grasset à Paris, il recueille alors les suffrages de bons juges comme Bourget, Faguet, Barrès, Lemaitre, Brunetière.

En novembre 1910, l'éditeur a lu *Amour promis*, qui vient de paraître chez Calmann-Lévy. Il veut rencontrer le jeune auteur — Clermont a trente ans —, tant il a aimé ce récit où il retrouve les propres tourments de son âme ; où il découvre, surtout, cette approche psychologique des êtres et du monde qu'il privilégie sur toutes les autres formes du roman. Il se l'attache aussitôt, lui promet le plus bel avenir et s'engage à lui payer une mensualité de 200 francs, à partir du 1er février 1911, pendant dix mois. Le contrat — le « traité » disait-on alors — est très généreux.

Grasset, néanmoins, attendra pendant trois ans le seul roman achevé d'Émile Clermont qu'il devait publier : *Laure*. Ce gros ouvrage porte, en effet, la date du 10 mai 1913, mais le dévouement de l'éditeur à l'écrivain remonte à leur première rencontre. La maturation de *Laure* fut longue. Clermont, toujours insatisfait de son texte, s'acharnait à le parfaire tandis que Grasset lui prodiguait régulièrement ses conseils. « Ma première révision de texte, raconte-t-il, est reliée à un souvenir fort ancien, l'une de ces "rêveries premières", selon l'heureux mot de Sainte-Beuve, "d'où viennent les vocations". *Laure* est l'histoire de deux jeunes filles. Dans l'été 1911, j'en avais emporté le manuscrit dans cette gentilhommière dauphinoise d'où, pour moi, tout est sorti... »

Clermont, grâce aux mensualités que lui verse son éditeur, peut quitter son emploi à l'Hôtel de Ville de Paris, pour s'installer en province et se consacrer à son œuvre. Grasset va suivre l'élaboration du roman à travers un échange de lettres toutes imprégnées d'une affectueuse admiration et d'un regard critique. Chez lui, l'une ne va pas sans l'autre, tellement il est convaincu de pouvoir plier son auteur bien-aimé aux exigences de la perfection. « La lecture très attentive de votre manuscrit m'a suggéré diverses observations que je voudrais vous soumettre. La principale a trait à l'évolution de Laure vers la conception religieuse. Il me semble que cette évolution est un peu trop schématisée et que le lecteur est mal préparé à cette rapide évolution. »

Lettre après lettre, *Laure* se construit sous la tutelle vigilante de l'éditeur. Étonnant travail. Ici un adjectif impropre est souligné ; là une virgule est déplacée ; ailleurs le rythme de la phrase est modifié d'un coup de crayon. Et toujours on retrouve cette préoccupation majeure de Grasset, cette obsession : soigner les « débuts ». Début du roman, bien sûr, mais aussi début de chacun des chapitres. Il n'oublie jamais que l'on commence un livre par sa première page et, mieux encore, par sa première phrase, l'incipit. « De l'attrait tout de suite. Pas d'ornement superflu. » La règle qui, chez lui, relève du commandement est simple à formuler. Sa mise en pratique est moins évidente... Émile Clermont se plie, bon gré, mal gré, aux recommandations de son éditeur. D'une haute exigence envers lui-même, il traverse des phases de découragement et veut, plus d'une fois, abandonner son œuvre. Grasset saura le stimuler, le forcer à poursuivre au point d'engager une campagne en faveur de *Laure* avant même de connaître l'ouvrage dans son entier.

*

Ce qu'il faisait là pour Clermont, avec cet entêtement pugnace, il l'aurait probablement fait pour Roger Martin du Gard, dont il avait accepté, en avril 1910, d'éditer, à compte d'auteur, « une longue nouvelle affublée d'un titre ambigu », *l'Une de nous,* qui fut accueillie dans une totale indifférence. Mais trois ans plus tard, Martin du Gard, à l'inverse de Clermont, ne se plia pas d'emblée à ses recommandations, plus précisément, il n'eut pas besoin de s'y plier, la *NRF* ayant accepté, quand lui-même le refusait, le manuscrit provisoirement baptisé *S'affranchir,* qui n'était rien de moins que l'étonnant *Jean Barois.* Ainsi, quand Grasset s'attachait Clermont, il perdait l'auteur des *Thibault,* alors qu'il croyait avec autant de ferveur dans les deux écrivains et qu'il attendait avec une impatience égale leur ouvrage.

Au fond, sa méthode, sa manière de réagir à un manuscrit, finissait toujours par l'emporter sur toute autre considération. N'a-t-il pas, néanmoins, commis une lourde erreur en laissant passer Roger Martin du Gard? Il n'a, semble-t-il, jamais regretté sa décision. S'inspirant de la note de lecture qu'avait rédigée pour lui Jean de Pierrefeu — un écrivain catholique —, il écrit à Martin du Gard, le 17 juin 1913, une lettre d'une singulière brutalité:

> *S'affranchir* n'est pas un roman, c'est un dossier; vous avez voulu jouer la difficulté et vous ne m'en voudrez pas de vous dire que vous avez été absolument battu. Mon avis très net (ne m'en veuillez pas de ma franchise) est que votre livre est absolument raté.
>
> Et pourtant j'aurais été vraiment heureux, croyez-le, de publier un beau livre, qui fût en quelque sorte le contre-pied de toute la littérature traditionaliste et conservatrice dans laquelle je donne habituellement...
>
> Je défie un lecteur d'aller au-delà de la centième page.
>
> Vous allez me trouver sévère, je crois cependant être tout à fait juste et vous rendre un service, en vous disant: « Vous vous êtes trompé. » Que conclure? Je vous laisse juge.

Martin du Gard fut ébranlé. Il reprit son manuscrit, ce dont le félicita Grasset: « Vous avez tout à fait raison de ne pas publier votre roman, au moins sous cette forme », et il l'invitait avec une ferme et amicale insistance à lui montrer sa prochaine œuvre. Crut-il l'avoir convaincu de travailler sous sa vigilante tutelle? C'était trop tard. André Gide venait de conseiller à Gaston Galli-mard de publier « sans hésiter » *Jean Barois.* Les doutes sur la qualité de l'ouvrage qui, depuis le jugement de Grasset, en-combraient l'esprit de Martin du Gard furent vite dissipés: « La phalange de la *NRF* m'offrait, tout à coup, autre chose : une accueillante famille spirituelle dont les aspirations, les recherches étaient semblables aux miennes, et où je pouvais prendre place sans rien aliéner de mon indépendance d'esprit. »

Tout n'est-il pas résumé dans ces quelques lignes ? Martin du Gard était d'une autre famille que celle que revendiquait Grasset. *Jean Barois* est un roman réaliste et engagé. En 1953, Albert Camus ne va-t-il pas jusqu'à dire que le Roger Martin du Gard des années 1910 « est peut-être le seul (et, dans un sens, plus que Gide et Valéry) à annoncer la littérature d'aujourd'hui » ? Il est, conclut l'auteur de *l'Étranger*, « notre perpétuel contemporain ».

Dans l'atmosphère de l'affaire Dreyfus, mêlant le récit imaginaire et historique, *Jean Barois* raconte le conflit de la religion et de la science, de la raison et de la foi. Écrit avec les techniques d'une pièce de théâtre qui subordonne les dialogues à la mise en scène, il témoigne d'un souci de renouvellement et d'expérimentation formels. Autant de caractéristiques qui vont à rebours des conceptions romanesques de Bernard Grasset. Alors que Roger Martin du Gard a le sentiment que le style doit se faire oublier, qu'il ne peut faire vivre ses héros qu'en s'écartant de leur chemin, et qu'il faut décrire le monde « comme si l'on n'était pas soi », pour Grasset « un écrivain ne se quitte jamais », et l'émotion seule confère la vie, non la reproduction, même servile, de la plus pathétique réalité.

> Je crois bien que si j'avais à définir le roman, je dirais volontiers : « L'art de donner la vie à ces personnages qui représentent dans nos rêves les diverses parts de nous-mêmes » — tenant à affirmer par là, une fois de plus, que nous ne saurions créer qu'avec notre propre substance, et qu'en dépit des apparences, l'observation des autres ne compte que pour peu dans la création romanesque.
>
> Si l'on m'objecte qu'un Balzac nous a apporté sous la forme romanesque l'image la plus exacte de son temps, qu'*Eugénie Grandet* ou *le Père Goriot* ont pour nous la réalité d'êtres qui ont vécu et que l'écrivain n'a pu trouver en lui-même, je répondrai que Balzac eût été impuissant à conférer la vie à ses personnages si quelque chose en lui n'avait pas partagé leurs inquiétudes et leurs amours, et n'eût pas été associé à leurs poursuites avant qu'ils ne lui apparussent. Or, c'est bien là le mécanisme de nos rêves : cette « comédie humaine » qui s'y joue, c'est notre propre drame et aucun personnage n'y apparaît sans y être appelé par un besoin de notre âme.

Ces réflexions contiennent, en filigrane, le débat qui agitera le milieu littéraire français jusqu'à la fin des années soixante et qui, au bout du compte, sera un des nombreux volets du conflit entre la « droite » et la « gauche ». Grasset s'y mêlera, parfois avec fougue, blâmant « l'absurde prétention » des écrivains qui veulent mettre des idées en roman, qui veulent délivrer un message, défendre ou combattre une thèse. En 1931, reprenant la formule de François Mauriac, « Balzac a créé un monde, sans rien chercher à prouver », il ajoutera : « Le roman n'est pas plus de l'histoire qu'il n'est de la morale, ou de la science, ou de la poésie, ou de la médecine. Le roman est essentiellement une fiction à laquelle le génie confère la vie. »

Il lui semble que l'intelligentsia s'emploie, depuis longtemps en France, à détourner le roman de son but, qui est essentiellement de distraire. « Distraire, qu'est-ce à dire, sinon détacher l'homme de ses préoccupations et de ses poursuites, en lui faisant éprouver les préoccupations d'êtres imaginés et en l'associant à leur poursuite ? Et n'est-ce pas là l'objet même du roman ? »

Grasset sera l'éditeur des romanciers de l'introspection, de la subjectivité, qui sauront se livrer aux subtiles analyses des « profondeurs », qui sauront déployer les jeux de leurs rêves, de leur imagination, et créer à partir de leur propre expérience des personnages différents. Marcel Proust, au fond, représentait son romancier idéal et si, après avoir édité *Du côté de chez Swann,* il ne s'est pas vraiment battu pour le garder, on verra que l'œuvre ici n'est pas en cause. Pendant les trente années où il régnera avec Gallimard sur les lettres françaises, on est frappé par sa fidélité à une certaine idée du roman. Il sera toujours du côté de Mauriac, Giono, Giraudoux, Maurois, Chardonne, Morand, contre Sartre, Aragon, Breton, Crevel... Il ne sera pas davantage l'éditeur des vastes cycles romanesques de l'entre-deux-guerres, tournés vers les problèmes du monde, en prise sur le réel. Si Roger Martin du Gard n'est pas des siens, le Jules Romains des *Hommes de bonne volonté* non plus, ni le Jacques de Lacretelle des *Hauts Ponts,* le Georges Duhamel de la *Chronique des Pasquier*, le Romain Rolland de *l'Ame enchantée* ou le Louis Guilloux du *Sang noir.*

En revanche, Émile Clermont, conduit à écrire par le seul besoin de libérer une inspiration, répondait merveilleusement à sa définition du véritable romancier.

*
*

Au début mars 1913, *Laure,* enfin, paraît en feuilleton dans *la Revue des Deux Mondes.* Un mois avant, Grasset avait invité Clermont à Paris, pour qu'ils relisent ensemble « tout le livre » et pour qu'ils s'entendent sur les ultimes « corrections à faire ». Et l'on constate, en effet, de nombreux changements entre la version définitive des éditions Bernard Grasset et celle de *la Revue des Deux Mondes.* L'attention de l'éditeur s'est maintenue, sans relâche, de bout en bout. Quel fut le résultat ? Le mieux est de donner à lire le début de *Laure,* l'un de ces fameux débuts, si déterminants dans l'esprit de Grasset.

> Il faut avoir parcouru la monotonie de pays sans passé et dénués d'histoire, pour connaître l'inestimable prix des souffles spirituels flottant dans les lieux qui ont porté de nobles événements. De tels endroits signalés par le souvenir de quelques hautes circonstances de vie humaine semblent pénétrés de mémoire et de sens et comme revêtus d'une clarté légère. Au sortir de longs décors vides, de paysages ternes, évocateurs d'existences vulgaires, ils accueillent avec un visage d'amitié. Il n'est pas nécessaire que des princes aient entrechoqué là leurs armées ou que des destins de royaumes s'y soient dessinés. Un simple drame intime peut avoir été assez marqué de grandeur pour jeter sur les lieux qui l'ont vu ce reflet de beauté immatérielle... Cette histoire est presque sans âge et sans date, elle pourrait s'être accomplie il y a deux siècles, et c'est à peine s'il s'y trouve un certain frémissement qui la fait d'aujourd'hui.

Grasset aimait cette sensibilité contenue, suggérée — ou pompeuse —, cette prose académique à mille lieues du roman réaliste et qui s'anime à peine dans les dialogues. Son goût était-il partagé? N'avait-il pas élevé trop tôt une statue à la gloire de son auteur? Sa conviction est établie: Clermont sera un grand parmi les grands, et il entend le faire couronner. Il songe, bien sûr, au Goncourt. Clermont s'y opposera. Le 20 décembre 1911, bien loin d'avoir terminé son roman, il écrivait à Grasset: « Pour ce qui est du prix Goncourt, certes, je suis loin de le mépriser, mais je crois impossible qu'il me soit attribué. Ce jury montre, par ses choix et par ses propres productions, qu'il n'aime que les histoires brutales. Je suis assuré de n'y être pas compris. »

Dix mois plus tard, conscient que Clermont ne changera pas d'avis et que, de toute façon, *Laure* ne sera jamais terminé pour le Goncourt de décembre 1912, Grasset pousse André Savignon, un protégé de Pierre Loti, dont il vient d'éditer, à compte d'auteur, *les Filles de la pluie.* « Je voudrais vous parler de ce brave Savignon, écrit-il à l'écrivain et chroniqueur Pierre Mille ; sa candidature à un des prix Goncourt ou Vie heureuse me paraît faire des progrès. Je sais d'ailleurs que c'est à vous que je le dois et je serais heureux de me concerter avec vous et d'examiner ce que nous pourrions faire pour augmenter ses chances. » Il n'est pas, convenons-en, d'un enthousiasme fou! Pourtant, le 16 décembre, *les Filles de la pluie* est couronné, coiffant *l'Ordination* de Julien Benda, que patronnait sa cousine germaine, Mme Simone, actrice en vogue et romancière en herbe, future membre du Femina.

La droite triomphait de la gauche. Léon Daudet, Joseph-Henri Rosny aîné, Judith Gautier, Élémir Bourges et le président Léon Hennique, qui a voix prépondérante, avaient voté pour Savignon.

Rosny jeune, Gustave Geffroy, Octave Mirbeau, Paul Margueritte et Lucien Descaves avaient préféré Benda. Grasset, qui ne s'était guère investi dans la campagne, fut aussi étonné qu'heureux de cette victoire. Chez lui, le scepticisme l'emportait. Non sans raison : *les Filles de la pluie* connut un bref et modeste succès. Ce Goncourt oublié fut à l'origine de la première crise entre les Dix. On parla intrigues, coteries, ententes politiques, et Léon Hennique dut démissionner de la présidence.

Justement, le soir de l'attribution du prix, Grasset sort de chez son cousin Pierre où il vient de dîner avec Francis Charmes, directeur de *la Revue des Deux Mondes,* et ce n'est pas à Savignon qu'il pense mais à Clermont. Celui-ci n'a pas voulu du Goncourt ? Eh bien, va pour une autre compétition !

> Barrès avait de grandes ambitions pour Clermont. J'y accrochai les miennes. Au cours d'une visite que je lui avais faite, Barrès s'était montré disposé à proposer Clermont pour le grand prix de la littérature, dès que sa *Laure* aurait paru... Il s'agissait de la plus enviable des récompenses. Je me répandis aussitôt en démarches auprès de tous ceux de qui la chose dépendait. De ce jour, mes lettres à Clermont tiennent surtout dans le récit des visites que je faisais pour lui. Véritable campagne académique qui ne devait manquer son but que de peu. Romain Rolland l'emporta, en effet, d'une voix seulement sur Clermont en 1913. Et l'année suivante, les suffrages de l'Académie s'étant également partagés entre Clermont et Psichari, le prix ne fut pas décerné.

Ce qui frappe dans la bataille qu'il mène pour son poulain, c'est la facilité — souvent le culot — avec laquelle il intervient auprès des plus célèbres écrivains d'alors. Mais son culot — que l'on a relevé plusieurs fois — n'aurait-il pas, très vite, agacé et importuné ce beau monde des lettres s'il n'avait été relayé par d'autres qualités ? « J'ai toujours été attiré par la complexité du caractère de Bernard Grasset, par son intelligence qui l'élevait bien au-dessus de la moyenne et par sa séduction dont il savait user quand il le voulait, conviendra Henry Muller, qui eut pour lui une tendresse lucide. Il avait d'ailleurs une très haute opinion de lui-même, ce qui le rendait souvent méprisant envers son prochain, notamment ses auteurs. »

*

En 1913, Grasset, aussi entreprenant soit-il, n'est qu'un modeste éditeur et pourtant, on le voit qui mobilise Paul Bourget, Maurice Barrès, Émile Faguet, Henri de Régnier, Maurice Donnay, Frédéric Masson, Jules Claretie, Paul Souday, bref le gotha littéraire, comme un général d'armée organise l'assaut. Témoin cette lettre à Paul Bourget :

Encouragé par la bonté que vous me témoignez et de l'intérêt que vous voulez bien porter à Clermont, je me permets de venir vous mettre au courant des progrès de sa candidature qui ont été formidables pendant cette semaine. Je ne suis pas optimiste en général, mais je suis cependant persuadé que nous allons triompher.

Du pointage auquel je me suis livré, il résulte que nous avons, comme absolument acquis à la candidature, en plus de vous-même et de M. M. Barrès

Messieurs :

René Bazin	Fr. Masson
Francis Charmes	Comte de Mun
M. Donnay	H. de Régnier
Hanotaux	J. Richepin
Étienne Lamy	Marquis de Ségur

soit douze voix absolument certaines. M. H. de Régnier fait même une campagne très ardente pour Clermont. D'autre part, du côté R. Rolland je ne vois guère que MM.

René Doumic	M. Prévost
Comte d'Haussonville	H. Roujon
E. Lavisse	J. Claretie
E. Ollivier	

M. Lamy m'a assuré que si nous avions douze voix c'était suffisant pour que le prix échoie à Clermont.

Je suis reçu lundi prochain par M. Poincaré et par M. Deschanel[3].

A l'Académie, comme dans un salon mondain, prévalent les lois de la cour et de la conquête. Grasset y était à son aise. Mais, cette année-là, sur le champ de bataille, surgit un soldat inattendu, Ernest Psichari, jeune auteur de *l'Appel des armes,* un roman patriotique qui reçut aussitôt l'appui des nationalistes, Bourget, le comte de Mun, Barrès, ceux-là mêmes qui soutenaient Clermont. Deux candidats pour la droite académique — « les calotins », disait Louis Gillet —, c'était un de trop. Romain Rolland, cette fois, allait tirer son épingle du jeu. Lavisse, qui n'avait pu deux ans plus tôt imposer l'auteur de *Jean-Christophe* face à Charles Péguy, prenait sa revanche. Le 9 juin 1913, l'Académie décernait son grand prix de littérature, au cinquième tour, à Romain Rolland.

Bernard Grasset enrageait. Quand il était ainsi emporté par sa passion, il n'avait de cesse d'imposer son goût, de communiquer son plaisir. Tripotant un nœud papillon nerveusement noué, il lisait à haute voix quelques pages choisies, interpellait les sceptiques, lançait une saillie assassine... Quai Conti, à l'heure même où l'Académie délibérait sur le sort de Clermont, il eut avec Henry Postel du Mas, rédacteur au *Gil Blas,* un journal « financier et mondain », gentiment canaille, une violente altercation qui se termina sur... le pré. Ils n'entendaient rien, ni l'un ni l'autre, à l'épée, et sans l'intervention du directeur de combat, Rouzier-Dorcières du *Petit Journal,* qui à deux ou trois reprises fit sauter leurs armes, le duel aurait pu mal tourner.

Après huit reprises, Grasset s'en tirait avec une plaie en séton à l'avant-bras. « Comme j'avais raison, lui dit Georges Courteline, de vous engager, lorsque vous êtes venu déjeuner chez moi, à cultiver l'utile et noble art des armes de combat ! » Paul Reynaud, qui termine son essai, à compte d'auteur, sur Waldeck-Rousseau, préfacé par Alexandre Millerand, félicite son éditeur : « *Le Temps* m'apprend, cher ami, votre brillante conduite et votre blessure que j'espère peu grave. » Marcel Proust, tourmenté par la fabrication de *Du côté de chez Swann,* lui écrit : « Il s'est noué entre nous des relations assez sympathiques pour que, sans vous connaître personnellement, je n'aie pu pourtant lire tout à l'heure sans émotion le récit de votre duel. »

Les chroniqueurs se saisirent avec délices de l'incident qui allait élargir un peu plus la notoriété de l'éditeur, amuser le Tout-Paris et assurer une publicité gratuite à l'auteur de *Laure.* Grasset venait de découvrir que ce n'était pas tant le prix qui compte que la bataille elle-même et le bruit qu'elle permet d'entretenir autour d'un roman. Il ne l'oubliera jamais. Ce n'est pas le choix du jury qui l'intéresse, avouera-t-il, mais seulement la compétition, ajoutant, à propos de la plus célèbre d'entre elles : « La compétition du Goncourt demeure l'un de ces faits indiscutables sur lesquels un lancement doit s'appuyer. C'est, je le répète, le fait des faits, le *great event,* de l'année littéraire. » La compétition seule, et non le prix, l'intéresse au point qu'il aura, en 1950, la géniale idée de couronner lui-même *la Mort du petit cheval,* d'Hervé Bazin, que venaient de refuser les Dix, par une bande « hors Goncourt ». Ce fut le succès. Celui que connut *Laure,* d'Émile Clermont, dépassa également les espoirs de l'éditeur. Après trois mois, la vente atteignait quelque quatre mille exemplaires, ce qui, pour l'époque, était une jolie performance.

Fort des remous qu'il a provoqués et de leur retombée positive, Grasset va inciter Clermont à maintenir sa candidature au grand prix de l'Académie pour l'année suivante. Pourquoi s'arrêter en si bon chemin ? « Il est bien entendu que vous devez rester candidat. » Sa foi en Clermont est si intense — « ma passion est là, tout engagée » —, sa volonté de l'imposer est si grande qu'il lui offrira, en juin 1913, un nouveau contrat d'une prodigalité princière. Il installait Clermont, prolongeant la mensualité de 200 francs sur une durée de sept ans ! Clermont, hélas, jouira peu de cette libéralité. Le 15 mai 1916, il succombera sur le front de Champagne.

Est-ce ce Grasset-là, ostentatoire, généreux, impulsif, ferrailleur, qui séduit un contemporain d'Émile Clermont, un fils de famille du Bordelais, le jeune François Mauriac? Il aura, dans cette année 1913, vingt-huit ans, et la mort ne l'attend pas à la sortie d'une tranchée. Si Grasset alla à la rencontre de Clermont, c'est Mauriac qui vint vers lui, un Mauriac qui n'a pas encore de nom dans le monde des lettres. Certes, quelqu'un, et pas n'importe qui, l'a remarqué: Maurice Barrès. Dans un article du 21 mars 1910, le maître a salué avec un enthousiasme chaleureux et une intuition pénétrante *les Mains jointes,* son premier recueil de poèmes édité chez Falque, à la « Bibliothèque du temps présent ». « Quel écrivain naissant reçut jamais un tel adoubement? » interroge son biographe Jean Lacouture. Lui-même, dans *la Rencontre avec Barrès,* dit son éblouissement: « Par miracle, ce Barrès à qui je n'avais même pas osé faire hommage de mon livre me découvrait entre mille et m'adressait du haut de sa gloire où je le situais à des milliers de lieues de ma chétive existence, un message d'admiration et d'amitié! » Le miracle s'arrêta au cercle des initiés. En 1911, François Mauriac publia, chez Stock, un nouveau recueil de poèmes, *l'Adieu à l'adolescence,* qui fut encore moins remarqué que le précédent. La poésie ne se vendait alors pas mieux qu'aujourd'hui. Mauriac rêvait d'entrer sur la scène littéraire par la seule porte qui comptait: le roman. Jean Cocteau, avec qui il venait de se lier, raconte, en l'embellissant, un dîner à La Roche, chez Lucien Daudet, le fils du *Petit Chose*: « Naïf, gai, pétulant, souriant, adorable Mauriac! Il me regardait me gaspiller avec un peu de crainte et pas mal de confiance gentille. En face de mes lumières factices, il se croyait dans l'ombre. "Eh bien, s'écriat-il, je vais écrire des romans et je les lancerai comme le chocolat Poulain!" » Voilà une exclamation qui n'aurait pas déplu à Grasset s'il s'était trouvé à la table.

L'« adorable Mauriac » a, justement, le manuscrit d'un roman dans ses tiroirs, *l'Enfant chargé de chaînes.* Il réussit à le faire paraître en feuilleton dans le *Mercure de France* en juin et juillet 1912. En revanche, Alfred Vallette refuse de le publier en volume. Pierre-Victor Stock veut bien l'éditer, mais à des conditions qu'il juge inacceptables. C'est alors qu'il se tourne vers la rue des Saints-Pères. Pourquoi? Grasset, par-delà ses qualités de « battant », a l'image d'un éditeur catholique. Les fleurons de son catalogue en portent témoignage: Émile Baumann, Alphonse de Châteaubriant, Charles Péguy, Émile Clermont, Joachim Gasquet, André Savignon, Auguste Bailly... Mauriac le dévot a-t-il pressenti cette parenté? Il est sûr aussi qu'il s'est recommandé de Barrès, nanti du fameux « adoubement ».

En tout cas, Grasset ne marque aucun empressement. Pas de coup de foudre. Les deux hommes, s'ils s'écrivent, ne se verront que beaucoup plus tard. « François Mauriac naissait aux lettres, écrira Grasset. Je ne le connus que bien après Clermont, quoique son premier roman, *l'Enfant chargé de chaînes,* ait paru chez moi la même année que *Laure.* » Fréquentant les salons, ils auraient pu, plus d'une fois, se croiser. Grasset, visiblement, ne cherche pas le contact.

Singulier comportement chez quelqu'un d'habitude si curieux de mettre un visage derrière un nom, de « peser » un talent qui s'éveille, de jauger le style au travers de l'homme. « ... Le talent était l'unique objet de nos poursuites. La seule actualité qui eût alors prise sur nous tenait dans l'apparition d'un écrivain nouveau. On publiait en ce temps des auteurs et non des sujets. On fondait. » Louis Brun, sur qui il pose son regard chargé d'une sorte d'ironie impérieuse, l'entendra souvent expliquer: « Quand je décide de me consacrer à un auteur, il m'est absolument nécessaire de le voir, de le percer. »

Faut-il penser que, dès cet instant, une relation très équivoque s'ébauche entre lui et Mauriac? Étrange, en effet, que ces deux êtres si préoccupés de leur « moi », si soucieux de la nature, de la définition des liens qu'ils entretiennent avec les autres, n'aient pas, très vite, souhaité se rencontrer. Les lettres qu'ils échangent sont imprégnées d'une gentillesse courtoise. Rien de plus. D'ailleurs, le 19 mars 1913, Mauriac, impatient, doit presser l'éditeur: « Je suis obligé de partir ce soir. Si vous avez des propositions à me faire, je vous prie de bien vouloir m'écrire rue Roland, 15, à Bordeaux. Je dois même une réponse à un éditeur qui me fait des offres pressantes pour octobre. J'ai donc hâte de savoir si vous pourriez publier en mai mon *Enfant chargé de chaînes.* » Grasset, qui veut avant tout se concilier les jeunes, répond aussitôt: « Je viens de terminer la lecture de votre manuscrit *l'Enfant chargé de chaînes,* et je trouve cela tout à fait beau. Je serais donc très heureux d'être votre éditeur et puisque vous désirez paraître en mai, c'est entendu. » Il prend en charge les frais de publication et de lancement du livre, ce qui, de sa part, est un aveu de confiance. Mais il ne va pas plus loin. La gestion du cas Mauriac relève des affaires courantes. Il ne s'implique pas personnellement.

Quand François Mauriac lui adresse une version enrichie du texte paru dans le *Mercure de France,* Grasset se dérobe: « Je trouve que vos ajouts ne s'accordent pas du tout au reste du livre, et mon avis très net est qu'il faut les supprimer ou les mêler plus intimement au reste, ce qui vous obligerait à un remaniement auquel vous ne paraissez pas disposé. » Lui non plus n'entend pas

l'aider dans cette tâche, comme il l'a fait pour Clermont. Mauriac
suggère également une formule de « traité » qui lui soit plus
avantageuse: « Il me semble qu'à partir d'un certain chiffre d'éditions, il serait juste d'augmenter les droits de l'auteur pour qu'il
bénéficie dans une certaine mesure d'un succès possible, sinon
probable. » L'éditeur refuse et s'en tient à des droits uniformes de
dix pour cent. *L'Enfant chargé de chaînes* sort en mai 1913.
Grasset, qui a pris soin de la présentation, a relu attentivement les
épreuves. « Vous aviez laissé pas mal de fautes d'impression et de
fautes d'orthographe », lui écrit-il le 3 mai.

Mauriac, il est vrai, est ailleurs. Tout à ses fiançailles avec
Jeanne Lafon, qu'il épousera le 3 juin. « Les mariés, raconte Jean
Lacouture, après quelques jours passés à Saint-Symphorien et à
Malagar, du 3 au 15 juin, sont partis le 18 pour l'Italie et la Suisse :
Stresa, Isola Bella, lac de Côme. Ils passeront trois jours à Bella-
gio puis une semaine à Saint-Moritz où François a la joie de
découvrir à la devanture d'une librairie *l'Enfant chargé de
chaînes...* Son bonheur est évident. A son ami, Robert Vallery-
Radot, il écrit alors que son rêve serait de s'isoler du monde avec
sa femme et son Pascal. »

Son bonheur est-il si évident? Les rares critiques que suscita
l'Enfant chargé de chaînes sont très réservées. Quant à la vente,
elle est insignifiante. Cruelle déception. D'autant plus cruelle que
Grasset a su lancer Châteaubriant, Clermont, Savignon... François
Mauriac ne cherche pas à masquer son dépit. Il s'en ouvre à Louis
Brun, qui se met en peine pour l'apaiser: « J'ai lu en effet l'article
de Paul Souday dans *le Temps*. Cela n'a rien d'étonnant, votre
livre ne pouvait pas lui plaire, et j'attends de lui un éreintement de
Clermont. D'ailleurs cet article était fait dans un esprit de parti
pris si apparent, que, j'en suis persuadé, il aura provoqué au
contraire chez ses lecteurs le désir de lire votre livre. »

Le voyage de noces, le bel été, l'installation du couple rue de la
Pompe, les dîners entre amis, les Brémont d'Ars, Jean Cocteau,
les Vallery-Radot, François Le Grix, les d'Argenson, bref, le
retour à la vie parisienne, ont-ils distrait François Mauriac de cet
échec? Rue des Saints-Pères, il se fait oublier. Doute-t-il de ses
capacités de créateur? Lisons plutôt Jean Lacouture qui dévoile
son tourment: « Il a beau collectionner les témoignages de bienveillance de Jammes et de Barrès, d'Anna de Noailles et de Jean
Cocteau, de quelques "dindons blêmes" et de revues exsangues, il
est assez intelligent et ambitieux pour savoir que ce qu'il écrit
jusqu'aux abords de la trentaine n'est rien, face à l'œuvre d'un
Claudel qu'il admire depuis dix ans ou d'un Proust, dont il a, dès
1908, pressenti le génie, et lors de sa publication, en novembre

1913, passionnément admiré *Du côté de chez Swann,* écrasante découverte... »

Pourtant, il achève son deuxième roman, *la Robe prétexte,* dont un extrait paraît, en novembre, dans *la Revue de Paris.* Un roman qu'il ne reniera pas, à l'inverse de *l'Enfant chargé de chaînes,* et qu'il retiendra, en 1950, pour la publication de ses œuvres complètes.

Grasset, toujours sans nouvelles de son auteur, est alerté par Martial Piéchaud du texte de *la Revue de Paris.* A-t-il deviné qu'un romancier riche de promesses est sur le point de s'épanouir ? Ou bien, informé de la fascination qu'exerce sur Mauriac l'équipe de la NRF, redoute-t-il de le perdre, au moment où se déclenche avec Gaston Gallimard, son frère d'armes, une guérilla de trente ans ? C'est lui, cette fois, qui le relance, le 7 novembre 1913 :

> Votre extrait m'a évidemment enchanté et m'a rappelé à beaucoup d'égards le récit d'*Isabelle* de Clermont, publié dans la même revue. Je tiens absolument, mon cher Mauriac, à avoir votre prochain roman ; je suis même disposé à faire un véritable sacrifice pour l'avoir, c'est-à-dire à vous faire des offres qu'on ne pourrait vous faire ailleurs. Je ne crois pas d'ailleurs que vous puissiez le confier à quelqu'un qui le lance avec plus de cœur que moi[4].

Se verront-ils aussitôt ? Non. Ils jouent au chat et à la souris. Mauriac ne désespère pas d'être admis à la NRF. Il traîne. Il ne rencontrera Grasset qu'au début de mars 1914, quand il viendra lui remettre le manuscrit de *la Robe prétexte.* L'éditeur lui a signé un contrat avantageux et consenti 400 francs d'avance, à la mise en vente du roman.

On ne sait rien de ce premier rendez-vous. Là encore, on s'étonne. Comment se peut-il que ni Mauriac ni Grasset, habités par un instinct commun de la postérité, n'aient jamais voulu consigner cet instant ? L'auteur de *Thérèse Desqueyroux* a-t-il cru qu'il ne pouvait s'agir que d'un mariage éphémère alors qu'il venait de s'engager pour la vie ? Mauriac, à n'en pas douter, lui qui admirait Gide, qui sublimait Proust, qui aimait Jacques Rivière, ne rêvait que d'une chose : que s'ouvrent, enfin, devant lui, les portes de la NRF. Elles lui seront toujours fermées. A-t-il été si profondément meurtri qu'il n'est resté rue des Saints-Pères que par dépit ? On comprendrait mieux l'énergie qu'il mettra, un demi-siècle plus tard, à tordre l'Histoire. Évoquant, en 1969, dans son « Bloc-Notes » du *Figaro* un ouvrage de l'éditeur Edmond Buchet, *les Auteurs de ma vie,* le voilà qui se cabre avec cette violence glacée et perfide qu'on lui connaît :

> Mais voici l'éditeur qui montre le bout de sa longue oreille : à l'enterrement de Bernard Grasset, il note mon absence, celle de Montherlant,

celle de Cocteau « qui lui doivent leur gloire ! ». Ici, la déformation professionnelle est aussi choquante qu'une gibbosité. Cette idée que sans Grasset, nous n'aurions pas été nous-mêmes, que Montherlant n'aurait pas été Montherlant ! Grasset et Buchet sans leurs auteurs n'auraient été que Grasset et que Buchet. Mais nous ? Le plus comique, en ce qui me concerne, c'est qu'après avoir édité mon premier roman *l'Enfant chargé de chaînes*, qui, j'en conviens, ne valait pas pipette, Grasset m'avait froidement laissé tomber, et que les deux romans qui suivirent parurent chez Émile-Paul et que ce ne fut même pas Grasset qui me rappela rue des Saints-Pères.

Daniel Halévy m'avait demandé un « Cahier vert » pour la collection qu'il y dirigeait. Je lui apportai *le Baiser au lépreux* dont le succès évidemment fit que Grasset me considéra désormais avec d'autres yeux. Ce qu'il y aurait à dire de lui... Mais laissons les pauvres morts reposer en paix.

Curieuse relecture d'un temps difficile à oublier puisque c'est celui de l'éclosion et de tous les espoirs permis. Non seulement Grasset ne le laissa pas tomber, mais il fit un effort pour le lancement, en juin 1914, de *la Robe prétexte,* bien qu'il fût en voyage d'affaires, en Roumanie et en Serbie, pour son compte — une « importante affaire de papier » — et celui de la maison Berger-Levrault, installée à Nancy et dont il s'occupait sur Paris.

De sa « vaste et sinistre chambre » au Grand Hôtel du Boulevard à Bucarest, il écrit ses instructions à Brun :

> N'oubliez pas que votre grosse affaire est de faire de la vente et que cette vente doit être faite avec *la Vision de Bernadette, la Robe prétexte* et encore *la République des camarades.* J'oubliais *la Foi jurée.* Organisez donc très sérieusement la presse et insistez beaucoup du côté de la *Bibliographie.* Il faut absolument une ou deux pages par semaine. Envoyez-les-moi. Et vous savez le principe de ces annonces. Très bref, très enlevé, très « libraire ». Que les libraires suivent le succès croissant. Il faut que les topos portent plus sur le succès du livre que sur le sujet[5].

Dès 1914, il ne fait donc rien de moins que d'exploiter le principe du hit-parade et celui du best-seller. Il donne au roman de Mauriac sa place dans son système, auprès de trois livres sur lesquels il fondait, à ce moment-là, de grands espoirs. En particulier *la République des camarades,* de Robert de Jouvenel. Journaliste brillant, très lancé dans le Tout-Paris politique, volontiers dilettante, Jouvenel était « dans toute l'acception du mot, un grand monsieur », dira Grasset qui dut lui arracher, page après page, la fin de son texte. L'auteur, dans sa dédicace, lui marqua joliment sa reconnaissance : « A Bernard Grasset qui a écrit ce livre. Celui qui l'a signé. Robert de Jouvenel. »

Des quatre ouvrages aucun ne décolla, en dépit du gros effort publicitaire, et le seul succès, celui de *la République des cama-*

rades, ne se confirma qu'avec le temps, pendant la guerre, alors que le pays s'interrogeait de plus en plus sur la responsabilité de la classe politique.

La Robe prétexte de François Mauriac passa tout à fait inaperçu. Personne ne semblait attendre le roman. La presse estimait-elle avoir témoigné suffisamment de bienveillance envers l'auteur à l'occasion de ses publications antérieures? Les critiques ne voulaient-ils pas accrocher leur nom au destin de Mauriac qui leur semblait compromis? La vente, en tout cas, était nulle. Une impression partagée par Brun, qui attendit, avant d'écrire à Grasset, que l'horizon s'éclaire doucement. « Mauriac commence maintenant à partir mais depuis hier seulement ; depuis le lancement, je n'avais peut-être pas vingt exemplaires commandés. Vous avez dû voir l'article de Souday ; il y a quelque temps, il y en a eu un dans *l'Action française* ; je ne parle que des principaux [...]. J'ai écrit à Massis [...]. Je vais organiser avec lui la presse retardataire de *la Robe prétexte.* »

Le jeune Henri Massis, auteur d'un livre paru chez Fasquelle, *Comment travaillait Zola,* disciple de Maurice Barrès après avoir été celui d'Anatole France, chroniqueur aux *Cahiers de la Quinzaine,* était en communion de pensée avec Bernard Grasset. Il avait succédé à Jean de Pierrefeu comme lecteur et conseiller littéraire de la Maison. De son côté, Mauriac tenta de mobiliser ses amis: « J'ai l'intention de m'occuper un peu plus sérieusement de "ma" presse », écrivait-il à Grasset. Ce fut en pure perte ou presque. Il y a eu quelques articles. Louis Brun perçut un léger frémissement chez les libraires, mais le 28 juin 1914, l'assassinat à Sarajevo d'un archiduc mal connu annonçait le grand massacre.

Entre Mauriac et Grasset le rideau sanglant de la guerre va tomber. Leurs relations sont superficielles et ils n'ont rien fait, jusque-là, pour mieux se connaître. Les événements qui allaient, quatre ans durant, secouer l'Europe ne pouvaient que les éloigner. Ce qui advint[6].

« Proust, c'est le grand débat du jouir et du faire. Il se claustra pour créer, le jour où, proprement, il renonça à jouir. »

BERNARD GRASSET

PROUST, CE « GAILLARD »

Les « deux désirs » de Proust. — Le compte d'auteur lui est imposé par Proust lui-même. — Ses parentés avec Proust. — Plus de six cents exemplaires de Du côté de chez Swann sont distribués: un lancement exceptionnel. — Un « éditeur généreux ». — Les raisons du divorce ou la ricreazione tragicomica.

Comme Mauriac publiait, en feuilleton, son *Enfant chargé de chaînes* dans les numéros de juin 1912 du *Mercure de France,* Miss Cœcilia Hayward, secrétaire anglaise attachée au Grand Hôtel de Cabourg, terminait la dactylographie de *Swann.* C'est alors la première partie d'un ouvrage en deux volumes intitulé *les Intermittences du cœur,* qui comptera entre mille deux cent cinquante et mille quatre cents pages.

Marcel Proust se met aussitôt en quête d'un éditeur. Il ne veut pas reprendre contact avec Calmann-Lévy chez qui il a publié un livre illustré, *les Plaisirs et les Jours,* et pour lequel son ouvrage actuel « serait trop indécent ». Il rêve de la *NRF.* Il a confiance en Gaston Gallimard « Paraître dans la *Nouvelle Revue française,* écrit-il le 24 octobre 1912 à Jacques Copeau, est encore beaucoup plus tentant pour moi depuis que vous m'avez dit que mon lecteur et mon éditeur serait Monsieur Gallimard. Je l'ai rencontré une fois et j'ai gardé de lui un si bon souvenir, que pour moi qui suis malade et que les rapports avec un éditeur effrayent déjà, tout devient simple et charmant si l'éditeur c'est lui. »

Ce ne sera pas lui. Le manuscrit est refusé lors de la traditionnelle réunion du comité de la *NRF,* rue d'Assas, chez Jean Schlumberger. Il n'a pas été lu sérieusement « Comment Gide a-t-il pu ignorer le trésor qui lui était livré ? » interrogea Mauriac, une façon de dénier à son illustre confrère le titre de « meilleur critique de son temps ». Le manuscrit n'est pas mieux accueilli au

Mercure de France. Ni chez Fasquelle où on le juge « trop différent de ce que le public a l'habitude de lire » et d'un nombre « trop considérable de pages ». Chez Ollendorff, Humblot, qui dirige la maison, s'étonne « qu'un monsieur puisse employer trente pages à décrire comment il se tourne et se retourne dans son lit avant de trouver le sommeil ». La phrase est devenue célèbre.

Proust, très affecté par l'incompréhension qui entoure son œuvre, très pressé de la voir paraître, inquiet de son « terrible » état de santé, a, de surcroît, une exigence : il ne veut pas, en dépit de l'épaisseur de son manuscrit, que le prix de chaque volume dépasse 3,50 francs. Il désire être lu, « et non exclusivement par des gens riches ou des bibliophiles ».

C'est alors que René Blum, le jeune frère de Léon, entre en scène. Secrétaire général du *Gil Blas*, il connaissait Grasset pour l'avoir fréquenté en 1907 au Quartier latin et, depuis, croisé chez les Bibesco, chez le peintre Jacques-Émile Blanche, chez Anna de Noailles, ou chez Cyprien Godebski. Plus encore dans le salon d'Augustine Bulteau, qui signait Jacques Vontade Foemina dans *le Figaro* et dont Grasset avait publié, en 1910, sous ce pseudonyme, *l'Ame des Anglais*.

Le 19 février 1913, Proust expose sa stratégie à Louis de Robert. « Ce que je vais faire c'est ceci. L'autre jour mon ami Bibesco m'a écrit pour me dire que René Blum lui avait écrit pour savoir si je ne pourrais pas donner des extraits de mon livre au *Gil Blas*. Je ne crois pas que je le ferai. Mais je vais demander à René Blum, qui connaît beaucoup l'éditeur Grasset, de lui demander s'il veut éditer le livre à mes frais, en l'intéressant légèrement à la vente, et moi payant la publicité. »

Le soir même, après avoir essayé, en vain, de joindre René Blum au *Gil Blas,* il lui écrit une longue lettre où il exprime sa volonté d'être édité très vite, à n'importe quel prix[1].

Je suis très malade, j'ai besoin de certitudes et de repos. Si M. Grasset édite le livre à ses frais, il va le lire, me faire attendre, me proposera des changements, de faire des petits volumes, etc. Et aura raison au point de vue du succès. Mais je recherche plutôt la claire présentation de mon œuvre. Ce que je veux c'est que dans huit jours vous puissiez me dire : « C'est une *affaire* conclue, votre livre paraîtra à telle date. » Et cela n'est possible qu'en payant l'édition.

Pour que M. Grasset soit plus de connivence avec la réussite, je lui serai reconnaissant de me prendre, en outre, un tant pour cent sur la vente. De cette façon, il ne dépensera pas un sou, gagnera peut-être un rien (car je n'espère guère que le livre se vende, au moins avant que le public s'y soit peu à peu accoutumé) mais je crois que l'ouvrage, très supérieur à ce que j'ai jamais fait, lui fera un jour honneur... Dites à M. Grasset tout ce que vous penserez pouvoir lui faire dire : un oui ferme et irrévocable, ne lui dites pas que j'ai du talent, d'abord parce que ça n'est peut-être pas vrai, ensuite parce qu'il ne faut pas trop décourager les gens dès le commencement. Mais on me dit qu'il est tellement intelligent que cela même ne le découragerait peut-être pas. J'ai entendu depuis des années dire des merveilles de lui.

Grasset est d'accord, lui répond immédiatement René Blum, avant même d'avoir consulté l'éditeur. Le 24 février, Proust fait porter rue des Saints-Pères le manuscrit de *Swann*, avec une première lettre fort détaillée, puis une seconde tout aussi nourrie de précisions sur la composition, le format, la présentation de son roman, et dans laquelle il insiste pesamment sur sa double requête : publication à compte d'auteur, volume courant à 3,50 francs.

> Je paierai tous les frais de l'édition, ainsi que la publicité. D'autre part, en cas d'un succès, toujours possible, je désire que vous ayez un tant sur la vente (vous fixerez vous-même le chiffre, il pourrait grossir si les éditions se multipliaient, mais en me laissant cependant toujours la propriété de mon ouvrage)... D'après tout ce que j'ai entendu dire de vous, je sais que vous vous occuperiez du livre et qu'il marcherait le mieux possible, même si nos conventions ne vous réservaient pas ce droit de vente, que vous vous *intéresseriez à lui sans avoir besoin pour cela d'y être intéressé*. J'aurais souhaité que le premier volume pût paraître en mai. Je crains que ce ne soit matériellement impossible. Qu'en pensez-vous ? Dans ce cas, voulez-vous le début d'octobre ? Et peut-être le second en juin 1914 ?
>
> Je vous envoie le manuscrit du premier volume... A mon goût personnel, ce qui me plairait le mieux comme caractères ce sont ceux que le Mercure de France a employés pour *la Double Maîtresse*, d'Henri de Régnier, ou les Éditions de la Nouvelle Revue française pour Charles-Louis Philippe. Vous verrez si vous jugez possible de vous en rapprocher.

Quelques jours après, il précise :

> Je voudrais concilier ces *deux désirs* très nets que j'ai : *l'un*, que mes ouvrages soient de volume courant, à 3,50 francs, ne s'adressant pas exclusivement à une clientèle riche, mais à des intellectuels qui n'achèteront pas un livre 10 francs ; *l'autre*, que malgré cela l'affaire soit la même pour vous, nullement moins avantageuse, avec de tels volumes, qu'avec des volumes à 10 francs. En un mot, diffusion large de ma pensée et sauvegarde de vos intérêts.

Le 13 mars le projet du « traité » devient définitif. Comme convenu, Proust paiera les frais d'édition et il envoie 1 750 francs à Grasset. Il touchera 1,50 franc par exemplaire vendu. Son éditeur lui avait proposé 1,75 franc. « Je préfère que vous abaissiez ce chiffre afin de vous réserver un peu plus », lui avait-il répondu.

*

Pourquoi, au regard de cette correspondance, une légende tenace continue-t-elle d'imputer à Grasset seul la responsabilité d'avoir publié Proust à compte d'auteur? Fallait-il que l'éditeur soit plus royaliste que le roi? La rumeur est plus forte que la vérité, et dans cette affaire la rumeur d'un Grasset uniquement animé par un appétit de boutiquier l'emportera longtemps. Comme s'il était impardonnable, pour l'image de la culture française, que Proust ait pu être publié à compte d'auteur. L'ayant été, il fallait un coupable pour laver le péché. Ça ne pouvait pas être Proust... Ce fut Grasset. Qu'écrivait, en effet, Gide à Proust, le 10 janvier 1914, sinon ceci: « Le refus de ce livre restera la plus grave erreur de la NRF, et (car j'ai cette honte d'en être beaucoup responsable) l'un des regrets, des remords les plus cuisants de ma vie » ? La « Galaxie NRF » allait s'employer à corriger son « erreur », à effacer sa « honte », en rabaissant à souhait l'intuition de son concurrent. C'est classique. Une question: que serait-il advenu du manuscrit de Proust si, à l'instar de ses confrères, Grasset avait tergiversé, discuté, traîné, refusé? *A la recherche du temps perdu* serait-il le roman que nous connaissons?

Vivant dans les « fumigations », quittant très rarement sa chambre, l'auteur suivra la composition et l'impression de son livre par correspondance, par téléphone. Il ne rencontrera Grasset que le 29 octobre 1913, quand ils organiseront ensemble le service de presse. Pourtant, et à l'inverse de son comportement envers Mauriac, l'éditeur était très impatient de découvrir cet homme qui lui semblait à la fois si singulier et si proche de lui. Dès le mois de mai, il proposera plusieurs rendez-vous que Proust devra chaque fois repousser pour des raisons de santé. Il était intrigué et sa curiosité, son excitation de connaître quelqu'un sont, chez lui, le meilleur baromètre de son attachement à l'homme comme à l'œuvre. Il n'a pas pris — décidément non! — le manuscrit de *Swann* par hasard, sans en mesurer la portée, la valeur. Il le confessera dans cette préface qu'il fit à l'essai d'Henri Massis, *le Drame de Marcel Proust*, où il laisse parler son inconscient avec une naïveté presque gênante:

> C'est un grand honneur que tu me fais, mon cher Henri Massis, en m'invitant à te donner ici la réplique. Tu sais que d'abord je me suis récusé pour imparfaite connaissance de l'œuvre qui t'a inspiré. Je peux même avouer que quand *Swann* me fut apporté, il y a presque vingt ans, je ressentis un tel trouble en abordant l'ouvrage que, proprement, je ne pus poursuivre ma lecture. Fut-ce que Proust entrait dans ma vie à un moment trop tourmenté? Fut-ce un transport trop subit dans un monde que j'étais porté à fuir par quelque sentiment de défense? Fut-ce tout

simplement que, n'étant pas encore engagé moi-même dans l'écriture, je n'avais pas alors d'emploi à cette souffrance qui vient de trop émouvante parenté? Toujours est-il que la grandeur de l'ouvrage me saisit, sans qu'il me fût possible d'y pénétrer, et qu'ainsi je devins l'éditeur de l'œuvre qui est peut-être la plus importante de ce temps, pour ainsi dire avant de la connaître.

Pourquoi douterions-nous de sa sincérité? On sait, pour l'avoir déjà cité, ce qu'il écrivit en 1937, à propos de ce texte, à son amie Anne-Marie Comnène. Que la parenté entre ses tourments, entre son inaptitude au bonheur et les déchirements intérieurs qui traversent les confessions de Proust soit réelle comme il le suggère, ou qu'elle soit sollicitée, n'a guère d'importance. Grasset se crut, d'emblée, en connivence avec l'auteur de *Swann*. Que dit-il, en effet?

> La détermination de Proust de se consacrer uniquement à son œuvre se place au moment précis où proprement il désespéra de vivre. Que l'on ne doute pas que là il avait touché le fond; que ce fut à toutes les façons de jouir de la vie que s'étendit son renoncement, à toutes les manières d'échanger avec les hommes et avec la nature elle-même, puisque aussi bien, à partir du moment où son choix fut fait, il n'y eut plus pour lui de jours ni de nuits, plus de saisons; il n'y eut que cette chose abstraite : le temps qui lui était compté. L'aveu de ce pathétique et entier renoncement, Proust l'a pudiquement enclos dans le seul titre qu'il voulût pour son œuvre. Et l'on imagine de quel prix il dut payer. Proust était né pour plaire et il en avait le don. Il avait besoin qu'on l'aimât, et il savait se faire aimer... Son angoisse ne tenait pas seulement à des causes physiques, elle était le témoignage physique d'une inspiration trop longtemps retenue; elle lui venait d'un effroi qui l'habita jusqu'à son dernier souffle: la crainte de ne pouvoir achever son œuvre. Ce n'est pas là façon de dire, puisque Proust ne semble s'être permis de mourir qu'après l'avoir achevée.

Dans une notice publicitaire qu'il rédigea en 1913 pour *Du côté de chez Swann*, Bernard Grasset affirmait encore:

> M. Marcel Proust est le *réaliste de l'âme*. Son analyse intuitive va plus avant que nulle autre dans la sensibilité des êtres... Aussi bien l'aventure de Swann nous émeut comme un chant angoissé qui livre tout le dedans des âmes... Le roman a su utiliser les découvertes les plus rares de la psychologie nouvelle.

Proust fascina et inquiéta Grasset, qui était un autre malade de l'âme, encerclé par sa « folie », trouvant, comme on le verra, dans ses lettres et un journal haché, les seules voies pour se délivrer d'une grande douleur. La confidence rapportée par Charles de Richter en janvier 1971 dans *la République du Var* est des plus suspectes quand il raconte que Grasset lui aurait dit, en lui donnant *Du côté de chez Swann* : « C'est illisible, nous l'avons publié à compte d'auteur. » Richter se pose en intime du jeune éditeur. Rien dans la correspondance ne le laisse supposer.

*

Pendant les huit mois qui précéderont la sortie du livre, l'attitude de Grasset sera sans équivoque : il croit en *Swann*. S'il s'agace du perfectionnisme de Proust — « nous avons eu avec votre livre presque trois fois la composition de l'ensemble » —, il se refusera à lui imposer, comme il l'a fait pour d'autres, sans se gêner et quand bien même étaient-ils à compte d'auteur, des allégements ou des modifications de plan. Pourtant, au mois d'avril, à peine l'imprimeur a-t-il commencé son travail que Proust triture les premières épreuves qui lui sont adressées.

> Mes corrections, jusqu'ici (j'espère que cela ne continuera pas), écrit-il à Jean-Louis Vaudoyer le 12 avril, ne sont pas des corrections. Il ne reste pas une ligne sur vingt du texte primitif (remplacé d'ailleurs par un autre). C'est rayé, corrigé, dans toutes les parties blanches que je peux trouver, et je colle des papiers en haut, en bas, à gauche, à droite... Or vous savez que j'ai fait un prix avec Grasset. Mais ceci n'augmente-t-il pas les dépenses pour lui ? Et ne dois-je pas lui dire spontanément que je lui offre une somme supplémentaire ? Combien ?

Ces frais supplémentaires vont s'élever à 1 066 francs, qu'il réglera en deux fois, 595 francs le 25 juin, et 471 francs le 4 novembre 1913.

Grasset se plie à tous ces remaniements. On dira : il n'en supporte pas la charge. A ceci près qu'il devra assurer la vente d'un très gros livre dont le prix — 3,50 francs — n'est pas à la mesure des frais de diffusion et de manutention qu'il devra supporter. Or Grasset, à la différence de Proust qui est prêt à des concessions, à des surcharges dans la mise en page, ne cédera jamais sur la présentation, sur la clarté typographique qui est ici d'autant plus nécessaire que le roman est énorme. « J'ai rapidement parcouru vos corrections. Elles transforment à tel point votre texte primitif que, pour de nombreuses parties, il sera plus simple de recomposer entièrement le texte, sans tenir compte des premières épreuves, que d'utiliser les fragments de phrases qui seuls subsistent. » Et il refuse, dans le même temps, de réduire les alinéas des dialogues, comme le suggère l'auteur pour gagner de la place. Le livre, en effet, ne cesse de grossir et atteint bientôt les sept cents pages. Ce qui ne sera pas facile à vendre.

En juillet, Proust, sur l'insistance de son ami Louis de Robert, se résigne à arrêter son premier volume avant la fin qu'il avait

initialement prévue. Il a également choisi pour titre général de
l'œuvre *A la recherche du temps perdu*, qui comprendra trois
tomes d'environ cinq cents pages chacun, et non plus deux comme
il le souhaitait au départ. Il a longtemps hésité avant d'entreprendre ce remodelage. « Mon œuvre en elle-même y perdra
beaucoup. Le second volume paraîtra mauvais, le troisième aussi,
par rupture d'équilibre... » Si Grasset n'intervient en rien dans ce
choix, il exprime son opinion, non sans lucidité puisque son auteur
va finalement le suivre :

> Je comprends très bien l'objection soulevée par vos amis : je
> comprends très bien qu'un livre de sept cents pages est de circulation
> difficile, mais d'autre part il faut qu'un livre soit « un livre », *c'est-à-dire
> une chose complète, se suffisant à elle-même.* Le problème de la frag-
> mentation ne peut donc être résolu que par vous-même... Établir trois
> livres de cinq cents pages, c'est évidemment la solution à laquelle nous
> devrons nous arrêter... En résumé, j'estime que la vente conjointe de
> plusieurs tomes est une solution impossible, tout le problème réside dans
> la fragmentation en tomes contenant chacun un nombre de pages aussi
> voisin que possible de trois à quatre cents et de circulation séparée.

Les titres des trois tomes sont fixés en octobre 1913. Celui qui
est en jeu d'épreuves s'appellera *Du côté de chez Swann*, puis
suivront *le Côté de Guermantes* et *le Temps retrouvé*.

> Si vous vous rappelez, écrit Grasset le 25 octobre, je vous ai établi un
> prix en tablant sur un volume de huit cents pages ; or nous n'en
> atteignons que cinq cent trente. Il est donc légitime que je vous effectue,
> pour ne pas modifier le prix, un tirage supérieur. Je tirerai donc mille
> sept cent cinquante exemplaires au lieu de mille deux cent cinquante ;
> vous aurez ainsi deux cents exemplaires pour les services et mille cinq
> cents exemplaires comportant trois éditions de cinq cents...

En fait, *Du côté de chez Swann* est tiré à deux mille deux cents
exemplaires et Grasset entend le lancer avec tous les moyens, tout
le dynamisme que nous lui connaissons. « Il y a trois façons de
parler d'un livre journalistiquement, explique-t-il à Proust le 30 octobre, qui sont, dans l'ordre chronologique : "les indiscrétions",
"les extraits" et les articles de critique. » Tous ces moyens, il les
utilisera, avec le concours de René Blum : « Comme je n'oublie
pas que c'est à vous que je dois d'être l'éditeur de ce beau livre, je
serais heureux si je pouvais organiser le lancement avec vous. Le
plus simple pour que nous puissions en parler serait que vous me
fassiez l'amitié de venir déjeuner ou dîner un de ces prochains
jours chez moi. Nous aurions ainsi tout le loisir nécessaire pour
organiser notre petit plan de campagne. »
Il dresse, de sa plume, sur deux grandes feuilles, la liste des
personnes auxquelles il va, de lui-même, envoyer l'ouvrage,

souvent avec un mot. Trois cent quatre-vingt-deux noms exacte-
ment. Tout le gotha littéraire et mondain, de Léon Daudet à
Edmond Rostand, de la duchesse de Rohan au prince Giovanni
Borghèse, de Paul Faure à Henri Bergson, de Gaston Gallimard à
André Gide, de Pierre Loti à Catulle Mendès...Et aussi des noms
plus inattendus, comme George Bernard Shaw, Maxime Gorki,
Thomas Hardy, Vincent Auriol. Ou des absents comme Charles
Péguy et Maurice Barrès. Si Émile Clermont Jean Giraudoux ou
André Billy figurent sur la liste, François Mauriac et Alphonse de
Châteaubriant n'y sont point. Ces envois de Grasset ne prennent
pas en compte les deux cent cinquante volumes que reçoit, au titre
du contrat, Marcel Proust, et qu'il dédicacera de son côté. Plus de
six cents exemplaires de *Du côté de chez Swann* sont donc, entre le
16 novembre 1913 et le 19 février 1914, distribués à autant de
personnalités susceptibles d'assurer un « mouvement » autour de
l'œuvre.

Pour aucun autre roman — pas même celui d'Émile Clermont
— Grasset n'avait organisé un « service » de cette ampleur. L'aurait-il fait, lui si entier dans ses choix, et si avare de son temps,
pour tous les auteurs qu'il ne « sentait pas », s'il n'avait pas été
touché et impressionné par *Swann* ? Aurait-il, avec Louis Brun,
sollicité — la correspondance le montre — des articles dans plusieurs journaux ? Que Proust ait eu de nombreux amis dans la
presse parisienne et qu'il en usât largement pour obtenir des
comptes rendus n'empêcha pas Grasset d'intervenir de son côté.
Avec sa fougue habituelle. Après l'article de Souday dans *le
Temps* du 10 décembre, Proust n'en convient-il pas lui-même dans
une lettre à Jean-Louis Vaudoyer ? « Grasset me fait avertir qu'il y
a eu un article de Souday détestable. Il m'est facile de "faire
passer" une réponse dans *le Temps*. Me le conseillez-vous ? [...]
Tout cela pour consoler Grasset qui a téléphoné à mon valet de
chambre comme s'il y avait la guerre ! »

D'ailleurs Proust, en dépit de ses relations, dut, comme la
plupart de ses pairs, payer des « échos » dans la presse. Il versera
en particulier 650 francs au *Journal des débats* et 300 francs au
Figaro tout en ayant sur la publicité un point de vue très ambigu :

> Je me rappelle qu'en écrivant à Humblot, écrit-il à Louis de Robert,
> vous disiez que le livre valait la peine d'une certaine publicité. Or
> Grasset n'a fait ni pour 100 francs ni pour 1 franc. *Rien*. Personnelle-
> ment cela me plaît. Mais me rappelant ce que vous aviez dit à Humblot,
> je me demande si ce n'est pas une faute [...]. En relisant ma lettre, j'ai
> peur d'incriminer Grasset qui est au contraire charmant et d'une activité
> extraordinaire. Simplement c'est son avis. Et je crois qu'il est bon mais je
> ne suis pas sûr.

Grasset est si « extraordinaire » qu'il présentera *Du côté de chez Swann* dans des termes qui déplairont souverainement à l'auteur. « Il a fait imprimer une note pour les libraires qui est exactement ce qui pouvait m'être le plus désagréable: je l'ai reçue dans un argus »... Le texte incriminé est paru dans *la Bibliographie de la France* du 14 novembre: « Après un long silence dû à un volontaire éloignement de la vie, Marcel Proust, dont les débuts dans les lettres avaient suscité la plus vive admiration, nous donne sous le titre *A la recherche du temps perdu* une trilogie dont le premier volume: *Du côté de chez Swann*, est la magistrale introduction. » Le « volontaire éloignement de la vie » et la référence à ses « débuts » irritèrent Proust.

Du côté de chez Swann était lancé. Après le premier tirage de deux mille deux cents exemplaires, on fit, en avril 1914, un deuxième tirage de mille trois cent quatre-vingts exemplaires et, à la veille de la guerre, la vente atteignait deux mille huit cents environ. C'était très honorable. Grasset, montrant une fois de plus qu'il avait flairé l'importance de cette œuvre déroutante pour la plupart des critiques, écrivait à Proust le 26 mars 1914 :

> Je profite de cet envoi de relevés pour venir vous demander de vos nouvelles et vous dire combien je serais heureux de pouvoir publier bientôt le second volume. La vente de *Du côté de chez Swann*, sans être actuellement très élevée, est d'une régularité qui laisse à penser que c'est un ouvrage dont je vendrai toujours.
>
> Vous savez combien de critiques attendent que vous ayez publié le second volume avant de parler de vous. Je crois donc que si nous pouvions lancer le second, fin mai ou commencement juin, ce serait parfait. Qu'en dites-vous?
>
> Si je ne devais pas vous déranger en allant vous voir un de ces prochains jours, je vous rendrais volontiers visite.

Grasset était-il averti de la sollicitude de plus en plus pressante de Gide envers Proust? Le 20 mars, en effet, l'auteur de *la Porte étroite* rédige une supplique :

> Je vous écris encore, ayant entendu dire hier qu'aucun traité ne vous lie précisément avec Grasset et ne vous force à lui donner les deux autres volumes de *A la recherche du temps perdu*. Serait-il possible vraiment?
>
> La NRF est prête à prendre à sa charge tous les frais de publication, et à faire l'impossible pour que le premier volume vienne rejoindre dans sa collection les suivants, aussitôt que l'édition actuelle sera épuisée. C'est ce que le conseil de la NRF a décidé dans sa réunion d'hier (je rentrai de Florence pour y assister) à l'unanimité et d'enthousiasme ; je suis chargé de vous en faire part — et c'est au nom de huit admirateurs fervents de votre livre que je parle. Trop tard?...
>
> Ah! Dans ce cas qu'un mot de vous arrête mon espoir.

Édité à compte d'auteur, Proust conservait la propriété littéraire de son œuvre et il aurait pu déserter, sans difficulté, la rue des Saints-Pères. Il lui faudra, pourtant, plus de deux ans pour rompre avec Grasset et il serait sans doute, par paresse, par contrainte, resté fidèle à son éditeur si la guerre n'avait éclaté, le 3 août 1914, et empêché la publication normale du deuxième tome, qui s'appelait alors *le Côté de Guermantes*. Que d'hésitations, en effet, que d'interrogations, aller et retour, ou contorsions, quand il évoque avec André Gide, Jacques Rivière ou Alfred Agostinelli l'hypothèse d'une rupture avec Grasset ! Dieu, qu'il est tenté de rejoindre la NRF, cette « planète où tout n'est, non pas qu'ordre, calme et volupté, mais que noblesse, grandeur morale, beauté émouvante et suprême » ! Mais il ne veut pas « mal agir » à l'égard de son éditeur, qui, après tout, accepta sans barguigner son manuscrit et il s'estime tenu par un « pacte moral ».

Après le courrier de Gide, il s'empresse, néanmoins, d'avertir Grasset d'une manière terriblement alambiquée, des intentions qui le traversent et des offres qui lui sont faites. Je vous tiens, vous me tenez, je vous quitte, vous me quittez, retenez-moi, non, je ne vous retiens pas, je suis votre dévoué, je suis votre obligé, mais non, mais si... Pendant plusieurs mois, les deux hommes vont entretenir une correspondance très proustienne, tortueuse à souhait, cachant de la malice ou du calcul sous une avalanche d'incises, de parenthèses, de subjonctifs, de redondances, de locutions adverbiales. Grasset n'est pas dupe des scrupules de Proust, qui lui dévoile son jeu dès le 28 mars 1914.

> Dernièrement mes amis de la *NRF* (et ceci n'est plus du tout la même chose, il s'agit d'écrivains) ont fait auprès de moi des démarches extrêmement instantes, m'ont adressé des demandes rédigées à l'unanimité des membres de leur conseil pour que *A la recherche du temps perdu* (ils ont fondé une maison d'édition) émigrât chez eux. (Je vous dis cela en confidence.) Ils voulaient d'ailleurs faire entièrement les frais de l'édition et dans les conditions les plus généreuses. J'ai répondu qu'avant tout je n'ai voulu rien faire qui vous déplût, que je ne savais même pas si je vous le demanderais et qu'en tous les cas je mettais une condition absolue que ce serait au contraire moi qui ferais les frais de l'édition afin que vous ne puissiez pas croire que c'était une question d'intérêts qui me faisait désirer de vous quitter.

Grasset, utilisant le même registre — l'attachement « désintéressé » — et mesurant l'indécision dans laquelle se débat son auteur, se garde de trancher à sa place et lui répond le 4 avril, non sans habileté.

> Notre traité me charge de l'édition de l'ensemble (tout en vous réservant absolument la propriété de tout cet ensemble : soyez donc sans

inquiétude à ce sujet), mais encore une fois, malgré cette entente, je ne veux être votre éditeur pour la suite, que si, *notre accord n'étant compté pour rien*, vous me donnez toute votre confiance... Je vous délie volontiers de tout ce qui peut constituer, dans notre premier accord, l'ombre d'une obligation, et décidez dans toute la plénitude de votre indépendance.

C'est exactement ce que Proust redoutait le plus, comme il l'avoue à Gide. « Il m'a écrit que je pouvais faire ce qu'il me plaisait, qu'il me déliait de tout traité, qu'il ne voulait de moi que de tout mon cœur et non par contrainte. Dans ces conditions, je ne pouvais qu'appliquer la liberté qu'il me rendait, je lui ai donc dit que je paraîtrais chez lui. »

Fin avril, Grasset, qui rentre d'un séjour de deux semaines dans le Midi, offre à Proust de publier le deuxième tome à ses frais — à l'exception des corrections —, d'effectuer un tirage d'origine de trois mille exemplaires et de lui régler, dès la mise en vente, 65 centimes par exemplaire. Sur le second tirage de trois mille — si c'est nécessaire — il lui offre 75 centimes par exemplaire. « Je ne crois, conclut-il, pouvoir mieux vous marquer tout le désir que j'ai de continuer avec vous l'effort commencé. » Jamais Grasset, en 1914, n'aurait offert de telles conditions à l'un de ses auteurs s'il n'avait eu en lui une confiance absolue : c'est près de vingt pour cent de droits d'auteur pour un livre dont il n'a pas la propriété littéraire. A Émile Clermont, Alphonse de Châteaubriant ou Charles Péguy, il accordait 50 centimes jusqu'au troisième mille[2].

Proust d'ailleurs est conscient de la générosité de son éditeur, comme il finit par l'écrire à Jacques Rivière, laissant toujours percer ce goût de la dissimulation habillée en gentillesse. « Je n'ai jamais voulu dire à Gide (je ne lui répondais jamais sur ce point), comme je gardais quelque espoir de paraître à la NRF et que je tenais absolument à ce que ce fût à mes frais, que Grasset non seulement ne me laissait pas faire les frais de ce volume et les prenait à sa charge mais encore me donnait des droits d'auteur très généreux. Maintenant qu'il est convenu que le livre ne paraîtra pas à la NRF, je n'ai plus aucune raison de cacher ce fait. »

*

Tels deux danseurs sur une corde raide, conscients qu'au moindre faux pas c'est la chute, Proust et Grasset vont avancer dans la fabrication du deuxième volume, *le Côté de Guermantes*, avec plus encore de difficultés que pour le premier. Louis Brun assure la liaison avec l'auteur pour la correction des épreuves tandis que l'imprimeur Colin s'arrache les cheveux à déchiffrer le manuscrit. Brun, encore, s'occupe de mobiliser la presse autour du

« nouveau livre de Marcel Proust », qui doit paraître en novembre 1914. Il alerte André Billy, alors critique au *Paris Journal* et qui se chargeait d'alimenter le jury Goncourt en tuyaux littéraires ; Raoul Aubry, du *Temps* ; Jean-Jacques Brousson, du *Gil Blas*, redouté pour sa verve endiablée ; André Chaumeix, du *Journal des débats*... Apparemment, c'est la lune de miel. Proust dit « ses remerciements émerveillés devant toute cette magie », Grasset n'a de cesse de manifester son « affectueux dévouement ». Derrière ces embrassades, Proust va son chemin et s'éloigne insidieusement de la rue des Saints-Pères. Il grogne chaque fois qu'il reçoit des pages à corriger — elles sont « épouvantables » — et, depuis la mort de « son pauvre ami » Alfred Agostinelli qui se noie à la suite d'un accident d'avion le 30 mai, il n'a plus le courage d'ouvrir les paquets d'épreuves. Au vrai, il saisit toutes les occasions de tendre ses rapports avec l'éditeur.

Grasset, qui, mieux que personne, peut comprendre les feintes et les chinoiseries de son « pauvre ami », esquive, élude, s'amuse parfois de la perversité de cette insolite relation. En particulier quand Proust lui demandera de donner un recueil d'articles à la *NRF*, il ne marquera aucun agacement et il l'encouragera avec un brin d'ironie.

> Je suis personnellement très heureux que cette revue obtienne de vous une aussi intéressante compensation... Je considère cette revue comme la plus intéressante manifestation d'art de notre temps ; et je l'admire en la jalousant un peu. Mais en ce qui vous regarde, c'est elle qui doit me jalouser, et je crois que ce recueil d'articles arrangerait tout à fait les choses. Je vous conseille donc et vous demande même de le lui donner.

Vaille que vaille et par-delà la lassitude ou l'énervement qui affleurent parfois sur l'épaisse couche de civilités, la fabrication du deuxième tome, *le Côté de Guermantes*, avance.

Il ne paraîtra jamais, on le sait, sous la forme du manuscrit sur lequel travaille Colin. La guerre vient bouleverser le calendrier. La guerre, qui délie chacun de sa parole, et qui va permettre à Proust de se dégager, avec bonne conscience, de son éditeur et de rejoindre enfin la NRF, sa chère « planète » NRF. Elle va lui permettre aussi de remodeler en profondeur son œuvre.

Après la déclaration de guerre, pendant toute l'année 1915 et le premier semestre 1916, il n'y a aucune trace d'un lien quelconque entre Grasset et Proust, sauf une visite que l'éditeur fit à son auteur, apparemment pour lui demander un service vers la fin juin 1915. Grasset, absent de Paris la plupart du temps — il fut d'abord mobilisé, puis alla souvent en « maison de santé » comme on le verra —, a fermé boutique. Proust, de son côté, dans son abondante correspondance, ne fait pas la moindre allusion à son éditeur « si gentil », jusqu'au 30 mai 1916. Ce jour-là, dans une lettre d'une délicieuse duplicité, il annonce à Gaston Gallimard, un peu plus hardiment que de coutume, ses véritables intentions.

> En un mot, cher ami, si je me sens plus de devoirs envers vous qu'envers Grasset, je me sens (ne croyez pas que je dis cela par prétention) plus de devoirs envers mon œuvre qu'envers vous. Je lui ai assuré un asile, je veux bien essayer de le quitter ; mais je veux être hors de doute d'abord que le vôtre ne risquera pas ensuite de lui faire défaut et que mon manuscrit ne sera pas obligé d'errer, conduit par moi ou par un autre, si je ne suis plus là, sans trouver, comme le « fils de l'Homme », d'oreiller où reposer sa tête.

La procédure du divorce est engagée. Il s'agit, désormais, de l'obtenir en douceur. René Blum sera, une fois de plus, le médiateur. Il ne lui avait fallu que deux semaines, en mars 1913, pour sceller le destin de *Swann* ; il lui faudra moins d'un mois, en août 1916, pour interrompre une collaboration marquée du sceau de l'ambiguïté.

*

Grasset venait-il de perdre sa première grande bataille avec la NRF ? Il semble plutôt qu'il n'ait pas voulu engager le combat. Pourquoi ? Parce qu'il attendait de Proust une fidélité d'ordre sentimental, affective, dégagée de toute considération d'intérêts. Sur ce point, sa bonne foi ne peut pas être mise en doute, tant il se comportait de façon possessive, excessive, avec tous les auteurs vis-à-vis desquels il sentait une affinité, aussi équivoque ou mal exprimée fût-elle. Et il était en « parenté » — c'est son mot — avec Proust.

Comment la rupture se passa-t-elle ? Le 30 juillet 1916, alors que Grasset se trouve en Suisse en congé de convalescence à la clinique « le Chanet », à Neufchâtel, il reçoit de René Blum un mot daté du 11 accompagné d'une lettre de Proust datée du 9. Dans cette lettre, Proust révèle à son éditeur les propositions que lui a faites la NRF et lui demande, au nom de l'amitié, de reprendre sa liberté. Grasset, en effet, n'est pas à ce moment-là en mesure de publier la suite de *Swann*. Or, lui confie Proust, c'est uniquement poussé par des besoins d'argent qu'il se permet une telle démarche et il ne manquera pas, dans la suite, de lui donner un nouvel ouvrage dès que sa Maison aura repris le cours normal de ses publications. De son côté, René Blum ajoutait « Proust [...] vous a mis au courant de sa situation : il a perdu une partie de ce qu'il avait et il ne peut plus être aussi indifférent qu'autrefois à gagner un peu d'argent. » Le père de *Swann* estimait, et il avait raison, que cet argument — sa « ruine » — serait déterminant auprès de Grasset. Cet argument n'était qu'un prétexte, comme il l'avoua à René Blum quand il lui demanda de plaider sa cause auprès de l'éditeur. « J'ajoute (pour vous) que la raison que je vous donne n'est pas la vraie car si la NRF m'a offert de me faire paraître tout de suite, j'ai dit que je préférerais ne paraître qu'après la Paix... J'ajoute encore que je n'accepterai pas de la NRF des conditions meilleures d'un centime que celles de Grasset (qui d'ailleurs, après le premier volume, étaient devenues bonnes). »

L'argument porta. Le 1ᵉʳ août, Grasset répond à Blum, et non à Proust alors souffrant, une lettre qui mérite d'être relevée :

> Je peux bien vous dire que ma firme est la chose au monde à quoi je tiens le plus. Aussi vous comprendrez que j'ai été douloureusement surpris qu'en pleine guerre, alors que tout mon personnel est mobilisé, que je le suis moi-même, alors que tout le monde, agité par d'autres soucis que ceux des affaires, respecte cette trêve et réserve pour le moment de la reprise des questions restées en suspens, un des auteurs auxquels je tiens le plus me demande brusquement de se détacher de moi... En ce qui touche le retard apporté à la publication du second volume, et pour examiner la question au point de vue du droit pur, il est certain que je me trouve, du fait de la guerre, dans un cas de force majeure qui me réserve, jusqu'à la reprise des affaires, tout droit d'en effectuer au moins le premier tirage. Ce n'est d'ailleurs pas tant du point de vue du droit que je voudrais examiner avec vous la question. Je ne vous dis toutes ces choses que pour vous montrer que vous me prenez à l'improviste et que j'ai besoin de réunir les éléments de la question. Mais en réalité, votre demande m'a plus peiné et choqué dans mon dévouement d'éditeur, qu'inquiété dans mes intérêts.
>
> Si malgré ces considérations M. Proust veut une rupture, j'ai, croyez-le, trop de fierté pour retenir un auteur qui n'a pas confiance en moi et je lui faciliterai la reprise complète de sa liberté ; mais je tiens aupara-vant à ce que vous lui communiquiez ma lettre et à ce qu'il pèse bien tous les éléments de la question. Je vous demande en outre de me laisser le temps de me documenter.
>
> Je veux encore espérer que M. Proust comprendra que les tristes nécessités où nous nous trouvons tous ne constituent pas un motif de rupture, et qu'il ne me fera pas la très grande peine d'une séparation.

Le 14 août, Proust fait porter, rue des Saints-Pères, une nou-velle et très longue lettre, qui fut aussitôt envoyée à Grasset. Il y montrait clairement son désir de rompre, et, tout en se disant « froissé » par la réponse de son éditeur — un froissement plus théâtral que réel —, il en appelait à la compréhension, à l'amitié. Il donne, pour la circonstance, du « cher monsieur » à Grasset et non du « cher ami ». Il affirme qu'il lui est impossible de faire face à ses obligations budgétaires sans l'argent que lui offre la NRF. Son état de santé, de jour en jour plus précaire, le rend, dit-il, particulièrement désireux de publier rapidement l'ensemble de son œuvre. Cette fois, le rideau tombe sur la *ricreazione tragicomica* que jouent, depuis le début de leur collaboration, l'auteur et son éditeur. « Il était bien naturel, lui écrit Grasset le 29 août 1916, que je ne renonce pas à un auteur auquel je tiens beaucoup sans lui en manifester ma tristesse, et il n'y avait certes pas là de quoi vous froisser, mais je suis sensible à toutes les tristes choses que vous me faites l'amitié de me confier et je ne veux pas, par mon fait, augmenter vos soucis et votre peine. Et quoi qu'il m'en coûte, je renonce à publier le second volume de *A la recherche du temps perdu*. »

Restera à régler le subalterne, la question des indemnités, des compensations, du solde des droits sur *Swann*.

C'est à l'occasion de ce règlement, qui traîna plus d'un an en raison de la guerre, que Grasset allait rencontrer pour la première fois Gaston Gallimard, son concurrent de toute une vie. Jusque-là il n'avait eu, avec le directeur de la NRF, que des relations épistolaires. Le rendez-vous eut lieu, rue des Saints-Pères, un après-midi d'octobre 1917. Ils avaient trente-six ans et ils n'imaginaient sans doute pas à quel point leurs noms marqueraient l'édition française du XXe siècle.

Grasset se comporta en grand seigneur avec celui qu'il tenait pour « l'homme le plus compliqué de Paris », mais dont il avait su reconnaître le génie. Il fut, très vite, conscient que la NRF et la critique allaient s'ingénier à lui refuser ce mérite. Revenant, plus tard, dans une lettre à Proust, sur la recherche d'une solution financière équitable, on le voit qui insiste surtout sur « cette sorte de désaveu dont le public croira facilement que j'ai été l'objet, puisque je cesse brusquement d'être votre éditeur ». Et d'évoquer alors l'avenir, et son « ardent désir » qu'un jour l'auteur de *Swann* lui revienne. Le prisonnier de la NRF ne reviendra jamais. En 1921, quand il lança les « Cahiers verts », Grasset pensa inaugurer sa célèbre collection par un livre de Proust : « Mon rêve, mon cher ami, avait été de faire débuter ces "Cahiers" par une œuvre de vous, si courte soit-elle. Vous avez bien voulu me donner l'assurance que vous n'écartiez pas le principe d'une collaboration, faites-moi cette joie, mon cher Proust, et le plus tôt que vous pourrez. »

Son « rêve » ? Le mot est juste. Ce n'était bien qu'un rêve. La subtile et courtoise hypocrisie qui présida aux trois années de mariage, le temps d'accoucher de *Swann*, se prolongea après le divorce. Sans illusions, de part et d'autre. Disons, sans volonté de renouer. Toujours la *tragicomica*.

*

N'était cette fable qui l'agaçait, qui atteignait son orgueil et selon laquelle il aurait renoncé volontairement à éditer *A la recherche du temps perdu*, commettant ainsi une énorme bourde, Grasset n'a jamais vraiment cru qu'il pourrait empêcher Proust de le « lâcher » pour la NRF. Le 1er août 1916, plus désabusé qu'amer, il écrivait à Brun : « Nous aurions fatalement eu des difficultés avec ce gaillard, et puis nous n'avions aucun droit de propriété[3]. » Ce gaillard ! Proust, un « gaillard » ! Voilà sans doute une appellation qu'il doit être seul à lui avoir donnée.

*

En vérité, l'infidélité de Proust n'a guère eu de conséquences sur les relations tumultueuses que Grasset entretint avec Gaston Gallimard. Beaucoup moins, par exemple, que la « question Charles Péguy », qui se situe à cette même époque de la guerre et de l'après-guerre. Il avait, en effet, demandé en 1912 au fondateur des *Cahiers de la Quinzaine*, dont il venait de publier un premier recueil de textes, de lui sélectionner de nouveaux fragments de son œuvre. La veuve de Péguy s'empressa, en 1918, de livrer à la NRF, « clefs en main », comme nous le dirions aujourd'hui, cette sélection de morceaux choisis. « Vous me les avez enlevés », reprochera Grasset à Gaston Gallimard, dès 1922. Et tout au long de sa vie, quand, pour des raisons de circonstance, il parlera des moments de tension avec son alter ego, c'est toujours à ce différend qu'il reviendra, avec obsession. Il se posait en héritier de Péguy et, au fond, on peut se demander si le seul vrai contentieux professionnel et sentimental qu'il y ait eu entre lui et Gallimard ne tient pas à cette « question Péguy ». Il n'a jamais pardonné à son concurrent d'avoir traité avec « la veuve », alors que rien — ni intérêts commerciaux, ni besoins de prestige — ne l'y obligeait.

Proust était un « gaillard ». Péguy était son maître. Il regretta le départ de Proust ; il fut parfaitement lucide sur la qualité de l'œuvre qui lui échappait. En revanche, il n'en conçut aucun dépit, aucune aigreur, aucune colère. Mieux : dans son for intérieur, il fut, probablement, soulagé de s'éloigner d'un homme qui sut métamorphoser une névrose en génie littéraire, une transformation dont il rêva souvent pour lui-même. Il était jaloux de Proust. A Fernand Vandérem, qui, en mars 1924, le plaignait d'avoir perdu Proust, il dira « Ne me plaignez pas, la guerre a eu une fin et j'ai bien repris ma revanche depuis. »

« Reprendre complètement les techniques de lancement. L'heure est venue d'imposer les auteurs, de créer l'événement autour d'un ouvrage. »

BERNARD GRASSET

5

LE PATRIOTE

Pendant la Grande Guerre, la Maison ne publiera aucune nouveauté. — Mobilisé mais malade, il se repose souvent en Suisse. — Avec Robert de Jouvenel, il collabore au service français de propagande installé à Berne. — Il rêve d'une « mobilisation civile » et édite des ouvrages à l'usage des poilus, dont « le Fait de la semaine ». — La tentative d'un « Guide Michelin ». — L'infidélité de Giraudoux. — Pereira, un de ses lecteurs, découvre André Maurois.

La France de 1914 n'est pas occupée : elle est, de la Somme à la Meuse, envahie. Le gouvernement de la République assume, sans compromission aucune avec le Deuxième Reich de Guillaume II, le fonctionnement des institutions. La France est en guerre. Celle-ci, de la mobilisation générale du 1ᵉʳ août 1914 à l'armistice de Rethondes, le 11 novembre 1918, impose à tous les Français, et pour la première fois à ce degré, souffrances, sacrifices, patience. Des millions de citoyens, quelquefois avec enthousiasme, le plus souvent avec résignation et un étonnant esprit d'abnégation, participent jusqu'à l'épuisement à cette grande secousse de l'Histoire[1]. La patrie, le patriotisme, le sens du devoir sont, comme jamais, célébrés, sanctifiés.

Ce conflit, on l'attendait sans vouloir y croire et, quand il éclate, dans la chaleur de l'été, il ne surprend personne. Grasset moins que quiconque. Une semaine avant la déclaration de guerre de l'Allemagne à la France, le 3 août, il livre à Brun sa conception d'un combat salvateur, purificateur et fatal :

Depuis quatre ans, il ne se passe pas d'année qu'on ne nous menace d'une guerre, que l'Allemagne ne fasse traîner son sabre et que le commerce en soit paralysé. Eh bien, puisqu'il en est ainsi, il vaudrait mieux en découdre une bonne fois pour toutes, liquider cette haine qui couve. Les affaires seraient anéanties mais elles seraient bien plus belles après, que nous soyons vainqueurs ou vaincus. A la suite des événements actuels, il s'ensuit un arrêt forcé et vous verrez que nous nous en ressentirons longtemps. Donc plutôt que de voir péricliter le commerce et l'industrie, il vaudrait mieux partir, cela aurait pour conséquence de faire cesser toutes les divisions qui épuisent la France[2].

Il écrit de Lacaune, dans le Tarn, où il se repose des fatigues de son séjour en Roumanie et Serbie. Son voyage jusqu'aux Balkans, dicté par l'actualité, l'a convaincu que la France a perdu son aura, son influence dans ces régions qui lui sont traditionnellement attachées. Il y est allé pour trouver du papier à meilleur prix, mais aussi pour relancer le livre français qui recule devant la pression de la culture allemande. Il en revient avec le sentiment d'avoir œuvré pour son pays.

Nourri des idées de Barrès, de Péguy, de Maurras, lié à Paul Bourget, à Léon Daudet, à Henri Massis, à Léon Lafage, Grasset est alors un nationaliste que passionne la « question allemande ». S'il ne défile pas devant la statue de Strasbourg, place de la Concorde, ni devant celle de Jeanne d'Arc, à la suite de Déroulède, si ce n'est pas un exalté de la revanche, c'est un partisan de la « mobilisation morale ». Quand la guerre le surprend, il est habité par un patriotisme sincère et il veut « y aller ». Le 2 août 1914, il est appelé sous les drapeaux et rejoint, avec le grade de sergent, la 31e compagnie du 122e régiment, à Rodez, dans l'Aveyron. Brun lui a télégraphié son ordre de mobilisation et adressé son livret militaire.

Prévoyant le pire, il avait, de Lacaune, organisé le repli de sa Maison et son éventuelle fermeture. Brun devait vider le compte de la Société générale et porter l'argent, contre reçu, à son oncle de Versailles, l'amiral Grasset. Il avait également décidé, dès juillet, de suspendre le paiement des échéances et, en revanche, de réclamer « avec fermeté » tous les comptes d'auteur qui n'étaient pas soldés.

> C'est de la simple prudence et réfléchissez que nous n'aurons même pas les 10 000 francs d'avance que vous aviez prévus (exactement 9 600 francs)... Faites bien attention, mon cher Brun, vous voyez que déjà nous sommes loin de l'avance de 20 000 francs de la fin mai, le dernier mois où nous étions deux à diriger. Préparez dès maintenant Léon à son rôle de chef.

Il s'agit de Léon Majesté, qui, jusqu'au retour de Grasset, va s'occuper de la Maison, avec l'aide de Mme Leleu, « couturière de son état », la femme du comptable, et d'Yvonne Bourdault. Léon Majesté est un très vieil ami de Grasset et il n'est là que pour « tenir la boutique », pour faire patienter les auteurs qui s'inquiètent de leurs œuvres ou les imprimeurs qui attendent d'être payés ; et surtout pour relancer les librairies qui doivent de l'argent. Quant à Louis Brun, il n'est mobilisé que vers la fin de 1914 et rejoint l'hôpital de Sète comme infirmier.

A Rodez, l'enthousiasme patriotique du sergent Grasset ne résiste pas au casernement, à la promiscuité et à la mauvaise alimentation. « Si vous saviez mon angoisse, mon pauvre Brun... Mon état nerveux s'est aggravé dans des proportions formidables. » André Billy, incorporé dans un régiment voisin, raconte : « C'était un grand anxieux. Il venait à chaque instant me pleurer dans les bras. Il me demandait pourquoi on le laissait là, à se morfondre, pourquoi on ne l'envoyait pas au front[3]. » Billy, qui entrait dans sa trente-deuxième année, avait débuté, avec Alexandre Arnoux, conteur, scénariste, traducteur de Goethe et de Calderon, chez Edward Sansot, rue de l'Éperon, qui, vers 1907, tenait dans la littérature le rôle de lanceur de jeunes qu'allait bientôt assumer Bernard Grasset. Billy et Arnoux se lièrent, dès 1910, d'amitié avec Grasset, bien que le premier ne se fît jamais éditer rue des Saints-Pères et que le second attendît 1925.

L'éditeur ne se morfondra pas longtemps. Dès septembre, il « craque » et entre à l'hôpital militaire. Il n'ira jamais au front. Sa fragilité psychologique le submerge et il ne parvient pas à maîtriser sa panique dans ce monde de soldats, à mille lieues de sa sensibilité. Pour l'armée des « poilus », il est irrécupérable et c'est de bonne grâce que le médecin-chef de Rodez va le transférer, sur la demande du Pr Joseph Grasset, à Montpellier. Bernard, via Louis Brun, avait supplié son oncle d'intervenir dans ce sens. Selon le distingué professeur de neurologie, son neveu était atteint d'« obusite ». C'est à Montpellier qu'il apprendra la mort, le 31 décembre, de son frère Joseph, à l'hôpital de Valmy, victime d'un éclat d'obus à la tête, et celle du robuste Charles Muller, barbu et placide, l'auteur avec Paul Reboux des *A la manière de...*

Après Montpellier il se repose à Saint-Didier, un village du Vaucluse, et il va, pendant deux ans, errer de maisons de santé en hôtels. Un mois il est à Berne, un autre à Avignon, puis on le trouve à Genève ou à Neufchâtel. La Suisse est le refuge de tous les « embusqués », de tous les privilégiés, financiers, hommes d'affaires souvent douteux. Il croise le Tout-Paris des arts et des lettres dans des palaces « pleins de gens à favoris, de grands seigneurs très chics, de jolies femmes ». Sur les bords du lac Léman, Grasset n'est pas du tout dépaysé. Ses confrères Gaston Gallimard et Jacques Chardonne, tous deux réformés, y sont passés, comme les Bibesco, Romain Rolland, Copeau, Misia Sert, Diaghilev, Stravinski, Bakst, Gontcharova[4]...

Mais à l'inverse de Gallimard, qui endosse « fièrement la tunique de l'embusqué », il assume très mal sa situation. Sans états d'âme, le patron de la NRF va « tout essayer — simuler la folie, enjamber les fenêtres, se laisser mourir, faire intervenir des relations médicales et ses parents — pour échapper à la mobilisation », et il reprendra, dès 1915, avec fébrilité, ses activités d'éditeur.

Grasset se tient en réserve, tiraillé entre ses convictions patriotiques et les soucis que lui donne sa Maison. C'est ainsi qu'il perdra Proust et qu'il perdra l'œuvre de Péguy quand Gaston Gallimard se les appropriait, s'oubliait « dans le labeur quotidien », s'attachait Joseph Conrad, éditait sous ses couleurs Paul Valéry, découvrait « un garçon gauche et longiligne » qui s'appelait Pierre Drieu La Rochelle[5].

*

Si sa maladie est bien réelle, elle le gêne, elle contrarie son âme de patriote et il ne veut pas s'en prévaloir. Est-il honteux de sa détresse ? Il est dans la position inconfortable, ambiguë, du « planqué » qui revendique sa part de courage, qui a mauvaise conscience. Son complice Gallimard proclame avec cynisme : « Dites-vous bien que je ne suis pas un héros, que je suis un lâche. » Lui, il demande à Majesté, à Mme Leleu, à Brun de dire qu'il est « parti au front avec le 122ᵉ comme sergent, encore fatigué mais plein d'entrain ». En février 1915, il écrit à André Billy : « Je te prie de tenir caché mon état de santé actuel qui me désespère... Mon désir serait, après avoir un peu rétabli ma santé à la campagne, de faire l'expérience de ma force dans un service moins pénible que ceux du front, comme par exemple un service d'intendance, quitte à prendre du service armé, une fois maître de ma santé. » Persuadé que son expérience professionnelle peut aider les militaires et les hommes politiques, il tente de se faire nommer dans un ministère. En vain. Début 1916, toujours en convalescence, il invente une autre légende et il fait répondre à ses amis et auteurs qu'il a été évacué à la suite d'une fièvre typhoïde très grave, laquelle le contraint au repos le plus absolu.

A Paris, la plupart des éditeurs — Gallimard, Plon, Calmann-Lévy, Payot, le Mercure de France, Colin, Flammarion, etc. — reprennent leur activité dans l'hiver 1914-1915. « La guerre qui fit de nous de si prompts improvisateurs va-t-elle nous donner le génie de l'improvisation ? » s'interroge Louis Hachette. Grasset ne suit pas. Il met sa Maison en sommeil et il ne fera paraître aucun nouveau titre jusqu'en septembre 1917. Il s'emploie, quand il est rue des Saints-Pères, à relancer quelques ouvrages de son fonds, sous une bande-annonce qu'il a inventée pour la circonstance : « la France d'avant-guerre ». Il réédite « ses » succès. *Laure*, bien sûr, d'Émile Clermont, *Œuvres choisies,* de Charles Péguy, *le Culte de l'incompétence*, d'Émile Faguet, *l'Ame des Anglais,* de Jacques Vontade Foemina, alias Augustine Bulteau, *le Baptême de Pauline Ardel,* d'Émile Baumann, *la République des camarades,* de Robert de Jouvenel, et surtout *A la manière de...,* de Reboux et Muller, que les soldats lisaient dans les tranchées.

Quelle fut la vente de ces livres? Modeste, certainement, à l'exception des pastiches de Reboux et Muller. La Maison est aux prises avec de grosses difficultés financières. L'argent n'entre pas, en dépit des retirages et des efforts que déploie Grasset pour liquider la plus grande partie de son stock. La prudence est de rigueur. L'éditeur a passé la consigne et interdit que l'on touche au petit capital — 24 000 francs — mis de côté. « Songez, avait-il écrit à Brun et Majesté, que nous avons plus de 80 000 francs de dettes qui seront exigibles quand la guerre finira. »

En fait, jusqu'à son premier séjour à Paris, entre juin et septembre 1915, une joyeuse pagaille règne rue des Saints-Pères. Tous les « retours » s'entassent dans le hall. Aucun livre de stock ou de comptes n'est tenu. En trois mois, il réorganise la comptabilité générale; il persécute les libraires qui lui doivent de l'argent et parvient grosso modo à régulariser l'année 1914; il met au point un système de paiement de ses imprimeurs; enfin, il s'occupe des sept ou huit livres qu'il a réédités.

Mais il ne déroge pas à la règle qu'il s'est fixée: aucune nouveauté avant la fin de la guerre. C'est ainsi que le jeune Montherlant — il a vingt ans —, qui vient d'achever sa première œuvre, *l'Exil*, et qui veut trouver un éditeur avant de s'engager au 360e d'infanterie, reçoit, le 3 août 1915, une lettre de Mme Leleu : « Quant à votre manuscrit, nous l'avons fait parvenir à M. Grasset, qui nous charge de vous informer que toute publication lui est impossible en ce moment et qu'il n'en voit la possibilité que dans trois ou quatre mois. Nous tenons donc votre manuscrit à votre disposition. » En 1917, la première version de *la Relève du matin* sera également refusée. Deux refus uniquement dictés par les circonstances. Trente ans plus tard, en 1948, dans le procès qui l'opposera à son éditeur, Montherlant les interprétera comme une faute de discernement de la part de Grasset. « En 1915, j'envoie à Grasset le manuscrit de mon premier ouvrage, *l'Exil*. Refusé. En 1917, j'envoyai du front, à la maison Grasset, sous son titre d'alors, *Per infantiam tuam,* le manuscrit de mon ouvrage *la Relève du matin*. Bientôt une lettre de l'éditeur m'annonçait que mon manuscrit était refusé. » Il n'y a aucune trace de cette lettre[6].

En 1915 — comme en 1916 d'ailleurs —, l'attitude de Grasset est la même à l'endroit de toutes les personnes qui lui adressent un

manuscrit, y compris celles qui proposent de s'éditer à compte
d'auteur. Dans son intransigeance, il ira jusqu'à refuser de soutenir le roman de Martial Piéchaud, *le Retour dans la nuit* — dont la
parution remonte à juin 1914 —, au Goncourt de décembre 1915.
Libre à Piéchaud de concourir ; il ne l'aidera pas. « Je ne veux
absolument pas cette année avoir l'air de profiter d'un congé de
convalescence pour faire campagne dans le prix Goncourt ; il y a
là, à mon avis, une question de pudeur pour moi[7]. »

*

Très satisfait, néanmoins, de l'« énorme travail » qu'il a dû
fournir pour parer « au désordre effroyable » qui règne rue des
Saints-Pères, il quitte Paris en septembre 1915, moralement tonifié
et physiquement épuisé. Il a obtenu l'autorisation de faire une
cure d'hydrothérapie, qu'il suivra chez le Dr Dubois à Berne, un
spécialiste des maladies nerveuses. Il informe Brun, qui à l'époque
est ambulancier sur le front, de ses efforts pour redresser sa
« pauvre Maison », et il termine sa lettre de six pages par un détail
qui allait être à l'origine de sa méfiance éternelle, habillée d'un
ironique mépris, envers son second :

> Je ne voudrais pas vous parler de quelques petites choses difficiles à
> contrôler actuellement en raison de votre éloignement, cependant je
> viens de m'apercevoir aujourd'hui d'une irrégularité à propos du compte
> Floury ; je lui avais envoyé un relevé portant à son crédit la somme de
> 279,45 francs comme règlement au 31 juillet 1914. Or, je viens de chez
> lui et il m'a montré un reçu signé de vous de 322,95 francs ; notre caisse
> n'a reçu au 31 juillet que 279,45 francs. Je me suis alors reporté au
> carnet à souches du reçu et je me suis aperçu que vous aviez surchargé le
> chiffre porté sur la souche... Si vous vous rappelez ce fait, expliquez-le-
> moi, sinon nous verrons cela après la guerre. Je m'aperçois que d'autres
> souches de reçus ont été également surchargées, ce qui est fort en-
> nuyeux ; il y a également un grand nombre de souches en blanc remises
> par Leleu à vous. Enfin, nous verrons tout cela après...

Dans un autre courrier, il évoque deux projets que lui avait
inspirés Georges Goyau, éminent spécialiste de l'histoire des
ordres religieux, et qui ne verront pas le jour. Il souhaitait publier
des témoignages de prêtres aux armées, en regroupant une sélection de leurs plus belles lettres, inédites ou déjà parues dans les
journaux. A la faveur de la guerre, les catholiques, et particulièrement le clergé, se trouvaient réintroduits dans la nation. « Le
départ en soutane de beaucoup d'ecclésiastiques venant rejoindre
leur corps, a produit un très bon effet », notait Alfred Baudrillart,
recteur de l'Institut catholique de Paris. Les ouvrages d'inspiration
religieuse foisonnaient et Grasset voulait donner à son projet un
sens pastoral et patriotique.

Il faudrait que de la lecture du livre se dégage pour le grand public et en particulier pour le soldat qui, au front, a côtoyé des prêtres, l'impression que le prêtre, dans tous les postes, est celui qui fait le mieux et le plus simplement son devoir. Il faut même que le public hostile au catholicisme puisse dire en lisant le livre, « les braves gens ». Je crois qu'ainsi conçu, le livre peut avoir un immense succès et faire énormément de bien. Il pourrait même à mon avis être utilisé par la propagande catholique en France et pour le bon renom moral de la France à l'étranger.

Sur le même principe, il proposa à Dupuy, secrétaire général de l'École normale supérieure, de réunir des lettres de normaliens. Il avait publié tant de jeunes normaliens avant la guerre qu'il considérait sa démarche des plus naturelles. Il se fit éconduire et en fut meurtri au point de revenir sur cette affaire deux ans plus tard, en janvier 1917, quand Dupuy voulut lui recommander un auteur : « Cette idée m'était très chère, car vous n'ignorez pas que ceux des vôtres qui sont tombés à cause de cette guerre étaient édités chez moi, et je voyais dans ce livre un véritable "monument". J'ai reçu, à ce sujet, de l'École normale, une lettre assez sèche, dont j'ignore l'inspirateur et qui marquait nettement qu'on n'était pas disposé à entrer en pourparlers avec moi[8]. »

Les difficultés qu'il rencontre pour rassembler une riche correspondance de prêtres, l'attitude de la rue d'Ulm et ce patriotisme qui le torture cassent son enthousiasme. Il n'est décidément pas à son aise dans cette guerre qu'il ne fait pas, et dans laquelle pourtant il voudrait d'une manière ou d'une autre s'impliquer.

Courageux dans son comportement ? Il ne l'est pas, il ne peut pas l'être tant il est psychologiquement fragile et il ne connaît rien au maniement des armes. Mais lâche, il ne l'est pas non plus. Il voudrait bien « faire quelque chose ». Il ressent, comme il s'en ouvre à sa sœur Guiguite, Marguerite Grasset, la situation équivoque de plusieurs des écrivains qu'il admire, en particulier celle de Maurice Barrès, président de la Ligue des patriotes, chantre de la reconquête de nos frontières perdues et dont le devoir eût été de s'engager aussitôt la mobilisation décrétée :

La guerre, Guiguite chérie, exalte le sens du sacrifice et l'héroïsme, mais momentanément... Elle donne aux êtres une vision exagérée de leurs droits... La vie dans le continuel danger déplace les valeurs et les fausse. Le lien social s'y distend. On pense à soi surtout. Et de sentir pendant si longtemps et avec tant de force combien la vie est précaire, cela donne un besoin immodéré de jouissances matérielles et immédiates. L'héroïsme n'engendre pas la patience et sans patience on ne construit rien de solide et de beau. Tout ceci s'applique aux combattants, et aussi aux non-combattants. Car nous aussi, nous vivons dans l'incertitude qui démantèle l'âme et sous les menaces terribles qui rendent égoïste. Ici le besoin d'être heureux, de jouir tout de suite, et n'importe comment, est partout.

De Suisse, il donne à Majesté, à Mme Leleu et à Yvonne Bourdault le minimum d'instructions, surtout des conseils judicieux pour étaler le remboursement des imprimeurs. Quand il est à Divonne, il appartient aux « Gens du Cèdre », un groupe très parisien « franchement snob » et qui a l'habitude de se réunir dans un salon du même nom. Il flirte presque tous les soirs avec une jeune fille, jolie et spirituelle, amusante au possible. A Genève, il a également déniché l'âme sœur, « une gentille poupée blonde bien tournée » chez laquelle il multiplie aussi souvent qu'il peut ses visites. A Berne, outre sa cure d'hydrothérapie, il fréquente la Maison de la presse, que vient de fonder Philippe Berthelot pour diffuser les principales œuvres françaises.

*

C'est ainsi qu'il retrouve, fin mai 1916, Robert de Jouvenel, lequel, en poste à Berne, travaille en liaison avec les services français d'information, fixés à Genève, et cette Maison de la presse où sont passés et passeront Paul Morand, Jean Giraudoux, Benjamin Crémieux, Pierre Mille... Jouvenel lui propose de l'associer à ses activités de propagande :

> Me voyant en si mauvais état nerveux, il m'a fortement conseillé de venir à Berne collaborer avec lui, m'assurant qu'un travail utile au pays serait certainement pour moi un facteur de rétablissement, écrit-il le 8 juin 1916 à Louis Brun qui se repose à Pamiers, auprès de sa famille, des suites d'une blessure. Par une sorte de pudeur, je m'occupais de ma Maison juste pour la *maintenir*, mais il me semblait mal, ne pouvant pour le moment faire un soldat, de profiter d'un congé pour donner un essor quelconque à mes affaires. Je n'ai pas changé de façon de voir sur ce point, mais le travail que je fais ici étant de la plus grande utilité pour notre pays, je n'ai pas les mêmes raisons de m'abstenir et j'espère qu'à tous égards cette activité me sera bienfaisante. Jouvenel voudrait que je reprenne mes éditions. Cela est improbable pour le moment. Il y aurait cependant bien des choses à faire, et notamment, toute une éducation française au point de vue extérieur et en particulier au point de vue commercial. Les idées de Jouvenel sont fort intéressantes : c'est vraiment un garçon très intelligent, un de ceux qui nous resteront. Mais aurai-je jamais le courage de faire des affaires si je n'ai pas auparavant mieux donné ma mesure au point de vue militaire ! Je me suis mis au boche : mais quelle sale langue ! Il faudra cependant l'apprendre *plus que jamais* après la guerre si nous voulons conquérir leur marché.

A Berne, il transforme aussitôt le strapontin que lui offre Jouvenel en « mission », et il s'embarque dans un projet de ré-

forme des méthodes de promotion du livre français à l'étranger.
Ce thème, qui préoccupe depuis longtemps les éditeurs les plus
dynamiques, connaît alors un regain d'actualité, la guerre ayant
permis de mesurer l'hégémonie commerciale de l'édition allemande.

> Pour beaucoup d'entre nous, dans le monde du livre, conviendra Louis
> Hachette, l'image colossale de Leipzig, citadelle formidable de l'édition
> allemande, était devenue depuis quelques années une obsession, une
> véritable hantise… La librairie allemande a senti l'impérieux besoin d'un
> centre, où tous les éditeurs auraient leur représentant et où ses corres-
> pondants d'abord, ceux de l'étranger ensuite, seraient assurés de trouver
> immédiatement tous les livres désirés… N'est-il pas singulièrement signi-
> ficatif que tous les livres édités en Allemagne, que ce soit à Francfort, à
> Dresde ou à Breslau, puissent arriver à Leipzig franco de port?

Leipzig, où siège le *Börsenverein* des éditeurs allemands, était
devenue une véritable poste centrale pour les libraires. Si le
modèle n'était pas exportable en France, il excitait les imaginations et la Foire du livre qui se tint à Lyon en septembre 1916,
sous les auspices d'Édouard Herriot, s'articula autour de cette
ambitieuse idée: que le Cercle de la librairie, la vieille maison
corporative du boulevard Saint-Germain, incite les auteurs, éditeurs, imprimeurs, graveurs, bref, tous ceux qui créent le livre, le
fabriquent, le vendent, à mieux organiser sa propagation à travers
le monde.

La Maison de la presse de Berne répondait à cette stratégie. De
même que la Société d'études pour l'exportation des éditions
françaises, créée à l'initiative de Louis Hachette et du Cercle des
libraires. Cette Société d'études se proposait de fonder à l'étranger
des dépôts communs, la gestion en étant assurée, à Paris, par un
organisme central.

Tenu à l'écart, jusqu'à l'offre de Jouvenel, de ce remue-ménage
dans sa profession, Grasset va s'y investir avec l'engouement et la
passion qu'on lui connaît devant une tâche nouvelle. Il mène son
enquête et réunit une moisson de renseignements sur la manière
dont l'édition française s'implante en Suisse. Décembre 1916, son
verdict tombe. Sur la Maison de la Presse de Berne : « Je crois
vraiment connaître la question mieux que personne », explique-t-il
à son partenaire Robert Steinheil de la librairie Berger-Levrault.
« Il est fâcheux que ceux qui entreprennent en France des efforts
dans des domaines particuliers ne fassent jamais appel à des
professionnels. Tout ce qui a été fait en Suisse depuis la guerre,
émanant notamment de la Maison de la presse, est enfantin, et
dans beaucoup de cas nuisible. » Sur la Société d'études pour
l'exportation: « L'idée qui a présidé à cette éclosion est évidem-

ment intéressante mais mon avis est que cette société est encore trop "l'union de quelques-uns pour quelques-uns". Ce n'est pas corporatif, ce n'est pas assez pour la diffusion de toute la pensée française[9]. »

Toute sa vie, et sur de nombreux sujets, il se démarquera des initiatives syndicales de sa corporation. Il aura peu d'amis au Cercle de la librairie du boulevard Saint-Germain et beaucoup d'ennemis. Sa causticité, son indépendance d'esprit, ses jugements sans nuance, son caractère fantasque, son mépris pour la plupart de ses pairs le rendaient insupportable dans les réunions inter-professionnelles. Il les fréquenta fort peu, sauf pour défendre un projet qu'il avait imaginé, conçu, et qu'il voulait imposer. Sa présence boulevard Saint-Germain devenait alors tyrannique. Le mot de Jules Renard sur Jean Ajalbert, précurseur de la littérature coloniale, membre du jury Goncourt, violent, querelleur et bonne fourchette, lui conviendrait à merveille : « C'est un emmerdeur ; mais un emmerdeur volontaire, la race sublime ! »

*

Fin 1916, son expérience suisse l'aura un peu plus conforté dans son opinion sur ses confrères. Il sent toutefois, à travers cette agitation, que ses concurrents ont bel et bien repris leurs affaires, qu'ils essaient d'innover, de moderniser les circuits commerciaux. N'est-il pas en passe d'accuser un retard qu'il ne pourra plus combler quand la paix sera revenue ? Et quand reviendra-t-elle, cette paix ?

La guerre traîne. Le climat nationaliste, patriotique, guerrier, qui s'était répandu dans tous les pays belligérants au cours de l'été chaud de 1914, et qui s'était maintenu jusqu'au début de l'hiver 1916, cède de plus en plus de terrain aux sentiments pacifistes. Ceux-ci envahissent peu à peu les milieux dirigeants : la bourgeoi-sie financière et industrielle, le Parlement, les salons parisiens, les grands corps de l'État, jusqu'à l'armée elle-même. Le philosophe Alain, engagé en 1914 avec enthousiasme, considère deux ans plus tard que la guerre est une naufrageuse. Romain Rolland, réfugié en Suisse où il fait campagne contre la guerre, reçoit le prix Nobel en 1916, tandis que le prix Goncourt va, cette année-là, à Henri Barbusse, socialiste antimilitariste, auteur du *Feu*.

Bientôt, d'autres écrivains combattants révéleront aux Français l'horrible boucherie des tranchées, que les communiqués officiels n'avaient cessé de cacher. Ainsi Roland Dorgelès, journaliste à *l'Intransigeant*, publie en 1917 *la Machine à finir la guerre* ; Mau-rice Genevoix sort coup sur coup *Sous Verdun*, en 1916, et *la Vie des martyrs*, en 1917, deux ouvrages « canardés » par la censure

qui redoute leur force et leur sincérité. A la même époque paraît
Vie des martyrs, de Georges Duhamel. Plusieurs écrivains célèbres, comme Anatole France ou Victor Margueritte, affichent
leur pacifisme face au bloc des nationalistes, que conduisent Barrès, Maurras et Massis.

La guerre, de moins en moins vécue comme un devoir, apparaît
désormais comme « la plus sombre tragédie de l'humaine démence », selon la formule du pape Benoît XV, qui voulait favoriser une paix de compromis. Un tournant s'amorce, auquel Grasset ne peut pas être indifférent. Il décide de rentrer à Paris le
13 décembre 1916. Sa situation militaire n'est pas très nette. Il ne
semble pas avoir été démobilisé, puisque, le 18, il écrit à Brun,
alors hospitalisé dans les Vosges pour une gastro-entérite chronique :

> Pour moi, quoique très amélioré, je ne me sens certainement pas en
> état de reprendre du service actif, mais je dois passer prochainement une
> nouvelle visite et je ne sais rien. Je cherche à me créer un esprit
> d'indifférence sur ce point. Quant à la Maison, il ne peut pas être
> question d'une reprise normale des affaires en votre absence et en
> l'absence de Leleu. Je cherche donc à employer mon activité dans un
> sens aussi utile que possible au pays, tout en cherchant à ne pas coûter
> trop cher à la Maison. En ce moment-ci, grâce à l'appui d'amis dévoués
> comme Lafage et Beauplan, je travaille dans le sens « placement natio-
> nal ». Cela ne vous dit probablement pas grand-chose. C'est cependant à
> mon avis le problème du moment. J'estime en effet qu'il y a une
> campagne d'engagement à entreprendre dans l'ordre civil, semblable à la
> campagne d'engagement de lord Derby, lors du régime des engagements
> en Angleterre. Jusqu'à maintenant, je n'ai pas grand résultat, n'étant
> d'ailleurs que depuis quatre jours à Paris, mais je me crois être sur un
> terrain intéressant. Tout ce que je demande c'est d'avoir la santé néces-
> saire pour poursuivre mon effort.

Il avait en effet, le 15 décembre, alerté Édouard Herriot, ministre des Travaux publics et du Ravitaillement dans le cabinet
Briand, d'une « chose importante et urgente »: créer un office de
placement national. « La guerre actuelle faisant entrer en ligne
toutes les forces économiques de la Nation, comme facteur de
succès, il est nécessaire, expliquait-il, qu'un plan national englobe
(suivant une formule à trouver pour chaque pays) toutes ces forces
en vue de les coordonner, dans le sens du maximum de rendement
national. » Il proposait d'organiser une campagne de mobilisation
de « toutes les bonnes volontés dans le sens national du mot,
c'est-à-dire dans le sens des besoins du pays, des nécessités nationales », et il voulait mettre sur pied une structure d'« apprentissage national ».

Son état d'esprit n'était donc pas au pacifisme renaissant. Il rêvait d'une « mobilisation civile » dont il serait l'initiateur, le moteur ! Sans réponse d'Herriot, il sollicita, en pure perte, ministres et personnalités de ses relations pour faire avancer son idée d'office de placement national. Devant l'incompréhension et la passivité des responsables politiques, il se sentit la conscience plus légère pour s'occuper, de plus en plus, de son métier et de sa Maison.

*

Ses liens avec Berger-Levrault — il est directeur du bureau parisien de cette grosse librairie et imprimerie installée à Nancy — l'ont accoutumé aux publications destinées aux armées. C'était lui qui avait donné un nouvel essor à la *Revue militaire générale,* au point d'en faire la revue centrale de la Maison. La guerre lui offrait, en s'appuyant sur Berger-Levrault et la rue des Saints-Pères, un champ inédit d'expérimentation. Devant les demandes importantes d'ouvrages de toute nature qui venaient des tranchées, il se mit en tête d'organiser la vente des livres au front, comme était organisée celle des objets de première nécessité, c'est-à-dire par camions qui allaient de poste avancé en poste avancé. Il avait déjà imaginé une « grande affiche sur toile roulée » qui contiendrait, en très gros caractères, la liste du contenu de chaque camion : « Cette toile serait déroulée à l'arrivée et constituerait une excellente publicité et un moyen d'information très rapide. » Quant aux livres, il avait la liste dans sa poche, de Montaigne à Charles Péguy, de Ronsard à Reboux et Muller.

Comme il s'agissait d'un problème de transport, il se tourna vers André Michelin, qui refusa de s'engager : mise de fonds trop importante et trop de risques incontrôlables, estima le futur roi du pneumatique. Grasset ne s'inclina pas. Conscient de la lourdeur de son entreprise initiale, il la transforma en deux projets plus modestes : éditer un guide du front et distribuer gratuitement aux soldats un petit journal publicitaire sur sa production littéraire.

Le premier projet déboucha sur la publication, en octobre 1917, du *Guide Michelin de la bataille.* A l'époque, l'accord passé entre Michelin, Berger-Levrault et Grasset concernait tous les *Guides Michelin,* dont un est, désormais, on ne peut plus célèbre et figure, chaque année, parmi les cinq ou six best-sellers de l'édition. Nous ne savons pas dans quelles circonstances et pour quelle raison, dès 1918, Bernard Grasset abandonna cette affaire qui lui donnait certes du travail, mais qui lui rapportait pas mal d'argent. Assez pour ne rien coûter à sa propre Maison.

Le second projet s'inspirait des « listes mensuelles » que diffu-saient les éditeurs américains, pour faire connaître leurs nouveau-tés. « Je suis en train, écrivait Grasset à Brun en mars 1917, d'organiser une petite publicité pour le front sous la forme d'un journal que j'appelle *Lisez ça* (je lance un seul numéro pour le moment, bien entendu), contenant des extraits de mes livres. » Il anticipait sur l'avenir. En 1919, il proposera au président de la Société des gens de lettres de faire paraître un *Bulletin du livre* qui comprendrait l'essentiel de la production hebdomadaire.

Lisez ça connut un petit succès et entraîna des commandes de livres. Le premier numéro, selon Grasset, lui laissa un « bénéfice de 2 000 francs », ce qui n'était pas négligeable. Quant à l'année 1917, elle se solda par une nette reprise.

Tout cela, cependant, n'était que bricolage. Il refusait toujours de sauter le pas, de se mettre en quête d'auteurs et de manuscrits. Il bouillonnait d'impatience mais la guerre, qui durait, le freinait. Sa seule ambition ? « Je compte publier quelques gros morceaux dans le sens actuel de l'effort français, mais je ne songe pas du tout à des publications de romans ou même de livres n'ayant pas une portée générale[10]. »

De « gros morceaux » il n'en publiera aucun. Les quatre nou-veaux livres qui paraîtront sous son nom en 1917 — *la Société des nations* d'Edgar Milhaud, *le Génie latin et le monde moderne* de Guglielmo Ferrero, *Jean Denis* de Louis Léon-Martin et *Pour l'après-guerre* de Paul d'Arc — connaîtront une piètre vente et ne troubleront ni la critique, ni les esprits.

En revanche, ses talents d'éditeur furent mieux récompensés par la relance d'une collection qu'il avait interrompue en septembre 1914, « le Fait de la semaine ». Il s'agissait d'un « petit livre périodique » de soixante-quatre à quatre-vingts pages, vendu 50 centimes l'exemplaire et consacré à un sujet d'actualité. Cer-tains titres — par exemple *la Politique de l'incohérence,* en avril 1914, ou *la Politique républicaine et nationaliste,* en mai — at-teignirent des tirages de quarante mille à soixante mille exem-plaires.

En août 1917, quand Grasset annonça la nouvelle série du « Fait de la semaine », il la présenta comme une « revue destinée à l'éducation politique, économique et sociale du pays ». Le premier numéro, tiré à quinze mille exemplaires, était consacré à Jean Jaurès, assassiné rue Montmartre, il y avait juste trois ans. Sui-virent *Petite Histoire de l'Angleterre depuis 1914,* puis *Ce qu'un Français doit savoir des États-Unis,* et encore *l'Œuvre de guerre du Parlement, la Marine marchande, l'Allemagne, l'Argent, la Houille blanche...* Encouragé par Philippe Berthelot, il mit dans le bain la classe politique, l'Académie française, l'Université, la haute fonction publique. Il jouait le rôle d'un rédacteur en chef, collectant les préfaces, les articles, articulant et ordonnant l'ensemble. Souvent, heureusement, un seul auteur prenait en charge le sujet. Parfois « le Fait de la semaine » était signé d'un pseudonyme ou pas signé du tout. Mais, régulièrement, Grasset relançait son produit par un auteur connu ou par une préface prestigieuse.

Il réussit à entraîner dans l'aventure le socialiste Marcel Sembat, le syndicaliste Léon Jouhaux, l'ancien ministre Albert Thomas, et aussi Paul Deschanel, Léon Blum, Stephen Pichon, ministre des Affaires étrangères, Colliard, ministre du Travail et de la Prévoyance sociale, le général Lyautey... Et s'il eut moins de succès auprès de Clemenceau, Painlevé, Herriot, la mayonnaise avait pris. La conception pédagogique et civique du « Fait de la semaine » répondait aux soucis des dirigeants politiques comme à ceux d'une opinion avide de comprendre les événements qu'elle vivait et qui semblaient se pétrifier dans une guerre sans fin.

Les ambassades étrangères ne restèrent pas non plus indifférentes à certains thèmes et passèrent des commandes fermes pour plusieurs centaines d'exemplaires. La légation de Serbie fut particulièrement gourmande, puisqu'elle acheta six numéros différents et versa 37 350 francs à la Maison. Près de 400 000 de nos francs. La délégation italienne, la délégation de Suède et celle de Grèce firent aussi d'importants achats.

« Le Fait de la semaine » gagnait donc de l'argent. Grasset confiait à Robert Steinheil que les Grandes Fourragères avait été tiré à quarante mille exemplaires, Sophismes de paix à cinquante-cinq mille et Pourquoi les Américains sont venus ? à cent quarante-cinq mille. Les messageries Hachette assuraient la distribution.

Mais « le Fait de la semaine » était aussi, avec le compte d'auteur que Grasset recommença à pratiquer « sans tapage », la seule vraie ressource financière de la Maison. Jusqu'à la fin des hostilités, la publication de titres nouveaux — très peu nombreux —, l'écoulement du stock et la réédition de quelques ouvrages du « temps de paix », qui paraissaient à Grasset « moralement conciliables avec le temps de guerre », ne rapportèrent pratiquement rien.

*

S'il s'épuise à gérer son « Fait de la semaine », il n'y met pas sa flamme d'éditeur. Cette part de lui-même, qui est l'essentiel, il la retient pour plus tard. Pour l'après-guerre, à laquelle il réfléchit. Il s'est déchargé sur Pereira, éditeur lui-même, et qu'il a connu par Jean Giraudoux, de la lecture des manuscrits qui affluent rue des

Saints-Pères depuis que l'on sait qu'il est de retour. Il signera plusieurs contrats dans l'hiver 1917-1918, dont un, à compte d'auteur, le 29 novembre 1917, avec un certain Émile Herzog, alias André Maurois, pour un roman intitulé *les Silences du colonel Bramble*. Il ne l'a pas lu. C'est Pereira qui l'a convaincu.

Dans les mois qui précèdent la paix et qui seront marqués par un bouleversement en profondeur des mœurs, des habitudes, des comportements, des besoins, il est ailleurs. Cette année 1917, beaucoup, en effet, la verront, avec le recul, comme une année-charnière, une année qui inaugure véritablement le XXe siècle. « 1917, écrira Paul Morand, nourrit dans son ventre l'embryon de nos plus hautes valeurs de ce siècle. Claudel rentre en Europe, Saint-John Perse part pour la Chine, Giraudoux pour l'Amérique, Cocteau, Picasso, Stravinski font *Parade* à Rome, parfaite troïka, les Six se cristallisent autour d'Erik Satie, les Dadas sont nos jeunes frères, Proust prépare *Sodome* et Valéry voit avec étonnement *la Jeune Parque* partie en flèche chez Adrienne Monnier. »

Grasset est déjà dans l'anxiété de ce qui sera. Il ne croit plus que la guerre puisse durer une autre année. Dans son Journal, il note :

> Il faudra rendre claire l'idée de Patrie. La Patrie n'est pas une affaire d'excitation nerveuse. Repenser la Patrie, se rendre compte de ce qu'elle est en nous. On a prêché le matérialisme au moins matérialiste des peuples, on n'a pas fourni de substance au besoin idéal qui est en lui. Beaucoup des haines et des colères de l'heure actuelle sont dues en partie à la fébrilité qui engendre les besoins psychiques insatisfaits. Il faut que de nouveau les Français s'éprennent d'idées désintéressées. La meilleure de ces idées, c'est celle de Patrie...

Ailleurs, il s'interroge sur le rôle des femmes dans l'avenir prochain :

> Les intéresser activement à l'activité politique où elles sont appelées d'ici à vingt ou trente ans à jouer un grand rôle. Livres de femmes, livres autour de la femme, de son rôle immédiat. L'éducation des enfants de la guerre. Le sens du mariage après ces années de déchirement... La femme n'aime pas les idées, elle aime les faits. Il faudra qu'un jour les femmes votent puisqu'elles travailleront de plus en plus. (Ne pas oublier de dire à Brun que sa femme devrait travailler dans cette période où il faut que tous les gens capables de travailler aient un emploi.)

En marge d'un article sur les difficultés de l'édition, il crayonne :

> Reprendre complètement les techniques de lancement. L'heure est venue d'imposer les auteurs, de créer l'événement autour d'un ouvrage... Imaginer une collection adaptée à l'engouement bibliophilique. Moderniser Péguy. Tourner la page sur les livres de guerre. Comment ?

Peut-être en créant une revue de nouvelles, pépinière de jeunes talents, très ouverte, très libre... Penser « ouvrage populaire » mais sans trahir la présentation qui doit rester de haute tenue. Relire ce que m'a écrit cet enquiquineur de Gsell à ce sujet. Creuser toutes ces choses.

Paul Gsell avait réuni une série d'entretiens avec Rodin, sous le titre *l'Art,* que Grasset fit paraître, en 1911, dans une édition illustrée de gravures du maître. En novembre 1917, Grasset envisagea une édition vulgarisée :

> Vous avez une très heureuse idée de faire un tirage format in-12 ordinaire sans gravures, lui écrivit Gsell. Mais dans cette donnée et qui est une base solide et que vous avez trouvée, je veux que nous fassions ce qui sera le plus conforme au caractère de l'œuvre. Ce caractère est extrêmement net dans mon esprit. Vous me permettrez donc d'être très têtu. Sinon j'aime autant interdire l'édition, car je ne veux pas de sabotage.
>
> Donc, format in-12 [...]. Couleur du papier, teinté [...]. Caractère étroit et italique XVIIIe siècle [...]. Donner un aspect de bréviaire, de texte religieux à l'ensemble, en encadrant chaque page d'une double ligne [...]. Pagination en bas de page. Grande majuscule au commencement de chaque chapitre [...]. C'est dans votre intérêt que je montre cette intransigeance.

Il prêchait un convaincu. Grasset refusera toujours l'équation : édition populaire égale édition à bon marché, médiocre dans sa présentation. Un livre, quel que soit le public auquel il s'adresse, doit être un « bel objet », respectueux de toute une série de normes et d'impératifs techniques.

Théoricien de son métier, dans lequel il est « toute certitude », il prépare donc sa sortie de la guerre, conscient des révolutions qui germent. Il va y mettre ce génie, ce savoir-faire qui lui permettront de transformer en produit de grande vente certains ouvrages que rien ne destinait à ce sort. Bientôt naîtra l'idée, non seulement dans le grand public mais chez les écrivains eux-mêmes, que la réussite commerciale est la loi naturelle, la sanction évidente du succès et du talent.

> Grasset, dira Jacques Chardonne — un des quelques grands écrivains qu'il sut « imposer » —, fut éditeur pour bouleverser les habitudes de l'édition [...]. Il a cru que l'éditeur était le maître du marché, qu'il pouvait créer des renommées, choisir l'excellent, distribuer des pensions, mobiliser le public. Il en fit la démonstration pendant trente ans, amenant une foule de lecteurs qui se trompaient d'adresse à des auteurs destinés au public le plus restreint ; excitant la fatuité des écrivains sans les rassasier. Après lui, dans cette voie, de moindres sires, remplaçant le choix par le pullulement, ont achevé la ruine de l'édition littéraire qui n'est plus que cendres.

Oublions le pessimisme du jugement. Gardons en mémoire la méthode de l'éditeur. Elle va s'épanouir, l'armistice signé.

*

Pour l'instant, c'est la guerre, toujours la guerre. En mars 1918, exsangue, l'Allemagne trouve encore la force de relancer la guerre à l'ouest. Ludendorff avance de Saint-Quentin jusqu'à Montdidier. La deuxième offensive de Ludendorff porte de nouveau, le 27 mai, les Allemands sur la Marne. Ils tiennent Paris sous leurs canons. La troisième offensive, en juillet, de part et d'autre de Reims, échoue. Le 8 août, « jour de deuil de l'armée allemande », une contre-attaque des Alliés oblige Ludendorff à reculer. Mais la guerre va se prolonger, et pendant trois longs mois.

C'est pendant toutes ces journées d'expectative, de découragement ou d'espoir, qui courent de l'automne 1917 à l'été 1918, et alors qu'il consacre ses efforts au « Fait de la semaine » et pose les bases de sa future organisation, que Grasset découvre l'infidélité de Giraudoux à sa Maison. Mobilisé à Roanne, le sergent Giraudoux, le vice-consul de France, traversait la guerre avec humour, pudeur et dilettantisme. A son retour des Dardanelles en 1915, il est le premier écrivain français décoré pour faits de guerre, passe huit mois au cabinet Briand, repart en juillet 1916 comme instructeur au Portugal, revient enfin à Paris au mois de novembre et s'installe chez Paul Morand. A cette occasion Grasset chercha à le revoir. Mais Giraudoux, tout à ses mondanités, semblait le « lâcher un peu ». Ils ne trouveront pas le temps de se rencontrer avant que l'auteur de *Siegfried* ne s'embarque, le 13 avril 1917, sur le *Touraine* pour les États-Unis. Il appartient à un groupe d'officiers français chargés de donner aux étudiants de Boston une instruction militaire. De la guerre et de ses voyages il rapporte *Amica América* et *Adorable Clio,* qu'il propose en novembre 1917 à... Émile-Paul.

Derrière Émile-Paul, l'éditeur d'Émile Henriot, de Maurice Genevoix, du *Grand Meaulnes* d'Alain-Fournier, il y avait, pas très loin, Gallimard et la *NRF.* Grasset ne pouvait laisser passer sans réagir vigoureusement ce qu'il tenait pour une trahison. Giraudoux était très choyé, très fêté, très convoité par le Tout-Paris littéraire, journalistique et politique. Sa nonchalance, son élégance, son scepticisme naturel qui cachait un réel courage entraînaient la sympathie. Si ses livres se vendaient peu, il était célébré. Son nom est l'un des plus cités par les écrivains de sa génération, que ceux-ci soient surréalistes, dadaïstes ou traditionalistes. Tzara et Philippe Soupault l'admirent, mais également André Breton, Henry Bordeaux, François Mauriac, Claudel, Aragon, Proust et Montherlant...

Il se sentait, comme Mauriac, des affinités avec la *NRF*, mais, à l'inverse de Mauriac, il aurait pu rejoindre facilement l'écurie Gallimard. Ne jouait-il pas régulièrement au tennis, avant la guerre, avec « Gaston », Alain-Fournier, Jacques Rivière? N'est-ce pas lui qui amènera Paul Morand chez Gallimard? N'est-ce pas lui toujours qui donnera à Jacques Rivière, entre 1918 et 1926, plusieurs textes qui sortiront dans la *NRF*, dont *Nuit à Châteauroux* et *Bella*? « Gide surveillait du coin de l'œil cette brillante truite, qui glissera entre les mailles de son filet[11]. »

D'autres que Gide le regardaient s'installer tranquillement dans sa vie d'écrivain. Il avait tissé tant de liens d'amitié avec les milieux de l'édition, de la presse, avec des auteurs célèbres, qu'il n'était pas possible de le situer. Et il pouvait à chaque instant s'échapper, s'évader.

Grasset n'avait jamais douté du talent de Giraudoux. Deux ans après la sortie de *l'École des indifférents*, il lui avait signé, en août 1913, un contrat généreux — 2 400 francs par mensualités de 400 francs — pour un nouveau roman provisoirement intitulé *Simon*. Bien que *Simon* parût en feuilleton au mois de juillet 1914 dans *l'Opinion*, l'éditeur, surpris par la guerre, décida de repousser sa publication. Giraudoux souhaitait d'ailleurs remodeler son texte.

Grasset en est toujours à ce point de ses relations avec Giraudoux quand celui-ci vient de signer chez un concurrent.

> J'apprends à l'instant, lui écrit-il aussitôt, que vous publiez chez Émile-Paul l'ensemble des choses que vous avez données pendant la guerre. Je me refuse à y croire tant cette nouvelle m'étonne. Vous savez, mon cher Giraudoux, combien je suis attaché à ce que vous produisez. Vous connaissez toutes mes luttes antérieures pour tâcher d'obtenir le Goncourt avec vos précédents livres ; vous savez avec quelle largesse j'ai effectué les services de presse... Vous savez que votre roman *Simon* vous a été réglé d'avance à un moment où cela me gênait assez... Il me semble que j'avais été suffisamment à la peine pour être maintenant à l'honneur. Et, en dépit de tout cela, et de tout mon dévouement pour vous, vous donnez à mon insu votre œuvre la plus importante à l'un de mes concurrents... Vraiment, mon cher Giraudoux, cette attitude me surprend et m'étonne à un tel point que je ne puis y croire ; plutôt j'y crois puisqu'on affirme qu'elle est vraie, mais, sincèrement, je ne vous aurais pas cru capable de cela. Croyez-moi vôtre, malgré cette trahison à laquelle je ne me serais jamais attendu[12].

C'est sec. Giraudoux s'incline. Le jour même il est rue des Saints-Pères. Il ignorait, affirme-t-il, que la Maison avait repris ses activités. L'incident est clos. Il ne restera aucune ombre apparente entre les deux hommes.

Deux mois plus tard, Giraudoux remettait à Grasset le manuscrit de *Simon le Pathétique*. En avril 1918, un jeu d'épreuves était

imprimé. La parution allait traîner. L'auteur fit d'importantes
corrections. L'éditeur n'était pas d'accord sur la couverture prévue. Le papier manquait et il était de plus en plus cher. Un décret
du 20 février imposait des règles très strictes pour la fabrication
des livres. Giraudoux, enfin, n'était pas au meilleur de sa forme.
Deux fois blessé, souffrant d'une entérite chronique, il passa une
partie du printemps à l'hôpital.

A peine l'été était-il entamé, et lui remis sur pied, que l'état-
major l'invitait une seconde fois à rejoindre l'Amérique. Grasset,
de son côté, conserve, au fond de lui, une petite réticence à lancer
Giraudoux avant la fin des hostilités. *Simon le Pathétique* est le
premier roman qu'il assume entièrement depuis août 1914, le
roman d'un de ses auteurs favoris. Avec *Simon le Pathétique* il
saute le pas, il revient sur la scène des affaires. Ce n'est pas facile.
Il le dit à Giraudoux. Celui-ci, peaufinant une nouvelle fois son jeu
d'épreuves avant de mettre le cap sur New York, enverra rue des
Saints-Pères un mot très révélateur des atermoiements de son
éditeur. « Mon cher Grasset, au revoir. Je pars dans deux heures.
Le manuscrit est chez ma concierge, rue de Condé, 16. Il n'y a pas
de déshonneur ni d'honneur à le publier. A bientôt et bien
amicalement. »

*

Hantise du déshonneur? Grasset ne se lassait pas de monter des
opérations « patriotiques », s'enflammant d'un rien. Quand les
États-Unis entrèrent en guerre à nos côtés, il imagina une collection d'images d'Épinal consacrées à l'Amérique, sous le titre « Les
voilà ». Elles étaient en vente dans certaines librairies et les grands
magasins. L'une d'entre elles, *Pour la belle terre de France,* était
ainsi légendée: « Paysans de France, saluons les soldats de la libre
Amérique qui viennent par milliers mêler leur sang à celui de nos
fils, pour nous conserver le droit de cultiver notre champ et pour
empêcher les barbares de nous ravir les libertés conquises. » La
collection « Les voilà » s'arrêta à la troisième image d'Épinal.

Il inventa autre chose: un mini-cours d'anglais, chaque jour, à la
une du *Matin* de Bunau-Varilla. Un peu de grammaire simplifiée,
une petite histoire continue « qui prendra un Américain à sa
naissance pour le conduire en France et le placer dans toutes les
situations de la vie courante, situations à propos desquelles les
mots seront appris ». Il y mit toute son ardeur de patriote, reliant
la « connaissance des langues » au rapprochement des Français,
des Anglais, des Américains et à la Société des Nations. Il harcela
Giraudoux, Lafage, Maurois — qu'il venait de connaître —, tous
trois anglophiles, de questions, de requêtes.

Mais non, je ne trouve pas cela idiot, lui écrivait Maurois. Le but poursuivi est de faire vendre *le Matin*. Vous me dites que le but est obtenu: donc la méthode est bonne... Ma seule critique est la façon dont la prononciation est figurée. L'accent tonique, qui est souvent tout, n'est pas indiqué. On pourrait souligner la syllabe accentuée en l'imprimant en italique.

Il envisagea même de faire enregistrer les cours du *Matin* sur disques et de les vendre sous le label « Méthode Grasset »!

Pris dans les vagues de ce foisonnement d'idées, de cette effervescence, le roman de Giraudoux tanguait et tardait à sortir.

Étrange ironie de l'Histoire. *Simon le Pathétique* paraîtra quatre ou cinq jours avant l'armistice du 11 novembre. Grasset est absent. N'ayant pas pris un jour de vacances depuis son retour à Paris en décembre 1916, il a filé à Divonne, « à bout de tension », comme il dit, après avoir organisé le lancement publicitaire. Giraudoux va-t-il sortir du ghetto élitiste et gagner un large public? Il en est persuadé. Brun, qui a réintégré la Maison début juillet, suivra le destin de *Simon*: « Voilà, lit-on dans *la Bibliographie de la France*, le premier roman attendu avec tant de curiosité de l'auteur de *Provinciales* et de *l'École des indifférents*. Écrit avant la guerre, ce roman peint l'âme des jeunes Français tels que les formaient les études classiques. Il est la meilleure explication de la supériorité de la culture française sur la Kultur germanique. »

On était en novembre 1918. Le clairon Sellier allait sonner la fin d'un combat et la fin d'un cauchemar. C'était aussi la fin d'un monde. Boulevard Saint-Germain, la foule défilait en criant: « Conspuez Guillaume! Conspuez Guillaume! » Elle ne savait pas qu'elle passait sous la fenêtre d'un autre Guillaume, qui reposait sur son lit de mort, Apollinaire. C'était bien la fin d'un monde.

Simon le Pathétique épuisa un premier tirage de deux mille exemplaires; un second de mille cinq cents. C'était peu. Mais c'était beaucoup pour Giraudoux qui, de toute façon, se désintéressait de ses ventes.

*

Surtout, ce n'était rien à côté d'un autre roman qui ne posa aucun problème de conscience à Grasset et qui commençait, au même moment, une carrière fulgurante: *les Silences du colonel Bramble,* d'André Maurois.

Grasset ne fut pour rien dans la découverte de Maurois, alias Émile Herzog, alors officier à Abbeville, auprès du lieutenant-général Sir John Asser, « géant superbe » qui commandait le Head Quarters Lines of Communication Area de l'armée britannique en France. Maurois a raconté dans ses *Mémoires* comment il

accoucha de ce « bouquin » qui met en scène les anecdotes, les conversations et les portraits qu'il avait « picorés » depuis son affectation, en septembre 1914, comme interprète dans un régiment anglais à Rouen. La guerre l'avait conduit sur les fronts du Nord, de Béthune à Ypres, de Loos à Reninghels, en compagnie des Écossais aux divers tartans: Gordon Highlanders, Argyll, Cameron...

> Un colonel silencieux, Bramble, fait de dix colonels et généraux comprimés, malaxés ; un major, Parker, qui était un mélange de Wake et de Jenner ; un docteur, O'Grady, qui était un peu le Dr James ; un Padre, que j'avais rencontré et aimé chez les Écossais, avait peu à peu pris corps. Pendant les nuits d'Abbeville, en attendant le halètement des avions allemands, pour fuir mes sinistres pensées, je me mis à noter les dialogues de ces hommes puis à leur prêter des propos, plus stylisés, que j'imaginais.

Il trouva un titre : *les Silences du colonel Bramble*. Il fit lire son manuscrit au lieutenant Raymond Woog, « un peintre de talent, camarade agréable », qui l'encouragea à le publier. Ce fut aussi l'avis du capitaine de Mun. Il ne connaissait aucun éditeur. Un de ses amis — sans doute le libraire-écrivain Paul Leclercq, lié à Grasset — déposa le manuscrit, mi-novembre 1917, rue des Saints-Pères.

Trop occupé par « le Fait de la semaine », mal secondé, Grasset, qui selon Maurois « n'avait guère confiance dans un roman dont les protagonistes étaient des Anglais », confia la lecture des *Silences* à Pereira. Il fait alors marcher la Maison avec Leleu, Yvonne Bourdault et Octave Fluchaire, engagé en septembre.

> De second? Je n'en ai point, écrit-il à Brun. J'ai fait des essais malheureux. Le dernier essai est Fluchaire. De la bonne volonté, mais pas d'autorité, pas d'élan, pas d'idées, pas de consistance. C'est un bricoleur. J'essaie de le former, mais sans espoir. J'aurais un besoin infini de repos... Il me faudrait, Brun, comprenez-le, des journées de cent heures pour faire tout ce que j'ai à faire! Difficultés de papier, d'impression, de main-d'œuvre, de charbon, etc. Ajoutez-y des comptabilités nouvelles. Vous ne pouvez pas vous faire une idée de mon surmenage depuis un an.

Les *Silences* tombait dans ce brouhaha. Pereira rédigea un rapport enthousiaste. Le 27 novembre, Grasset adressait au lieutenant Herzog un projet de contrat à compte d'auteur, lui demandant 2 000 francs pour les frais d'un premier tirage, en contrepartie de quoi il toucherait 1 franc par exemplaire vendu. Émile Herzog accepta, se réservant les droits de traduction et de reproduction. Sage initiative! Officier en service actif, sa hiérarchie l'obligea à prendre un pseudonyme.

Cela m'ennuyait parce que, jeune auteur inconnu, je ne pouvais guère compter, comme lecteurs, que sur mes amis de Normandie et mes anciens camarades de lycée ou de régiment qui, sous un pseudonyme, ne pourraient me reconnaître. Enfin, je me résignai et choisis le prénom d'André en souvenir de mon cousin, tué à l'ennemi, et Maurois, nom d'un village proche de Cambrai, parce que j'en aimais la sonorité triste... André Maurois... Que ces syllabes alors me semblèrent étranges et neuves!

Ce n'est que sur épreuves corrigées, en février 1918, que Grasset semble avoir lu les *Silences*. Il devint, en effet, brusquement attentif à l'ouvrage et voulut en accélérer la sortie. Mais après la deuxième attaque de Ludendorff devant Amiens, Maurois, qui se trouvait directement engagé dans la bataille, demanda à son éditeur d'attendre. Grasset attendit. L'Allemagne s'acharnait. Paris était de plus en plus bombardé par les tirs de la « Grosse Bertha ». L'ambiance n'avait rien de bon pour le lancement d'un livre. L'éditeur, néanmoins, se décida pour le 9 juin. La couverture portait le visage d'un colonel écossais dessiné par Raymond Woog. « L'heure était si sombre que je n'eus, à voir mon premier livre, aucun plaisir », confessera Maurois en 1948. Recevant à Abbeville une trentaine d'exemplaires, il écrivit le 9 juin 1918 à sa femme Jeannine de Szymkieviecz: « Pour moi, je n'ai pas le courage de le relire. Cela m'ennuie trop et cela me paraît si peu intéressant maintenant. Quelle vanité que d'écrire. On ne devrait jamais rien publier[13]. »

Mais très vite, constatant que son « bouquin tout mince » s'arrachait dans les librairies de son secteur d'Abbeville, il se piqua au jeu. Il ne manquait pas de relations, bien qu'il dise le contraire dans ses *Mémoires*. Raymond Woog, son chaleureux supporter, était très introduit dans la presse, en particulier à travers son ami Pierre Mille, dont l'influence s'étendait à plusieurs journaux, comme *le Temps*, *Excelsior*, *le Journal*, *la Presse*.

Grisé, Maurois pressa l'éditeur, proposa un plan de campagne. Témoin ces notes qu'il lui adressa de son QG dès juillet:

Villes où la vente du livre a quelque chance de succès : Abbeville, Montreuil-sur-Mer, Le Havre, Rouen, Elbeuf, Marseille, Calais, Boulogne, Étaples, Hesdin, Trouville, Le Tréport, Dieppe, Saint-Valery, Dinan.

Paris : chez les libraires anglais et américains, Smith, Brentano, Galignani.

Londres : il serait intéressant d'y avoir un stock parce que j'aurai des articles dans quelques très bons journaux anglais.

Coopératives anglaises : elles sont centralisées en une organisation, Expeditionary Force Canteens, siège à Boulogne. Vous pouvez écrire au colonel Nelson, general manager of the EFC, en lui demandant de s'occuper du livre, en mentionnant que celui-ci est vigoureusement anglophile et que l'auteur, que vous ne nommerez point, est attaché au général Asser.

Services: en dehors de vos services de presse à Paris, j'aimerais que vous en donniez un à Monsieur le Capitaine Rancés, QG de la base anglaise de Rouen, qui me fera un article dans le journal de Rouen, un au *Petit Havre*, et quelques-uns aux meilleurs journaux anglais (*Times, Morning Post, Observer, Tatler, Punch*, etc.).

Trois exemplaires le plus tôt possible à Gregh, auquel un de mes amis a demandé de s'en occuper. Aussi à Pierre Mille et Émile Berr. J'aimerais avoir un article d'André Billy parce que je lui trouve beaucoup de talent, mais je ne le connais pas.

Deux exemplaires à Louis Besnard, secrétaire général du Théâtre aux armées.

Réimpression: faites accélérer l'allure par votre imprimeur. Il n'avait pas été brillant pour la première édition.

Grasset flairait le succès. Sa stratégie consistait à laisser « prendre la sauce », et à n'intervenir, au moment propice, que pour accélérer et amplifier le mouvement. L'activité que déployait Maurois le servait. Ce n'est qu'à partir des mois d'août et septembre qu'il déclenchera une campagne — lettres, circulaires, publicités — en France, en Angleterre et aux États-Unis. En effet, outre-Manche et outre-Atlantique, les *Silences*, dans son édition française, connaissait une vente tout à fait exceptionnelle. Grasset n'oubliait pas, dans le même temps, de modifier le « contrat Maurois », lequel ne portait que sur... mille deux cents exemplaires. Un nouveau « traité » fut signé le 21 août 1918, aux termes duquel Maurois recevait 50 centimes par exemplaire vendu. Tout était en ordre. Entre « le Fait de la semaine », son projet d'images d'Épinal, son cours d'anglais à la une du *Matin*, une demoiselle Tardieux « fraîche et provinciale » qui occupe ses soirées, les centaines de réclamations des écrivains à compte d'auteur et ses problèmes de trésorerie, il avait trouvé le temps d'enclencher le décollage des *Silences*. Il croyait en Maurois.

Est-ce à dire qu'il ait, dès cette époque, mesuré toute l'importance de l'auteur qu'il venait de s'attacher? Ce n'est pas sûr.

Vingt ans plus tard, à l'occasion du trentenaire de sa Maison, il affirmera que sa rencontre avec André Maurois fut pour lui « le fait dominant de l'après-guerre ». Pourtant, quand Maurois lui apportera son deuxième manuscrit, *Ni ange, ni bête*, en février 1919, sa réaction fut mitigée. Il s'en ouvrit à l'auteur lui-même — « le démarrage de tout cela est un peu lent » —, tout en s'assurant de l'avis de Pereira: « Je voudrais que vous le lisiez de très près. Je l'ai commencé, il me paraît très inférieur au premier. Maurois me demande s'il n'y aurait pas à alléger un peu les deux chapitres d'ouverture, ces chapitres sont en effet très lourds, tout pleins de

noms propres, assez difficiles à lire et peu séduisants. Il y a aussi
dans la première partie une conversation entre une jeune fille et le
héros qui me paraît vraiment un peu ridicule[14]... » Et si Maurois
n'était l'auteur que d'un seul livre ? Cette interrogation sera sa
hantise pour tous les écrivains qui le touchaient et sur lesquels il
« pariait ». Éditeur à coups de foudre, il ne supportait pas de
s'être trompé sur son impression première. Il n'y a que celle-là qui
compte, « c'est vrai pour un manuscrit comme c'est vrai pour une
femme », répétait-il. Maurois ne pouvait donc pas le décevoir.
C'est le « postulat Grasset ».

Maurois n'y dérogea pas. A la fin de l'été 1918, il posait avec les
Silences la première pierre d'une prestigieuse carrière. Il ne le
savait pas encore, Grasset non plus. « Complètement inconnu, je
n'avais pas d'ennemi, je ne gênais personne et l'on pouvait me
fêter sans arrière-pensée. J'étais officier aux armées, autre titre à
la bienveillance de tous... Abel Hermant, Daniel Halévy, Pierre
Mille, Lucien Descaves, parlèrent des *Silences* avec une chaleur
qui me toucha. » Il oubliait François Mauriac, Rachilde — la
femme de Vallette —, du *Mercure de France*, Pierre Mac Orlan,
Georges Duhamel et cent autres. « Bon dieu !... quel étonnant
bouquin ! » lui avait écrit Lyautey, résumant le mieux un sentiment
général.

Maurois avait trente-deux ans. Son premier livre était un coup
de maître. Véritable locomotive, *les Silences du colonel Bramble*
entraînera *Ni ange, ni bête*, *les Discours du docteur O'Grady*,
avant qu'*Ariel, ou la Vie de Shelley*, qui paraît en 1923, n'installe
définitivement André Maurois dans son métier d'écrivain. Industriel à Elbeuf, il avait quitté sa petite ville en 1914. Il y était
revenu en 1919 avec le secret désir d'abandonner son usine, sa
maison, sa province. En 1923, il s'éloigne de la filature familiale,
lui consacrant un ou deux jours par semaine. En 1927, il s'installe-
ra définitivement à Paris.

Dans ces années qui le couronnèrent « homme de lettres », qui
lui offrirent comme à aucun autre la griserie des énormes tirages,
Grasset était à tous les carrefours. Cette collaboration n'alla pas
sans orages. Trop emporté dans ses opinions personnelles pour
entendre celles des autres, Grasset refusait un manuscrit quand il
ne l'aimait pas. Maurois ne fera pas exception.

> Je crois que vraiment, j'ai eu tort de vous dire aussi brutalement ma
> façon de penser sur *la Hausse et la Baisse*, lui écrivait Grasset en août
> 1921. C'était peut-être là le rôle d'un ami véritable et d'un admirateur
> passionné de *Bramble*, mais pour un éditeur ce fut, je crois, une ma-
> ladresse...Comprenez-le bien, mon cher Maurois, il ne s'agit pas de
> savoir si *la Hausse et la Baisse* se vendra... Il s'agit de savoir si ce livre

est digne de vous et s'il est ce qu'on attend actuellement de vous. Toute la question est là et je ne crois pas qu'un autre éditeur aurait pu se dégager assez de son intérêt immédiat pour vous tenir le langage de désintéressement absolu que je vous ai tenu.

Cette franchise impétueuse n'entama jamais l'amitié que Maurois éprouva, d'emblée, pour Grasset. « Mon éditeur Bernard Grasset, qui était lui aussi devenu pour moi un ami très fidèle », dira-t-il en 1948, à un moment ou le Paris littéraire et les plus célèbres auteurs de la rue des Saints-Pères fuyaient Grasset, accusé d'avoir collaboré et devenu le bouc émissaire de l'épuration de 1944. On racontait alors que Malraux, homme d'influence auprès du général de Gaulle, avait tiré à pile ou face, entre lui et Gallimard, pour choisir celui des deux qui « paierait » pour l'ensemble de la profession. Grasset n'eut pas de chance... C'est une autre histoire, celle d'une autre après-guerre.

Quand les *Silences* caracolait sur les cimes des dix mille, vingt mille, bientôt cinquante mille exemplaires, c'était aussi « l'après-guerre ». Maurois avait-il écrit le roman dont rêvait Grasset après la grande boucherie ? Lui montrait-il la voie de l'ère nouvelle qu'il pressentait ? « Parce que ce mince livre paraissait en un temps d'angoisses, parce qu'il mêlait à nos tristesses un humour mélancolique, parce qu'il ouvrait la porte à l'espoir, parce qu'il peignait nos alliés avec sympathie, son succès fut immédiat[15]. »

« C'est à l'éditeur de savoir déceler, dans
un authentique chef-d'œuvre, ce *allant à
tous,* ce *vulgaire* qu'il lui faut pour appuyer
son effort... Ce fut le cas pour *Maria
Chapdelaine.* »

BERNARD GRASSET

LE MIRACLE DE « MARIA CHAPDELAINE »

*Bouillonnement dans le désordre. — Multiplication des projets.
— Charlie Chaplin. — La collection « les Cahiers verts »
confiée à Daniel Halévy. — Le lancement de* Maria Chapdelaine *de Louis Hémon est un événement littéraire mondial. —
Beaucoup de grands auteurs du XXᵉ siècle entament leur glorieuse course sous la « casaque verte » de la rue des Saints-
Pères.*

Le 11 novembre 1918, Louis Brun, de son bureau de la rue des
Saints-Pères, entend les premiers coups de canon de la victoire.
Les magasins ont tiré leurs rideaux. Il est seul. Voilà une semaine,
il a écrit à Grasset qui se repose depuis plus d'un mois à Divonne.
« Le besoin d'activités commerciales commence à se faire sentir
chez beaucoup de gens... C'est pourquoi il faut se hâter ; si l'état
de votre santé le permet, je crois qu'il est temps de rentrer. »
Brun, qui a décroché pendant quatre ans, n'est plus du tout en
mesure d'assurer la reprise de la Maison dans cette étrange ambiance, à la fois euphorique et survoltée, qui l'entoure. Habitué à
vivre dans l'ombre d'un homme qui lance trente idées par jour, des
plus saugrenues aux plus constructives, surtout dans ces périodes
d'effervescence, il est un peu perdu et attend avec impatience le
retour du « chef ».

Grasset ne se presse pas. Il est à Paris le 3 décembre, l'esprit
brouillon. La Maison n'est pas dans une situation catastrophique,
loin s'en faut. Sa prudente gestion, « le Fait de la semaine », ses
comptes d'auteur et son association avec Berger-Levrault, en 1917
et 1918, lui ont permis de se maintenir à flot, certes avec une
trésorerie d'acrobate, mais sans entamer le capital qu'il avait mis à
l'abri au début de la guerre. Le jour de l'armistice, il a en réserve,
chez son beau-frère, Jean Privat, notaire à Montpellier,
60 000 francs en bons nominatifs, et sur son compte, à la Société
générale, quelque 190 000 francs. Ce n'est pas une fortune. C'est

un fonds de sécurité. Brun, « numéro deux », gagne 1 500 francs par mois ; une dactylographe débutante, 165 francs.

Ses deux sœurs se sont mariées. Mathilde, sa « petite Didi », avec Jean Privat, et Marguerite, la cadette, sa « Guiguite chérie », avec Joseph Peyronnet. Soucieux d'associer sa famille à sa Maison et sentimentalement très proche de Guiguite, il demandera à son beau-frère de le rejoindre, en janvier 1919. Sans argent, sans avenir, Peyronnet quitte Montpellier, où, professionnellement, il piétinait et s'installe dans une pension de famille, rue Notre-Dame-des-Champs.

Rue des Saints-Pères, il va s'occuper d'une collection d'ouvrages techniques, de publicité et de comptabilité. Les Privat ne tarderont pas, à leur tour, à monter à Paris, mais ils ne seront jamais directement mêlés aux affaires de Grasset.

« C'est magnifique ce que nous allons vivre. Cette après-guerre ! Quel renouveau ! Le vent souffle de l'Est. Il apporte les libertés[1] ! » lancera bientôt Roger Martin du Gard.

*

Grasset, quand la France se débonde, quand les poilus rangent leurs baïonnettes, leurs capotes bleu horizon et leurs masques à gaz, ne s'est pas encore fixé sur la direction que prendra, pour lui, ce « renouveau ». On l'a vu jeter sur ses cahiers des impressions, des intuitions, qui pouvaient remettre en cause la spécificité de sa Maison, orientée jusque-là vers le roman. Par le biais du *Matin*, il flirte avec la presse ; « le Fait de la semaine » ressemble à une revue, ses tentatives de servir les grandes causes nationales, l'expérience des images d'Épinal, ses contacts avec le pouvoir et les ministères l'ont conduit à la lisière des débats économiques et politiques. Incapable dans ce genre de circonstances frénétiques de séparer son métier de ses pulsions, de ses passions, de son côté Jeanne d'Arc des salons parisiens, il se demande s'il n'a pas mieux à faire que de remettre sur pied sa Maison, après la pagaille de la guerre. Celui que René Johannet baptisera, non sans ironie, en 1924, le « Napoléon de la librairie », veut être sur tous les fronts.

Autour de lui, Brun, la fidèle Yvonne Bourdault à la veille de se marier avec un M. Langevin, Leleu, Octave Fluchaire, Joseph Peyronnet. Pereira, lecteur attitré, peut désormais compter sur l'aide de Jean Giraudoux, Henri Clouard et Léon Lafage, de retour de Londres où il était « délégué permanent de la République française ». Les manuscrits inondent la rue des Saints-Pères. La paix libère les imaginations. Installée au rez-de-chaussée du 61, la Maison s'agrandit d'un bureau, avant d'occuper, en septembre 1920, tout le premier étage.

Au sortir de la guerre, Grasset se lie aussi d'amitié avec une jeune femme, enjouée et rassurante, Jeanne Duc. Ce sera sa confidente, son alliée la plus fidèle. La présence discrète de toute une vie, toujours là en cas de besoin. Jeanne Duc habitera entre Paris et Saint-Tropez, où elle ouvrira le bar de « l'Escale ».

Tout est prêt pour repartir. En vérité, à l'exception des quelques maisons qui ont su prospérer durant la guerre, comme Flammarion qui brûla les étapes avec *le Feu* d'Henri Barbusse, Émile-Paul avec *Koenigsmark* de Pierre Benoit ou Albin Michel avec les deux premiers romans de Roland Dorgelès, les éditeurs ont à résoudre la quadrature du cercle. Pour relancer les affaires, il faudrait qu'ils puissent publier le plus d'auteurs possible. La demande existe. Or le climat politique, économique et social leur est, de tout point de vue défavorable. Prendre des risques, si l'on n'a pas derrière soi une petite fortune, devient une gageure. Gaston Gallimard lui-même, raconte son biographe Pierre Assouline, aura pour premier souci d'assainir la situation financière de la *NRF* — qui reparaît en juin 1919 après cinq ans d'absence — et d'asseoir la « Librairie Gallimard », terme générique de la nouvelle maison d'édition et de la société anonyme, sur un capital social de 1 050 000 francs. Une belle somme, réunie le 26 juillet 1919. Gallimard amorce une mutation importante: l'artisan devient entrepreneur. La rue des Saints-Pères n'est qu'une « boutique » qui n'a que les moyens de son unique patron.

Lourd handicap. Grasset ne l'ignore pas. « Nous sommes obligés, confie-t-il aux écrivains en herbe qui le sollicitent, de resserrer notre production en raison de toutes les difficultés présentes, et tel manuscrit que nous eussions pris avant la guerre, parce qu'il était signé d'un auteur que nous tenions à suivre, nous ne pouvons pas en effectuer actuellement l'édition, s'il n'est pas susceptible d'une vente rapide. » A l'époque, il n'est pas possible d'équilibrer un tirage sans une vente presque immédiate de trois mille exemplaires environ. Avant la guerre, il estimait à 1 500 francs le coût de la mise en place d'un livre — la fabrication comprise — tiré à deux mille exemplaires. En 1919, il évalue ce même coût à 5 000 francs. En 1920, à 8 000 francs. A cette inflation des coûts s'ajoutent les turbulences syndicales. Si les carnets de commandes dans les usines sont pleins, les prix montent, la vie est de plus en plus chère et il n'y a pas de semaine où un corps de métier n'exige dix pour cent, vingt pour cent d'augmentation de salaire. Des mouvements de grève touchent les ouvriers du livre, les commis de librairie et de l'édition. En octobre 1919, la maison Grasset, qui emploie huit ou dix personnes, aura « son » gréviste, un jeune employé « aux expéditions », comme dit Leleu.

La terre promise n'est pas au rendez-vous. Le pays est débous-solé. Grasset va, lui aussi, réagir dans le désordre, poussant jusqu'au bout une dizaine d'initiatives, avec son enthousiasme tyrannique, sa certitude de triompher, pour reculer avec le même aplomb quand l'échec devient patent. Tout ce qu'il projette ou décide devient une « grosse affaire », et qu'importe si la montagne Grasset accouche d'une souris.

*

D'abord, vendre « le Fait de la semaine ». Produit de cir-constance, écrit pour la guerre et marqué par la guerre, il sent qu'il sera vite démodé. Il ne se trompe pas. Il ne croit pas, au fond, à ce type de brochure qui essaie de coller à l'actualité politique et internationale. « Le Fait de la semaine » a été sa BA de patriote, sa campagne de la Marne, et il sort assez découragé de cette expérience. Il propose à Robert Steinheil de le lui vendre pour 30 000 francs. En vain. Il s'adressera à d'autres acquéreurs potentiels, sans plus de succès. Le dernier « Fait de la semaine » paraît le 4 novembre 1919 et a pour thème *le Syndicat des Français et la consultation nationale*. « Le compte du "Fait" écrit Grasset à Pereira, se solde par une soixantaine de mille francs de perte... Il y a donc obligation stricte pour moi de clore ce compte. »

Ensuite, imaginer une « diversification », comme diraient au-jourd'hui les élèves d'HEC. Puisqu'il doit resserrer sa production de romans, d'essais, de documents, bref, de littérature générale, qui constitue son fonds, il lui faut aller vers d'autres secteurs. Grasset n'a pas encore bâti une « théorie » du métier d'éditeur, tel qu'il le conçoit et tel qu'il l'a vécu. Ce n'est que cinq ans plus tard, revenant sur ces années-charnières de son histoire, qu'il défendra son système, sa méthode, ses choix. Il est remarquable, néan-moins, que sa diversification n'est qu'une succession de « coups », sans lien entre eux. Il est l'homme des coups, une race qui s'est banalisée mais qui, en 1919, inquiétait, fascinait ou agaçait. Sui-vons-le par l'entremise de Gabriel Boillat, qui a épluché avec la patience d'un archiviste le courrier de cette période d'agitation tous azimuts.

Le 11 janvier 1919, il se propose de fonder et de diriger une société d'édition musicale où entreraient l'éditeur spécialisé Leduc et d'autres confrères. Trois jours après avoir écrit à Leduc avec la plus belle assurance — ce sera « une très bonne affaire et une belle œuvre nationale »—, il se tourne vers Louis Delluc et le charge d'établir un projet complet de « magazine cinématographique ». Il connaît Delluc, l'un des pionniers du cinéma français, qui mourra à trente-quatre ans en 1924, depuis qu'il a édité, en 1911, sa pièce de théâtre *Francesca*. Il demande à Giraudoux de l'aider à dénicher l'argent nécessaire : « Avez-vous soumis à vos capitalistes mon projet de revue cinématographique ? Je vous ai dit qu'il y a un pari engagé entre Brun et moi au sujet de l'activité que vous déploierez dans cette affaire et sa réussite. Je voudrais bien perdre mon pari. » Il le gagna. Pas de magazine. En revanche, Louis Delluc signa un contrat pour *Cinéma et Cie*, « le premier livre sur le cinéma », et pour un roman, *la Danse du scalp*. Les deux ouvrages vont paraître en 1919.

Autres conséquences, plus cocasses : Louis Delluc l'informe que Charlie Chaplin accepterait sans doute de se confier à un écrivain pour bâtir une première « autobiographie ». Chaplin, dont « l'apparition, écrivait déjà Paul Morand, est un des faits les plus importants de ces dernières années ». Pour un coup, ce serait un coup ! Il télégraphie aussitôt à Léon Lafage encore à Londres :

> Je te prie instamment de te mettre en rapport avec éditeur anglais éditant aussi en Amérique, ou éditeur américain ayant représentant de tous pouvoirs à Londres et de lui dire que j'ai appris qu'une personnalité américaine de rayonnement mondial était disposée à publier ses Mémoires. Stop. Demande-lui s'il consentirait à joindre à mon offre pour édition française une offre de lui pour édition langue anglaise à condition que moyennant l'idée de grand rendement que je lui fournis l'édition française me soit réservée par lui gratuitement. Prière télégraphier réponse.

Celle-ci est immédiate. Le 31 janvier 1919, Grasset écrit à Charlie Chaplin installé à Los Angeles une lettre ampoulée, pas du tout dans sa manière, qui témoigne d'une révérence craintive devant le monstre sacré :

> Je viens de m'entendre avec une grande firme américaine pour vous faire des propositions touchant une histoire de votre carrière sous la forme de souvenir personnel dont les éléments vous seraient demandés. Monsieur Rutger Blecker Jewett, directeur de la maison Appleton de New York, avec lequel je viens de m'entendre, rentre en Amérique fin février, et il se mettra en rapport avec vous, dès le début de mars, au sujet de cet ouvrage. Je vous prie, monsieur, de vouloir bien réserver à mon confrère, qui vous parlera en son nom personnel et au mien, l'accueil que vous dicteront votre courtoisie bien connue et tout l'intérêt que vous portez aux réalisations culturelles. Je serais vraiment très heureux, si vous en aviez le loisir, de recevoir de vous une lettre me donnant vos premières impressions sur le projet que je vous soumets.

Rien ne vint. Il écrivit à Harper's, dérangea un ami de Giraudoux, alerta Robert de Jouvenel. Durant quatre mois il rêva des Mémoires de Charlot. Quand Chaplin publia, en avril 1922, ses

confidences, dictées à un jeune journaliste, Monta Bell, Grasset
l'avait sûrement oublié.

*

Tout en menant son offensive Chaplin, il conçoit l'idée, avec
Paul Dupuy, l'héritier de son père, le fondateur du *Petit Parisien*,
de relancer *Nos loisirs*, une revue littéraire à grand tirage qui avait
cessé de paraître en 1914. « C'est une grosse partie que nous
jouons » confie-t-il le 3 avril 1919 à Abel Hermant, qui tient une
chronique dans *le Temps*, réputé pour son exquise courtoisie,
sachant écouter, sans broncher, le plus fieffé des raseurs. On disait
de lui : « Il est capable de se taire en sept langues. »

Son projet est très précis : une revue bimensuelle de standing de
trente-deux pages ; format 25 sur 32 ; tirage : deux cent à trois cent
mille. Elle comprendra six parties : un grand roman français sur
quatre numéros ; une ou deux nouvelles dont une traduite de
l'étranger ; une grande traduction courant sur quatre ou cinq
numéros ; une partie plus gaie (Courteline, Tristan Bernard) ; une
partie philosophique (Duhamel, Maeterlinck) ; une rétrospective
où seraient publiés des chefs-d'œuvre anciens, français ou étrangers, et même des classiques grecs ou latins.

« Il faut partir en effet du principe, explique Grasset, que pour
le public tout est inédit ; aussi cette rubrique de chefs-d'œuvre
connus ou inconnus peut être une de celles qui l'intéresseront le
plus. » *Nos loisirs* sera donc un moyen d'expression pour les
jeunes talents, un laboratoire, les auteurs plus célèbres servant de
locomotive. Bien entendu, il ne doute pas une seconde du succès
et il veut rassembler tout le monde : Proust, Anna de Noailles,
Alphonse de Châteaubriant, Pierre Benoit, René Bazin, Paul
Bourget, Barrès...

Le premier numéro sort le 15 juillet 1919. On remarque au
sommaire deux auteurs maison, Giraudoux et Maurois, un texte
de Georges Duhamel, une traduction de Jack London. C'est
pauvre. Grasset est assez lucide pour en être conscient. De surcroît les bureaux de *Nos loisirs* ne sont pas rue des Saints-Pères.
C'est une affaire qu'il partage avec Paul Dupuy, ce qui convient
mal — c'est peu de l'écrire ! — à son tempérament. Sur place, les
frères Burnand, Robert et David, Henri Menabréa et Raymond
Schneider le représentent, de façon plus ou moins assidue.

Comme il a fait de *Nos loisirs* sa chose, il ne peut s'empêcher de
suivre concrètement son élaboration, s'occupant des moindres
détails. Au maquettiste, au secrétaire de rédaction qui dépendent
de Dupuy il suggère des caractères typographiques, repousse certaines mises en page, donne son point de vue sur la couverture,

tranche bien entendu quant à la qualité des textes — le tout avec une extraordinaire précision et une assurance incroyable. Fin août 1919, épuisé, dépressif, il part pour Divonne. De la station thermale il envoie ses instructions, manifeste sa mauvaise humeur sur la sélection des textes. A Manevy, secrétaire général de la revue, il écrit à propos du numéro 9 que toutes les nouvelles sont « nulles », à l'exception de celle d'Edmond Jaloux : « C'est une admirable chose. » Il harcèle les pauvres Schneider et Burnand de télégrammes, de coups de fil, de lettres. La colère monte, l'atmosphère devient irrespirable et Paul Dupuy fait les additions : « On peut évaluer la perte, à l'heure actuelle, à 200 000 francs. » La revue n'a pas trois mois.

La « grosse partie », selon Grasset, devient énorme, mais en termes de déficit. Brun prend sur lui d'intervenir :

> Schneider, je vous le déclare nettement, en a assez. Il voulait même aller passer la journée du dimanche avec vous à Divonne pour vous dire que pendant votre absence, il assumait toutes les responsabilités, mais qu'à votre retour il se retirerait. Il a beaucoup trop à faire pour s'occuper de *Nos loisirs*... De plus, ceci confidentiellement, ces télégrammes que vous envoyez n'affolent pas le personnel, loin de là, mais excusez-moi encore de vous le dire, je ne dirais pas vous ridiculisent, mais ne sont pas pris au sérieux. Il ne faudrait pas confondre le personnel de *Nos loisirs* avec le nôtre. Vous le savez, ici on vous est tout dévoué, c'est inutile de vous le répéter, mais ailleurs, où on ne vous connaît pas, votre façon d'agir paraît suspecte.

Un mois plus tard, le 24 octobre 1919, Brun, encore, l'invite à patienter, à laisser Dupuy se débrouiller.

Quand il revient de Divonne, en juin 1920, *Nos loisirs* n'est plus rien pour lui. Il a tourné la page. « Je me désintéresse beaucoup de cette revue, pour la raison que Dupuy l'oriente dans un sens que je crois déplorable », confesse-t-il à André Savignon.

Pourtant, l'idée d'une revue littéraire concurrente de la *NRF* continue de l'exciter et, dans la foulée de toutes ces vicissitudes, il fera une ultime démarche auprès du comte François Guillaume de Maigret — gentilhomme fortuné qui avait publié chez lui, à compte d'auteur, en 1909 et 1911 — pour essayer de rassembler un capital de 300 000 francs et créer « sa » revue. « Heureusement pour sa Maison, conclut Gabriel Boillat, l'affaire n'eut pas de suite, en partie à cause d'une rechute de Grasset qui l'obligea à prendre une nouvelle fois du repos, de fin mars au début de juin 1920. »

Dans le même temps, *Nos loisirs* mourait tranquillement.

Deux cures à Divonne-les-Bains en moins de six mois. Il faudra s'y habituer. Divonne, avec d'autres centres hydrothérapiques, forme la seconde vie de Bernard Grasset. Aussi importante en nombre d'années que la première. Arrivera un moment, au fil de cette existence tourmentée, où cette seconde vie recouvrira entièrement son métier d'éditeur. Nous y reviendrons.

*

Sa « rechute » du mois de mars 1920 ne tient pas seulement à sa fatigue. Il est follement amoureux d'une jeune femme, éclatante de beauté, Julienne Bosset, qui travaille dans la haute couture, voyage, fréquente les salons. Depuis son amour d'adolescent dans les monts du Dauphiné, c'est l'homme des brèves rencontres. Il les multiplie, à la recherche de « liaisons nourricières ». « Je suis de ceux à qui la grâce d'une femme est nécessaire pour qu'ils s'emploient dans le faire », prétendra-t-il pompeusement. C'est plus simple. « L'éditeur aux yeux verts » contient une partie de ses angoisses en séduisant, en draguant, tel un « forcené de la petite culotte en dentelle », dit Léon Lafage, son complice, avec Jean de Pierrefeu, des nuits de ribote. Il plaît aux belles. C'est là une certitude, et il ne manquera jamais de galantes, d'une heure, d'un jour ou d'un mois. C'est son rythme.

Avec Julienne Bosset, c'est autre chose. Il croit redécouvrir l'amour. Il le proclame. Sur son activisme professionnel, désordonné, se greffent les tourments du cœur. C'est trop. Il confie à Julienne une mission en Grande-Bretagne, puis aux États-Unis, où elle part discuter avec des éditeurs sur les moyens d'organiser une meilleure diffusion du livre français dans ces deux pays. Lui s'en va à Divonne. « Façon surtout d'être certain de ne plus souffrir par elle. »

Quand il revient, en juin, il est détendu. Sa liaison orageuse — il est inapte à la fidélité — avec Julienne Bosset durera près de trois années. Trois années qui, en dépit de ses longues retraites à Divonne, seront les plus riches de sa carrière d'éditeur, les véritables « années Grasset ». L'a-t-il aimée au point que son amour parvienne enfin à canaliser son dynamisme ravageur, à défaut de le stabiliser psychologiquement ? La réponse, il ne l'a pas clairement donnée. Ce qu'il a écrit sur sa relation aux femmes est à la fois si abstrait, si tarabiscoté, que ses confessions, ses aveux deviennent suspects. Il affirmera dans son Journal en 1939, que Julienne Bosset fut la seule femme qu'il aima « totalement ». Nous n'en savons pas plus. En tout cas, de cette liaison naîtra une amitié amoureuse qui aura ce goût rare de la complicité secrète, généreuse, loyale. Aux plus noirs moments de sa vie — et ils seront nombreux — Julienne Bosset sera auprès de lui. Qu'il l'ait aimée « totalement », pourquoi pas ? Qu'elle fût sa seule compagne, dans toute l'authenticité et la plénitude de ce mot, certainement.

Autre novation, il s'est mis à peindre sous la direction d'un professeur, une vieille fille d'origine grecque, Mlle Théophilactos, et il passe volontiers ses dimanches à Barbizon. L'une de ses toiles a été achetée, en 1937, par le musée du Luxembourg.

*

Juin 1920. Une date, donc, pour la rue des Saints-Pères. Daniel Halévy, « un grand monsieur, l'un des rares que nous ayons maintenant et qui écrit une langue qui s'est perdue comme la qualité d'où elle venait », prend la direction d'une collection dont Grasset n'a pas encore arrêté le titre. Elle devra s'inscrire dans la tradition des *Cahiers de la Quinzaine* de Charles Péguy. C'est sa seule consigne. Halévy l'appellera d'abord « les Cahiers français », ce qui sonne nationalisme et patriotisme. Ce n'est qu'en février 1921 qu'apparaît dans la correspondance l'appellation qui deviendra célèbre, « les Cahiers verts ». Qui arrêta ce nom, dont Grasset trouva « la couleur heureuse »? « Le titre de "Cahiers verts", explique Daniel Halévy qui en revendique la paternité, fut précisément celui d'un des fascicules édités par Péguy. L'auteur de cette brochure, parue en 1905, et qui traitait du testament politique de Waldeck-Rousseau, avait gardé l'anonymat. C'était un des meilleurs amis de Péguy: il s'appelait Alexandre Millerand[2]. »

En même temps que Daniel Halévy, Edmond Jaloux, l'air d'un bourgeois de province, sa canne de lapis-lazuli à la main, lauréat du prix Vie heureuse-Femina en 1920, est engagé pour s'occuper de la collection « le Roman », qui doit être la pépinière des vocations naissantes. Enfin, Jean de Pierrefeu devient conseiller littéraire.

En soi, l'idée des « Cahiers verts » n'a rien d'original. Le génie de Grasset sera de l'inscrire dans une double évolution qu'il entrevoit : d'une part, l'engouement pour la bibliophilie, d'autre part, les conséquences de cet engouement sur le grand public. « C'est ainsi, résume Grasset, qu'aux sept ou huit mille personnes qui, avant la guerre, par goût et curiosité de l'esprit, achetaient tout ce qui méritait d'être lu, est venu s'ajouter un public infiniment plus étendu qui, par mode, les suit. Les premiers faisaient le succès et le font encore, les seconds le subissent, mais en le subissant, ils l'étendent. » En 1929, il fera une série d'articles sur ce thème, dans lesquels il relie « l'ère bibliophilique » à « l'ère des cent mille », l'ère des best-sellers, dira-t-on plus tard.

La bibliophilie existe depuis la naissance de l'œuvre écrite et il y a toujours eu des opérations d'échanges entre les collectionneurs. Ce ne sont pas ces échanges qui constituent, pour Grasset, la nouveauté des années vingt, mais le fait que le livre devienne un objet de spéculation. Comment? Des exemplaires numérotés appartenant à la « première édition » de certains ouvrages étaient recherchés et leurs prix grimpaient en conséquence.

Quand donc fit son apparition cette spéculation nouvelle? C'est bien difficile à préciser, convient Grasset. Tout ce qu'on peut dire, c'est qu'avant la guerre on n'en trouve que des traces et que dès la dernière année de la guerre elle s'est imposée.

Qui l'a inventée? Personne et tout le monde, ou plutôt tous ceux qui étaient intéressés. Ce fut une sorte de conspiration tacite, due au goût de la spéculation, à l'atmosphère de spéculation qui entourait tout.

Avec « les Cahiers verts », il deviendra le chef de file des conspirateurs. Chaque titre de l'édition originale des « Cahiers verts », qui est aussi l'édition spéculative, aura un tirage limité et sera vendu par souscription, tous les exemplaires étant numérotés. C'est son premier objectif, la première étape du projet. La plus facile.

La seconde est un pari plus audacieux. Il compte sur ces sous-cripteurs privilégiés, sur ces « nouveaux snobs des lettres », pour séduire, pour accrocher ce qu'il nomme le « bloc des cent mille », auquel il ne vendra pas l'édition des « Cahiers verts », mais une édition courante.

Il a une indéniable capacité à synthétiser son époque par rapport à son métier, et il tient, là-dessus, un raisonnement qui aurait convaincu les plus sceptiques. Il part du principe que la guerre a engendré le besoin d'être informé, d'être au courant, et dans ce besoin est en germe le puissant ferment qu'est « le besoin de paraître ».

« Ce grand échec mondial, chacun se sentait presque un devoir d'en sonder les causes. Un grand appétit de savoir était né, qui ouvrait largement la voie aux livres. Les éditeurs surent en profiler, et leur habileté consista à bâtir sur ces curiosités nouvelles du public un snobisme des idées, ou plus exactement une "mode de l'esprit", qui devait gagner aux Lettres toute la masse de ceux qui veulent être dans le ton. » Et il ajoute, cynique: « Les nouveaux possédants vinrent se ranger parmi les fidèles du livre; il semble qu'ils voulurent ainsi se faire pardonner l'origine de leurs richesses par l'usage qu'ils en faisaient. Le livre devint l'excuse de l'argent. »

Pour répondre à cette transformation du marché du livre, pour renforcer un peu plus cet aspect « club des privilégiés » qui consti-tue la philosophie commerciale du projet, la collection est pré-sentée comme une « série », laquelle s'arrêtera au bout de soixante ou soixante-dix ouvrages. Le « snobisme » sera de les avoir tous. Les souscripteurs potentiels sont ainsi invités à s'abon-ner aux « Cahiers verts », qui, leur promet Grasset, rassembleront les auteurs les plus prestigieux.

Le montage est lumineux. En 1920, il repose sur la foi de ses promoteurs. Pour le reste c'est l'inconnu, et Grasset comme Halévy vont tâtonner plusieurs mois. Chacun de son côté, ils chasseront les auteurs. Ce ne seront pas les mêmes. Ils n'ont rien en commun. Grasset respecte Halévy, la « mémoire vivante » de son maître Charles Péguy, fils de l'académicien Ludovic Halévy, l'auteur de *Frou-Frou*, que Paul Léautaud rencontrait souvent flânant avec Anatole France. Ses sentiments s'arrêtent là. Le côté « grand genre » de Daniel Halévy, tenant salon sur les quais de la Seine, l'irrite. Quant à ses foucades, ses tribulations sentimentales et autres fantaisies, elles n'ont rien pour rassurer son directeur de collection. Grasset ne sera jamais un habitué des « après-midi » du couple Halévy, où défila le Tout-Paris de l'entre-deux-guerres.

A quarante-huit ans, Halévy a derrière lui une œuvre, et si on lui reproche son sentimentalisme, son humanitarisme, chacun reconnaît la vivacité de son intelligence. La variété des études qu'il a ou qu'il va publier, passant de Nietzsche à Péguy, de Proudhon à Thiers et à Vauban, des paysages parisiens à la politique de la Troisième République et de celle-ci à la condition des paysans du Centre, montre l'étendue de ses ressources et la diversité de sa curiosité. La critique historique, politique, littéraire et philosophique lui est familière comme la poésie des sites et des œuvres, comme les considérations pratiques sur le travail et les mouvements d'opinion. Depuis qu'il a débuté aux *Cahiers de la Quinzaine* de Péguy, son souci d'exigence, sa recherche des « vérités stables » ont rarement été pris en défaut. Bref, ce n'est pas un joyeux luron. Autoritaire, il sait ce qu'il veut et il se heurtera souvent à Grasset.

> Nous voulions connaître, imprimer les jeunes écrivains, les associer à nos aînés, à nos amis. Nous voulions ignorer ces querelles d'écoles qui divisent notre corporation, et souvent épaississent son atmosphère, nous nous proposions de n'être sensibles qu'à un certain niveau de force, de goût, de qualité... Nous voulions préserver à côté du roman (non contre lui, assurément) ces genres intellectuels qui semblaient péricliter, l'essai, la lettre, la considération politique, le dialogue, la méditation, la biographie, le voyage, enfin ces diverses manières d'exprimer la pensée qui donnent à notre littérature, depuis tant d'années qu'on ne les compte plus, l'allure, le charme et la portée d'une grande conversation incessamment nourrie et renaissante[3].

Naturellement porté à la gravité, sa sélection des auteurs, pour les premiers numéros des « Cahiers verts », ne promet guère de gros tirages. Un livre de lui-même, *Visite aux paysans du Centre* ; une pièce de théâtre, *le Cœur des autres*, de Gabriel Marcel, qui vient de renoncer à l'enseignement pour se consacrer à la philosophie et à la dramaturgie ; *la Musique intérieure*, de Charles Maurras, long poème en prose qui ne paraîtra qu'en 1925 ; un roman du poète oublié Joachim Gasquet, *Il y a une volupté dans la douleur* ; un essai de l'historien et critique littéraire Albert Thibaudet, *Paul Valéry* ; un autre de Raymond Schwab ; un texte d'Edmond Jaloux qui ne sortira jamais dans la collection, pas plus que celui des frères Tharaud ou de Mary Duclaux, une amie de Barrès, qui avaient également promis quelque chose ; *le Baiser au lépreux*, de François Mauriac ; *le Passage de l'Aisne*, une longue nouvelle posthume d'Émile Clermont.

Grasset, qui souhaite lancer sa collection par un roman susceptible de provoquer un événement littéraire, estime, fin 1920, qu'Halévy ne l'a pas encore trouvé. « L'important est de "sortir" des premiers "Cahiers verts" éclatants, lui écrit-il le 30 novembre ; je crois qu'il faut aller, pour ces premiers "Cahiers verts", vers des œuvres d'imagination. »

C'est alors que le hasard intervint. Un hasard qui, cinq mois plus tard, se transforme en miracle.

*

Du 27 janvier au 19 février 1914, *le Temps* avait publié, sous la forme d'un feuilleton, le roman de Louis Hémon, un Brestois émigré au Canada, *Maria Chapdelaine*. Cette publication suscita peu de réactions. Or, dans les premiers jours de janvier 1921, Daniel Halévy apporte à Grasset le texte : « Ma mère, qui avait gardé les feuilletons du *Temps*, a tout récemment lu ce roman. Elle le trouve remarquable. Voyez vous-même. »

Louis Hémon était un inconnu, sauf pour une poignée d'initiés qui, comme tous les zélateurs, défendaient son œuvre avec passion et entretenaient son souvenir. Il avait été tué accidentellement, à trente-trois ans, par le Transcanadien à Chapleau, le 8 juillet 1913. Esprit indépendant, à mi-chemin de l'anarchiste et du révolté, il avait mené sa vie en marge des convenances. Licencié en droit, reçu à l'École coloniale, diplômé de langue annamite, il aurait pu faire une brillante carrière administrative. Il avait démissionné. Il s'était mis à écrire, avait collaboré à plusieurs journaux. Surtout à *l'Auto* et au *Vélo*. Puis il avait quitté la France pour l'Angleterre et s'était marié.

Veuf à trente-deux ans, il avait résolu, dans son désespoir, de fuir la société et était parti se réfugier dans une des contrées les plus solitaires du Canada, à Péribonka, où il s'était transformé en bûcheron. Un an plus tard, il disparaissait, ayant eu le temps d'écrire *Maria Chapdelaine* et d'adresser son manuscrit à un quotidien français.

> « Ite missa est. »
> La porte de l'église de Péribonka s'ouvrit, et les hommes commencèrent à sortir.

Un instant plus tôt, elle avait paru désolée, cette église, juchée au bord du chemin, sur la berge haute, au-dessus de la rivière Péribonka, dont la nappe glacée et couverte de neige était toute pareille à une plaine...

Ainsi commence *Maria Chapdelaine*. Grasset raconte qu'aussitôt après la visite de Daniel Halévy, il emporta chez lui le feuilleton du *Temps* et, toutes affaires cessantes, se mit à le lire.

Je n'aborde jamais un manuscrit, je l'ai souvent dit, sans quelque crainte. Ce jour-là — sans m'expliquer pourquoi — j'attendais trop pour supporter seul le choc. Aussi priai-je à déjeuner un de mes vieux collaborateurs, Octave Fluchaire, qui occupait alors une situation modeste dans ma Maison mais qui, pour moi, y a toujours représenté le goût. Nous emportâmes le manuscrit rue Rosa-Bonheur. Sitôt après le déjeuner, je dis à Fluchaire : « Allons-y. » Et il commença de lire. J'eus immédiatement, je m'en souviens, l'impression d'une grandeur à laquelle je ne pouvais m'attendre. Quelques pages lues, j'interrompis mon ami et lui dis : « Tu peux rentrer à la Maison. Renvoie mes rendez-vous de l'après-midi : je serai au bureau vers 5 heures. »

A 17 heures, l'éditeur arrive rue des Saints-Pères et fait part à chacun de son enthousiasme, ne mettant pas en doute que l'un des plus grands talents du temps venait de lui être révélé. « Je me déclarai même certain d'un tirage dépassant cent mille exemplaires, quand notre plus grand succès jusqu'alors, *A la manière de...* de Reboux et Muller, n'avait pas atteint le tiers de ce chiffre. Et l'on sourit autour de moi. » A cette date, *les Silences du colonel Bramble* n'a pas franchi la barre des vingt mille exemplaires.

*

Maria Chapdelaine, « récit du Canada français », avait paru à Montréal, en 1916, chez l'éditeur Lefèbre, précédé de deux préfaces, l'une d'Émile Boutroux, de l'Académie française, l'autre de Louvigny de Montigny, de la Société royale du Canada. Sa vente n'était pas sortie du cercle des fervents hémonistes. Cinq cents exemplaires de cette édition canadienne avaient été tirés au profit de l'éditeur parisien Delagrave, mais le bateau qui devait les transporter en France aurait été torpillé, disait-on. La vérité serait tout autre : lorsque le père de Louis Hémon avait autorisé une édition de *Maria Chapdelaine* au Canada, il avait demandé que cinq cents exemplaires fussent déposés à Paris chez Delagrave. Ce dépôt n'avait pu être fait pour des raisons financières, la disparité du change entre le dollar canadien et le franc étant si importante que l'ouvrage aurait atteint, chez nous, un prix ridiculement élevé. Cependant le manuscrit pouvait être entre les mains d'un éditeur. Ce dont s'enquit Grasset. Louis Hémon avait une fille de douze ans, Lydia, qui vivait à Quimper sous la tutelle de Marie Hémon, la sœur de l'écrivain. Celle-ci, qui se trouvait dans le plus grand dénuement, raconte Grasset, avait obtenu de Payot qu'il publiât *Maria Chapdelaine*, mais sans que la moindre somme lui fût garantie par traité, ou même qu'une date de publication fût fixée. Elle attendait en fait, depuis juillet 1919, que l'ouvrage parût et se trouvait sans nouvelles. Pour l'instant, il s'agissait donc d'enlever l'ouvrage à Payot.

> J'obtins mon confrère à l'appareil. Je lui cachai, comme on pense, mon enthousiasme, et lui dis simplement « Mme Halévy m'a parlé d'un texte qui dort chez vous depuis deux ans. Il est, paraît-il, d'inspiration catholique (Payot est protestant). Je tiens à être agréable à la mère de mon ami. Me céderiez-vous vos droits sur l'ouvrage ? — Tout dépend des conditions », me répondit Payot. Et il me parla de 2 000 francs. Je déclarai : « C'est un peu cher mais je n'aime pas marchander. Ma secrétaire vous apportera dans un instant un traité conforme à la somme convenue. » A 7 heures, ce même jour, quittant mon bureau, j'avais mon traité en poche, dûment signé.

Le sort de *Maria Chapdelaine* ne se régla pas avec cette célérité magique. En revanche, l'enthousiasme de Grasset fut, comme il le prétend, immédiat et débordant. Si l'on a beaucoup de mal, relisant aujourd'hui ce roman, à comprendre les motifs de son exaltation, le destin exceptionnel qui allait être celui de *Maria Chapdelaine* reste le plus bel et le plus indiscutable hommage à son intuition. « Quand je lus *Maria Chapdelaine*, je compris tout de suite que ce livre pouvait prétendre à tout le public de Virgile et à celui du plus médiocre des romanciers bien-pensants. Ainsi à tous ceux qui détiennent le goût et à tous ceux qui en manquent. » Ce qui fait énormément de monde ! D'une autre manière, Bergson, dans une lettre à Daniel Halévy, avait eu, dès la sortie du roman, le même pressentiment. « Vos "Cahiers" font un beau début avec *Maria Chapdelaine*, récit touchant, émouvant, d'une admirable simplicité. L'art véritable consiste à travailler ainsi avec un minimum de matière et à tirer beaucoup de presque rien. »

Le « coup de foudre » de Grasset n'en reste pas moins fascinant, et à peine a-t-il lu les dernières lignes de *Maria Chapdelaine* qu'il est sur le pied de guerre. « Il nous faut *Maria Chapdelaine* », écrit-il à la main, dès le 6 février 1921, en marge d'une note à Daniel Halévy. L'acquisition des droits de publication se fera en plusieurs étapes. Il fallait amener Charles Payot à céder la propriété de l'ouvrage sans lui mettre la puce à l'oreille. Marie Hémon, qui sera son interlocutrice attentive, lui facilitera la tâche.

Il obtient d'abord les droits pour l'édition originale des « Cahiers verts », celle qui concerne les souscripteurs. Ça ne va pas très loin. Environ cinq mille cinq cents exemplaires. Il en reste là. Mais à la sortie du roman, sous sa couverture verte, il envoie un exemplaire à Payot accompagné d'une lettre :

> Me permettriez-vous de vous demander si vous ne céderiez pas, moyennant une certaine somme, les droits entiers sur le livre. Je vous réglerais volontiers, pour cette cession de traité, la somme de 1 000 francs. Je crois que cette cession de traité est aussi intéressante pour vous que pour moi, car il se peut très bien, que, le livre marchant, la vente atteigne sept à huit mille exemplaires, que, par conséquent, pour moi, il soit intéressant de tirer un ou deux mille exemplaires de plus, et que pour vous la question ne présente aucun intérêt[4].

C'est à ce moment qu'eut lieu son entretien téléphonique avec Charles Payot qu'il a, cent fois plus qu'une, raconté et à l'issue duquel l'accord définitif fut signé. Non sans jubilation, il en révéla la teneur, « pour servir la petite histoire », dans son *Évangile de l'édition selon Péguy* :

> MM. Payot et Cie cèdent à M. Bernard Grasset, qui accepte, les droits de propriété de l'œuvre *Maria Chapdelaine*, par Louis Hémon, qu'il a acquis par Mlle Hémon, par traité du 24 juillet 1919, et subrogent M. Bernard Grasset à tous ses droits et obligations découlant dudit traité. Comme prix de la cession qui lui est faite, M. Bernard Grasset a payé à MM. Payot et Cie, qui déclarent l'avoir reçue à la signature du présent accord, la somme forfaitaire de 2 000 francs. M. Bernard Grasset se porte garant envers MM. Payot et Cie de l'acceptation par Mlle Hémon de la présente cession.

2 000 francs pour « un ou deux mille exemplaires de plus », comme l'écrivait Grasset à son confrère, c'était bien payé. Ce sera quelque deux millions d'exemplaires, dans toutes les langues...

*

Après l'acquisition des droits, la promotion du livre. Grasset ne dissocie pas le lancement de *Maria Chapdelaine* de celui de sa collection. Du succès de Louis Hémon dépendra la réussite des « Cahiers verts ». Il ne cesse de le dire ou de l'écrire, quand il est absent — il « fait sa cure » à Divonne au mois d'avril—, à ses collaborateurs. Tout en s'irritant d'être dérangé, il suit au jour le jour l'avancement du projet. Derrière *Maria Chapdelaine* viendront *le Cœur des autres*, de Gabriel Marcel, *Il y a une volupté dans la douleur*, de Joachim Gasquet, et *Visite aux paysans du Centre* de Daniel Halévy. Octave Fluchaire est chargé de la production matérielle, visuelle des « Cahiers ». Grasset ambitionne de différencier sa production de celle de ses concurrents en jouant sur les ressources typographiques. Il veut, dans le choix des auteurs comme dans la forme, « personnaliser » sa collection au point que dans la vitrine et sur les rayons des libraires elle « se détache au seul coup d'œil ».

Sa rencontre avec Maximilien Vox, inventeur du graphisme comme discipline quasi artistique, fondateur des rencontres internationales de Lure, va être déterminante. Jusqu'à Maximilien Vox, que Pierre Lazareff baptisera « premier typographe de France », rien n'avait véritablement bougé dans la fabrication des livres au cours des siècles. On se contentait de placer des lignes de plomb les unes au-dessous des autres. Seuls les progrès de l'illustration avaient rompu un peu la monotonie. Mais la lettre, elle, ne changeait pas. Maximilien Vox vint donner du « caractère » aux caractères d'imprimerie. Né d'une vieille famille protestante, les Monod — son nom —, Vox, converti au catholicisme sous l'influence de Jacques Maritain, fréquentait un milieu qui recoupait celui de Grasset. Il avait publié en 1913 son premier dessin humoristique et antimilitariste dans l'*Humanité* de Jean Jaurès, et, en 1915, il devint metteur en pages au journal *le Mot*, où Jean Cocteau signait « Jim » des caricatures politiques. Innovateur, il va bientôt rédiger des articles de critique typographique et créer une revue, *le Jardin de Candide*.

Vox et Grasset parlent le même langage. Des voix sans maître. Ils s'entendent tout de suite à merveille. Et c'est Vox qui invente la couverture des « Cahiers verts », avec ses titres ornés de « bois carré » solidement soulignés de texte. « Portés sur les ailes du succès qui, en ce temps-là, faisait de chaque roman de chez Grasset un événement "sensationnel", mes petits rectangles de typographie pure connurent en moins de deux ans une consécration flatteuse pour moi ; ils reçurent le prix Blumenthal, section d'art décoratif. » Le lauréat de la section de musique s'appelle Olivier Messiaen, et Vox d'ajouter : « Des petits morceaux de papier étaient pour la première fois mis sur le même plan, honorable et rémunérateur, que des armoires à glace, des peintures et des symphonies. La typographie était reconnue pour un art et un art important. »

A la fin des années vingt, quand Maximilien Vox quitte Grasset pour Plon, les « Cahiers verts » sont une institution éditoriale.

Le choix du roman, sa présentation graphique, son lancement : la collection de Daniel Halévy constitue un tout cohérent qui ne laisse place à aucune improvisation.

*

La sortie de *Maria Chapdelaine* est annoncée pour mai 1921. A Divonne, Grasset piaffe. Brun, qui lui adresse épreuves et choix des caractères pour les premiers numéros des « Cahiers », est, comme d'habitude, sa tête de Turc.

> Je vous avais demandé de m'envoyer un projet de lancement un peu complet. Vous n'en avez rien fait. Vous voyez, mon vieux Bruno (et cela sans aucune acrimonie), que tout traîne quand je suis absent et en fait tout m'attend. Et c'est ce que je ne voudrais pas. Ainsi, pour ces « Cahiers », vous n'avez aucun plan d'ensemble ; je ne sais même pas à quelle date exacte vous voulez lancer le premier, ni ce que vous comptez faire avant. (Et pourtant tout dépend de cette préparation de la mise en vente.) Vous m'envoyez un topo à remanier. Mais, mon vieux Brun, je ne sais même pas ce que vous voulez en faire, de ce topo : sera-t-il broché avec l'exemplaire ou encarté comme un prospectus ? sera-t-il signé ou non d'Halévy ? la partie commerciale (prix, exemplaires de luxe, abonnements) doit-elle être à la suite du « topo intellectuel » ou séparée ? Vous m'envoyez un topo incomplet et sans utilisation précise, et vous me dites : débrouillez-vous et donnez-nous des instructions. Eh bien, non, Brun. Il ne faut pas faire ainsi. Moi je ne peux pas diriger un lancement d'ici. En ce qui concerne « les Cahiers verts » (dont le lancement était prévu pour le 18), il faut ou m'attendre (et alors le lancement est foutu pour cette année) ou décider vous-même (ou dans tous les cas me soumettre un plan d'ensemble)...

Il ne dirige rien ? Allons donc ! Il se comporte en potentat. Comme Halévy est seul à lui résister, il mène, chaque fois que possible, sa stratégie à travers Brun.

Le 25 avril, les premiers exemplaires de *Maria Chapdelaine* arrivent de l'imprimerie. C'est le jour qu'il choisit, lui aussi, pour revenir rue des Saints-Pères et orchestrer la plus vaste des campagnes jamais faites, jusque-là, autour d'un livre. La parution de *Maria Chapdelaine* sera un « événement », avec toute la portée que les sociologues d'aujourd'hui donnent à ce mot, c'est-à-dire un phénomène de société débordant largement l'œuvre elle-même. Et à l'origine de cet événement, il y a la ténacité obsessionnelle, il y a la « folie » de Grasset.

> Ce fut pour moi un effort continu de plusieurs années. Et là le mot de « publicité » ne saurait convenir. Il y va là d'une dépense sans mesure de ma personne, du meilleur de mon invention appliqués à l'œuvre d'un autre ; proprement d'une aventure de sentiments... Il y avait d'abord cette mélancolie d'un grand écrivain qui était mort, sans qu'on ait su gagner la moindre audience aux œuvres qu'il avait publiées ; et cette autre mélancolie d'une sœur, pénétrée de la valeur de son frère, et ne parvenant pas à la faire reconnaître... D'où ma hâte à combler un retard pathétique.

Dans ces quelques lignes, Grasset ne se fabrique pas une légende. Au contraire, il se dévoile comme il le fait chaque fois qu'il fixe toute son énergie sur un roman. Il se met alors à s'identifier au livre comme à l'auteur. C'est lui-même qu'il lance, qu'il vend, qu'il couronne. On l'a vu avec Clermont ou Proust, on le verra avec Radiguet, Chardonne ou Bazin. Quand paraît *Maria Chapdelaine*, il est un Louis Hémon ressuscité, un Louis Hémon qui a la certitude d'avoir écrit un chef-d'œuvre.

Ce comportement n'enlève rien à sa lucidité sur les limites d'un lancement, si bien organisé soit-il. « On ne crée pas "artificiellement" un succès, on profite des éléments qui se présentent ; et quand j'emploie le mot artificiellement, je n'entends pas, par là, impliquer que le succès de votre livre serait purement artificiel. J'entends dire tout simplement que, même pour un bon livre, si certains événements ne se présentent pas, il n'y a pas de vente[5]. » Pour *Maria Chapdelaine*, il va s'efforcer par tous les moyens de créer cet environnement favorable et il y parviendra.

L'édition « Cahiers verts », servie aux souscripteurs et tirée à cinq mille six cent quatre-vingt-trois exemplaires, est déjà une bonne base de lancement. Grasset fait, évidemment, un service gratuit, qui frôle la démesure, aux critiques et à des centaines de personnalités, en y joignant souvent une lettre dans laquelle il vante sans complexes les mérites du roman. Aux uns il écrit que « c'est là véritablement une œuvre de premier ordre et qui doit prendre dans notre littérature une place que le temps ne lui ôtera pas ».

A d'autres il parle de « chef-d'œuvre » et affirme : « C'est par Lamartine que *Mireille* est entré dans la littérature, ne pensez-vous pas qu'il y a plus d'un point commun entre l'œuvre de Louis Hémon et l'œuvre du grand Mistral ? » Et on retrouvera sous la plume de célèbres écrivains tels que René Bazin, Henry Bordeaux ou Léon Daudet plusieurs de ces formules laudatives ! Il faut ajouter, comme le fait remarquer Louis Brun, qu'il distribua « gracieusement » la plupart des exemplaires de luxe tirés sur papier vert lumière et sur papier pur fil Lafuma. A l'« ère bibliophilique », c'était un beau cadeau, auquel tous ne furent pas insensibles... Et avec raison ! Le 5 décembre 1923, *la Gazette de l'hôtel Drouot* soulignait que le prix maximal obtenu parmi les ouvrages contemporains était de 360 francs pour la série des vingt premiers « Cahiers verts ». Celle-ci valait à l'origine 90 francs. Le bénéfice est donc de quatre cents pour cent...Grasset va d'ailleurs exploiter dans des échos de presse cette spéculation sur le leit-motiv : « La bibliophilie est décidément un vice lucratif pour les heureux acheteurs des "Cahiers verts". »

Dès les mois de mai et juin 1921, les articles vont pleuvoir ; il a jeté le mot « chef-d'œuvre » sur la place ; la critique, quasi unanime, allait le reprendre.

Les circonstances politiques aussi le servent. Raymond Poincaré est alors le chantre du redressement économique et financier. La droite nationaliste, Léon Daudet en tête, comme la droite catholique ne peuvent qu'applaudir à sa « Mireille des neiges », pleine de foi, à ce « beau livre, simple, pur, profond », comme l'écrira Maurice Donnay, précisant : « Le type même du livre que l'Académie devrait récompenser ! » Il ne croyait pas si bien dire. En novembre 1921, Frédéric Masson rendit, après que Grasset l'eut sollicité, un hommage public à *Maria Chapdelaine* au début de son discours sur les prix littéraires de l'Académie. C'était sans précédent. L'éditeur l'annonça dans toute la presse et distribua une affichette aux libraires. « C'est la première fois depuis sa fondation que, rompant avec toutes ses traditions, l'Académie française rend un hommage à un écrivain disparu[6]. »

Cette droite, Grasset la connaît à merveille. C'est sa famille originelle. « Comment, en effet, être sensible à la France sans ressentir ce qu'apportait à notre pays *Maria Chapdelaine* ? Chacun sait que le meilleur de la France — sa gratuité, la pérennité de son message, tout ce qu'exprime le mot "civilisation"—, c'est l'étranger qui le garde, et quand bien même la France semblerait parfois trouver plaisir à se défigurer. » Il demande à Poincaré de l'aider pour le « rayonnement d'un chef-d'œuvre » qui lui paraît « si lié aux intérêts permanents de la France ». Emballé, Raymond Poincaré lui répond par retour du courrier. « Quatre pages de sa fine écriture. Il souscrit au mot chef-d'œuvre et m'assure de son appui le plus chaleureux. Il devait d'ailleurs tenir ses promesses et, si je parvins assez vite à faire de la publication de *Maria Chapdelaine* un événement français, c'est d'abord à Raymond Poincaré que je le dois. »

Enfin, et ce n'est pas le moindre, ça ne gênait au fond personne chez les « gens de lettres » qui régnaient sur Paris de tresser une couronne de lauriers à un écrivain mort depuis huit ans. La gloire posthume de Louis Hémon était une gloire sans visage pour les salons. Elle n'entraînait ni jalousie, ni envie, ni cancan. Elle était belle comme la mort sous la plume du poète, et tous les Henriot, Souday, Du Bos, Thibaudet, Bordeaux, Le Goffic, Hermant, Descaves, Daudet, Bazin, Massis, Bourget, Barrès ou Vanderem pouvaient, une fois n'est pas coutume, distribuer des fleurs. Le geste était gratuit, sans destinataire. Hémon n'avait ni ennemi, ni ami, il n'appartenait à aucune coterie, à aucun clan. La critique consacrait une abstraction. N'était-ce pas plus facile d'être généreux dans l'éloge ? Grasset, fin connaisseur de ce monde, n'avait pas sous-estimé, dans sa stratégie, cet aspect des choses.

Le décor est planté. Sans qu'elle le sache encore, la France va vivre à l'heure de *Maria Chapdelaine*. La machine Grasset s'est mise en branle. Elle tournera à plein régime jusqu'à l'été 1923.

Après les critiques, les ministres, les « puissants », du maréchal Foch au maréchal Joffre, de Mgr Duchesne au Pr Cochin, lettres et circulaires sont adressées aux curés, professeurs, instituteurs et notables canadiens. Avec toujours, si l'occasion se présente, le souci du ricochet. Henri Massis fait un article dans *la Croix*. Aussitôt Grasset l'adresse aux journaux catholiques de province et leur demande de le reproduire. Il se branche sur toutes les initiatives des « hémonistes » patentés ; parraine la création d'un Comité Louis Hémon pour « l'apposition d'une plaque sur sa maison natale », place du Château, à Brest ; suggère l'édification d'une statue à Quimper ou Dinard ; pousse le ministre de l'Instruction du Québec à intervenir publiquement ; appuie la Ligue maritime française qui imagine un concours dans les collèges autour de *Maria Chapdelaine*.

En janvier 1922, il lance dans plusieurs journaux une enquête publicitaire sur le thème : « A quoi tient le succès d'un livre ? », sous la forme de trois questions :

1. Estimez-vous que le succès de *Maria Chapdelaine* est justifié ?
2. A quelle raison profonde attribuez-vous ce succès ?
3. Est-ce après avoir lu un article sur *Maria Chapdelaine* (et quel article) ou en avoir entendu parler que vous avez acheté le livre ?

Un jeune romancier connu publierait les réponses « les plus intéressantes » dans un petit livre. On l'attend encore. Mais les ventes reprirent de plus belle.

*

Il eut une autre idée, « certainement la plus étonnante qu'il soit possible de retrouver dans l'histoire des lettres de cette époque[7] ». Il s'acoquina avec un industriel d'Agen, M. Vigneras, véritable « fan » de *Maria Chapdelaine*. Ce M. Vigneras décida d'envoyer deux exemplaires à des curés de village, en opérant département par département.

> Il joint à ces exemplaires, expliquait Grasset à Marie Hémon, une courte lettre dans laquelle il dit à chaque curé qu'il lui offre un exemplaire de ce livre pour lui et il le prie d'offrir l'autre à une personne susceptible de le goûter particulièrement ou à la bibliothèque de la paroisse. En échange de cette gracieuseté, ledit industriel, qui est fabricant d'engrais, demande à chaque curé de lui donner des adresses de cultivateurs auxquels il pourrait faire des offres. M. Vigneras m'a demandé de lui faire un prix extrêmement bas.

A l'automne de 1922, quand paraît chez Flammarion *la Gar-çonne* de Victor Margueritte, un roman d'un réalisme cru qui relate une scène d'amour à plusieurs partenaires et fait scandale dans la bourgeoisie bien-pensante, Grasset lui oppose immédiate-ment son *Maria Chapdelaine*. L'autorité vertueuse des paysans canadiens, l'âme de la vieille France contre la dissolution des mœurs.

Il bondit sur tout, sur absolument tout, dès qu'il pense servir la cause de son « amour » — il emploie plusieurs fois le mot — et pendant deux ans, il n'y aura pas un seul jour qu'un quotidien national ou de province, qu'un hebdomadaire ou qu'une revue n'évoque le récit de Louis Hémon, tandis que les libraires, invités par des lettres, par des ristournes exceptionnelles — par exemple, pour cent exemplaires commandés ils en reçoivent gratuitement huit de plus—, par des affichettes, à soutenir son effort, l'ac-compagnent, d'emblée, dans son acharnement. Grasset entretenait d'excellentes relations avec les libraires. Il les tenait pour ses semblables, pour des « artisans de la chose littéraire », et il ressen-tait à les mêler ainsi à ses opérations les plus fracassantes un réel plaisir qui imprègne sa correspondance.

Enfin, une publicité sous forme de « placards », centrée sur les chiffres de vente, inonde la presse. Grasset, mois après mois, annonce les « bonds formidables » de son roman selon un principe qui n'a guère changé : la vente appelle la vente. En mars 1922, il affiche « deux cent mille vendus » et, à la même époque, il évalue le montant de ses dépenses publicitaires à 100 000 francs. En janvier 1923, il en est à « six cent mille vendus »... L'exagération est ici la règle. Et qui, plus que Grasset, est à l'aise dans l'exagéra-tion, l'outrance, la démesure ? A cette date, soit dix-huit mois après sa parution, *Maria Chapdelaine* avait été tiré à cent soixante-six mille cinq cents exemplaires. Si on est loin des « six cent mille vendus », ce chiffre n'en était pas moins considérable et constituait en 1923 une performance unique dans l'édition française.

Après *Maria Chapdelaine* « rien ne sera plus comme avant » et, pour une fois, le poncif éculé n'est pas une clause de style. Grasset venait de forcer le destin d'un roman avec maestria et d'ouvrir « l'ère des cent mille ». En 1956, au lendemain de sa mort, l'édition courante atteignait exactement six cent dix-sept mille huit cent quarante-cinq exemplaires. Si on y ajoute les éditions de luxe, les éditions scolaires, les livres de poche, *Maria Chapdelaine* s'est vendu dans les pays francophones à près d'un million et demi d'exemplaires, à quoi viendra s'adjoindre sa diffusion en langues étrangères — onze traductions.

Si aucun autre ouvrage des « Cahiers » ne connut ce même destin, beaucoup d'auteurs entameront leur glorieuse course sous la « casaque verte » de la rue des Saints-Pères. Dont Giraudoux, Maurois, Delteil, Mauriac, Ramuz, Giono, Benda, Drieu La Rochelle, Malraux.

De l'importance de son rôle — ce qu'il appelle son « efficace » — Grasset tira souvent des conclusions définitives, privilégiant le talent de l'éditeur sur celui de l'auteur. Ce n'était que boutade ou provocation. « On ne crée pas artificiellement un succès. » L'éditeur n'est pas un magicien. Il le répétera tout au long de sa vie. Un livre ne peut atteindre un grand public d'assez mince culture que s'il contient suffisamment d'éléments qui puissent plaire à ce grand public. C'est à l'éditeur de savoir répondre à cette évidence, de savoir « déceler dans un authentique chef-d'œuvre, ce *allant à tous*, ce *vulgaire* qu'il lui faut pour appuyer son effort... Ce fut le cas pour *Maria Chapdelaine* ».

Et pour mieux illustrer sa thèse que la valeur, la qualité d'une œuvre, même claironnées et soutenues par un éditeur, ne garantissent pas une large diffusion, n'est-ce pas encore Louis Hémon, dira-t-il, qui fournit le meilleur exemple ?

> Deux ans après *Maria Chapdelaine*, je publiai un nouveau roman de Louis Hémon, *Colin-Maillard*, qui appartient à ce qu'on peut appeler la « période anglaise » de l'écrivain, celle où, dit-on, il connut Charlie Chaplin. C'était, en somme, l'histoire d'un prébolchevique. J'y avais pris autant de goût qu'à *Maria Chapdelaine*, dont la vente dépassait alors le chiffre de trois cent mille. Je crus pouvoir tirer sans risque *Colin-Maillard* à quarante mille exemplaires. Or, après trente ans, ce tirage n'est pas épuisé. *La Belle que voilà* (1923), *Battling Malone* (1925) furent aussi des échecs. Je gardai en réserve un autre écrit de Louis Hémon, de la même époque que *Colin-Maillard* : *Monsieur Ripois et la Némésis*. En ayant revu le texte en 1952, sur la prière de Mlle Lydia Hémon, je publiai l'ouvrage dans les « Cahiers verts ». J'attendais là un triomphe, ce fut un autre échec et il fallut que l'œuvre fût mise à l'écran pour que le vulgaire s'en saisît et en fît un succès.

Louis Hémon n'avait sans doute jamais pressenti cette gloire qui l'attendait au tournant des années vingt. Était-elle justifiée ? La question reviendra lancinante, et soixante ans plus tard, des étudiants, des universitaires continuent, gravement, de la poser. Pour Grasset, *Maria Chapdelaine* méritait la gloire. Il la lui a offerte avec ses méthodes. « Que de telles méthodes, en fin de compte, servent ou desservent les Lettres, ce n'est pas à moi de le dire. Mais on ne peut mettre en doute qu'elles servent tous ceux qui écrivent, parmi lesquels il est, quand même, quelques écrivains. »

« Il dut même vite apparaître que je faisais corps avec mon métier, puisque, pour la première fois, je crois, dans les lettres, on se mit à discuter de mon goût et de mes moyens, à l'occasion des livres que je lançais [...]. Les uns me louant, les autres me blâmant, soit de mon choix, soit de mes manières [...]. C'était là chose assez nouvelle, car jusqu'alors, me semble-t-il, un éditeur pouvait publier le pire, sans qu'on s'en prît à lui. »

BERNARD GRASSET

7

LES ANNÉES GRASSET

Dans la foulée de l'énorme succès de Maria Chapdelaine, *il impose son « allure », sa technique des « coups », ses méthodes de lancement. — Pour la sortie du* Diable au corps *de Radiguet, premier « clip » publicitaire présenté aux actualités Gaumont. — Le clan Gallimard se rebiffe. — Châteaubriant et « les quatre M »* (Mauriac, Maurois, Montherlant, Morand) *connaissent la griserie des gros tirages. — Il n'y a pas d'« école Grasset », comme il y a une « chapelle* NRF *».*

Grasset n'a jamais joué. Quand il lance *Maria Chapdelaine*, il ne joue pas. Il fait œuvre d'intérêt national, il sert la beauté, la culture, l'esprit, bref, il mène croisade au nom des Lettres françaises. Se prenant dans tous ses rôles très au sérieux, ce n'est pas l'humour vis-à-vis de lui-même qui peut l'étouffer ou le paralyser. Il ressent son métier comme un devoir. « L'édition étant elle-même création, dit-il, exige l'emploi de l'homme entier. »

A propos du roman de Louis Hémon, son engagement frénétique fut on ne peut plus communicatif. Il ne suscita aucun agacement, aucune suspicion. A son enthousiasme répondit, comme on le sait, la clameur des critiques officiels et cette vogue inouïe qui correspondait, sans doute, à l'une de ces crises de sentimentalisme rustique, terrien, que s'offre de temps en temps notre pays.

Excepté Albin Michel, qui, en 1919, organisa pour *l'Atlantide* de Pierre Benoit une impressionnante mais très classique campagne de publicité, consacrant et renforçant le succès de *Koenigsmark*, les éditeurs mettront plusieurs mois avant de copier les méthodes de Grasset. Quand ils le feront, et qu'ils investiront, à partir de 1923-1924, des sommes de plus en plus importantes pour la promotion de certains ouvrages, le patron de la rue des Saints-Pères aura franchi une nouvelle étape. Il provoquera autour du *Diable au corps* de Radiguet un tintamarre qui dépassera tout ce qu'on avait imaginé jusqu'alors. Et il va devenir, brusquement, la cible privilégiée de tous ceux qui reprocheront aux éditeurs de vendre des livres à grands coups de tam-tam, comme on lance une marque de chocolat ou de pâtes alimentaires.

La « publicité en matière de librairie » et les prix littéraires qui se multiplieront durant cette période — le prix Renaudot est créé en 1926, le prix Interallié en 1930, le prix des Deux-Magots en 1933 et le prix Cazes en 1935 — seront ainsi au centre de débats houleux, conduits par des avocats impétueux et des procureurs incorruptibles. Un nom, un seul, servira de leitmotiv à ces controverses acharnées : Bernard Grasset, initiateur d'une véritable révolution pour les uns, ennemi public pour les autres.

Beaucoup plus que la petite guerre d'influence qu'il mena contre son ami Gaston Gallimard, ce débat sur l'évolution de la « chose littéraire » dans tous les domaines — commercial, juridique, technique — allait être, jusqu'à la fin des années trente, la préoccupation majeure de Grasset. Écrire, pour lui, est devenu la prétention de tous, ce qui a ouvert une période d'inflation littéraire à laquelle les éditeurs sont contraints de s'adapter s'ils veulent survivre. Mais s'il contribue largement à créer cette « mode de l'esprit » à quoi les plus grands talents de notre époque doivent l'étendue et la rapidité de leur rayonnement, il a mis son orgueil, son entêtement, à ne soutenir que le destin de quelques livres, dénonçant avec force les dangers que court la « vraie culture ».

Quels furent ces livres ? A ceux dont nous connaissons déjà le sort enviable — *Monsieur des Lourdines, Du côté de chez Swann, les Silences du colonel Bramble, Maria Chapdelaine* — s'ajoutent bien des titres qui, au fil des ans, se sont imposés parmi les classiques de notre littérature du XXᵉ siècle. Citons, une fois au moins, ces œuvres qu'il défendit avec fougue, comme étant les siennes propres, puisqu'il ne pouvait — il faut le répéter — agir autrement quand il s'entichait d'un texte. *Siegfried et le Limousin* de Giraudoux, *le Diable au corps* de Radiguet, *la Brière* de Châteaubriant, *Thérèse Desqueyroux* et *le Nœud de vipères* de Mauriac, *Climats* de Maurois, *les Enfants terribles* de Cocteau, *Claire* de Chardonne, *Lettres à un jeune poète* de Rilke, *Jeanne d'Arc* de Delteil, *l'Europe galante* de Morand, *Dieu est-il français ?* de Sieburg, *la Chatte* de Colette, *Sarn* de Webb, *David Golder* et *le Bal* de Némirovsky, *Technique du coup d'État* de Malaparte, *Vipère au poing* et *la Mort du petit cheval* de Bazin. S'il n'eut pas le même engouement pour Malraux, Cendrars, Ramuz, Giono, Montherlant, Yourcenar, Guilloux, il perçut, d'emblée, l'originalité, la force ou le génie de tous ces auteurs et il ne négligea rien pour assurer leur prestige.

Péguy ne fut-il pas le premier éditeur passionné s'étant employé sans relâche, avec des moyens de franciscain, à faire partager ses admirations ? Quand je le rencontrai en 1909, j'étais comme lui et suis resté franciscain par un aspect. Mais je parvins progressivement à mettre au service d'une admiration de franciscain des moyens de commerçant moderne.

*

Sur ces moyens il ne lésina jamais et le franciscain Grasset sera, avant tout, accusé d'être le suppôt de l'« épicerie littéraire ». Singulier et injuste procès. Ses motivations profondes dépassaient le seul aspect de la vente proprement dite des livres. C'est en cela surtout qu'il n'a pas été compris par nombre de ses contemporains.

Si on réservait une place dans les grands journaux à la critique des œuvres d'imagination, s'il existait plusieurs chroniqueurs qui faisaient la pluie et le beau temps, si l'on publiait en feuilletons romans et nouvelles, l'information sur les milieux littéraires s'arrêtait là. Grasset, au contraire, était convaincu depuis longtemps que le monde des lettres, comme celui du sport ou de la politique, pouvait exciter l'appétit d'un vaste public...

> Je me plais même à rattacher, écrira-t-il, le goût qu'a présentement le public pour les choses de la littérature à une Rubrique qu'ouvrit Léon Bailby à *l'Intransigeant* quelques années à peine après que j'eus fondé ma Maison. Vers 1910, si je me rappelle bien. La Rubrique des XIII à *l'Intran*, c'était, comme dans un microcosme, tous ces potins des lettres qui fournissent aujourd'hui la matière de pages entières dans les hebdomadaires. La Rubrique des XIII, c'est en somme l'entrée modeste de la chose littéraire dans la presse.

Les gens, expliquait-il, sont avides de se renseigner sur la vie des écrivains, leurs habitudes, les endroits où ils se rencontrent, leurs rapports avec ces « managers » qu'allaient devenir les éditeurs. La création des *Nouvelles littéraires* de Jacques Guenne répondait à cette attente, à ces besoins et le succès de la rubrique « Une heure avec... » du rédacteur en chef Frédéric Lefèvre, qui s'efforçait d'« aller plus loin », comme nous le dirions aujourd'hui, avec des auteurs célèbres, reposait essentiellement sur les révélations, les indiscrétions, les commérages. Qu'on se rappelle le premier numéro des *Nouvelles* le 17 novembre 1922, où Camille Mauclair fit sensation dans son entretien avec Lefèvre, en racontant comment il avait découvert André Gide. Pour servir cette « chose littéraire » qui frappera le grand public, provoquera sa curiosité et, sa curiosité satisfaite, lui permettra, s'il en est capable, de découvrir le talent, Grasset fit preuve d'une imagination et d'une pugnacité qu'aucun de ses pairs ne lui disputa.

Et que lui importe si ses méthodes soulèvent des tempêtes alors qu'elles ne sont pas remarquées, « ou facilement pardonnées », chez Gallimard ; que lui importe si « Gaston » a, beaucoup mieux que lui, « réussi à concilier la légitimité littéraire et le succès commercial[1] ». Il se croit, il se voit, il se pense précurseur. Le 14-Juillet de l'édition, c'est lui, seulement lui. Franc-tireur, arrogant, crâneur, au bord de la folie, il gêne. Il fait avec ostentation « ce-qui-ne-se-fait-pas ». La pire des tares, même auprès des anti-conformistes patentés. Dans cette concurrence qui deviendra de plus en plus rude entre les deux guerres, l'accusé, ce sera donc lui. Il lui faudra monter des coups. Tout relâchement pourrait être fatal et jamais Grasset ne fera relâche. Il va, de coup en coup, déclencher les foudres des « gens de lettres » et de la critique académique. L'époque le servait. L'édition, portée à partir de 1922 par un pays en pleine expansion industrielle, allait connaître une prospérité foudroyante. Le miracle durera plus de dix ans, jusqu'à la crise économique mondiale qui atteindra la France en 1933.

C'est le feu d'artifice des « Années folles ». Tout est possible, tout est permis. Grasset pourra enfin parfaire ce qu'il considère comme l'essentiel de son métier, « c'est-à-dire la publicité, ou mieux : l'action sur le public, puisqu'une partie de cette action peut être gratuite ».

Depuis maintenant quinze ans que nous sommes en compagnie de l'éditeur, un mot : « lancement », et une expression : « créer l'événement », ont été, en effet, par-delà ses engouements pour quelques auteurs, les ressorts de toute sa conduite. Celle-ci s'est, au fil du temps adaptée, peaufinée, et, entre le lancement de *Laure* en 1913, des *Silences du colonel Bramble* en 1918, et celui de *Marie Chapdelaine* en 1921, les progrès de conception et de moyens sont immenses. Que peut-il encore inventer ? Le langage publicitaire est sans limites. Il suffit d'imaginer et d'oser. Il osera, sans scrupules, dans la frénésie. « Le temps n'est plus aux fleurs d'ombre dans les églises noires, écrivait Max Jacob à Marcel Jouhandeau, c'est le siècle de la publicité. Ferons-nous moins pour l'art et pour la foi que Cadum pour son savon[2] ? »

Pourtant, ils seront peu nombreux ceux qui viendront le soutenir quand on l'attaquera. Les écrivains qui pourraient le défendre — ceux qui encaissent les dividendes des gros tirages — répugnent à s'engager dans ce débat sur les changements qui affectent la « chose littéraire ». D'autant que l'Académie française, qui est encore puissante et vers laquelle lorgnent plusieurs de ces auteurs, ne cesse de s'insurger contre la publicité et l'abus des prix litté-raires. Pour les Quarante du quai Conti, ce n'est pas ainsi qu'un auteur conquiert la véritable renommée, celle qui dure. Son nom doit peu à peu grandir avec son talent ; qu'il s'impose par la valeur

propre de son œuvre, non par des moyens extérieurs et artificiels !
Avec la camaraderie, le bluff et la spéculation, nous avons tout ce
qu'il faut pour affoler l'opinion. Lorsque le public, le grand public,
se sera aperçu que le « battage » fait autour de certains ouvrages
et autour des prix n'est, la plupart du temps, qu'un boniment de
forain, eh bien, ce public-là sera aussi long à revenir à la littérature
qu'il aura été long à se détacher de la littérature « épicière ». Tels
sont les thèmes dominants des procureurs qui se répandront, à
chaque occasion, dans la presse. Le problème de la publicité et des
prix littéraires sera l'un des « marronniers » favoris des journaux,
c'est-à-dire un sujet qui sera repris année après année.

En mettant à la mode la publicité à outrance pour la diffusion d'un
volume, lit-on encore en novembre 1935 dans le Cri du jour, la maison
Grasset, obligeant ses collègues à lui emboîter le pas et à investir des
sommes importantes pour le lancement de chaque ouvrage, engageait
l'édition dans une impasse où elle se trouve dangereusement embourbée.
Qu'auraient-ils dit, les grands éditeurs de jadis, si on leur avait proposé
les placards publicitaires en usage depuis ces dernières années? Ils
pensaient que les livres avaient leurs destins et qu'il ne servirait à rien de
vouloir le forcer. Sans doute n'avaient-ils pas tort. Qu'a produit cette
outrancière publicité? Un décalage funeste, un déséquilibre total.
Qu'est-il resté des réputations faites et surtout surfaites à l'aide d'importants budgets de publicité? Pas autre chose qu'une terrible mévente, due
non seulement à la crise, mais à ce fait que le public, trop souvent abusé,
trop souvent trompé, ne tient plus à risquer ses 12 francs pour acheter
cent cinquante pages de naïves élucubrations.

Grasset restera sourd à tous les arguments qu'on lui oppose.
D'être toujours mêlé, à titre personnel, au débat l'enchante. C'est
l'origine de sa célébrité, qui, entre les deux guerres, dépassa très
largement nos frontières. Une célébrité que ne connaîtra aucun de
ses concurrents. Dans le supplément littéraire du New York Times
il était baptisé, en 1929, « le plus grand des éditeurs », non pas en
termes de puissance mais de qualité inventive. On le tenait pour
« l'inventeur » de l'édition moderne. Interrogé, en 1924, par la
revue Renaissance sur l'agressivité de ses « méthodes de publicité », il répondra avec ironie : « Je n'ai reçu, de la part des auteurs
qui m'ont confié leur manuscrit, aucune plainte. »

*

Voilà le Grasset qui accélère et accompagne la métamorphose
du métier d'éditeur. Il vient d'avoir quarante ans. Il a sa légende.
Il est reçu dans les salons qui ont, ne l'oublions pas, une influence
énorme sur la vie des lettres. On raconte qu'il sert une mensualité
à une dame du monde qui reçoit beaucoup, à charge pour elle, en

présentant ses petits fours, d'aiguiller la conversation sur les nouveautés de la Maison. C'est possible. Mais impossible à vérifier...

> Paris, confie-t-il, est devenu un immense marché de services. En province il n'y a pas de bourse des services, le marché n'est pas assez large. Mais dans les salons de Paris, ce qui a remplacé l'esprit, c'est le commerce des services. Dans les salons on se rencontre avec les hommes de lettres, les hommes d'argent et les hommes de gouvernement. On se rend des services réciproques dont chacun touche le prix dans la monnaie qui l'intéresse. C'est un des caractères sociaux de notre temps.

On le voit de plus en plus souvent chez Jeanne Mühlfeld, l'épouse d'Adrien Mühlfeld, qui a pris la place d'Henri Bauër à l'*Écho de Paris*. Elle reçoit, avenue Victor-Hugo, tout ce qui a un nom, de Barthou à Noailles, de Berthelot à Morand, de Gide à Valéry... Il va rue Jacob chez « Miss Barney », Nathalie Clifford Barney, « l'amazone » de Rémy de Gourmont, à qui elle fit découvrir « sinon l'Amour, du moins l'Amour de l'Amour, et, par la même occasion, le monde automobile, les bals parés, enfin tout ce qui convient à la vieillesse et la rend folle sans l'épuiser[3] ». On le croise quai Voltaire, dans un appartement « suspendu sur la Seine », chez Charles Peignot, qui préside, en octobre 1922, la Société des *Nouvelles littéraires*. Chez Marie-Louise Pailleron, rue de Verneuil, l'héritière de François Buloz, qui fut rédacteur en chef de *la Revue des Deux Mondes* et administra la Comédie-Française. Chez Mme Alphonse Daudet, où François Mauriac rencontra enfin Marcel Proust, le 3 février 1918. Ce fut le ravissement: « Une dame, je m'en souviens, me parle du "petit Proust". On me conta son étrange vie recluse où je n'espérais pas que je pusse jamais pénétrer... » Chez la comtesse Anna de Noailles, bien sûr, « notre merveilleuse Anna ». Elle vient justement, en juin 1921, de recevoir le grand prix de l'Académie pour son œuvre poétique. L'ardeur qui emplit *le Cœur innombrable* et *l'Ombre des jours* l'habite à la ville, et si le grand ébranlement de la guerre est venu lui révéler les *Forces éternelles,* le culte de la patrie, l'héroïsme, la manière de mourir, il n'a rien retiré à son goût de vivre, bien qu'elle passe le plus clair de son temps étendue. Elle fascine Grasset. La seule personne, peut-être, qui l'ait fasciné, devant laquelle il peut se taire pour écouter. Il parviendra à la convaincre de paraître chez lui en 1927. Dans la nouvelle série des « Cahiers verts », elle publiera *l'Honneur de souffrir*, un livre de poèmes. En 1930, ce sera son essai *Exactitudes,* précédé d'une « lettre-préface à Bernard Grasset », qui ravira l'éditeur.

> Mon cher ami, vous désirez, dans un sentiment de vigilance peut-être tyrannique, que j'expose au lecteur notre querelle d'un titre et que je l'éclaire sur l'ordonnance d'un livre [...]

> En vous parlant par cette lettre, mon cher Bernard Grasset, je me suis
> mieux entendue moi-même...

Il est également l'hôte assidu de Simone de Caillavet, petite-fille de Mme Arman de Caillavet, la vieille amie d'Anatole France. Il présentera André Maurois à la jolie Simone, « habillée à ravir d'une robe noire et blanche ». Écrivains et hommes politiques fréquentaient son rez-de-chaussée du boulevard Malesherbes, les uns parce qu'elle était intelligente et belle, les autres pour y voir Robert de Flers qui régnait sur *le Figaro*. Elle épousera André Maurois, dont la première femme, Jeannine de Szymkieviecz, était morte des suites d'une longue maladie.

> *Remarques sur le bonheur,* écrivait-elle à Grasset le 14 mai 1952, au moment d'une réédition du livre, me fit battre le cœur puisque c'est à vous, Bernard, que je dois le bonheur de ma vie entière. Je n'oublierai jamais, très cher ami, que c'est vous qui m'avez présentée à André Maurois. Encore merci pour tant de beaux livres et un tel excellent mari. Bien affectueusement à vous. Simone[4].

C'est le temps où le peintre Jacques-Émile Blanche, érudit, cruel, cancanier, portraitiste du Tout-Paris, lui demande de poser dans son atelier d'Auteuil. Le tableau est toujours accroché au premier étage de la rue des Saints-Pères. On y voit Grasset mélancolique, revêtu d'un imperméable brun, un foulard négligemment noué autour du cou, le visage tendre et fin d'un adolescent qui se prend pour un consul romain. Blanche l'avait percé. Il avait deviné que ses bavardages, sa nervosité, son air Bonaparte cachaient une « âme blessée ».

Le temps encore où il accueille Henry Muller :

> Il me demanda à brûle-pourpoint, raconte celui-ci : « Alors, vous voulez être éditeur ? Pourquoi ? » J'eus le génie de lui répondre : « Parce que je n'aime pas la banque. » Cette fois, il se contenta de retirer son fume-cigarette de sa bouche, et de me regarder pensivement. « Tout métier a son romantisme, fit-il, je me destinais à être inspecteur des finances. Mais, ajouta-t-il, sans doute êtes-vous comme moi : je ne suis pas un homme d'argent. » Souvent, par la suite, je l'ai entendu répéter cette phrase à certains auteurs qui en saisissaient, eux, le sens caché, et blêmissaient.

Mémorialiste de l'entre-deux-guerres avec *Trois Pas en arrière* et *Retour de mémoire,* Henry Muller fut l'homme de tous les plaisirs — les sports, les femmes, les bars, l'édition, le journalisme, la littérature — avant d'être frappé de paralysie à l'approche de la cinquantaine et de connaître les plus dures épreuves physiques sans jamais perdre son sourire et son humour. Grasset trouvait chez lui ce qui lui manquait le plus, cette faculté d'aimer la vie et les êtres. Muller assistera pendant trois ans le directeur des ventes de la Maison, Marius Bouquinet. « Évidemment, s'appeler Bouquinet et travailler dans l'édition, il n'y a que chez moi que ça pouvait arriver, n'est-ce pas, Marius? » disait Grasset chaque fois qu'il présentait son directeur des ventes.

Dans cette ambiance bon enfant où les « coups de gueule » précédaient les effusions, la Maison grandit. Auprès de Brun, Peyronnet, Fluchaire et Yvonne Langevin, Pierre Tisné assurait le secrétariat général et s'occupait de la réception et du traitement des manuscrits. Henry Poulaille venait d'aménager la « grande salle » du service de presse. Léon Rouanet, personnage haut en couleur, bon vivant, qui amusait Grasset, visitait régulièrement les libraires auprès desquels il s'était taillé une popularité sans égale. Et puis le « petit Muller », après le service des ventes, ira « aux manuscrits », passera « aux traductions », auprès d'Alice Turpin, pour finir dans le rôle de directeur littéraire de la Maison. Bientôt entreront André Sabatier, Pierre Bessand-Massenet et André Fraigneau, lequel rejoint l'équipe de la rue des Saints-Pères en 1929, conduit là par Jean Cocteau, qu'il connut dès 1927. Grasset lui devra de publier *Antoine Bloyé*, le roman de Paul Nizan, de frayer la voie à Marguerite Yourcenar et de découvrir André de Richaud, dont l'œuvre — que l'on réédite depuis 1985 — fit scandale.

*

Aucun de ces noms, même si l'on y ajoute ceux de Jean de Pierrefeu, Daniel Halévy, Gabriel Marcel ou Edmond Jaloux, qui occupent chez lui des fonctions éditoriales, n'appartient au gotha des lettres et cet aréopage n'a évidemment rien de commun avec le « comité de lecture » qui entoure alors Gaston Gallimard. Jaloux, d'ailleurs, abandonnera la place en 1924, fatigué des diktats de Grasset. Quand celui-ci refusa d'éditer *l'Américaine* du « bon gros » Fritz Vanderpyl dans sa collection « le Roman », alors qu'il s'était déjà engagé, la coupe fut pleine.

> Dorénavant, je vous donnerai simplement mon avis et vous ferez ce que vous voudrez ; je ne verrai aucun auteur et je n'interviendrai nullement entre eux et vous... Un mot encore, mon cher Bernard : vous m'avez dit dernièrement que vous ne voulez plus publier que de très bons livres ; je suis entièrement de votre avis. Mais avec la chasse que Gallimard fait aux jeunes écrivains et que vont faire Colette et Simon Kra, si vous ne montrez pas un peu de cette indulgence que vous me reprochez, où trouverez-vous des auteurs dans trois ans ? Je suis entré à *la Revue européenne* en partie pour vous et pour avoir sur les manuscrits des jeunes le coup d'œil que la *NRF* donne à Gallimard ; mais comme

vous ne voulez publier que des livres qui vous plaisent personnellement, ce coup d'œil sera certainement tout à fait vain, et d'autant plus que l'écart augmentera fatalement entre vos goûts et les tendances des écrivains nouveaux. Je ne vous dis pas cela pour vous prouver que vous avez tort, mais pour vous mettre en garde contre les dangers d'une méthode qui va avoir aussi des risques.

Daniel Halévy lui-même dut convenir des limites de son pouvoir. « Bernard Grasset avait les deux aptitudes, rarement rassemblées, d'un amateur au goût exquis et d'un chef d'entreprise. Il avait, comme tout éditeur, des lecteurs, mais ceux-ci avaient pour fonction de déblayer la matière, non de choisir. Il n'admettait aucun conseil pour le choix, qui lui revenait à lui seul. »

Seul. Combien de fois ce mot est-il revenu pour le définir ? Il n'a nul besoin de conseiller ou de directeur de conscience qui recouvrent du sceau de leur légitimité sa production. Il a besoin d'une intendance pour monter ses machiavéliques échafaudages.

Au fond, il ne croit pas à ce que l'on nomme « l'influence ». Il refuse et méprise cette légitimité que confèrent huit ou dix personnes de l'intelligentsia — Gide, Valéry, Rivière, Crémieux, Paulhan, Larbaud, Fargue, Du Bos. Le clan de la *NRF*. Des personnes qu'il connaît, qu'il fréquente, voire qu'il publie. D'autres lui sont plus proches par la pensée, comme Bourget, Maurras, Claudel, Maeterlinck, Maritain ou Léon Daudet, mais il ne cherche pas davantage à les associer au destin de sa Maison. Quant aux auteurs dont il accompagnera la gloire, « les quatre M » (Mauriac, Maurois, Montherlant, Morand), Châteaubriant, Malraux, Giraudoux, Cocteau, il ne leur confiera aucun rôle dans la définition de sa politique éditoriale. La légitimité, c'est lui. Les rares expériences qu'il tenta furent sans suite. Jean Cocteau en fut agacé. Malraux sut mieux en profiter financièrement, sans en tirer une parcelle de pouvoir.

*

Le premier avait apporté *le Diable au corps* de Raymond Radiguet. Grasset lui confia la redoutable tâche de dénicher de jeunes talents. Cocteau se piqua au jeu. Il amena Jean Desbordes et son *J'adore*. Il en fit la préface. On aperçoit l'auteur en marin sur le prière d'insérer. « Desbordes arrive des Vosges. Un jour une de ses parentes — ce sont des bourgeois bien — était venue à Paris. A la gare de l'Est, pour le voyage de retour, elle achète par hasard *le Grand Écart*. "Voilà ce qu'on lit à Paris ! Sont-ils assez fous ?" Jean Desbordes entend cela. Il s'empare du livre. Il le dévore dans la nuit. Le lendemain il m'écrivait: "Ma vie est à vous !" Il a vingt ans. Il était appelé. Je l'ai fait affecter rue Royale, au ministère de la Marine. Voilà qui t'explique le col marin. »

Récit de Jean Cocteau à Maurice Martin du Gard. Grasset, à Divonne, fait la moue. Il ne « sent pas le roman du matelot ». Jean Cocteau se démène. Desbordes a — presque — remplacé Radiguet dans son imagination. A la vitrine des libraires des affichettes fleurissent, toutes signées Cocteau : « Le livre de Jean Desbordes est une apparition... » « Maritain me trouve ridicule d'avoir préfacé *J'adore*, livre scandaleux. Or je suis fier de ce ridicule comme je suis fier de l'amitié de Maritain. »

Les ventes ne suivent pas. On est en 1928. Brun est, cette année-là et beaucoup de celles qui suivront, livré à lui-même. Le four de *J'adore* le rend méfiant. C'est sur lui que Grasset « va tomber ». Quand, deux ans plus tard, Cocteau présente un autre « jeune génie », Pierre Herbart, chacun prend la fuite. Le manuscrit est renvoyé par courrier. Cocteau appelle Pierre Tisné, qui balbutie, parle d'erreur, de malentendu, tout en ne manquant pas de rappeler le scepticisme de Grasset quant à Desbordes. Dans la foulée, Cocteau écrit au même Tisné un mot qui met fin à sa carrière de dénicheur de talents :

> Avouez que le malentendu était étrange. On me répond comme à une requête après m'avoir supplié [Grasset] de découvrir des jeunes, de les amener, de ne le dire à aucune autre firme. Or, en fait de jeunes, je donne Desbordes que je classe en tête des Lettres et je souffle un magnifique livre à la *NRF* malgré le travail continu de Gide auprès d'Herbart. Il est juste que je m'étonne de l'attitude de Grasset vis-à-vis de Desbordes et de votre lettre après l'envoi du livre d'Herbart. Je ne consultais pas, je ne demandais pas. Je faisais un riche présent. Il m'a semblé drôle que ce présent offert à Grasset me soit retourné par ses collaborateurs.

L'éditeur consent à répondre, laconique : « Laisse-moi simplement ne pas être de ton avis en ce qui concerne la comparaison de Desbordes et de ce génial enfant que fut Radiguet. » D'Herbart on ne reparlera plus. Ni de Cocteau « découvreur ».

*

Malraux eut plus de chance. Fin 1926, Grasset lui racheta une petite maison d'édition, Aux Aldes, spécialisée dans les ouvrages de luxe, qu'il avait créée six mois plus tôt avec son ami Louis Chevasson, et lui demanda de diriger, sous son toit, une collection du même nom. Un hommage à des imprimeurs vénitiens des XVe et XVIe siècles, les Aldes à qui l'on doit le caractère italique et le format in-octavo. Leur célébrité tient surtout aux éditions *princeps* des chefs-d'œuvre grecs et latins.

Grasset a connu Malraux par Mauriac, qui, dès 1920, recevait chez lui le « jeune rebelle ». Il ne le rencontre qu'en décembre

1924. Malraux revient tout juste de sa première aventure indo-chinoise, condamné à un an de prison avec sursis pour avoir « pillé » les ruines de Bantaï-Srei. Il a vingt-trois ans. Au vrai, ses tribulations archéologico-judiciaires ont servi son image. S'il est condamné par la société officielle, il est accueilli, par le milieu intellectuel, en symbole de l'injustice coloniale, en ami des Anna-mites, et il s'apprête, après un séjour d'un mois sur le sol de France, à repartir dare-dare pour créer à Saigon un « journal libre ». Grasset est séduit. Daniel Halévy aussi, qui, plus tard, le recevra souvent dans sa belle maison du quai de l'Horloge. « Halé-vy était assez content, dira Lucie Mazauric — Mme André Cham-son —, d'enchâsser ce diamant noir au milieu de la guirlande bigarrée de vedettes qui ornait son salon. » Malraux promet, au retour de son voyage, de leur donner un roman inspiré de ses aventures cambodgiennes[5].

En février 1926, il leur remettra le manuscrit de la Tentation de l'Occident, qui paraîtra au mois de juillet suivant. Mais ni Grasset ni Halévy, pour une fois d'accord, ne voudront de ce discours philosophique, échange de lettres entre le jeune Chinois Ling et son contemporain français A.D., pour les « Cahiers verts ». L'édi-teur attend le roman. Malraux a besoin d'argent pour vivre. « Aux Aldes » fera le lien entre ces deux exigences. De janvier 1927 à octobre 1928, Grasset assure à Malraux une rente mensuelle de quelque 4 000 francs — 15 000 de nos francs — au titre de direc-teur de collection. « Aux Aldes » publiera trois ouvrages: Sieg-fried et le Limousin, de Jean Giraudoux, illustré de quatorze lithographies du peintre Alexandre Alexeieff, qui devait devenir l'un des premiers auteurs de dessins animés en France; Souvenirs d'égotisme, de Stendhal, illustré par Roux; Bouddha vivant, de Paul Morand, habillé de plusieurs eaux-fortes d'Alexeieff. C'est tout. Malraux ne se tuera pas à la tâche.

Autre chose l'occupait: la rédaction du roman promis. Promesse tenue: de mars à juillet 1928, la NRF de Jean Paulhan publie les Conquérants. Il sort en volume chez Grasset au mois de sep-tembre, alors que « Aux Aldes » ferme boutique. Malraux entre au comité de lecture de Gallimard, dont il devient un salarié.

Cette présence de Cocteau et de Malraux, sinon dans les murs de la rue des Saints-Pères, du moins dans le dispositif éditorial de la Maison, avait, on l'a deviné, quelque chose d'incongru. Si d'autres auteurs comme Mauriac, Chardonne, Morand ou même Maurois et Giraudoux avaient senti qu'ils pouvaient créer auprès de Grasset un élan susceptible de rivaliser avec la maison d'en face et d'imposer une légitimité qui leur fût spécifique, nul doute qu'ils auraient tenté de relever le défi.

François Mauriac, d'ailleurs, voulut, en mars 1929, entraîner son éditeur dans la création d'une grande revue catholique pour balancer « l'affreuse influence » de la *NRF*, qu'il trouvait antichrétienne et de plus en plus ennuyeuse. Le projet aboutit. Le premier numéro de *Vigile*, « cahier trimestriel », qui ambitionnait de rassembler tout ce que le « renouveau chrétien » avait apporté à la littérature, parut en janvier 1930. « Le catholicisme n'étant à aucun degré un parti, *Vigile* n'a pas de programme, sinon d'offrir à quelques écrivains catholiques, tant étrangers que français, le lieu de rencontre où ils puissent collaborer en parfaite communion de foi, selon le mode d'expression propre à chacun d'eux. » Auprès de François Mauriac, le gérant, Charles Du Bos, et surtout l'abbé Altermann assuraient la direction. L'abbé « se considérait responsable devant Dieu et devant les hommes de *Vigile* ». Il étouffa très vite son entourage qui, pourtant, ne manquait pas d'éclat : Jacques et Raïssa Maritain, Paul Claudel, Henri Ghéon, Étienne Gilson, l'abbé Bremond. Grasset s'excita vingt-quatre heures à l'idée d'agacer la *NRF*. Puis il écrivit à Brun, de Neufchâtel : « *Vigile* ne marchera pas et ne m'intéresse pas. Veillez à nous en débarrasser. » La revue, à son troisième numéro — treize parurent —, fut reprise par Desclée de Brouwer. « Bernard Grasset, raconte Mauriac dans ses *Nouveaux Mémoires intérieurs*, voyant un jour sur une table chez Arthur Fontaine un nouveau numéro de la revue, s'était écrié : "Ah ! c'est vous, l'abonné de *Vigile* !..." Le ratage de *Vigile* était compensé dans ma vie par trop de réussites pour que j'en souffrisse vraiment. »

*

Grasset ne peut pas, décidément, supporter qu'autour de lui s'organise une « école de pensée », une « chapelle ». Sa vocation est d'avancer dans le désordre, de saisir la chance qui passe au gré de son intuition. Là où il est, il cultive sa lande jalouse, ne laissant à personne le droit d'y poser un pied. Il paiera, plus tard, bien plus tard, cette orgueilleuse indépendance mâtinée de muflerie du prix de la solitude du banni, du pestiféré, du bouc émissaire que toute une profession, un milieu mettront en quarantaine. L'autre solitude, celle du cœur, est en lui, le poursuit, taraude son existence. Rien là qui change. Il est impuissant à changer.

« L'allure Grasset » a donc sa spécificité. L'éditeur ne fait pas des coups pour le plaisir de choquer. Ou il est capable d'en imaginer, ou il sombre. Il n'a pas, comme Gaston Gallimard, la ceinture de sécurité que donnent chez nous, et surtout à cette époque, les notaires des lettres, regroupés en cénacle. « Les gallimardeux », dira Henri Béraud, quand il déclenchera, en février

1923, une vaste campagne de presse contre les gens de la *NRF*. Un mot que le bretteur infatigable avait trouvé sous la plume d'un certain Tramassac, lyonnais comme lui, et qui l'encourageait dans sa croisade[6].

Avancer, progresser seul. Une règle autant qu'une nécessité. *Maria Chapdelaine* l'a installée. Bravo, Grasset! Le cri fut unanime. Ça ne se reproduira plus. Les autres coups vont devenir des « affaires », qu'il s'agisse de la création du prix Balzac ou du lancement de Raymond Radiguet, deux coups que l'éditeur monte à cette même époque, le début des années vingt.

*

Et d'abord « l'affaire » du grand prix Balzac. La collection « le Roman » que dirige Edmond Jaloux, annoncée le 20 janvier 1921, piétine. Elle se veut très ambitieuse. « M. Edmond Jaloux s'est efforcé de grouper toutes les tendances du roman contemporain soit en s'adressant à des écrivains déjà connus et classés, soit en recherchant parmi les jeunes quelques-uns qui ont le plus d'avenir. Ainsi cette collection jouera historiquement un rôle important dans l'évolution du roman français dont elle représente les éléments les plus divers, tout en demeurant dans la tradition de notre race. »

Les premiers titres qui paraissent — *Quand la terre trembla,* de Claude Anet, *le Voyage de M. Renan,* d'André Thérive et *les Abeilles mortes* de Léon Lafage — n'accrochent pas. Grasset est perplexe. Le but principal de la collection, drainer de jeunes talents, n'est pas atteint. Le 4 janvier 1922, déjeunant au café de Flore avec Brun, Jaloux et Léon Daudet, Grasset griffonne sur un coin de la nappe en papier sa nouvelle idée : associer sa collection à un prix littéraire qu'il faut créer pour la circonstance. Ce sera le grand prix Balzac. C'est dans le cabinet de travail d'Honoré de Balzac que le jury délibérera, au pied de sa stèle en marbre dur. La présidence reviendra à Paul Bourget. Le secrétariat à Edmond Jaloux. Il faut trouver un généreux mécène.

Par le canal de ses relations politiques, Grasset a vite fait de rencontrer et de convaincre Basil Zaharoff, Sir britannique, dignitaire de l'Ordre national français, dont la presse célèbre ou honnit tour à tour les opérations politiques et les jeux financiers. Connu du public sous le vocable de « marchand de canons », le richissime Zaharoff se découvre subitement une nouvelle vocation : révéler le chef-d'œuvre qui dort dans les cartons d'un débutant ignoré, pauvre, sans éditeur. Il accorde un prix de 20 000 francs, auxquels viennent s'ajouter 10 000 francs offerts par Grasset. La récompense donnera aux jeunes inconnus notoriété, publication, capital appréciable. La formule est intelligente et séduisante. Un premier règlement du concours provoque le courroux des éditeurs qui s'élèvent contre certaines clauses, notamment celle-ci : le livre couronné sera impérativement imprimé par la maison Grasset. Voilà, au moins, qui est clair. Le jury néanmoins se ravise et le 2 février élabore un nouveau règlement qui est communiqué à Jules Tallandier, président du Syndicat de la librairie. Il est approuvé et Grasset part pour Divonne.

Au mois d'octobre commence la distribution annuelle des prix. Le 30, vient le tour du Balzac. Trois cent quatre-vingts candidats ont postulé. Le jury commence par diviser la récompense de 30 000 francs et « découvre » deux « jeunes », dont l'un, Émile Baumann, a cinquante-quatre ans, l'autre, Jean Giraudoux, quarante ans. Écrivains notoires, publiés — quelle heureuse coïncidence ! — par la rue des Saints-Pères, ils ont du talent et méritent, sans doute, tous les prix de consécration. Un seul ne devait pas leur échoir, celui qui leur est décerné, fondé par leur éditeur pour aider un auteur ignoré et inédit. C'est le tollé. Les journaux, de l'Éclair à la Presse, du Phare de la Loire au Petit Parisien, s'emparent de « l'affaire » avec amusement ou gravité. Comœdia réserve une page à la « discussion ». Les Nouvelles littéraires ne veulent pas être en reste. « Laissons pisser le mécène, à condition que ce ne soit pas contre le mur de chez Drouant », lâche Jean Ajalbert, du jury Goncourt.

A Divonne, Grasset jubile. Émile Baumann aussi : il aurait pu passer toute sa laborieuse existence sans entendre les trompettes de la renommée embouchées pour son nom. Et Jean Giraudoux, dont la diffusion reste confidentielle ? Le prix Balzac change tout. Son ouvrage primé, Siegfried et le Limousin, sera, avec La guerre de Troie n'aura pas lieu, de très loin sa meilleure vente. Léon Daudet, dans l'Action française, est aux anges. Il manquait quelque chose à son bonheur : un petit tumulte d'éreintement et de colère autour du nouveau prix littéraire.

> Le prix de l'académie Goncourt, écrit-il, a été lancé par ses détracteurs, envieux, fielleux, crevant chaque année, à date fixe, de bile et de mâle rage... Le prix Balzac aura même fortune si les veaux et les ânes en question recommencent leur utile concert. Il faut absolument qu'ils le recommencent ! A vos pupitres, gentils ânes et aimables veaux ! Allons, mes amis, en cadence, contre le prix Balzac. Ragez, pestez, coulez, trépignez, hargnez :... meu...eu...meu...eu...hihan...hihan...

Le ton est donné. Grasset est de plus en plus triomphant. Brun se démène rue des Saints-Pères, la ficelle est grosse mais il argumente. On accable Grasset en répétant que les livres de Baumann et Giraudoux étaient déjà imprimés ? Messieurs les censeurs, relisez le règlement qui stipule dans un article : « Les éditeurs auront la faculté de faire tenir à leurs secrétariats un certain nombre de jeux d'épreuves des œuvres retenues afin de faciliter la tâche du jury. »

> Ainsi ont été composés et tirés en épreuves, précise Brun à tous les journalistes qui l'appellent, les textes des romans de Baumann, Giraudoux, René de La Pagerie, Henry de Montherlant, par notre maison ; de Lecoq et Hagel, par Fayard ; de François Duhourcau par Bodiou (de Bayonne) ; les épreuves de Jacques Rivière tirées par la *Nouvelle Revue française* sont même celles qui sont parvenues parmi les premières au jury. A ceux qui trouvent déplaisant que les lauréats soient parmi nos auteurs, nous leur répondrons que M. Baumann est également édité chez Perrin, comme M. Giraudoux chez Émile-Paul. Aucun traité général ne les lie ni à ces éditeurs, ni à nous, et c'est librement qu'ils nous avaient choisis pour éditer les manuscrits qui furent couronnés.

Articles et réponses cinglantes, conversations de salon se multiplient. Et le soufflé retombe. L'année suivante, le grand prix Balzac, dont on déplorait qu'il eût été coupé en deux, est attribué à Pierre Dominique, André Thérive, Paule Régnier... Certes, le jury explique qu'il eût mieux aimé, antan comme aujourd'hui, se trouver en présence d'un chef-d'œuvre royal qui s'imposât sans partage. Cela viendra. Grasset n'est pas pressé. S'il y a trois lauréats, il n'y a qu'un seul éditeur couronné : lui.

Au moins, le jury, en novembre 1923, a-t-il rempli le rôle que lui avait assigné Grasset : canaliser vers sa Maison des talents nouveaux. Pierre Dominique et André Thérive, publiés dans « les Cahiers verts », feront une carrière plus qu'honorable.

*

Il y eut beaucoup mieux. C'est le prix Balzac qui permit à Grasset de découvrir *le Diable au corps,* de Radiguet. En février 1922, Jean Cocteau conseilla à son protégé, alors sous contrat chez Lafitte, de courir sa chance. Averti par Jaloux, secrétaire du jury, de l'arrivée prochaine du texte de Radiguet, Grasset voulut aussitôt en savoir plus. Il s'adressa à Cocteau, qui lui conseilla de voir directement l'auteur.

> Mon cher ami Jean Cocteau me dit que vous auriez un manuscrit de roman tout prêt et que c'est une chose admirable, lui écrivit-il le 23 février 1922, à l'hôtel de la Madeleine, 6, rue de Surène. Seriez-vous disposé à me le communiquer dès maintenant ? Je vais en effet partir pour une quinzaine de jours et je serais très heureux de le lire dans la paix des champs.

Le 3 mars, Radiguet montait, accompagné de Jean Cocteau, l'escalier en spirale, sombre, étroit, crasseux, de la rue des Saints-

Pères. Dans le désordre inouï du bureau « directorial », l'auteur des *Enfants terribles* lut les premières pages du *Diable au corps* devant un Radiguet silencieux. Grasset manifesta son enthousiasme :

> Je n'ai, pour ma part, confessera-t-il, connu qu'un « jeune » authentique : Raymond Radiguet. Il souleva une tempête. Je m'y attendais d'ailleurs, car il devait heurter tout le monde. Ne me dites pas : « C'est vous qui avez heurté tout le monde en le lançant. » Sans ma publicité provocante, on l'eût peut-être négligé ; n'était-ce pas mieux de tenter de lui conquérir de son vivant la place qu'il occupe aujourd'hui dans les Lettres ! Mais nombre d'enquêteurs se gardent de rechercher le secret de telles réussites, trouvant sans doute plus commode de les attribuer à des engouements inexplicables du public ou des habiletés d'éditeur, alors qu'ils pourraient y recueillir de précieuses indications sur les véritables besoins de leur temps.

A Henri Béraud, il dira, en juillet 1924, que Radiguet lui donna, et il fut le seul dans toute sa vie d'éditeur, l'impression très nette du génie naissant. « Quand je dis "génie", je veux dire ce don spontané que rien ne fait acquérir, qu'aucune habileté ne remplace. » A Jacques de Lacretelle, qui venait, pour sa Maison, de traduire *Sarn*, le roman plein d'incendies, de poisons, d'enfants abandonnés de Mary Webb, il avouera : « Je vous ai lu hier soir d'un trait, ce qui ne m'arrive presque jamais, car je vous ferai l'humble aveu qu'il m'est très difficile de rester six heures de suite dans l'atmosphère d'un roman. Je ne l'ai fait, je crois bien, que deux fois dans ma vie, pour *Maria Chapdelaine* et pour *le Diable au corps*[7]. »

Grasset développait alors une « théorie », comme dans bien d'autres domaines, sur les jeunes qui écrivent et qui, estimait-il, n'obéissent qu'à une seule loi : l'imitation. Quand ils n'imitent pas, ils combattent, ce qui n'est que l'aspect opposé de la même tendance. Et c'est ainsi que, bien souvent, on ne trouve dans la production littéraire d'une époque qu'une imitation de celle qui l'a précédée, ou une réaction contre elle :

> Il est sans doute des écrivains qui échappent à cette « loi de la masse ». Ce sont les valeurs personnelles, les *créateurs*. Ceux-là ne partent ni de ce qui se faisait hier, ni de ce qui se fait aujourd'hui, mais d'eux-mêmes. Mais les créateurs choquent et paraissent valeurs négligeables parce que trop personnels...

Radiguet était ce *créateur*. Et ce qu'il décida d'entreprendre pour le livre de ce jeune homme allait être à la mesure de son admiration.

Dix jours après la lecture du 3 mars, il signait le « contrat Radiguet ». Il s'attachait tous les ouvrages de « Bébé Cadum », ainsi l'appelait-il, pour les dix années suivantes, assurant dans l'immédiat à l'auteur des mensualités de 1 500 francs — l'équivalent du salaire de Brun — pendant deux ans, à valoir sur les droits.

> Quel que soit le chiffre du premier tirage, stipulait le contrat, le montant des droits afférents à quinze mille exemplaires sera dû à l'auteur. Ces droits seront payés :
> 1) Par un règlement de 4 500 francs à la signature des présentes.
> 2) Par des mensualités de 1 500 francs qui commenceront à lui être réglées un mois après la signature des présentes, jusqu'à règlement des droits afférents aux quinze mille premiers exemplaires.

Grasset a en son poulain la foi du charbonnier. Celle-ci s'était, certainement, nourrie de l'exaltation de Jean Cocteau pour son protégé : « Vous avez vu Radiguet, écrivait-il à l'éditeur le 5 mars. Il a dix-huit ans. Il a donc écrit le livre à dix-sept. J'estime que c'est sans doute le phénomène le plus extraordinaire de la littérature française... C'est, d'après moi qui aime si peu de choses, un chef-d'œuvre et un miracle[8]. »

Bien que Grasset ait demandé à Radiguet de retravailler son roman « pour en faire un chef-d'œuvre », il souhaite le publier très vite, en dépit de son programme fort encombré. Au printemps 1922, *Maria Chapdelaine* est au zénith et l'on se pousse à la porte de sa Maison. Une solution idéale : « les Cahiers verts ». Daniel Halévy refuse. Il n'aime pas Radiguet. Il ne l'aimera jamais. Grasset, qui sort du lancement de Louis Hémon, est fatigué, à la lisière de la dépression, et il s'apprête à partir pour Divonne — il est « à la campagne », répétait Brun à ses auteurs. Il ne se battra pas. Mais il jugera sévèrement Halévy après ce veto, qui l'étonnera, qu'il ne comprendra pas. Livrant dans les jours qui suivront à Jean de Pierrefeu son opinion sur le directeur des « Cahiers verts », il ne sera pas d'une particulière tendresse : « Il croit être dégagé du snobisme et, au fond, il est plus sensible aux modes que quiconque. Ses enthousiasmes ne viennent qu'après des commencements de consécration[9]. »

La sortie du *Diable au corps* est retardée. Sous la pression de son éditeur, sous l'œil vigilant de Cocteau, Radiguet reprend, corrige, polit son texte. En octobre 1922, Grasset, qui a lu la version remaniée, suggère de nouvelles retouches au jeune auteur, impatient d'en finir, de « bâcler ». Comme pour *Laure* de Clermont, il s'est mis dans la peau de l'auteur. Il s'acharne. C'est « son *Diable au corps* ».

> Radiguet n'est pas allé vous voir, explique-t-il à René Behaine, parce que je me suis acharné à m'occuper moi-même de tous les détails de son

bouquin. Je lui ai fait recommencer jusqu'à quatre fois certaines parties, revoyant mot par mot, et au dernier moment encore j'ai téléphoné à mon imprimeur pour certaines modifications. Il est, malgré tout cela, resté une ou deux fautes mais il me semble que l'ensemble est fort remarquable. Je vais faire un gros effort sur ce bouquin[10].

Quel effort, en effet! Mais il ne fut jamais vulgaire. Il eût été facile d'orchestrer un scandale. Les thèmes simplifiés du roman s'y prêtaient: Marthe, fiancée à un soldat retenu sur le front, devient la maîtresse passionnée d'un adolescent qui s'amuse de la guerre. Grasset prit le parti d'oublier ce qui pouvait choquer, ce qui « appartient à l'obsession de la chair ». Habilement, il prépare l'accueil de la critique à travers un tout autre argument: l'âge de Radiguet. Paul Gsell, celui des entretiens avec Rodin, qu'il publia en 1911 et qui figure parmi les quatre ou cinq pères Joseph de la presse, l'aida à diffuser un message bien troussé.

> Le succès de *Maria Chapdelaine* continue de faire rêver auteurs et éditeurs. Les uns et les autres se livrent actuellement au petit jeu des prédictions pour 1923, et c'est à qui désignera, par avance, le livre qui va « faire Chapdelaine », pour employer une expression assez pittoresque, née dans les milieux de la librairie.
> H. Massis, le si distingué rédacteur de la *Revue universelle*, parle, lui, de *la Brière*, le nouveau roman d'Alphonse de Châteaubriant, en cours de publication. Quant aux lecteurs de la *NRF*, leurs suffrages vont au roman de François Mauriac *le Fleuve de feu*, au sujet duquel on a prononcé le mot de chef-d'œuvre.
> Ajoutons, pour être complet, que l'éditeur de *Maria Chapdelaine* prétend, lui, avoir un outsider: ce serait un auteur de dix-huit ans, dont il s'est refusé à nous donner le nom. Nos meilleurs vœux à ces partants.

Puis, comme il le fait systématiquement, Grasset adresse à une quarantaine de personnalités parisiennes une lettre qu'il a rédigée en compagnie de Cocteau et de Radiguet: « Je me fais la joie de vous adresser les bonnes feuilles d'un roman que je vais incessamment publier, et qui porte comme titre *le Diable au corps*. Son auteur, Raymond Radiguet, avait à peine dix-sept ans lorsqu'il écrivit ce roman. Je ne crois pas que depuis Rimbaud, qui, à cet âge, avait achevé son œuvre poétique, on se soit trouvé devant un tel phénomène littéraire. »

Le même jour, la notice de présentation du roman, qu'il envoie aux critiques et chroniqueurs, est un modèle du genre. Ses « bandes publicitaires » — l'appellation d'époque — étaient souvent des « chefs-d'œuvre », admettra Daniel Halévy, qui n'avait pas le compliment facile. Citons encore:

> *Le Diable au corps* est le livre d'un enfant qui se voit aux prises avec une aventure d'homme et s'analyse avec une clairvoyance miraculeuse,

sans fausse pudeur ni hypocrisie. C'est aussi la guerre vue par des yeux d'enfant et ceci est tellement nouveau que, de ce seul point de vue, le livre de Radiguet me paraît mériter une place dans la littérature contemporaine. Seules les personnes qui prennent *Daphnis et Chloé* pour un roman libertin se scandaliseront peut-être du *Diable au corps*. C'est l'impudence charmante de l'enfance et tous ses mécanismes secrets montrés au grand jour par un maître de dix-sept ans.

En feignant de prévenir tous les esprits secs et bégueules qu'il serait de très mauvais goût de s'offusquer, Grasset appelait le scandale. La critique tomba dans le panneau. Elle ménagea le roman, parfois elle l'encensa — il n'y eut que le « massif, agressif et poussif » Paul Souday qui fit la grimace —, réservant ses flèches aux « manières » de l'éditeur.

Grasset non seulement coupait les pattes à la critique, crime de lèse-majesté, mais il estimait que c'était là le rôle légitime de l'éditeur. S'il croyait en l'œuvre qu'il lançait, au nom de qui, de quoi, pourrait-on lui interdire de le proclamer ? Tous ses confrères pensaient comme lui et ils seront de plus en plus nombreux à agir comme lui. Son péché mortel est d'avoir voulu justifier son comportement, d'avoir voulu en tirer une « doctrine », s'affichant comme un précurseur. Il le fut. Il n'avait pas à le dire. « Une chose très nouvelle de notre temps, c'est en effet que l'on s'en prend autant à l'éditeur de la publication d'un tel livre qu'à son auteur. Il semble ainsi que le public veille lui-même à ce que les éditeurs remplissent ce devoir de guides qu'ils ont assumé, et qu'il soit prêt à leur faire grief de s'en écarter. »

Le 3 mars 1923, *le Gaulois* publie les bonnes feuilles du *Diable au corps*. La semaine suivante, le livre est en librairie. Pour couronner le tout et électriser une atmosphère déjà survoltée, « Bébé Cadum » envahit les écrans de cinéma : les actualités Gaumont le montrent signant son contrat rue des Saints-Pères. Un « clip » de six plans qui s'ouvre sur une bande-annonce : « Le plus jeune romancier de France, M. Raymond Radiguet, vient de terminer son premier roman, *le Diable au corps*. »

Première image : Grasset assis derrière son bureau, col cassé, costume noir, pochette blanche, toise le jeune homme debout, engoncé dans un pardessus de laine, le chapeau à la main, l'air timide.

Deuxième image : les mêmes et Yvonne Langevin, qui dépose le contrat sur le bureau que l'on a, pour la circonstance, débarrassé de tout son fatras et sur lequel on n'a laissé que le téléphone et une pile de livres soigneusement rangés.

Troisième image : Radiguet, penché sur le contrat, le stylo à la main.

Quatrième image : gros plan sur la main, la page du contrat, la signature.

Cinquième image : Radiguet a signé. Il relève la tête et livre son visage aux traits un peu mous, aux lèvres charnues, aux yeux endormis.

Sixième image : un homme de dos, une femme de profil, feuillettent *le Diable au corps* devant le rayon d'une librairie qui ploie sous les exemplaires du roman. Fin.

Photos, anecdotes sur l'enfance du génie en herbe, interview du père, Maurice Radiguet, dessinateur humoriste, témoignages de plusieurs habitants de Saint-Maur qui ont connu le « petit Raymond » complètent le « dossier de presse ».

Les jaloux hurlent. La NRF manifeste son mépris. Le film, surtout, a le don d'exaspérer les envieux. Gide et Rivière, des années durant, reviendront sur le « battage de Grasset » avec plus de mesquinerie que de méchanceté. En termes de tirage, la NRF traînait loin, très loin, derrière la rue des Saints-Pères.

Ce film qui fut présenté comme une première ne l'était pas. Mais la critique l'ignorait. En 1912, les éditions Nelson, dont Grasset partagea les bureaux, avaient projeté dans les cinémas un film documentaire décrivant la fabrication d'une de leurs collections[11]. A l'affût de tout ce qui bouge dans le domaine de la publicité et de la « communication » — ce concept n'est pas encore utilisé et n'a pas acquis l'aura que nous lui connaissons —, Grasset anticipe sur son temps. Il a deviné la force de l'image et du son. Ne conseille-t-il pas à Maurice Martin du Gard, dès juin 1923, de recourir aux actualités cinématographiques et aux messages radiophoniques, « d'un bon marché dérisoire », lui écrit-il, pour accroître la vente des *Nouvelles littéraires* ? Quand il publie en 1924 *Une riche nature,* roman-souvenirs de Jean Ménard, dit Dranem, célèbre chanteur dans les music-halls de la Belle Époque, n'est-ce pas encore lui qui met au point des entretiens à l'usage de la toute balbutiante TSF ?

*

Tout le temps que dura « l'affaire » du *Diable au corps,* l'éditeur mena seul le combat, qu'il trouvait « tout à fait amusant ». Tandis que les articles se succédaient — Mauriac, Aragon, Billy, Lefèvre, aloux, Chaumeix —, ses méthodes publicitaires étaient de plus en plus violemment mises en cause. Comme sa nature le portait à répondre davantage en guerrier qu'en diplomate, la polémique enflait. C'était le « marchand du temple », le « boutiquier », l'« éditeur tapageur »... Il contre-attaquait par des communiqués, des échos, revenant inlassablement sur sa « noble tâche d'indication, d'invitation, d'incitation ».

Il signe, en guise de conclusion, « le Point de vue de l'éditeur » dans *le Figaro* du 9 mai 1924. Il vaut d'être cité, tant il demeure actuel :

> La publicité, qui n'est autre chose que l'art de provoquer les ventes étendues, art qui est lui-même un des aspects de l'art de convaincre, peut-elle, en matière de littérature, s'exercer librement comme en tout autre domaine sans être tenue à d'autres règles morales que celles qui s'imposent à toute action sur l'opinion ? Au même titre que tout autre vendeur, un éditeur n'a pas le droit [...] de surprendre l'opinion pour l'attirer vers un livre qu'aucun mérite ne désigne à l'attention du public. L'éditeur a moins encore le droit de s'adresser à quelques bas instincts pour fabriquer un succès de mauvais aloi. Mais il peut, par contre, librement exercer dans ces limites son art de convaincre et déployer son ingéniosité, sans que l'objet singulièrement noble de son effort, puisqu'il appartient au domaine de l'esprit, l'astreigne à une réglementation particulière.

Il en vient alors à la confusion qui est pour lui à l'origine de toute cette querelle : la confusion entre le rôle de l'éditeur et le rôle de la critique :

> Ces deux rôles étant essentiellement différents, les moyens à mettre en œuvre ne peuvent avoir rien de commun. Le rôle d'éditeur est de *faire connaître* un livre ; le rôle de la critique est de *juger* un livre [...]. L'éditeur devra s'efforcer de trouver pour chaque livre *l'axe de curiosité* et de provoquer ainsi la vente, sans prétendre juger le livre et bien moins encore l'imposer.
>
> Cet axe de curiosité, que, dans tout lancement, il faut bien saisir, ne coïncide pas toujours avec l'essentiel du livre ou sa valeur intrinsèque et profonde [...]. Tel livre a été lancé avec cette simple phrase : « L'auteur a dix-sept ans », et tel autre avec l'épithète « mystérieux », alors que des articles analysant, dans le profond, chacun des deux ouvrages n'auraient pas provoqué la même vente.

Si un éditeur saisit cet « axe de curiosité », peut-il par conséquent, faire un succès d'un livre sans valeur, d'un livre nul ?

> On oublie trop souvent, et ce sera ma réponse, qu'un éditeur digne de ce nom a un régulateur puissant de sa publicité qui est le *crédit moral de sa maison*. Notre métier est un métier à très longue portée : il consiste essentiellement à constituer un fonds, c'est-à-dire une œuvre durable en laquelle chacun de nous ambitionne que se reflète le mieux possible la physionomie littéraire d'une époque.
>
> Comment penser, vraiment, qu'un éditeur pourrait jouer tout le crédit de sa maison, ce crédit qui est sa véritable richesse, sur quelque mauvaise carte et pour quelque médiocre gain !

En 1928, dans un entretien avec Maurice Rouzaud, Jean Cocteau prétendra que l'idée de déclencher un scandale autour du

Diable au corps était de Radiguet. Étonnante récupération ! D'autant plus étonnante qu'on ne voit pas qui elle sert. « Bébé Cadum » assista sans broncher à ce déchaînement. Maurice Martin du Gard n'affirme-t-il pas qu'il était remarquable par ses silences ? De fait, à l'origine du « scandale », il n'y a eu ni Grasset, ni Radiguet, mais les journaux qui, quand ils se piquent au jeu, peuvent transformer un débat en événement. C'est si vrai que le budget publicitaire du *Diable au corps*, lorsqu'on y regarde d'un peu près, est ridicule par rapport aux sommes que dépense la Maison dans les mêmes années pour *Maria Chapdelaine*, évidemment, mais aussi pour *la Brière* de Châteaubriant, *le Baiser au lépreux* ou *Génitrix* de Mauriac, *la Belle que voilà* de Louis Hémon, *Plutarque a menti* de Jean de Pierrefeu, *Ariel* de Maurois, *Notre-Dame de la Sagesse* de Pierre Dominique... Le scandale autour de Radiguet s'entretient de lui-même.

Lisons encore, là-dessus, Grasset :

> Le talent n'est pas un fait, étant toujours discutable. Il faut y ajouter, pour lancer une œuvre, une chose indiscutable, comme est sa publication dans une collection recherchée, le fait que l'auteur a seize ans, ou qu'il est sourd-muet, ou qu'il se trouve en constante dispute avec sa femme. Quand j'ai lancé Radiguet, je n'ai pas dit ce mot que l'on me prête : « Il a du génie. » J'ai dit : « Il a seize ans. » La chose a paru une provocation. « Est-on capable d'écrire un roman à seize ans ? » C'est là-dessus que l'on discuta. J'ai gardé les vieilles coupures de presse de ce temps-là. Nombre d'articles ou échos parurent, avant même que le *Diable au corps* fût mis en vente, sur l'âge véritable de son auteur et sur l'expérience humaine qui semble nécessaire à un romancier... Tout cela devint matière à conversations, à chroniques. Aussi, quand le livre parut, tout un public était avide de connaître le roman de cet écrivain de seize ans. Et je dus retirer l'ouvrage dans la semaine de sa publication. Tout cela, on le comprend, n'est que de la mécanique. Mais ma foi était derrière et je puis dire que, le livre paru, j'eus à défendre Radiguet contre toute la critique.

Il a souvent raconté ce qui lui arriva, à ce propos, avec Paul Souday, dont les chroniques du *Temps* avaient quasiment force de loi. Il avait obtenu par Marthe Bibesco que Souday consacrât à Radiguet les six colonnes de son « rez-de-chaussée ». Ce fut un éreintement. Il ne s'insurgea pas. A cette époque heureuse, les éditeurs avaient la faculté de donner des « échos de publicité », c'est-à-dire de faire figurer de cinq à dix lignes payantes au milieu des informations d'un journal. Le lendemain, il donnait dans toute la presse un écho ainsi libellé : « Tout le monde a lu l'admirable article de Paul Souday sur le premier livre de Raymond Radiguet, qui consacre définitivement la gloire du jeune écrivain. » Et chacun de lui dire : « Il me semble que Souday vous a gâté. » L'article de Souday avait échappé au plus grand nombre, et tout le monde avait lu son écho.

Les ventes ne furent pas proportionnelles au scandale. Grasset l'avait pressenti et il s'en était ouvert, avant la sortie du livre, au malicieux Lucien Descaves, l'un des Dix qui avaient fondé le Goncourt: « Je ne crois pas que ce soit un livre très public, dans tous les cas, il n'y a aucune comparaison à faire entre le *Diable au corps* et *Maria Chapdelaine*; mais il me semble que ce livre révèle à la fois un tempérament si nouveau et une matière si neuve qu'il ne pourra pas passer inaperçu. »

A la fin de 1923, neuf mois après la mise en vente, le tirage était de quarante mille exemplaires. Au bout de trois mois, *la Brière* frôlait les cent mille; *Plutarque a menti,* les quatre-vingt-dix mille en cinq mois; *Ariel ou la Vie de Shelley,* les quarante mille en six mois; *Génitrix,* les vingt-sept mille en deux mois[13]... Avec le temps, *le Diable au corps* doublera tous ces ouvrages, excepté *la Brière,* et, en 1956, l'année du bilan de l'après-Grasset, il aura passé le cap des cent cinquante mille exemplaires. A la même date, les ouvrages qui auront atteint ce chiffre depuis leur sortie dans leur édition courante se compteront sur les doigts des deux mains. Cette précision n'est sans doute pas inutile et elle vaut pour tous les éditeurs. Quand Grasset meurt, quatre de ses auteurs ont connu, pour un ou plusieurs romans, le « frisson des cent cinquante mille »: Louis Hémon, Alphonse de Châteaubriant, André Maurois et Raymond Radiguet. A la même date, 1956, la NRF a-t-elle autant d'auteurs qui ont passé cette barre?

Mais « l'affaire » du *Diable au corps* fut pour Grasset d'une tout autre portée que commerciale: il n'avait désormais plus aucun doute — s'il en eut jamais! — sur sa méthode. « L'allure Grasset » triomphait plus que jamais.

> Notre premier devoir est ainsi ce que j'appellerais volontiers la *police des Lettres*: « rôle négatif » si l'on veut, mais le plus urgent, car à défaut des éditeurs, personne ne l'assumerait. Vingt ans d'édition m'ont en effet montré qu'il n'est pas de niaiserie qui ne trouve son défenseur [...]. Le métier des Lettres est de nos jours celui d'un si grand nombre que les médiocres sont la majorité et ainsi font l'opinion [...]. Notre force à nous, éditeurs, est d'être en dehors de ce jeu et de ne pas avoir à redouter pour nous-mêmes les contre-coups de nos légitimes sévérités [...]. Il est des éditeurs qui *classent* une œuvre et d'autres qui ne la classent pas. Il en est dont la firme est pour un ouvrage une garantie de valeur et d'autres auxquels des complaisances trop nombreuses ont enlevé tout crédit. A nulle autre époque antérieure, on n'attache à la firme autant d'importance qu'aujourd'hui: ce qui marque assez claire-ment que le public se fait de la production d'une maison d'édition une certaine idée d'ensemble, qui n'est autre que le jugement qu'il porte sur le goût personnel de son chef.

Il est difficile d'être plus sûr de soi. Étaler de telles convictions dans la presse, sous forme d'articles ou d'entretiens, lui rapportait, on s'en doute, peu d'amis. Aucun autre de ses concurrents ne se risquait à ce genre d'exercice. Il prenait la parole et personne n'osa jamais la lui refuser quand il la demandait. Il voulait être un modèle. *Le* modèle de son métier. Là s'arrêtaient ses engagements.

*

Ses engagements? C'est le moment d'évoquer la bataille d'influence qui faisait rage au nom de la « légitimité » intellectuelle. D'un côté la « droite » catholique qu'essayait de fédérer Henri Massis, de l'autre la « gauche » protestante et agnostique qu'incarnait la *NRF*. Grasset ne parvint jamais à s'investir dans ce genre de querelle. Il ne se « trouvait pas » dans les controverses idéologiques et politiques et c'est une autre explication, au-delà de son tempérament « césarien », de son refus obstiné de lier sa Maison à une quelconque chapelle d'écrivains.

Ses passes d'armes avec la *NRF* concerneront son métier d'éditeur, non ses idées. Il aurait pu, dans ces années-charnières qui vont de 1923 à 1925, quand il était la grande puissance de la place, participer aux tentatives de déstabilisation de la *NRF*. Mauriac, on l'a dit, essaya de l'y entraîner. Henri Massis aussi, de façon, cette fois, très politique — le Massis du « relèvement national » qui avait rallié *l'Action française* et fondé avec Jacques Bainville la *Revue universelle*, qu'il dirigea de 1920 à 1944. Il se proposait de « refaire l'esprit du public en France par les voies de l'intelligence », contre « l'Internationale de la Révolution ». Bernanos, Montherlant, Mauriac, les frères Tharaud, Robert Vallery-Radot répondront à son appel. Grasset ne s'en mêlera pas. Tous sont ses proches, mais il n'entrera pas dans le siècle politique. Il n'ira pas, lui qui a un impérieux besoin de dire, un besoin de s'affirmer, sur le terrain des « grandes causes »: le fascisme, le nationalisme, le communisme, le stalinisme, le bolchevisme, le pacifisme, le nazisme. Toute notre histoire de l'entre-deux-guerres est une suite d'affaires en « isme » qui firent de Paris, au milieu des périls et des tragédies, la capitale intellectuelle du monde. Y ferraillaient Drieu La Rochelle, Brasillach, Malraux, Gide, Mauriac, Maurras, Sartre, Aragon... Grasset répugnait à ces violentes polémiques des « faux contraires », comme il le disait. Il faisait sien le mot de Renan: « Quand même l'empire croulerait, il faudrait encore philosopher. » C'est uniquement dans son métier qu'il a transporté son besoin de modifier l'ordre des choses, en quoi tient son goût de l'action.

Il avait, certes, des opinions qui le rattachaient à la « droite intellectuelle », antiparlementaire, xénophobe, qui le renvoyaient à ses vingt ans, quand il lisait avec ferveur Barrès, Maurras et Péguy. Il les exprima fort peu. Jamais, en tout cas, à la manière d'un politique ou d'un idéologue menant, sous ce drapeau, ses batailles éditoriales. Les *Essais* de Montaigne étaient son livre de chevet. Sceptique, le plus célèbre des Gascons était resté à l'écart des querelles théologiques et des discussions politiques. Du même coup, ces sujets étaient naturellement bannis des *Essais* : « Ces grandes et longues altercations de la meilleure forme de société et des règles plus commodes à nous attacher, sont altercations propres seulement à l'exercice de notre esprit. » Un jeu. Grasset partageait la même conviction.

*

Il fallait s'attarder sur « l'affaire » Radiguet. Elle ne doit pas, néanmoins, cacher la forêt. Un vent fort soufflait sur la Maison, qui amenait avec lui tous ces noms que l'on évoque page après page.

François Mauriac, qui a déserté la rue des Saints-Pères depuis la sortie de *la Robe prétexte* en 1914, réapparaît en 1922. Il n'a, entre-temps, rien publié de fort. Il a donné deux romans qui sont parus en 1920 et 1921, chez Émile-Paul. *La Chair et le Sang* a reçu un accueil mitigé. « Les moyens d'expression dont se sert M. Mauriac, jugeait Edmond Jaloux, ne sont pas à la hauteur de ses conceptions. Il y a dans ses livres quelque chose de hâtif et de bousculé. » *Préséances,* récit satirique bizarrement construit, carnet de croquis en forme de règlement de comptes, prenant pour cible les grandes maisons bordelaises, laisse également sceptique.

> Pourquoi le don devient-il maîtrise ? interroge Jean Lacouture. Comment le balbutiement se fait-il éloquence ? Pourquoi, comment, de la « charmante source » qui depuis dix ans déverse ses fragments autobiographiques drapés de romanesque maniéré et propose au public d'aussi confuses marionnettes que Madame Gonzalez et Augustin, surgit soudain *le Baiser au lépreux* ? Le brusque « décollage » de l'œuvre, qui fait passer Racine de *la Thébaïde* à *Andromaque*, Proust de *Jean Santeuil* à *Swann*, il est difficile d'en retrouver le mécanisme chez Mauriac.

Ce saut, ce passage, qui portent en eux les mystères de toute création, Grasset les a immédiatement saisis en lisant le manuscrit du *Baiser au lépreux*. Depuis l'armistice, fréquentant les mêmes salons, ayant en commun de nombreuses relations — les Daudet, les Vallery-Radot, Jacques-Émile Blanche —, il avait revu plusieurs fois François Mauriac, avec lequel il eut d'ailleurs, en avril

1921, un échange de courrier à propos de *la Robe prétexte*. La librairie Larousse, « dans un but de propagande et afin de concourir à la diffusion de la bonne littérature française à l'étranger », avait décidé de lancer une collection d'ouvrages à bon marché, destinés notamment aux pays à monnaie faible de l'Europe orientale. Larousse souhaitait prendre *la Robe prétexte* dans de bonnes conditions. « Mon cher Grasset, écrivit Mauriac, je vous serais très obligé de me mander comment vous envisagez l'affaire. Permettez-moi de vous rappeler que j'ai reçu de vous pour cet ouvrage environ 300 francs ! Je compte donc que vous vous montrerez généreux ! » L'éditeur refusa. Comme il refusera, très longtemps, à tous ses auteurs, le droit de se faire éditer dans des collections « populaires ». Ce refus n'améliorera pas les relations entre les deux hommes, qui ne s'aimèrent jamais. Franz Toussaint rapporte dans *Sentiments distingués* que Mauriac citait volontiers, quand il parlait alors de Grasset, la formule que l'on prêtait à Moréas : « C'est le jeune éditeur et son hideux sourire. »

Comment *le Baiser au lépreux,* achevé en septembre 1921, a-t-il pu atterrir rue des Saints-Pères ? Par l'intermédiaire, une fois encore, de Daniel Halévy, en quête d'auteurs pour ses « Cahiers ». L'austère directeur, au fin collier de barbe noire et à l'œil doux, n'a jamais été fasciné par ce roman, trop bref à son goût, qu'il fera précéder d'une « Lettre à François Mauriac » et d'un hommage des frères Tharaud à un certain Henri Genet — deux textes qui n'ont rien d'autre à faire ici que de donner au livre une épaisseur convenable.

> Vous m'avez demandé, mon cher Mauriac, annonce Halévy, une préface pour votre conte. Non, vous ai-je répondu, à quoi bon ? Un conte se lit, se donne à lire ; on le rejette, on l'apprécie, et cela dit tout... Je vous demande donc, mon cher Mauriac, que vous me laissiez écrire en tête de ce cahier le nom d'Henri Genet, lettré parfait, lecteur parfait, ami parfait. Je ne saurais, en vérité, vous mieux témoigner le cas que je fais de votre jeune talent.

Suit la prose des Tharaud.

Ce n'est pas vraiment le fol enthousiasme ! Celui de Grasset fut spontané. *Le Baiser au lépreux* répondait exactement à son goût du récit ramassé, tendu, concentré sur un personnage, ici le pauvre Jean Péloueyre, empli d'angoisse, qui meurt d'amour pour la trop belle Noémi d'Artiailh. C'était le type même de manuscrit dont il rêvait pour les « Cahiers » — ce sera le numéro 8 de la série —, lesquels se devaient, et il le répétera en vain à Daniel Halévy, de privilégier le roman, la nouvelle, sur l'essai, la critique, la méditation ou les souvenirs.

*

Son emportement, qui éclate dans cette période à propos du livre de Jean de Pierrefeu, illustre on ne peut mieux son souci :

> Je reçois à l'instant votre lettre du 27, écrivait-il à Louis Brun le 29 avril 1922, m'annonçant que vous avez remis à Halévy le manuscrit de Pierrefeu sans même l'avoir lu auparavant. J'en suis littéralement atterré. Vous nous livrez ainsi pieds et poings liés à Halévy alors que vous saviez parfaitement que mon sentiment était que le livre de Pierrefeu serait probablement publié hors série... Vous saviez que depuis l'origine des « Cahiers verts » je cherche à maintenir aux « Cahiers » et *contre Halévy* (qui est tenté de tout prendre) leur caractère *exclusivement littéraire* [...]. Et à peine en possession de deux tiers du manuscrit, sans l'avoir même lu, sans m'en référer (alors que rien ne pressait et que vous saviez que ces questions centrales de répartition entre nos collections, je me les réserve), vous remettez le paquet à Halévy !...

Sa vigilance jalouse était de tous les instants. Halévy avait refusé *le Diable au corps,* mais il aurait pris *Plutarque a menti* de Pierrefeu, un violent pamphlet contre les historiens officiels de la Grande Guerre, contre les panégyristes des vertus françaises, contre l'état-major militaire gonflé de certitudes. Révélant la « vraie bataille de la Marne », fustigeant « Joffre et Cie », traçant le portrait d'un Foch « insouciant », l'auteur met en pièces l'idée selon laquelle il existerait un « art militaire ». Un livre tonique, brillant, encore lisible, et dont Grasset voulait faire sa chose. Ce qui advint. Halévy ne verra pas la fin du manuscrit. *Plutarque a menti* — qui paraît hors collection — connaîtra une énorme vente. Jean de Pierrefeu n'écrira aucun autre best-seller. Grasset l'avait subodoré, expliquant à Brun que son « vieil ami » ne leur remettrait pas de sitôt « un tel bouquin ». S'il joua une « grosse donne » sur *Plutarque* qui contenait « tous les ingrédients du succès », il ne croyait guère dans l'avenir de Pierrefeu, trop dilettante, trop paresseux, qui « parle plus qu'il n'agit ».

François Mauriac n'est pas, comme Pierrefeu, un intime, un « vieil ami ». Il porte sans doute en lui une carrière, une œuvre. Grasset, du moins, le croit. Mauriac, lui aussi, dira, mais plus tard, que ce fut une époque-charnière :

> Sur le plan littéraire, l'adolescent veule était bien mort en moi dès 1922 [...]. En même temps que mon style, j'ai trouvé mes lecteurs [...]. Je me souviens du léger enivrement à mesure que les tirages se succédaient, et du plaisir que me fit un important éreintement de Paul Souday. C'était la sensation de la haute mer enfin atteinte...

Il ne doute pas non plus des sentiments qui animent son éditeur. Il note dans son carnet, le 25 janvier 1922 : « *Le Baiser au lépreux,* considéré comme un chef-d'œuvre par quelques-uns, va être lancé en grand par Grasset... » Il le sera, comme tous les livres qui ont une place dans le cœur de Grasset. Comme *Siegfried et le Limousin* de Giraudoux et comme *Ariel* de Maurois, *la Brière* de Châteaubriant, *Lewis et Irène* de Morand, *le Songe* de Montherlant et quinze ou vingt autres encore.

*

On se lasserait à revenir sur tous ces lancements qui, dans la foulée de *Maria Chapdelaine* et du *Diable au corps*, prenaient chacun leur tournure et leur vitesse. Avec cette règle qu'énonce inlassablement Grasset: « Il importe que je juge avant tout si l'atmosphère est parfaitement prête au lancement puisque je ne peux agir sur le succès que si le livre n'a pas encore paru. Il faut créer l'événement, *avant*. Après, c'est trop tard. »

La Brière sera lancé sur le thème: « un nouveau *Maria Chapdelaine* ». La photo de Châteaubriant sera diffusée à des milliers d'exemplaires par voie de placards publicitaires et d'affiches. Des journalistes, « pour rédiger des articles d'atmosphère », seront invités à visiter les marécages de la Brière, entre Nantes et La Baule.

Pour *Lewis et Irène* — soixante mille exemplaires tirés en 1924 —, après avoir affiché dans tous les quotidiens trois semaines durant, avec la reproduction du visage asiatique de l'ancien attaché d'ambassade, « Morand chez Grasset », il promit une prime à qui, dans la Maison, trouverait les meilleures accroches publicitaires. Ce fut Henry Poulaille qui emporta le gros lot avec: « Les chapeaux d'Irène sont-ils de chez Lewis [chapelier connu de l'époque]? Lisez le roman de Paul Morand. » Lequel, bien entendu, récit en trois actes sur les grandes affaires de l'amour, n'avait aucun rapport avec aucun chapeau[14]. Mais, comme le disait Maurice Martin du Gard, « Grasset serait capable de fonder une maison de couture "Lewis et Irène" pour faire un écho de publicité ». Paul Morand, il est vrai, venait de s'installer dans l'ancien appartement de Marie Laurencin, rue de Penthièvre, le quartier des modistes...

Mauriac et Maurois bénéficiaient d'une stratégie à la fois plus sobre et plus soutenue.

Pour *les Bestiaires*, Grasset invita Montherlant à prononcer un discours sur la tauromachie devant la foule du Vel' d'hiv. L'auteur, l'air à la fois timide et dédaigneux, le costume noir, le col blanc haut et dur, s'exécuta pendant l'entracte d'une course de vaches landaises, sous les hurlements et les quolibets du public. Il mit longtemps à digérer cette grotesque aventure. Grasset, le lendemain, l'avait gommée de sa mémoire et se consacrait à un nouvel auteur.

Ce qu'il inventa pour *Sturly*, roman oublié d'un écrivain oublié, Pierre Custot, qui connut en 1923 un succès considérable — plus de soixante mille exemplaires vendus, et non pas seulement tirés —, fut moins tape-à-l'œil et plus efficace. Sturly, mystérieux esturgeon qui parle, entraînait le lecteur dans une découverte romanesque et merveilleuse du fond des mers. Custot venait de découvrir le « roman pédagogique et scientifique ». Grasset centra tout sur cette idée, proclamant — en même temps qu'il glorifiait dans un « placard » voisin *le Fleuve de feu* et *Génitrix* de Mauriac, ou *le Diable au corps* — que le public était las des banales histoires d'adultère, comme de l'éternel roman des amours déchirées...

*

Ces années 1921-1930 furent bien les « années Grasset ». La littérature, sous ses coups de boutoir, se dégageait de l'emprise des salons et des critiques. C'est tout le système de la distribution des couronnes et des épines qui s'écroule peu à peu et se réorganise sous son impulsion. Grâce à la presse qui est le ressort dont il sait magistralement se servir, la littérature se dégage des instances traditionnelles, jusque-là dominées par quelques pléiades — *la Revue des Deux Mondes*, l'Académie française — et quelques personnages auréolés d'une espèce d'infaillibilité, comme Anatole France, Paul Bourget, Valéry, bientôt Gide et Thibaudet. Le lancement des livres vient, en dix ans, de changer radicalement de forme et de force. Pour illustrer cette rupture avec le passé, Grasset, avec la mégalomanie qui l'animait, aimait à citer l'exemple de Mauriac :

> Quand Maurice Barrès donna un grand article dans *l'Écho de Paris* sur le livre de Mauriac qui venait de paraître, *les Mains jointes,* il allait dans l'essentiel : l'espérance qu'il mettait dans le nouvel écrivain qui surgissait. Son article se rattachait à cette série ininterrompue de découvertes par des talents reconnus de talents inconnus, qui jalonne l'histoire des Lettres. Mais ce n'était là que l'un de ces faits, l'une de ces choses indiscutables qui permettent un lancement, et non un lancement en soi. Je ne pense pas, en effet, que l'article de Barrès, quand il parut, ait valu à François Mauriac une centaine de lecteurs. Ce fait, il importait de le mettre en valeur, d'en tirer parti, comme les éditeurs avaient appris à le faire. L'article de Barrès, c'est moi-même qui devais l'utiliser dix ans plus tard, joint à cet autre fait qui fut la publication du *Baiser au lépreux* dans « les Cahiers verts » en cette année 1922 où je gagnai d'emblée à Mauriac un public de près de trente mille personnes, qui n'a fait que s'accroître depuis lors. Aussi, me permettrai-je de lui dire que, quand il rattache directement sa large audience à l'hommage qu'il reçut de Barrès, à son entrée dans les Lettres, il me semble oublier que le parti que j'en ai tiré fut seul générateur de succès.

Les « années Grasset »... Malgré ses excès, son outrecuidance, l'éditeur n'usurpe pas ce titre. D'autant que l'on ne peut, pour définir cette décennie qu'il a marquée de son sceau, s'en tenir à ses seules méthodes de promotion du livre. S'il ne négligea, ni à cette époque ni plus tard, le lancement d'aucun des ouvrages qui l'avaient touché, dès après ses premiers succès de 1921 et 1922 une seconde obsession l'habita : lier ses auteurs à sa Maison, souvent en les mensualisant. Là aussi, il fit école.

Quand Proust quitta Grasset et que son œuvre se mit à parcourir le monde sous le pavillon de Gallimard, il ne connut pas les affres du « papier bleu ». Les liens d'estime et d'amitié unissant l'auteur et l'éditeur résistèrent à la rupture du contrat d'édition et, lors-qu'en 1919 l'académie Goncourt couronna *A l'ombre des jeunes filles en fleurs,* Grasset fut le premier à féliciter le nouvel élu. Cette élégance du « patron » de la rue des Saints-Pères tient lieu d'exception : le plus souvent, l'histoire des rapports entre auteurs et éditeurs n'est qu'une longue suite de disputes et de procès. Les démêlés de Voltaire avec tous ses libraires, ceux de Jean-Jacques Rousseau avec le célèbre Michel Rey d'Amsterdam sont bien connus par leur correspondance. Au XIXᵉ siècle, c'est dans les recueils de jurisprudence qu'il faut aller chercher l'histoire édi-fiante des litiges qui opposèrent, de la Restauration à la Troisième République, Victor Hugo à Renduel, Balzac à Garnier, Alexandre Dumas à Barba, Capus à Ollendorff, Paul Bourget à Lemerre, Anatole France au même Lemerre, Bernstein à Fasquelle, etc, etc.

Pour s'épargner de tels déboires, Grasset essayait de s'attacher ses meilleurs auteurs par des « traités généraux ». « Notre métier, confiait-il à Giraudoux, est un métier où il faut voir en avant et où maintenant on ne peut plus traiter livre par livre. Nous avons besoin, en présence de l'effort qu'exige le lancement d'un auteur, d'avoir la certitude que son sort est vraiment lié au nôtre. » Giraudoux, en septembre 1924, signera un « traité général » à l'occasion de la publication de *Bella.*

Mauriac, après *le Baiser au lépreux,* finira par céder aux sup-pliques de son éditeur :

> Ne mettez pas en avant vos rapports avec Émile-Paul ; c'est moi, en effet, qui suis votre premier éditeur, c'est moi qui vous ai fait confiance à un moment où vous éditer représentait un luxe et non une opération. Si vous avez confié deux livres à Émile-Paul, c'est que, au moment où vous me les avez proposés, je ne pouvais pas vous faire une offre égale à celle qu'Émile-Paul vous faisait. Maintenant, non seulement je puis autant que lui, mais je peux beaucoup plus que lui. Je peux surtout une chose qu'il ne s'efforce pas d'obtenir (car il ne fait aucun effort sur vous), c'est vous gagner un large public[15].

Montherlant, le 27 mai 1924, se liait pour dix ans. C'est Edmond Jaloux qui avait accepté *le Songe* dans sa collection « le Roman ». La vente prit l'allure d'un triomphe. Montherlant revenait de loin. *La Relève du matin,* refusé par onze éditeurs en 1920, avait, finalement, été édité à compte d'auteur par la Société littéraire de France, que dirigeait Guy de Pourtalès.

Maurois, lui-même, accepta en novembre 1924 de s'engager pour ses six prochains ouvrages. Voulait-il se faire pardonner une infidélité ? Il venait de donner son *Disraeli* à Gallimard, au désespoir de Daniel Halévy, qui l'attendait pour sa collection. En cure à Divonne, Grasset n'avait pas réagi, tandis que Brun livrait son analyse au directeur des « Cahiers verts » :

> Je sais que Maurois devait donner en compensation pour sa renonciation à la direction d'une collection, et Grasset a accepté [...]. Je regrette bien entendu que cela porte sur un livre important, mais je crois qu'il est préférable à tous égards que Maurois s'acquitte ainsi. Songez à ce qu'aurait été la direction d'une collection à la NRF! Maurois était tout simplement embrigadé à la NRF et risquait fort de donner la moitié de ses livres à la maison d'en face et la moitié seulement chez nous. Ce seul livre donné à Gallimard libère la conscience de Maurois.

C'était bien vu. Homme scrupuleux et fidèle, l'auteur de *Climats* ne songea guère à s'évader de la rue des Saints-Pères.

Si l'épisode témoigne de la concurrence qui régnait entre les deux célèbres éditeurs, c'est, bien sûr, la manière dont Grasset arracha Paul Morand, en 1923, à la NRF, qui est l'illustration la plus connue de cette « guerre ».

Jouant de son prestige, de sa « légitimité », Gallimard avait offert, en 1921, 2 000 francs d'avance à Paul Morand pour le contrat de *Fermé la nuit* et 3 000 francs à la mise en vente. C'était ce que payait, chaque mois, Grasset à François Mauriac. *Ouvert la nuit,* qui paraît l'année suivante, n'enrichit pas davantage l'auteur, dont tout le monde sait, pourtant, qu'il est sensible au luxe et à l'argent. Pour comble de malheur, *Ouvert la nuit* échoue au Goncourt de 1922. Morand en impute la responsabilité à son éditeur et le proclame dans Paris. Pour Grasset l'occasion est trop belle. Il propose à Morand un contrat fabuleux: 25 000 francs à la signature, 25 000 francs à la parution du roman et en prime la promesse d'une énorme campagne de publicité. L'affaire est conclue le 8 octobre 1923. *Lewis et Irène* sortira en janvier 1924. « Je lui ai fait une offre qui ne se refuse pas », dira Grasset. Quelques mois plus tard, en novembre, il écrit à Morand qu'il est prêt à « toutes les bêtises » pour se l'attacher par un traité général.

Paul Morand voudra rassurer Gallimard et parlera d'un « simple détour » par la rue des Saints-Pères. Le livre suivant sera pour la

NRF. Celui d'après, *l'Europe galante,* sera pour Grasset, et une quinzaine d'autres ouvrages. En fait de détour, c'est une trahison. « Mais Gaston contient sa colère, raconte Pierre Assouline, freine son amour-propre, bride sa fierté... » Il attendra près de dix ans avant que Paul Morand ne réintègre son catalogue.

Une victoire pour Grasset. Plus qu'une revanche. Il trouvait dans Morand l'écrivain court, rapide, de ses rêves, citant à plaisir le début de *Lewis et Irène:* « "Quinze ! fit Lewis. Les journaux du matin annonçaient un temps brumeux"... Voilà! C'est brutal, c'est l'époque, la nouveauté: Morand! » Ainsi évoquait-il l'écrivain-diplomate qu'il plaçait très haut et qu'il tenait pour une des grandes valeurs du temps.

*

En 1924, il s'était donc attaché « les quatre M ». La formule est de lui, a raconté Morand. « Oui, Grasset inventa "les quatre M" ; il créa même un déjeuner des "quatre M". Ce fut glacial ; il n'y en eut pas d'autre. Mais la majuscule resta. » Le 15 mars 1924 apparaissaient les premières pages de publicité à l'enseigne des « quatre M », le visage des héros en médaillon. Mauriac annonce *Génitrix,* Maurois, *Ariel ou la Vie de Shelley,* Morand, *Lewis et Irène,* Montherlant, *le Paradis à l'ombre des épées.* Quelques années plus tard, Grasset voudra créer, sous le label « les 4 M », une collection de luxe dont le sort fut à peu près celui du déjeuner. Paul Morand donna *Syracuse-USA* en 1928, Henry de Montherlant, *les Iles de la Félicité* en 1929. Et on en resta là.

Dans l'euphorie des « années Grasset », d'autres collections connurent des jours plus heureux. En particulier, « les Écrits », qu'allait diriger, à partir de 1927, Jean Guéhenno, avec plus de liberté qu'aucun autre de ses pairs dans la Maison. Se donnant pour ambition d'éditer des textes représentatifs du « mouvement des idées », Guéhenno se plaçait sur un terrain que désertait volontiers Grasset.

Jean Guéhenno n'était pas un inconnu dans la Maison. En novembre 1921, l'académicien et auteur dramatique Eugène Brieux l'avait recommandé à Grasset. En vain, le 15 février suivant, Brieux manifestait son impatience:

> Voulez-vous me permettre de vous dire toute ma surprise de votre manque de courtoisie à mon égard? La sympathie que vous m'aviez montrée et inspirée m'autorise à cette franchise. Je vous ai remis le manuscrit d'un roman de M. Guéhenno. Un de mes jeunes et très chers amis. Vous m'aviez promis une réponse pour le 15 décembre. Elle n'est point venue. Et voici deux fois qu'on dit, chez vous, d'attendre encore, à ce jeune auteur. Ne faites point tort à votre réputation d'éditeur ami des

Lettres. Songez aux angoisses d'un débutant qui attend une réponse, à l'impossibilité de travail qui en résulte. Donnez-moi cette fois l'occasion de vous remercier. Cordialement.

L'occasion ne vint pas de Grasset. Guéhenno, pacifiste viscéral, lié à Romain Rolland, était un familier des organisations et publications qui fustigeaient le bellicisme et le nationalisme renaissants. C'était l'anti-Barrès. C'est ainsi qu'il écrivit un article contre *Mesure de la France,* de Drieu La Rochelle, que venaient de publier « les Cahiers verts ». Halévy invita Guéhenno à lui rendre visite quai de l'Horloge. Dans la « vieille maison sombre au bord de la Seine, devant le rideau des peupliers frémissants », Guéhenno eut le sentiment de découvrir « la culture même ». Dans le salon Second Empire orné de peintures de Degas, passaient Malraux, Drieu, Julien Benda, Emmanuel Berl, André Janson, Gabriel Marcel, François Mauriac, Louis Guilloux...

Encouragé par Daniel Halévy, il donna aux « Cahiers verts » son étude sur Michelet, *l'Évangile éternel.* Il symbolisait, rue des Saints-Pères, la « gauche », celle de la « communion humaine », contre le culte de la différence, contre l'individualisme. Il proposa, sur ce versant un peu oublié dans la Maison, d'animer une collection. Halévy lui apporta sa caution. Grasset, entre deux séjours à Divonne, ne fit aucune réserve. Il trouva le titre très à son goût : « les Écrits ». *La Maison du peuple,* de Louis Guilloux, le chantre des humiliés, des vaincus, et avec qui Guéhenno partageait la passion de la justice et des origines sociales modestes — le fils de l'ouvrier de Fougères éditait le fils du cordonnier de Saint-Brieuc —, inaugura la collection. Jean Guéhenno donna son *Caliban parle,* Emmanuel Berl, *Mort de la pensée bourgeoise.* « Les Écrits » allaient aussi accueillir deux livres tristement prophétiques, traduits de l'allemand, l'un de Ludwig Bauer, *La guerre est pour demain,* l'autre d'Ernst Erich Noth, *la Tragédie de la jeunesse allemande.*

Bref, la Maison brille de tous ses feux dans le ciel de la République des Lettres. Et c'est alors que, pour couronner les « années Grasset », le dramaturge Édouard Bourdet, qui fait courir Paris, prend l'éditeur de la rue des Saints-Pères comme modèle de sa comédie satirique, *Vient de paraître.* La première représentation de la pièce a lieu le 27 novembre 1927 au théâtre de la Michodière. « J'y fus convié, raconte Henry Muller. Je ne savais rien de la pièce sinon qu'elle se déroulait dans le milieu des écrivains et des éditeurs ; j'ignorais même que l'idée de son premier acte en était venue à Édouard Bourdet un matin où il attendait François Mauriac dans le magasin de vente des éditions Grasset. La description qu'il fit, de ce qu'il avait vu et entendu, était en tous points exacte. » On y voit l'éditeur Moscat, installé dans son bureau comme dans un confortable QG, manœuvrant à la fois ses auteurs, la critique, le public. C'est le jour où doit être décerné le prix Zola, la grande épreuve littéraire de l'année. Dans la maison d'édition, tout le monde est sur le pont. Auteurs et critiques viennent aux nouvelles. Moscat se dépense en ordres, en contrordres, dispose des voix du jury en faveur d'un candidat, puis d'un autre, dicte aux journalistes l'article à faire. Il distribue, surtout, avec allégresse, une volée de bois vert à l'un de ses confrères et concurrents, Chamillard — Gallimard? —, lequel n'apparaît jamais sur la scène. « Chamillard n'a jamais su lancer un bouquin de sa vie! lance Moscat. Il en est encore à croire que, pour vendre un livre, il suffit que l'auteur ait du talent! Alors n'est-ce pas... »

Que dit Grasset de différent? Pour lui, il y a « l'ordre des choses » et, en face, le miracle qu'ont accompli les éditeurs de sa génération. L'ordre des choses tient en ceci: les mérites littéraires, le talent ne sont pas en soi une richesse; pour qu'ils deviennent une richesse, il importe de savoir les transformer en valeurs marchandes. C'est l'objet même de l'éditeur. Et Grasset ne cessera de prétendre que nombre de succès de son temps sont dus aux seuls éditeurs.

Il n'assista pas à la première de *Vient de paraître*. Il se rendit à la Michodière, quelques jours après, en compagnie de Raymonde Corniglion-Molinier:

> Il y prit un plaisir assez vif et, comme toujours, le manifesta bruyamment. Bien entendu, il ne se reconnut pas un instant dans Moscat et confia à sa voisine: « C'est amusant; et puis c'est tellement Gallimard. » Toutefois, à un moment, il sursauta: « Ah, non! Ah non! cria-t-il, à l'étonnement des spectateurs, maintenant ce n'est plus Gallimard, c'est Albin Michel! »

Lorsque, deux années plus tard, *Vient de paraître* fut publié en librairie, Bourdet adressa à Grasset un exemplaire de son livre qui portait la dédicace suivante: « A Bernard, en restitution. Son ami[16]. »

A la veille de sa mort, n'ayant plus rien à cacher, à renier ou à vanter, il confessera son avidité de reconnaissance, de gloire, et reconnaîtra avoir été plus souvent qu'à son tour le Moscat de la comédie littéraire. « Véritablement, on ne saurait apprécier mon action d'éditeur, même et surtout dans ses outrances, sans y voir un mode d'affirmation personnelle, et même sans en reconnaître le caractère passionnel, avec toute l'invention naturelle et aussi les imprudences de la passion. J'irai jusqu'à croire que, si mon personnage survit, il le devra surtout à ces imprudences. »

Pourtant, auprès du Grasset-Moscat, auprès de l'éditeur auto-crate, un autre Grasset, tout aussi bruyant et encombrant pour son entourage, prenait naissance. Un autre démon venait de l'habiter. Le démon de l'écriture.

« J'en voulais à tous ceux qui refusaient de comprendre que l'édition était ma façon d'écrire. »

BERNARD GRASSET

L'ÉDITEUR-ÉCRIVAIN

Il se découvre une vocation de moraliste. Paraissent sous sa signature, à la NRF, Remarques sur l'action, Psychologie de l'immortalité, Remarques sur le bonheur. *— Sa vraie rentrée d'écrivain :* la Chose littéraire, *l'autojustification de ses audaces, de son opinion sur le « style ». — Sa collection « Pour mon plaisir ». — Les surréalistes doivent laisser au vestiaire leurs « outrances ». — Giraudoux, Malraux, Cendrars, Giono, Delteil, Cocteau, Chardonne et Irène Némirovsky trouvent leur public. — La Maison se transforme en société anonyme. — Il décrète « la mort du roman » et prononce l'oraison funèbre du « Goncourt ». — Passion pour les écrivains étrangers :* Dieu est-il français ?

La bataille des « ismes » — fascisme, nazisme, communisme, etc. —, disions-nous à propos de la frénésie politique, du bouillonnement intellectuel de l'entre-deux-guerres : les meilleurs auteurs de la rue des Saints-Pères, à l'exception de Maurois et de Giraudoux, y furent étroitement — et fatalement — mêlés. L'un d'entre eux, Julien Benda, « la punaise de synagogue » comme l'appelait ignominieusement Barrès, dénonça cette effervescence dans un livre qui parut en 1927 et fit grand bruit : *la Trahison des clercs*. Halévy lui avait octroyé une place dans « les Cahiers verts ». Abordant le problème des rapports entre la politique et la vie de l'esprit, Benda attaquait « les Maurras et les Barrès », pour avoir notamment, dans l'affaire Dreyfus, mis leurs plumes au service des combats politiques « les plus abjects ». Il regrettait le temps où les clercs, les intellectuels « étaient les officiants de la justice abstraite et ne se souillaient d'aucune passion pour un objet terrestre ». Il protestait au nom du vieil intellectualisme grec et classique, au nom des clercs dignes de ce nom, Platon, saint Thomas, Vinci, Malebranche, Spinoza et surtout Socrate. « Grâce à eux, écrivait-il, on peut dire que, pendant deux mille ans, l'humanité faisait le mal mais honorait le bien. »

Grasset, à la date du 11 décembre 1927, avait collé dans un des albums cartonnés lui tenant lieu de Journal un article qui citait cette phrase, et il avait entouré celle-ci au crayon rouge. Chez lui, un tel geste n'était jamais gratuit et l'on pourrait facilement repérer, à travers les articles qu'il découpait, gardait et annotait, les préoccupations qui l'absorbaient. Le propos de Benda reflétait bien, en effet, son obsession du moment, laquelle n'allait plus le quitter. Il se découvrait une vocation de moraliste-philosophe, il voulait chercher en lui-même et au fond de sa propre expérience l'homme en général, par-delà les gesticulations partisanes et politiques de l'heure. Il voulait écrire sur les « choses essentielles » et ce besoin le démangeait de plus en plus. « C'est du même mal que nous souffrons en politique et en littérature : le verbalisme. Et c'est de cela même que la nouvelle génération ne veut plus... Elle a besoin de nourritures véritables. » Pas moins.

C'est un autre des mystères que nous propose sa vie : comment, pourquoi lui, qui menait son métier tambour battant, s'est-il mis à barboter dans les eaux sombres des questions éternelles ? Qu'est-ce que l'action ? Qu'est-ce que l'écriture, la connaissance, la pensée ? Qu'est-ce que le bonheur, l'amour, le plaisir, la solitude, la mort ? Grasset, suggère Pierre Sipriot, appartenait à une génération qui mettait le littérateur au-dessus de tout et prêtait à l'écriture une valeur et une stabilité qu'elle n'a jamais eues en réalité, si ce n'est au regard de celui qui s'y adonne. Lui-même s'interroge sur ce compromis entre son devoir d'éditeur et son désir d'écrire et il avoue que dans ce « besoin impérieux de dire », qui seul justifie l'écriture, entrait pour beaucoup sa « secrète rancune », sa « jalousie » pour les écrivains qu'il servait. « Pour mieux dire, j'en voulais à tous ceux qui refusaient ainsi de comprendre que l'édition était ma façon d'écrire. » Il affirmait que dans tout véritable éditeur il y a un écrivain refoulé.

*

La première manifestation concrète de son désir d'écrire semble remonter à décembre 1923, quand il brûla de préfacer l'*Homme de cour*, de Baltasar Gracian. On ne s'étonnera pas que cette œuvre du jésuite moraliste, apôtre de « l'homme substantiel », l'ait comblé. « Malheureuse est l'éminence qui n'a rien de substantiel, écrit Gracian. Tout ceux qui pourraient être des hommes ne le sont pas tous. Il y en a d'artificiels qui conçoivent des chimères et accouchent de tromperies... » Grasset, qui se tenait pour un « être authentique, malheureux de sa trop réelle authenticité », vibrait à ces formules.

Il devait sa découverte de l'*Homme de cour* à André Rouveyre, qui, depuis des années, poursuivait la réédition de Gracian. Emballé, il avait, dans la minute, décidé d'en être l'éditeur. Un texte de belle tenue, signé Rouveyre, sur l'auteur et sa pensée, ouvrait le livre. La sortie était prévue dans « les Cahiers verts ». Les

semaines passaient. Rouveyre commençait à s'impatienter quand,
le 27 décembre 1923, l'éditeur lui explique, par un bref courrier et
sans préambule, son intention de préfacer l'œuvre « unique » de
Gracian et lui propose 1 000 francs de dédommagement. Aussi
bouleversé que sidéré, Rouveyre porte l'après-midi même, rue des
Saints-Pères, un réquisitoire de huit pages, incisif et sans appel :

> Alors, Bernard, vous voulez me dépouiller, et pécuniairement, et de
> l'honneur, d'avoir réussi après deux ans d'efforts et avec de précieux
> concours à faire rééditer Gracian ! Que c'est donc curieux ! Votre lettre
> d'hier ne m'étonne pourtant pas ; et je me félicite d'avoir deviné depuis
> longtemps combien la gratitude que vous eussiez pu avoir envers moi
> vous pesait et combien vous vous montriez obsédé de l'idée fixe de vous
> approprier mon trésor et mon labeur. Nous allons voir cela !... Allons
> donc ! Grasset ! Retrouvez-vous : un peu de cœur, je vous prie ! De cette
> chose glorieuse que j'ai faite de mon esprit et de mes mains : ressusciter
> Gracian en France, et alors maintenant que le livre est là, en dernière
> épreuve, par un coup de violence sans précédent, vous voudriez, vous,
> Grasset, faire sauter ma préface et y mettre une notice de vous et vous
> auriez encore l'inconscience de citer mon nom ! La préface est faite et
> bien faite. Vous savez que c'est justement à cause de sa qualité qu'André
> Gide, à qui j'aurais voulu céder la place d'honneur, a exigé de moi que je
> la garde. Vos impertinences trop intéressées n'y changeront rien. Je
> considère les épreuves que vous m'avez soumises du livre complet, et de
> la couverture, comme définitives... Je vous avertis que : l'*Homme de
> cour* ne doit pas être tiré avant, premièrement, notre contrat personnel
> (vous et moi) ; deuxièmement, ne doit pas être imprimé sans mon bon à
> tirer.

La riposte atteint son but. Grasset ravale ses prétentions de
gracianiste distingué. Mais l'envie d'écrire ne l'abandonne pas. Il
supporte de moins en moins cet « éloignement de l'expression
personnelle » où il s'est maintenu depuis près de vingt ans pour ne
pas être « distrait » de son métier d'éditeur. Il reviendra à la
charge au hasard des lubies qui le traversent. Il offrira à la
princesse Bibesco une « lettre d'ouverture » pour *les Huit Paradis*,
un volume de souvenirs. A François Porché également. Étudiant
dans son essai, *l'Amour qui n'ose pas dire son nom*, Walt Whit-
man, Oscar Wilde, Proust et Gide, Porché, honnête analyste d'un
problème délicat, menait croisade contre « la pédérastie devenue
une mode littéraire ». Qu'allait faire Grasset dans cette prédica-
tion ? « Le bouquin de Porché fera parler, écrivait-il à Brun.
Dites-lui que j'aimerais le préfacer — huit ou dix pages — mais ne
lui dites pas que je voudrais dire à peu près le contraire de ce qu'il
dit. C'est un ignorant qui se prend pour un psychologue. »

L'éditeur se reposait en Suisse. Le désir de contrer « en direct »,
pourrait-on écrire, un ouvrage qu'il éditait bien qu'il ne le trouvât

pas à son goût le suivra toute sa vie. Il ne parviendra à le combler
— et ce n'est pas faute d'avoir essayé ! — que beaucoup plus tard.
Frédéric Hoffet, pour *Psychanalyse de Paris*, en fit les frais. Qu'on
en juge plutôt :

> En somme, concluait Grasset, dans sa lettre-préface, je vous reproche
> à la fois, mon cher Hoffet, d'avoir parlé de Paris sans déférence et sans
> légèreté. Et il fallait, selon moi, l'une et l'autre. Il est vrai qu'en ce
> moment l'épais triomphe, même au théâtre. Et il y a tout un public pour
> l'épais. Ne redoutez rien pour votre ouvrage. Je voudrais même, pour
> clore, vous donner une assurance d'éditeur. Vous savez, sans doute,
> qu'en Amérique il y a un psychanalyste attaché à tous les grands
> magasins. Votre livre sera certainement traduit en américain.

Ses velléitées de préfacier l'auraient aussi poussé, dès 1925, vers
ses auteurs les plus prestigieux. Louis Brun le prétend, à plusieurs
reprises, dans le fouillis des papiers qu'il a laissés. Tous alors, de
Mauriac à Châteaubriant, de Giraudoux à Maurois, frémissaient,
piquaient du nez ou regardaient vers le ciel avant de changer de
sujet. Épreuve redoutable. L'éditeur, ils étaient bien placés pour
le savoir, était un obstiné. Aucun, pourtant, ne succomba à cet
excès d'honneur. Le premier roman qu'il préfaça fut *Claire*, de
Jacques Chardonne. On était en 1931.

*

Mais ce qui le hante, ce qui le poursuit, à la mi-temps des
années vingt, dépasse sa manie de préfacier. Il veut remonter aux
sources cachées de sa conduite, il veut rejoindre la région trouble
des tendances inconscientes, des besoins, des instincts, pour nous
révéler ce qui le guide, et le porte.

Ce n'est qu'au retour d'une longue éclipse à Divonne-les-Bains
qu'il livrera, durant l'hiver 1927-1928, ses premiers textes d'« auteur ». Il le fera avec solennité, sévérité. L'homme qui jouit
pleinement de vivre est naturellement enjoué. Grasset, « hédoniste douloureux », comme le définira Jean Rostand, souffrait
dans les plis de son cœur de névrosé. Il souffrait, et il aborda
l'écriture de la même façon qu'il s'investissait dans sa Maison :
pour « étouffer », comme le dit Vauvenargues, un sentiment de
misère. Il devint éditeur et il écrivit pour triompher de son « moi »
faible, pour triompher d'une sorte d'inquiétude à l'état brut, qui le
poursuit partout, qui s'empare de toutes ses actions. « Quand, à
quarante-cinq ans, j'abordai l'écriture, je fus hardi. » Et il citera,
en exergue à tous les textes qu'il écrira, un précepte du peintre
Delacroix : « Être hardi, quand on a un passé à compromettre, est
le plus grand signe de force. »

Il avait raison de craindre qu'en se mêlant d'écrire il ne se
« compromît ». Il risquait le ridicule. Aux yeux de beaucoup des
écrivains qui régnaient et qu'il éditait, il n'y échappa probablement
pas. Mais bien peu osèrent le lui dire et aucun ne s'enhardit à
l'écrire.

Pourquoi entreprit-il de se « compromettre »? Il s'est, là-dessus,
expliqué lui-même dans sa préface à *Commentaires* — qui paraît
en 1936 — et l'on ne peut mieux faire que de se reporter à ce
texte, lequel de surcroît donne un bon aperçu de son style, de sa
façon de « communiquer », de son verbe:

> Si l'amour des Lettres fit de moi, à vingt-cinq ans, un éditeur, ce fut
> surtout que je n'osai prétendre avec elles à un commerce plus étroit.
> Pour mieux dire, l'édition m'apparut alors comme la seule forme d'affir-
> mation personnelle dont je ne fusse pas indigne... Le besoin de créer fut
> toujours l'exigence essentielle de ma nature; mais je me pliai longtemps
> à cette exigence sans la reconnaître. Bien des années devaient en effet
> s'écouler avant que je ne m'avisasse que l'édition avait surtout été pour
> moi un moyen d'affirmation personnelle... Il est vrai que je paraissais et
> me disais moi-même pleinement satisfait de mon rôle, ne distinguant
> point alors, quelque étrange que cela puisse paraître, mon rôle et ma
> personne; ou, si l'on veut, ne m'étant pas encore reconnu le droit de
> dégager ma personne de l'organisme né d'elle.

Il se met donc à écrire, quand il s'autorise à « dégager » sa
personne de son rôle. Il a quarante-cinq ans. Mais, homme d'action, incapable de séparer ses réflexions des circonstances dans
lesquelles sa vie est engagée, son écriture devient le prolongement,
la « ligne continue » de ses multiples engagements professionnels
ou personnels. « Ma Maison ne fut pas seulement cette personne
morale à laquelle j'ai longtemps tout sacrifié; elle fut ce réel d'où
partit mon inspiration d'écrivain, et auquel cette inspiration ne
cessa de s'alimenter. »

Le 20 janvier 1928 paraît sous sa signature *Remarques sur
l'action*, suivi de « quelques réflexions sur le besoin de créer et les
diverses créations de l'esprit ». En novembre 1929, il publie *Psychologie de l'immortalité*. Enfin, le 15 juillet 1931, *Remarques sur
le bonheur*, dédié à Maurice Maeterlinck, l'auteur de *la Princesse
Maleine* et de *l'Oiseau bleu*, prix Nobel en 1911, l'un des écrivains
les plus puissants de son époque, à la recherche des « réalités
essentielles ». On n'en sort pas: le substantiel, l'essentiel, le fon-
damental... Gaston Gallimard s'est empressé d'accueillir ces trois
petits livres sous l'aile bienveillante de la NRF.

Curieux recueil de maximes et présomptueuse aventure. Que
découvrir sur le cœur humain après La Rochefoucauld, La
Bruyère, Vauvenargues, Chamfort, Joubert? Avec une sagesse un

peu butée et un vocabulaire raisonneur qui semble choisi pour dessiner sa pensée plutôt que pour l'explorer, Grasset a l'air de poser des principes abstraits alors qu'il s'examine sans cesse et, pour ainsi dire, se déshabille. Il écrit une prose qui rappelle celle des classiques. Probe envers les mots, il a le sentiment exact de leurs propriétés, de leurs significations présentes et passées, il a un sens éclairé de la tradition. « J'aime quand j'écris prendre les mots pour guides. » Son style, parfois un peu lourd, est encombré de tics assez voyants. Il aime substantiver l'infinitif et l'adjectif — le faire, le sensible, le vouloir, le jouir, le commode, le réel, l'efficace — par amour de l'abstraction, mais aussi pour essayer de rendre l'unité de l'homme et du monde plus intelligible. Il cherche ainsi à serrer de plus près la réalité. D'où son goût passionné pour tout un vocabulaire très « Grand Siècle », comme « les habiles », « les doctes », « les délicats », « les connaisseurs » ; d'où sa prédilection pour le mot « chose », dont il fait un constant usage. Il commence souvent ses phrases par « autrement dire », « pour mieux dire », « restant à », et ces tours personnels sont comme la signature d'une page de Grasset.

*

Son catalogue de « remarques » — *Psychologie de l'immortalité* est aussi une suite de remarques et il envisagea d'ailleurs de réunir sous le titre *Remarques* les trois ouvrages — était sorti de son action, presque à son insu, dans le désordre apparent de ses émotions :

> Je les ai d'abord vécues : chacune d'elles s'est longtemps imposée à mon esprit avant que je n'éprouve le besoin de la fixer. Quand les premières furent écrites, je ne songeais même pas à les grouper. Je les gardais — c'est tout ce que je peux dire — comme on garde des objets qui vous sont chers, sans s'inquiéter de leur disparate.

Il ne pourra, néanmoins, se retenir de confier à *la Revue de Paris* quelques pages de ces *Remarques* qui furent publiées en novembre 1927. L'ensemble ne prit corps que lentement, prétend-il, et il fut « entraîné plus loin » qu'il ne l'avait prévu.

> Il m'apparut bien vite, en effet, qu'une étroite parenté existait entre les créations de l'esprit et celles de l'amour, les unes et les autres puisant leur inspiration dans le besoin de donner. Et de même que j'avais dû m'occuper, à propos de l'action, des autres créations de l'esprit, fus-je contraint à m'élever du besoin de créer au besoin de donner. Goût de l'action-besoin de créer-besoin de donner : telle fut la courbe que suivirent mes réflexions. Sorties de mon action, elles aboutissaient ainsi, sans que je l'eusse prévu, à la définition même du cœur.

Vauvenargues, dans la filiation duquel il se plaçait volontiers, a dit et bien dit: « Peu de maximes sont vraies à tous égards. » C'était, de sa part, modestie et subtil jugement. Si piquante que soit une formule, elle ne pique que par la pointe et les pensées les plus essentielles ont leur orient comme les perles. Le rayon de lumière qui les frappe doit avoir une certaine incidence. C'est ainsi que les *Remarques sur l'action* paraîtront souvent un peu arbitraires et presque trop habilement acérées. Mais, quand elles ne satisfont pas l'esprit, elles le provoquent, et c'est déjà beaucoup. Il vaut d'en citer quelques-unes:

« L'homme d'action est à l'abri des inquiétudes métaphysiques: le mystère de l'homme lui suffit. »

« L'activité est fille de la sensibilité: les grandes actions viennent du cœur. »

« Dans les affaires comme en amour, il y a un moment où l'on doit s'abandonner. »

« Comme il importe plus, en politique, de se justifier que de faire, les mots y ont plus d'importance que les choses. »

« Pour un passionné de l'action, l'argent n'a qu'une valeur de témoignage. »

« Ce n'est pas assez de dire que le désir de la gloire est la recherche passionnée des applaudissements. Il faut y reconnaître un besoin du cœur du même ordre que l'amour. Rechercher la gloire, c'est poursuivre par-delà les admirations qu'on provoque on ne sait quelle équivalence chimérique de l'amour. »

« L'homme d'action sait découvrir, sous la question qui lui est posée, la question qui se pose. »

« Un homme qui commence à écrire ses Mémoires n'est plus tout à fait dans son temps. »

« La bonté des hommes d'action est toujours marquée de leur despotisme. »

« Le dilettante est celui qui n'éprouve le besoin de laisser son empreinte dans aucun des domaines de l'esprit où sa curiosité l'a conduit. »

« Il n'est pas de création pour soi-même, comme il n'est pas d'amour sans objet. »

*

Ses *Remarques sur le bonheur* vont sans doute plus loin: on n'écrit pas sur une expérience nécessairement intime comme on écrit sur « l'action », sur un succès de carrière ou des victoires commerciales. Si l'on admet, avec lui, que le don de créer tient essentiellement dans le pouvoir de faire surgir « de nouvelles évidences », les *Remarques sur le bonheur* sont alors d'authentiques créations. Elles paraissent souvent d'une telle simplicité, d'une telle évidence, qu'elles semblent appartenir depuis toujours au patrimoine de la pensée. Elles étaient nées, dira-t-il, de quelque sentiment d'infortune.

> « En imaginant le bonheur, l'homme comprit qu'il devait renoncer à l'atteindre ; mais il ne put renoncer à le concevoir, et n'en continua pas moins à appeler bonheur un état de satisfaction absolue auquel il ne pouvait prétendre. »

> « La civilisation crée plus de besoins qu'elle n'en comble. »

> « C'est parce que les hommes ne peuvent s'entendre sur les satisfactions à attendre de la vie qu'il n'est pas de définition humaine du bonheur. »

> « Le bonheur ne se cherche pas : on le rencontre. »

> « Ce n'est pas à la propension des biens qu'est attaché le bonheur, mais à la faculté d'en jouir. Le bonheur est une aptitude. »

> « Combien d'hommes s'arrêtent dans la poursuite du bonheur pour se contenter d'inspirer l'envie, parce que l'envie s'attache à leurs pas, et que le bonheur fuit devant eux ! »

Singuliers aveux, qui se cachent sous le masque de l'impersonnel. On exige toujours beaucoup, et peut-être trop, d'un « moraliste », et d'abord qu'il réponde de sa propre morale dans son meilleur style. Ceux qui connaissaient Grasset n'ont jamais douté qu'il fût tout entier dans ces aphorismes. Les autres devaient être plus sceptiques. Certains journaux, de façon anonyme, ne l'épargnèrent point :

> Il y a paraît-il longtemps que Bernard Grasset se prend pour un moraliste : si au lieu de découper ses truismes en petits morceaux, il les avait reliés dans un « discours continu », comme dit Montaigne, l'ennui — et non pas le bonheur — lui serait à lui-même sorti par les yeux et il n'aurait pu achever son essai, trop évidemment illisible. Mais en les débitant à la phrase, avec des étoiles pour les séparer et des blancs pour combler les vides, il se donne à lui-même l'illusion qu'il distille goutte à goutte des réflexions précieuses...

En marge de ces billets qu'il conservait, il griffonnait, rageur, « je l'emmerde », « je saurai qui est le con qui écrit ça ! », « enfantillages d'un crétin ».

Enfin, *Psychologie de l'immortalité* est, de ses trois premiers essais, le plus présomptueux. Retenir la durée, faire échec à la mort : c'est bien de tous les vœux de chacun d'entre nous, celui qui répond à notre recherche instinctive la plus profonde. Nous n'avons que deux façons de tromper ce désir d'immortalité : en nous perpétuant par des êtres de chair ou en nous prolongeant à travers une œuvre, au sens plein du mot, œuvre politique, intellectuelle, artistique, etc.

> Toute l'explication de l'homme tient en ceci qu'il ne peut accepter de finir, écrit l'éditeur-écrivain. Que la vie lui apprenne de très bonne heure qu'il est mortel, ce n'est point la preuve qu'il s'en accommode. « Se savoir mortel » n'est, en effet, pour l'homme normal, qu'une notion, qui sans doute s'impose à son intelligence mais ne saurait modifier son instinct. Il ne semble même pas exagéré de dire qu'un homme ne peut vivre que dans la mesure où il se sent immortel... Si ce « besoin de durer » résiste ainsi à tout ce que l'intelligence de l'homme peut comprendre, à tout ce que sa raison le contraint à subir, c'est qu'il n'a pas sa source dans l'intelligence de l'homme, qu'il n'est pas né d'un concept et qu'un autre concept ne saurait le réduire ; c'est que l'homme le tient de cet instinct, sur lequel son intelligence n'a pas de prise, disons le mot : de sa nature animale.

Et de broder pendant quarante-cinq pages sur ce thème, qui n'est qu'un moyen d'ennoblir une simple façon de survivre, quand bien même nous n'aurions rien fait pour cela, comme c'est le cas pour la plupart d'entre nous.

Animal, sans doute, que l'homme, explique-t-il. Mais animal si particulier, qui, pour subsister, réclame un minimum d'affectivité, une certaine harmonie intérieure. Cette harmonie, elle lui sera d'autant plus difficile à obtenir que ses instincts, en rivalité avec les autres, le tiraillent et le déchirent. Comment concilier le besoin de donner et celui de s'imposer à autrui, l'appétit de jouissance et celui de création ? Que faire de notre soif d'absolu, d'immortalité, quand tout, hélas, nous signifie le relatif et le périssable ?

« Le philosophe fait alliance avec le moraliste », écrivit Louis Lavelle dans *le Temps*, à propos de *Psychologie de l'immortalité*. Grasset grimpait sur les hauteurs et le modeste florilège que nous avons tiré de ces plaquettes d'apophtegmes donne une idée sans doute trop pâle de l'ambition qu'il poursuivait. On aura, malgré tout, deviné, quelle que soit l'opinion que l'on puisse avoir sur la pertinence de sa pensée, que, dans la lignée d'un Émile de Girardin, fondateur de la presse moderne, bien plus que dans celle d'un quelconque moraliste ou philosophe, il était non pas un idéologue, mais un homme à idées. Lesquelles débordaient son métier et s'étendaient jusqu'aux confins de la Morale, avec un *m* majuscule.

Le virus ne l'abandonnera plus et, en dehors de ses articles sur son métier d'éditeur, tout ce qu'il écrira sera empreint d'une méditation par laquelle il cherchera à atteindre le fond de la nature humaine dans l'observation des sentiments les plus simples et les plus constants.

*

Pourtant, ce n'est pas avec ses essais moralistes qu'il inaugure sa « véritable rentrée d'écrivain ». Son coup de cymbales, il le donne en mars 1929, quand la NRF — toujours elle — publie *la Chose littéraire*, un recueil des articles qu'il avait donnés au quotidien *le Journal* et dans lesquels il développait ses conceptions de « l'esprit éditeur », de la publicité, démontait les mécanismes de « l'ère bibliophilique », de « l'ère des cent mille », du « besoin de paraître ». *La Chose littéraire*, que l'on a plusieurs fois cité, est l'autojustification de ses méthodes, de ses audaces. Il se posait, lui-même, sur la tête, la couronne du meilleur éditeur, du dernier survivant de la race des « vrais éditeurs », bref du prince de l'édition :

> On pourrait presque appliquer, mot pour mot, à la République des Lettres ce que disait naguère Robert de Jouvenel de notre régime politique : « On ne satisfait personne mais on ménage tout le monde... et le régime de l'indulgence bénéficie à son tour de l'indulgence générale. » Comme lui, je pourrais écrire, en guise de préface : « C'est le tableau de ce régime pauvre — où il y a peu de grands scandales et beaucoup de petits, peu de malversations et beaucoup de complaisance — que j'ai essayé de tracer. » J'eus mon rôle dans les événements que j'entreprends de relater, et mes responsabilités dans ce que l'on est convenu d'appeler « les mœurs nouvelles de l'édition »... J'étais peut-être moins prêt qu'un autre à partager cette indulgence d'un public devenu trop docile...

Que l'on ne croie pas, surtout, qu'il ait passé vingt ans de sa vie à souffrir ainsi de l'indulgence de son temps ! L'amour des lettres, répète-t-il, l'avait conduit vers l'édition. La « chose littéraire » l'y retint. « La chose, entendez bien, c'est-à-dire ce qui a une existence, un corps, ce que l'on peut atteindre, ou manquer, ce qu'on peut posséder, ce qu'on peut perdre, ce qu'on se dispute. Vous pensez à une balle, à un jeu, à la borne du stade ? C'est cela. »

Le style est plus alerte. Le polémiste se réveille. Est-il davantage lui-même lorsqu'il défend ce qu'il a fait de son métier, ou quand il réfléchit à la dignité de nos existences, à la justesse de nos ambitions ? Quand il court après la nature substantielle, mais fuyante, du composé humain ? Les deux Grasset se tiennent éperdument la main. Métier et méditation, réalité et fuite dans l'abstraction, action créatrice et action « tout court » se confondent, l'entraînent. A l'inverse de beaucoup d'hommes qui, pour agir, se gardent de théoriser le sens, le but de leur existence, chez lui l'action ne fait qu'un avec la vie de la pensée.

Il a comme un besoin vital de faire et de réfléchir sur le faire, d'écrire et de raisonner l'écriture, de réclamer de l'affection, de l'amour, et de gloser sur l'affectif, le sensible. Comme ces adolescents qui, après chaque événement, chaque aventure, se débondent sur une feuille blanche, il lui faut *dire*, dans une sorte de réflexe défensif. Jusqu'à prévenir ses lecteurs du dilemme dans lequel il choisit lui-même de se placer. « Un homme d'action, écrit-il, ne doit pas céder à la volupté d'écrire. L'action est une maîtresse jalouse : elle aurait tôt fait de priver de ses joies quiconque la délaisserait pour les Muses. »

Veut-il prouver que lui, Bernard Grasset, est capable de résoudre cette contradiction ? Sûrement. Il y a chez lui un zèle si excessif à justifier sa vie, toute sa vie, que sa démarche peut apparaître comme suspecte à tous ceux qui ignorent ses tourments psychologiques. Mais derrière ces formules d'une coquetterie touchante qui émaillent la plupart de ses textes — « faire une chose qu'on est le premier à dire ou à faire », « les grandes actions viennent du cœur », « besoin d'être utile aux autres », « amour des autres », « toute création est un don », etc. — se cachent son angoisse, sa fragilité. Se cache la nécessité violente de se soutenir à travers quelque idée pure de l'homme envisagé dans sa sagesse et son éternité. Quand il ne parvient plus à relier entre eux « l'homme d'en bas », l'éditeur, et « l'homme d'en haut », l'écrivain moraliste, quand il ne parvient plus à associer l'homme d'action et l'homme de pensée, c'est alors qu'il plonge dans ses périodes de mélancolie aiguë, où nous allons bientôt devoir le suivre. « Le goût de l'action et celui de la vie intérieure ne peuvent se partager un cœur sans le déchirer. »

*

Retenons l'aveu, et revenons à « la chose littéraire », à sa Maison. Celle-ci, quand il se met à écrire, a l'assurance d'un navire amiral. En 1928, tous ses grands auteurs ont définitivement assis leur réputation. Mauriac a derrière lui *le Désert de l'amour*, qui a obtenu le grand prix du roman de l'Académie française en 1925. Le voilà comblé. L'année précédente, si l'on en croit Maurice Martin du Gard, il se plaignait à son éditeur, au cours d'un dîner chez lui, d'être sans couronne.

> Grasset, repris par son tic, raconte Martin du Gard, avait l'air de chasser les mouches avec sa mèche.
> — Aujourd'hui, je n'édite plus que des livres qui peuvent très bien s'en passer, du Goncourt !

Mauriac, à ces mots, s'étrangla de rire :

— Bernard Grasset est impayable !

Mais voyant que son éditeur ne prenait pas bien cette explosion :

— Qu'est-ce que j'ai dit ! Que Dieu me pardonne ! *(Puis sec :)* Eh bien ! Grasset, n'en parlons plus. C'est vous qui l'aurez voulu. A Lucien Fabre le Goncourt ! Jacques de Lacretelle a eu le prix Femina-Vie heureuse pour *Silbermann* et Morand celui de la Renaissance, l'année dernière, avec *Ouvert la nuit*.

— Non ! *Fermé*, et en avril.

— Cela ne change rien à l'affaire. Il reste que je suis le seul de ma génération à n'avoir pas été couronné. Je n'ai rien. Pas un prix. Jamais[1] !

Thérèse Desqueyroux sort en février 1927 et « marque l'accession de François Mauriac à la maîtrise totale de son art[2] ». Un an plus tard, suivra *Destins*.

Paul Morand, qui, en 1925, a quitté la rue de Penthièvre pour l'avenue de Suffren, publie *l'Europe galante*, fait le tour du monde, séjourne chez Paul Claudel au Japon, revient à Paris et se fait mettre en congé de l'Administration pour vivre de sa plume. Il acquiert l'Orangerie, à Villefranche-sur-Mer, tandis que paraît *Rien que la Terre*, synthèse de ses nombreux voyages. En 1927 et 1928, « les Cahiers verts » accueillent *Bouddha vivant* et *Magie noire*. On le croit en Asie, il est en Europe ; on le croit en Afrique, il est aux États-Unis. Après un mariage avec Hélène Chrissoveloni, princesse Soutzo, « l'homme pressé » passe de l'avenue de Suffren à l'avenue Charles-Floquet, quand il ne s'installe pas aux Haies, près de Rambouillet. La rue des Saints-Pères est sa seule adresse qui ne change pas.

Si Montherlant n'a pas, avec *les Bestiaires* et *la Petite Infante de Castille*, franchi le seuil qui sépare la notoriété de la célébrité — il devra attendre *les Célibataires*, qui paraît en 1934 —, il a su imposer son style, son refus de toute complaisance aux clins d'œil, à la facilité.

André Maurois, enfin, allait battre en 1928 les records de tirage avec *Climats*. On l'avait surnommé « Richard O'Maurois » et il avait été convenu que le jour où les premiers cent mille seraient atteints, il offrirait un déjeuner à l'état-major de la Maison. Henry Muller se souvient de ce repas, qui eut lieu à Neuilly, au domicile des Maurois :

Le déjeuner de la « centième » se déroula dans la plus franche gaieté ; je ne dis pas que Bernard Grasset et Joseph Peyronnet ne surveillaient pas, sans une petite inquiétude, les teints de Brun et de Rouanet qui rosissaient, mais il n'y eut aucun accroc grave... André Maurois ne se départit pas un seul instant de son sourire où il entrait sans doute quelque indulgence. Au café, Bernard Grasset nous congédia, je dis bien : non le maître de maison, mais Bernard Grasset ; et par un message qu'il glissa à l'oreille de l'un de nous, avec mission de le transmettre discrètement aux autres et qui était du genre : « Maintenant, foutez le camp, en vitesse. » Il désirait demeurer seul avec son auteur pour entamer une conversation sérieuse[3].

Alors que « les quatre M » s'épanouissaient, *les Conquérants*, d'André Malraux, publié en feuilleton dans la *NRF* en même temps que paraissait *Remarques sur l'action*, allait connaître un grand succès dès sa sortie en librairie, sous les couleurs de Daniel Halévy. La critique fut unanime. Jusqu'à Souday dans *le Temps*, qui accordait à l'auteur du « mouvement », de « l'éclat ». Paul Morand assurait que des *Conquérants* datait une nouvelle alliance entre l'écriture et le vécu. On en parla pour le Femina et le Goncourt. Selon Louis Brun, Grasset aurait très mal vécu le contraste entre cette débauche de compliments et le sort réservé à *Remarques sur l'action*. Ses relations avec son auteur se seraient brusquement refroidies. Ce qui expliquerait l'étonnante indifférence avec laquelle il laissa filer Malraux chez Gallimard. Il ne fit rien, en effet, pour le retenir, quand tout aurait dû l'inciter à le garder : *la Voie royale*, dernier livre de Malraux qu'il édita, obtint le prix Interallié en 1930, et chacun devinait que le jeune « révolutionnaire », l'ancien condamné de Saigon, démarrait une carrière prometteuse. André Fraigneau croit que cette indifférence de l'éditeur a des raisons plus profondes : « Je n'aime pas du tout le style tremblé de Malraux, me disait Grasset, faisant le geste du photographe qui brouille volontairement l'image, par esthétisme. »

« Les quatre M », Malraux et aussi Giraudoux, dont *Bella* provoque un mini-scandale. *Bella*, satire politique maquillée en roman, met en scène le clan des Berthelot, que déteste Giraudoux, et celui des Poincaré, qui a ses faveurs. La netteté avec laquelle sont décrits les personnages — les Dubardeau et les Rebandart — ne trompa aucun initié. Et puis encore *Mort de la pensée bourgeoise*, d'Emmanuel Berl, dont Grasset s'étonnait qu'il fût soutenu par les banquiers et qui reçut dans les journaux un accueil empressé. Si on le combat parfois, on en parle surtout. « Voyez-vous, Brun, nos bourgeois n'aiment rien de plus que d'être fessés ! » Et aussi tous les auteurs aux noms moins prestigieux mais dont chaque ouvrage est un succès commercial : le navigateur solitaire Alain Gerbault, le voyageur Francis de Croisset et, à partir de 1930, l'aventurier, l'écrivain corsaire Henry de Monfreid. Ces auteurs n'entraient pas dans le champ des préoccupations de Grasset. Ils « appartenaient » à Louis Brun.

*

Il serait fastidieux d'énumérer les productions littéraires de la

Maison durant ces années vingt. Quelques repères suffisent pour
en mesurer l'importance. Pourtant, dans ce bref aperçu, quelque
chose manque, quelque chose qui encombrait alors la scène littéraire : le surréalisme. C'est un mot qui semble totalement étranger
à l'éditeur et on ne le trouve guère sous sa plume. Une absence
très révélatrice de ses goûts, bien sûr, mais aussi de sa stratégie
éditoriale. S'il n'y a pas, rue des Saints-Pères, de « chapelle » sur
le modèle de la *NRF*, il y a un « style Grasset ». Et l'on peut
glaner dans ses différents ouvrages d'abondantes remarques sur le
style et le cheminement de l'écriture, tels qu'il les concevait. Le
surréalisme n'y a pas sa place.

Il fut un moment tenté, en 1920, quand il s'agitait dans tous les
sens, de concurrencer les Éditions du Sans-Pareil que dirigeait
René Hilsum, et qui avaient déjà publié Breton, Cendrars, Morand, Eluard, Soupault, Aragon, Picabia, lesquels représentaient
alors les mouvements dadaïste et surréaliste. *Les Champs magné-
tiques*, d'André Breton et de Philippe Soupault, sans doute le livre
le plus célèbre du surréalisme, paraît cette année-là.

Grâce aux bons offices d'une vieille amie d'avant la guerre,
Marie de La Hire, Grasset rencontra, au début de juillet 1920,
Francis Picabia, qui venait d'achever *Jésus-Christ Rastaquouère*. Il
se dit intéressé mais souhaita des aménagements du texte : « Je
crois vraiment que si vous consentiez à adoucir légèrement le
manuscrit sur les points indiqués qui touchent surtout l'ordre
religieux, je pourrais être votre homme, et je crois pouvoir vous
assurer que, publié chez moi, votre livre aura un très grand
rayonnement. » Picabia, sensible aux « conditions avantageuses »
que lui proposait l'éditeur, accepta quelques corrections. Mais,
vingt jours plus tard, Grasset se ravisait, pressentant qu'il n'avait
pas vocation à publier ce genre de littérature et, sans doute,
persuadé qu'avec le temps les porte-drapeaux du surréalisme
s'amenderaient et pourraient rejoindre sa Maison. Joseph Delteil,
Blaise Cendrars, et même Philippe Soupault allaient lui donner
raison.

> Je viens de lire de très près votre petit volume, *Jésus-Christ Rasta-
> quouère*, écrivait-il le 27 juillet 1920 à Picabia. Je vous ai dit la très
> sincère admiration que j'avais pour cette étude dont la première lecture
> m'avait beaucoup frappé ... J'ai tout bien pesé, et me suis rendu compte
> que les choses qui seraient à modifier font trop corps avec l'ensemble
> pour qu'elles puissent être modifiées. Je suis donc obligé, à mon grand
> regret, de renoncer à être votre éditeur...

Francis Picabia se verra, en mars 1924, refuser un autre manuscrit, qui sortait « trop du cadre » des publications de la Maison.

Un an auparavant, Tristan Tzara avait connu le même sort. Il avait remis à Grasset *les Sept Manifestes dada*.

> Je n'ai pas besoin de vous dire que j'ai pris personnellement à cette lecture un très vif plaisir, mais je ne vois vraiment pas la possibilité d'être votre éditeur en la circonstance. Je croyais, en effet, quand Radiguet m'avait parlé de votre œuvre, qu'il s'agissait d'une sorte d'exposé histo-rique et critique du mouvement dada. Un tel livre me conviendrait peut-être, en effet, mais s'il était écrit d'un point de vue extérieur... Comme je n'ai pas pris position moi-même dans le mouvement dont vous êtes un des chefs, j'estime que votre œuvre serait tout à fait isolée dans ma production et que son lancement serait, de ce fait, presque impos-sible par moi[4].

En 1923, le mouvement dada se mourait. Le procès de Maurice Barrès, organisé le 13 mai 1921, révéla ses divergences internes. Sous l'impulsion d'André Breton, qui prônait l'efficacité, Dada allait passer à l'action, désigner des victimes et se muer en justi-cier. De ce jour date la rupture entre la violence anarchiste dada — illustrée par Tzara, Picabia, Ribemont-Dessaignes — et la volonté organisatrice, « institutionnelle », de ceux qui, derrière Breton, fonderont le surréalisme. La soirée du *Cœur à gaz*, au théâtre Michel, en juillet 1923, signa la fin de l'activité dada dans le domaine public: les partisans de Breton firent irruption et interrompirent la représentation de la pièce de Tzara. Grasset, qui n'arrivait pas à lire cette littérature, comme il le confia à Tisné, n'avait, dans cette atmosphère de fin de règne, aucune raison de soutenir Tristan Tzara. Mais il n'alla pas davantage vers les surréa-listes, qui reprirent le flambeau de la « liberté totale », du « dé-sordre », de la « vraie vie », de la « négation ».

Ceux qui acceptèrent de figurer à son catalogue durent s'assagir. « Bernard Grasset a conseillé à Joseph Delteil, en lui offrant un contrat fort avantageux, de changer de cap, affirme Philippe Soupault. Ce qu'il n'a pas hésité à accepter, et il a renié le surréalisme[5]. » Ce n'est pas Grasset mais Delteil lui-même qui suggéra ce « contrat » avantageux: ou l'éditeur lui paie une men-sualité de 3 000 francs à valoir sur les droits de sa *Jeanne d'Arc* — qui paraîtra dans « les Cahiers verts » en 1925 et obtiendra le prix Femina —, ou il reprend sa liberté, soit totalement, soit provi-soirement:

> Voilà des choses précises, mon cher ami, écrit-il à Brun le 2 no-vembre 1924. C'est que l'heure des précisions est venue. Et Bernard Grasset me fait un peu l'effet d'un confesseur ou d'un écrivain et non pas d'un homme d'affaires. Mais je fais appel à vous, à votre amitié (vous savez que c'est la seule dont je sois sûr dans la Maison) pour régler cela le plus tôt possible car tous mes projets sont suspendus à cette décision.

Nos surréalistes, thuriféraires de la « vraie vie », gardaient, tout de même, le sens des réalités...

Certes, Philippe Soupault, quand il donna à Grasset ses trois romans, *les Frères Durandeau*, *En joue*, *le Cœur d'or*, n'eut pas à se « renier », puisqu'il cessa de participer activement, dès 1925, au groupe surréaliste, et qu'il se mit à voyager. N'est-ce pas surtout que le style de Soupault est « lisible » et « de facture traditionnelle » en dépit du lyrisme, du ton désabusé? La *Jeanne d'Arc* de Delteil, bouffonne, dionysiaque, outrageusement caricaturale, inspirée par un dieu cosmique, panthéiste, est également très « lisible ». Qu'elle soit devenue, aussitôt, le symbole de la littérature tapageuse, scandaleuse, n'effraya nullement l'éditeur: ce n'était pas le surréalisme qui le gênait, c'était l'écriture, le charabia dont certains disciples abusaient pesamment. « Surréalisme, populisme, etc., ce sont des mots, expliquait-il à un journaliste. Il n'y a pas de genres, de tendances en littérature. Il y a des écrivains... bons ou mauvais[6]. » Nul doute que Grasset, si l'occasion s'était présentée, aurait accepté avec enthousiasme d'éditer *Nadja* d'André Breton.

Il essaya d'attirer Max Jacob, répondant au vœu qu'avait toujours exprimé leur ami commun, Raymond Radiguet. Il n'y parvint pas.

Quant à Blaise Cendrars, dont le nom restait lié dans son esprit au dadaïsme et au surréalisme, il partageait avec lui le même caractère entier, le même amour de l'édition — Cendrars s'occupait des Éditions de la Sirène —, la même admiration pour Péguy. Les deux hommes étaient faits pour s'entendre. C'est Edmond Jaloux qui, le premier, regarda avec intérêt l'œuvre de Cendrars, lequel commençait aussi à lorgner vers cet éditeur qui venait de lancer *Maria Chapdelaine*. Grasset, pendant les mois qui précédèrent la sortie de *l'Or*, en mars 1925, était à Divonne. Cendrars travaillait sous la protection de Brun. La seule intervention de l'éditeur concerna le titre, qui était, initialement, *Johann August Suter*, et qui constituait, par sa longueur, « un obstacle absolu à toute publicité efficace ». Il proposa *Midas*, avec, au-dessous, en petits caractères: « La merveilleuse histoire du général August Suter. » Quelques jours plus tard, Cendrars débarquait rue des Saints-Pères avec son titre de trois lettres, *l'Or*.

Ce roman, écrit en six semaines, d'une concision qui ne laisse subsister que le pur schéma de l'action, fut reçu comme un livre classique. L'éditeur, visiblement ravi de lancer un compagnon de route du surréalisme, ancien initiateur, avec Apollinaire, de « l'Esprit nouveau », joua de cette réputation dans le prière d'insérer: « Blaise Cendrars, qui fut, lui aussi, mais avant tous autres, dadaïste, surréaliste, etc., nous donna, même dans cette formule outrancière, des œuvres remarquables qui lui valurent une réelle célébrité dans le petit monde des Lettres... *L'Or* est son premier roman[7]. »

Joseph Delteil, Philippe Soupault, Blaise Cendrars... Il faut ajouter à la liste Éric de Haulleville et surtout Georges Ribemont-Dessaignes, l'un des fondateurs du mouvement dada avec Marcel Duchamp et Francis Picabia. Haulleville et Ribemont-Dessaignes furent parmi les vingt-huit signataires, en compagnie de Breton, Crevel, Soupault, Ernst, Artaud, Aragon, etc., de la fameuse « Lettre ouverte à M. Paul Claudel, ambassadeur de France au Japon ». Cette lettre avait été placée sur les assiettes au banquet que les admirateurs et amis de Saint-Pol Roux offrirent au poète symboliste, le 2 juillet 1925, à la Closerie des Lilas. Le dadaïsme et le surréalisme, avait déclaré Claudel, « ont un seul sens: pédérastie ». La réponse fut à la hauteur de l'accusation:

> Nous saisissons cette occasion pour nous désolidariser publiquement de tout ce qui est français, en parole et en action. Nous déclarons trouver la trahison, et tout ce qui, d'une façon ou d'une autre, peut nuire à la sûreté de l'État, beaucoup plus conciliable avec la poésie que la vente de « grosses quantités de lard » pour le compte d'une nation de porcs et de chiens.
>
> C'est une singulière méconnaissance des facultés propres et des facultés de l'esprit qui fait périodiquement rechercher leur salut à des goujats de votre espèce dans une tradition catholique ou gréco-romaine. Le salut pour nous n'est nulle part. Nous tenons Rimbaud pour un homme qui a désespéré de son salut et dont l'œuvre et la vie sont de purs témoignages de perdition.
>
> Catholicisme, classicisme gréco-romain, nous vous abandonnons à vos bondieuseries infâmes. Qu'elles vous profitent de toute manière ; engraissez encore, crevez sous l'admiration et le respect de vos concitoyens. Écrivez, priez et bavez ; nous réclamons le déshonneur de vous avoir traité une fois pour toutes de cuistre et de canaille.

Évidemment, on est à mille lieues de « l'image » des productions Grasset. A l'époque, Gaston Gallimard lui-même est loin d'approuver l'indulgence que la « subversion » rencontre sous son toit. Mais cette « subversion » répond à sa politique éditoriale. En revanche, les quelques avant-gardistes qui franchiront le seuil du 61, rue des Saints-Pères le feront en laissant au vestiaire le style de certaines outrances « révolutionnaires », spécifiques au mouvement qui les avait abritées. Haulleville et Ribemont-Dessaignes n'échapperont pas à la règle.

> Nous sommes tous plus ou moins grammairiens, écrit Grasset. Nous poursuivons tous, avec une passion inégale, l'exacte concordance de

notre pensée et de sa forme. Nous savons tous que « bien écrire » doit
s'entendre : « bien penser ». Enfin nous savons que notre langue est ainsi
faite que l'imitation ou le mensonge peuvent y trouver place sans
apparaître comme imitation ou mensonge. Nous tenons ainsi à notre
langage comme à notre nature, ou, si l'on veut, à notre vérité.

Savoir épouser, avec le plus d'exactitude possible, les contours
de la pensée, dans sa plus sensible nudité, telle est, pour lui, la
vocation de la forme, du style. Qu'en est-il, alors, de la nouveauté
en littérature ?

Il n'est pas de création absolue ; je veux dire que les chemins que suit
notre pensée sont nécessairement des chemins qui ont été suivis. Seule la
forme que nos donnons à notre pensée est, si nous sommes sincères,
nécessairement une construction originale ; j'entends par là qu'il n'est
pas possible qu'à une époque quelconque, un autre ait pu faire exactement la même construction[...]. Ce n'est donc pas l'idée même qui est la
découverte, mais sa forme. Ainsi tout est plastique.

Encore faut-il s'entendre sur le mot « forme ». Ne serait-ce
qu'une sorte d'habit, de parure de la pensée ? Non, répond l'éditeur, qui, pour illustrer son opinion sur la nature et les qualités du
style, fait une comparaison assez inattendue avec le sport :

Chers sportifs, qui vous dites étrangers aux manières de l'esprit,
peut-être avez-vous retenu de l'école que le style est quelque chose de
surajouté à la pensée. Si c'est cela qu'on vous a enseigné, il faut d'abord
désapprendre. Style, c'est tout le contraire d'ornement... Style, dans le
jeu, c'est manière qui plaît, élégance. Mais c'est aussi efficacité. Le coup
heureux n'est pas seulement celui qui plaît, mais celui qui porte. Ainsi en
littérature. L'écrit heureux, c'est celui qui, tout à la fois, atteint son but
et donne du plaisir... Un écrivain a gagné quand le lecteur est conquis
sans que celui-ci songe même à se demander s'il a été séduit ou convaincu. Et cette conquête, il la doit à son style[...]. Que de fois avez-vous
entendu ou donné ce conseil à des débutants : « Jouez donc avec tout
votre corps. » On joue avec tout le corps ; et même, doit-on dire, avec
l'être entier, car l'âme aussi a son emploi dans le jeu. Cette manière
entière, c'est le style. Ainsi en littérature.

Sa curiosité pour la gestation de l'œuvre, le travail souterrain
préparant son éclosion, l'attitude particulière de chaque écrivain
en face de son inspiration, les cheminements de l'écriture, ne
pouvait que renforcer ses a priori. S'il est parfaitement conscient
qu'une certaine liberté, voire négligence du style sont la marque
des meilleurs écrivains, il ne les confond pas avec le manque de
goût ou l'indifférence aux règles essentielles du français. Il est et
restera un « classique ». Ses libertés sont celles « que les plus
grands peuvent prendre avec leur langue du fait qu'ils la possèdent

et n'en n'ignorent ni les habiletés, ni les détours ». Il s'agit donc d'une sorte de nonchalance, d'abandon à la pensée — seule chose qui importe —, d'une simplicité repoussant tout attrait… « Il n'est pas de public médiocre ; il n'y a que de mauvais écrivains. Pour moi, je crois que tout est à la portée du nombre, si les choses sont dites avec les mots de tous. »

*

Pour mieux encore affirmer et afficher ses goûts, c'est à ce moment qu'il inaugure une collection dont le titre ne laisse planer aucune ambiguïté : « Pour mon plaisir ». Vers la fin de 1928, réfléchissant avec nostalgie sur les premières heures de sa Maison qui vient d'atteindre l'âge de la majorité, il décide d'avoir sa danseuse, comme il l'explique à Brun. Certains y verront un signe supplémentaire de sa mégalomanie. Il veillera sur sa collection avec une attention aussi jalouse que soutenue et les auteurs ne s'en plaindront pas. Le label « Pour mon plaisir » garantit un très bon lancement, et peut-être un beau succès.

Jacques Chardonne, Irène Némirovsky, Jean Cocteau et Jean Giono furent ses premiers choix. On était en 1929. Giono avait déjà donné *Colline* aux « Cahiers verts ».

Cocteau, vieil ami de la Maison, n'y avait jamais rien publié. Stock et Gallimard étaient ses deux principaux éditeurs. Pourquoi se décida-t-il à donner à Grasset un texte qui devint son roman le plus célèbre, *les Enfants terribles* ?

> Personne, affirme André Fraigneau, n'a cru dans cette œuvre, sauf Bernard. Je fus témoin de l'excitation qui le saisit en découvrant ce livre qui part du réel — souvenirs d'enfance, cité Monthiers, la chambre, le frère et la sœur — pour s'élever à l'allégorie. Cocteau avait écrit en trois semaines, au mois de mars 1929, *les Enfants terribles*, à raison de dix-sept pages par jour. Il existait entre Grasset et Cocteau une amitié vraie, forte. Comment s'exprimait-elle, d'où venait-elle ? L'intelligence, la folie et les extravagances de Bernard plaisaient à Cocteau. Il y avait aussi que l'éditeur l'accueillait à grands frais quand lui se vivait en poète maudit[8].

Dédaigné par la NRF, poursuivi d'une « étrange haine » par les surréalistes, Jean Cocteau, alors, se sentait un « paria des Lettres ». André Fraigneau, un de ses intimes, venait d'entrer comme stagiaire rue des Saints-Pères. Chargé de la lecture d'un certain nombre de manuscrits, il rédigeait des rapports dans un style très inhabituel : quinze lignes maximum pour chaque manuscrit. Grasset en fut impressionné. Cette rapidité, cette faculté de synthèse lui plaisaient. « Vous lirez pour moi », décida-t-il. Fraigneau devint ainsi l'un de ses plus proches collaborateurs. C'est lui qui découvrit Marguerite Yourcenar.

Bernard ne l'a jamais rencontrée. Il accepta, en 1931, *la Nouvelle Eurydice* dans sa collection « Pour mon plaisir ». Je l'entends me dire : « Mon petit, il n'y a que de la qualité là-dedans. » Quant à moi, j'ai porté pendant dix ans, à bras-le-corps, Yourcenar, qui publia cinq ou six livres rue des Saints-Pères. Elle a commencé à vendre après la mort de Grasset... Chez qui ? Chez Plon d'abord, avec *Hadrien*, et chez Gallimard, bien sûr[9] !

A l'instar de Jean Cocteau, Chardonne et Némirovsky faisaient, eux aussi, leur entrée dans la Maison.

Jacques Chardonne, alias Jacques Boutelleau, avait, en 1921, racheté, avec Maurice Delamain, les éditions Stock, et il en était, depuis, le directeur littéraire. Il connaissait son confrère Grasset depuis plusieurs années. Chardonne était son pseudonyme d'écrivain. Il l'avait emprunté à un village suisse, au-dessus de Vevey, là où il composa *l'Épithalame*, son premier roman qui fit sensation. Né en 1884, petit-fils de Theodore Haviland, Jacques Chardonne, doué d'un certain sens des affaires acquis dans les milieux porcelainiers de Limoges, est venu assez tard à la littérature et se révélera par un sens aigu de la complexité des âmes, une profonde évocation de la vie intérieure du couple marié.

Après *l'Épithalame* (1921) et *le Chant du bienheureux*, l'éditeur ne cessa plus de l'assaillir pour qu'il lui donne une partie de son œuvre. « J'ai lu, hier dimanche, la moitié de votre roman, lui écrivait-il en décembre 1927 à propos du *Chant du bienheureux*. J'en ai été enthousiasmé et, je dois dire, bouleversé : tout cela est trop près de moi pour que je n'en sois pas profondément troublé. Je préfère ne vous en rien dire avant de l'avoir terminé. » Tout chez Chardonne était fait pour le séduire. Le style d'une grande pureté, l'analyse subtile de nos sentiments les plus secrets, l'optimisme nostalgique. L'auteur finit par céder. *Les Varais*, un roman qui conforte sa réputation de « romancier du couple », inaugura la collection « Pour mon plaisir ». Dans le même temps, pour mieux souligner l'arrivée de Chardonne rue des Saints-Pères — ce qui constituait un « triomphe » pour Grasset —, la Maison réédita *l'Épithalame*.

Irène Némirovsky, née à Kiev en février 1903, fille d'un grand banquier, avait réussi avec sa famille à gagner la Finlande, la Suède, puis la France, au moment de la révolution bolchevique d'octobre 1917. Élevée par une gouvernante française, notre langue était, autant que le russe, sa langue maternelle. A Paris, son père refit fortune. Elle poursuivit des études de lettres à la Sorbonne tout en publiant des contes dans divers journaux et revues.

C'est ainsi qu'elle envoya à Grasset, sous le pseudonyme de M. Epstein, « poste restante Paris-Louvre », un manuscrit sans titre. « Il ne m'est arrivé qu'une fois, dans ma carrière, confiera Henry Muller, d'ouvrir les pages d'un roman signé d'un nom inconnu et de connaître la joie profonde de la découverte. C'était le soir [...]. Je demeurai plongé dans ma lecture jusqu'à 8 heures, oubliant tout ; je repris des passages, de plus en plus enthousiaste. » Grasset partagea la même opinion que son collaborateur et il écrivit à M. Espstein en lui demandant de passer de toute urgence pour signer son contrat. Personne ne vint. On fit paraître une annonce dans les journaux : « Cherche auteur ayant envoyé manuscrit aux éditions Grasset sous nom Espstein. » Irène Némirovsky, qui venait d'accoucher, se présenta enfin rue des Saints-Pères et tout fut réglé en moins d'une heure. L'éditeur la prenait sous son aile, dans *sa* collection « Pour mon plaisir ». Elle décida de donner pour titre à son roman le nom du héros, David Golder, vieil homme mal aimé, joueur désabusé et cynique, qui saisit l'ultime occasion de redevenir riche. Salué par la critique comme un chef-d'œuvre, *David Golder* remporta un succès immédiat. L'année suivante, en 1930, Irène Némirovsky publiait *le Bal*, superbe nouvelle qu'elle avait écrite d'un trait entre deux chapitres de *David Golder*. Ce récit d'une terrible vengeance imaginée par une adolescente que désespèrent la futilité et l'incompréhension de sa mère offrit à Danielle Darrieux son premier rôle à l'écran.

Avec Chardonne, Cocteau, Némirovsky, Giono, puis « les quatre M », Giraudoux, Châteaubriant, Yourcenar, Colette, Bernanos, « Pour mon plaisir » devint le fidèle reflet des goûts de l'éditeur, l'expression de cet « art d'écrire » dont il se voulait le théoricien. Qui, plus que tous ces auteurs, pouvait en effet prétendre représenter avec naturel, avec « les mots de tous », et sans perdre le meilleur de soi-même, ce style mêlant « la perfection et la nonchalance » ?

*

En dépit de cette collection qui est « sa griffe », en dépit des moyens qu'il déploie pour la lancer, la rigueur du temps, à l'aube de 1930, l'oblige à reprendre l'offensive. Depuis qu'il s'affiche en moraliste, en professeur de son métier, depuis qu'il prétend s'établir au-dessus des petits jeux de la « chose littéraire », il donne l'impression de s'être retiré sur son Aventin. Au retour d'une cure, il revient sur terre.

L'euphorie des Années folles touche à sa fin. La crise économique mondiale s'étend. La France à son tour est concernée. La Maison, portée par des noms glorieux et qui se vendent fort bien, vit dans un confort relatif. Elle vit surtout sur la lancée d'une croissance très rapide — trop rapide — qui a caractérisé la dernière décennie. Pour tenir ce rythme, à l'heure où l'activité fléchit, Grasset est de plus en plus confronté à des problèmes de trésorerie. Il a besoin d'argent frais. Il décide de transformer sa Maison en société anonyme.

Le 10 juin 1930, le statut des « Éditions Bernard Grasset » est homologué par Mᵉ Girardin, notaire à Paris. Le capital est de 9 500 000 francs, divisé en trente-huit mille actions de 250 francs chacune. Pour prix de son apport personnel — le fonds de commerce d'édition qu'il a créé — Grasset reçoit vingt-huit mille huit cents actions. Une majorité très confortable. Son oncle, l'amiral Grasset, est nommé président du conseil d'administration, tandis qu'il s'attribue la gérance et la direction générale de la société. « Je dois reconnaître que si, comme l'on dit, j'avais eu de l'argent de côté, cette opération n'aurait pas été nécessaire. La chose d'ailleurs me coûta: à peu près comme le partage d'un enfant. Et puis, j'étais mal à l'aise dans les méandres des statuts, des conseils, des assemblées d'actionnaires, des rapports de commissaires aux comptes. »

*

Dans cette atmosphère de morosité, trouvant que le jeu sommeillait, il partit brusquement en guerre contre le roman. A Maurice Laporte, qui enquêtait sur la crise du livre, début avril 1931, pour *la Revue française*, il explique tout de go que les éditeurs se sont habitués à publier n'importe quoi. Certains s'y font et acceptent sans protester une intoxication à échéance « fatale pour l'esprit ». Lui-même, il en convient, n'a pas su freiner son appétit. Il a décidé de réagir, et il brûle tout, ou à peu près tout, ce qui faisait la fortune de sa Maison:

> Nous sortons d'une inflation littéraire qui a desservi les lettres. Les difficultés de la vente nous ramènent, avec brutalité, à une production normale. C'est un bien... On parle depuis longtemps déjà de l'abus de publicité, de la trop grande indulgence à la fois des éditeurs et du public. Tout cela est vrai. Mais il faut remonter plus loin dans les causes pour expliquer ce qui se passe actuellement. Il faut, selon moi, reconnaître que le public s'est lassé du roman. Sans doute les deux ou trois romanciers d'une génération auront toujours leur public, mais le « genre roman » ne sera plus considéré, je crois, comme le moyen offert à tous de placer n'importe quoi... Je suis, pour ma part, décidé à décourager de la façon la plus brutale tous les faux talents de romancier. J'entends ainsi, évidemment, les neuf dixièmes de ceux qui écrivent des romans... Trop de livres inutiles ont paru depuis quinze ans.

Le Landerneau des lettres est pantois. On sourit plus qu'on ne s'inquiète. Chez Grasset, toute initiative, qu'elle semble ou non spontanée, est toujours liée à sa passion du moment. Et sa passion du moment l'entraîne vers les écrivains étrangers. Il ne jure plus que par Mary Webb, Stefan Zweig, et surtout Friedrich Sieburg, dont le *Dieu est-il français ?* est un gros succès. « La chose littéraire est devenue depuis quelque temps chose internationale. » C'est sa nouvelle devise.

Il avait, jusque-là, édité assez peu d'ouvrages traduits de l'étranger. Avec *Dieu est-il français ?* il frappa un coup de maître. Ce fut une amie allemande, Hélène Eliat, qui lui conseilla, raconte Henry Muller, de se faire traduire des passages de *Gott in Frankreich* (« Dieu en France »). Ce titre est la fin d'un proverbe germanique : « Heureux comme Dieu en France. » L'éditeur acheta les droits du livre et confia la traduction à Maurice Betz, traducteur de Rilke. Il jugea le texte de Betz plat, sans vie et sans pittoresque. Irrité, Betz se dégagea de l'entreprise. « Alors Bernard Grasset put se livrer tout à son aise à son travail de métamorphose. Adaptant le style de l'écrivain allemand au français, élaguant, éclaircissant, il fit du volume allemand de trois cent soixante pages un élégant livre français de deux cent quatre-vingts. »

Il trouva le nouveau titre, *Dieu est-il français ?*, et signa une postface, longue réponse, en forme de lettre, aux impressions de Friedrich Sieburg sur notre pays. Le représentant du *Frankfurter Zeitung* à Londres, où il résidait alors, réagit violemment au remodelage de son livre, s'indigna des coupures pratiquées, pesta contre la postface. Mais, très vite, la popularité dont jouissait son *Dieu est-il français ?* adoucit sa colère et il se montra beau joueur. Dès que la situation internationale se tendit, que Hitler triompha, que les risques d'une guerre se multiplièrent, la position de Sieburg à Paris devint de plus en plus inconfortable. Il fut soupçonné d'être un espion, un nazi, un agent à la solde de la Gestapo. Ce qui serait « entièrement faux », estime Muller.

En tout cas, la « lettre » de Grasset à Sieburg est un texte si anti-allemand que l'on ne comprend pas qu'elle ait pu être rééditée en 1942, en pleine Occupation. Comme on ne comprend pas que l'éditeur n'ait pas su mieux utiliser cette pièce essentielle pour sa défense au moment de l'épuration de 1944. Ce qu'il écrivait en 1930 est d'une troublante et orgueilleuse lucidité. « Lettre » prémonitoire, qui vaudrait d'être intégralement citée et qui porte témoignage de la qualité de son patriotisme.

Pour lui, la France porte en elle une force si nécessaire au bien du monde qu'elle n'a pas le droit de l'en priver. Nous serions le peuple le plus qualifié pour mettre de l'ordre dans « les choses » de l'homme. « Je crois bien que c'est notre vraie gloire d'être le plus humain des peuples. » Seule parmi toutes les nations, la France se trouve capable d'exprimer par le mot « civilisation » ses biens les plus sacrés. Elle parle au cœur. Au regard de cette vérité française, quelle est la vraie querelle, toujours pendante, toujours dangereuse, entre notre pays et l'Allemagne?

> C'est sur le mot « homme » que nous ne parvenons pas à nous entendre, et sur le mot « progrès », et sur le mot « culture »; pour tout dire, sur ce qui importe et vaut d'être poursuivi... Pour nous, « culture » c'est « esprit »: pour vous *Kultur* c'est « puissance »; et nous sommes ainsi amenés à reconnaître que votre puissance est elle-même son propre but.

Pouvait-on plus franchement exprimer le divorce entre les principes qui déterminaient l'Allemagne et ceux qui conduisaient la France? Pouvait-on, en 1930, alors que la voix de Hitler n'était qu'un inquiétant murmure qui ne recouvrait pas encore le Reich et l'Europe, mieux dénoncer l'ennemi qui guettait?

> Pour vous, écrit l'éditeur à Sieburg, la *Kultur*, c'est un ensemble de connaissances et de moyens qui tout à la fois permettent et justifient la domination d'un pays sur les autres. Aussi, comprenez-vous dans votre *Kultur* à la fois les derniers perfectionnements du téléphone et de l'armement, qui vous paraissent préparer votre triomphe, et les œuvres immortelles d'un Goethe qui vous semblent le justifier... Oui, nous sentons le danger. Qu'un peuple ait détourné de leur sens humain les deux mots les plus humains de notre langage, le mot « progrès » et le mot « culture », que ce peuple voie, avant tout, dans le progrès un moyen de conquête, et dans la culture la justification de la conquête, il y a là de quoi renforcer singulièrement le sévère jugement que porte sur ce peuple notre humanisme.

Tout se joue autour de ce mot « *Kultur* », que les Allemands, explique-t-il, traduisent par le mot « civilisation » et dont ils font un principe de supériorité. A cette *Kultur* il oppose une « certaine notion de l'homme ». Et ce qu'il dit de l'Europe, de cet « esprit européen » qui servira les noirs desseins de la domination hitlérienne, résonne comme un avertissement:

> A plusieurs reprises, dans votre livre, vous reprochez à la France de n'avoir pas le « sens européen », plus exactement de n'avoir pas pris conscience des besoins communs de cette chose que vous appelez « Europe »... Un Français se sent d'abord un Français, et puis, il se sent un homme... Nous sommes un peuple de moralistes; c'est là, je crois bien, la vraie source de notre prétention.

Plus loin, il ajoute:

> Vous êtes passés maîtres, nous en convenons, à fabriquer de la puissance. Mais cette puissance, qu'est-elle donc destinée à servir?

Certains de chez vous ont répondu : « Notre culture. » Nous ne saurions les comprendre... Ce n'est pas un état de civilisation que vous estimez supérieur au nôtre, que vous prétendez nous imposer par votre *Kultur*, c'est simplement votre puissance.

*

Porté par le succès de *Dieu est-il français?*, soucieux d'alimenter sa croisade contre le roman, il déclenche, le 30 octobre 1931, une seconde bataille et prononce, dans *les Nouvelles littéraires*, l'oraison funèbre du prix Goncourt. C'est le début d'une belle empoignade où vont être échangées des flèches aimablement empoisonnées.

La Maison, c'est vrai, n'avait pas la faveur des prix littéraires, en dépit d'un catalogue à tout le moins enviable. 1925 fut la seule année faste. Maurice Genevoix obtenait, à l'arraché, le Goncourt avec *Raboliot*. Il avait fallu cinq tours de scrutin, les voix s'étant éparpillées sur dix-huit romans, dont *l'Homme couvert de femmes*, de Drieu La Rochelle. Auprès du jury du Femina, la *Jeanne d'Arc* de Joseph Delteil l'emporta plus aisément. En 1928, le jury Renaudot couronnait *le Joueur de triangle*, d'André Obey. Enfin, en 1930, André Malraux décrochait l'Interallié avec *la Voie royale*. Maigre bilan. Depuis sa création, la Maison avait obtenu trois fois le Goncourt, et une fois le Renaudot, le Femina, l'Interallié. Si l'on s'en tient au seul Goncourt, Gallimard avait déjà dans son escarcelle six couronnés et Albin Michel quatre.

Quand on se souvient de l'importance que Grasset attachait au Goncourt dans sa stratégie commerciale — « pour le succès d'un livre c'est dix ans de gagné », disait-il —, les performances de Gallimard lui échauffaient-elles les oreilles au point de le pousser à déclencher les hostilités? Qu'il fût contrarié de recevoir la part du pauvre dans la distribution des prix, on ne peut en douter. Mais le véritable but qu'il poursuivait n'était pas tant de bousculer le Goncourt que de faire parler de lui, de multiplier, dans cette période languissante, la publicité autour de ses auteurs et de son nom d'éditeur.

D'ailleurs, quand *Colline* de Jean Giono obtint le prix Brentano 1929, assorti d'un chèque de 30 000 francs — 120 000 de nos francs —, il mena sa publicité autour du thème : « Le Goncourt américain, pour la première fois, attribué à un roman français. » Le jury Goncourt n'apprécia guère le slogan, qu'il tenait pour un abus de confiance, laissant accroire qu'il existait un rapport entre son académie et le prix Brentano. Il en fallait davantage pour émouvoir l'éditeur. Quant à Giono, qui ne ratait jamais une occasion de dédaigner Grasset, il était on ne peut plus heureux : « Je vois d'ici, écrivait-il à Brun, la tête des libraires qui chambraient *Colline* dans une ombre prudente. *Les Nouvelles littéraires* même ont été émues. »

Après avoir enterré le roman, inventé le « Goncourt américain », Grasset s'en prenait donc, avec sa véhémence claironnante, à la mieux réussie des publicités littéraires, l'Académie des Dix. Pour être cocasse, ce l'était !

> Par ce temps de restrictions, lisait-on dans *le Coup de patte* du 7 novembre, on pouvait craindre que les journaux mesurassent avec une ficelle trop courte les lignes accordées aux déjeuners Drouant. L'article de Bernard Grasset a paru : toute la presse marche, nous compris.
>
> Si les statuts le permettent, l'académie Goncourt invitera le spirituel moraliste à présider son prochain banquet, et décernera son prix à l'un des poulains de son écurie... Et la terre continuera de tourner.
>
> Bernard Grasset est un Polyeucte courageux et sage. Il casse des statues mais il numérote les morceaux. Bonne précaution : en littérature, on ne fait du neuf qu'avec du vieux.

En marge, l'éditeur a jeté : « Enfin, voilà quelqu'un qui comprend l'essentiel de moi-même ! »

Que disait-il dans sa mise à mort ? Ironisant sur la « grande épreuve littéraire » qui ne ferait plus recette, il est temps, annonce-t-il, de démonter une institution dont bientôt plus personne ne sera curieux :

> Le déjeuner Drouant ! On en défendra encore cette année les abords contre l'affluence, et peut-être encore l'année prochaine. Mais chacun sait maintenant que la gloire que les Dix y débitent est de la « gloire-papier » et déjà on s'intéresse plus à ce qu'ils ont mangé qu'à ce qu'ils ont dit. Le temps approche où le plus accommodant des journalistes refusera de se déranger pour si peu ; l'on doit même s'attendre à voir ce jury, qui, hier encore, daubait sur une publicité qui s'offrait, faire appel lui-même à cette publicité pour protéger sa fragile existence. Car il s'agit bien de l'existence de ce groupe et non pas seulement de la récompense qu'il décerne, puisque l'unique raison d'être des Goncourt est l'attribution de leur prix annuel. Les plus malins d'entre eux l'ont bien senti ; aussi se répandent-ils dans la presse pour proclamer, chacun à sa manière, l'importance de l'événement qu'ils tiennent dans leur main, pour se plaindre de ployer sous le fardeau d'un très lourd devoir ou, simplement, pour dire leur vertu.

Il soutenait aussi, ce qui de sa part ne manquait pas de sel, que le battage publicitaire avait amoindri la portée du Goncourt :

> On peut ici en croire un homme qui prit longtemps goût à cette joute annuelle, n'ayant au reste jamais manqué d'utiliser, pour le bien des Lettres, le snobisme de son temps. Les Goncourt commirent la faute de

se laisser gagner par cette passion de découvrir, de faire surgir, de créer l'événement qui marque l'époque qui s'achève ; et ce fut leur perte. Qu'une telle passion anime un éditeur, c'est, pour le moins, on en conviendra, sans danger pour les Lettres... Et puis c'est, en fin de compte, au public qu'il appartient d'apprécier la valeur de ces révélations successives. Mais quand un jury tient à ce point à surprendre, qu'il ne peut supporter qu'on pressente sa décision, quand il abandonne un candidat du seul fait qu'on en a prononcé le nom, il se trouve, on le comprend, engagé dans une voie qui conduit directement à l'absurde.

Les Dix, se plaignait encore Grasset, s'intéressent surtout, et c'est un de leurs péchés mignons, à des candidats pittoresques. Ils sont contents d'aller dénicher, chez un éditeur de province, un roman que personne n'a lu et dont l'auteur occupe une humble position ; et si l'auteur est né dans les sables, ou vit botté, parmi les hévéas, ils ne se tiennent pas de joie :

> Il s'agit d'une véritable esthétique de la misère, je dirais presque : de l'échec. Bien loin d'attirer les Goncourt, la réussite les offense, et, en deçà même de la réussite, tout ce qui est simplement affirmé. S'ils dispensent la gloire, ou plutôt cette contrefaçon de la gloire qu'on appelle la renommée, ce n'est, semble-t-il, que dans la mesure où la renommée peut sauver du besoin.

Convenons que les temps ont bien changé ! Et Grasset lui-même, vingt-cinq ans plus tard, admettra s'être lourdement trompé sur l'avenir du Goncourt, qui, loin de couronner les obscurs et de les « sauver du besoin », est un agent docile du « besoin de paraître » des écrivains. Sur le chemin des aveux, quelques semaines avant sa mort, s'adressant à Gaston Gallimard, il reconnaîtra :

> Je fus mauvais prophète en voyant la fin des Lettres dans le prestige accru du Goncourt. Aujourd'hui nous bénéficions — le mot convient — de plus de prix qu'il n'est de jours dans l'année. Et les Lettres vont leur chemin... C'était ainsi en 1931 une nouvelle ère, sinon des Lettres, du moins de l'édition, qui s'ouvrait. Vous avez saisi la chose avant moi.

En 1931, la « querelle du Goncourt » qu'il avait allumée et qui n'avait en soi rien d'original — chaque automne il y a toujours quelqu'un pour enterrer le prix — dura, cette fois, deux bons mois. Le président du jury, Rosny aîné, le benjamin, Roland Dorgelès, le pétulant Léon Daudet lui donnèrent la réplique. Son ami Jean de Pierrefeu dans l'Intransigeant, Jean Lefranc dans le Temps, Robert Kemp dans Bravo, Gabriel Boissy dans Comœdia remirent aimablement les choses au point. Mais celui qui donna à sa foucade le coup de pouce indispensable pour la transformer en événement littéraire, ce fut Jean Ajalbert, le Savonarole des lettres. Membre de l'académie Goncourt, il détenait les munitions de la contre-attaque et ne répugna pas à les employer : l'éditeur, en effet, lui avait, à plusieurs reprises, demandé de défendre ses couleurs. Chaque fois Ajalbert l'avait envoyé « se faire foutre », c'est la seule expression qui convienne. La correspondance compromettante n'en existait pas moins et notre Savonarole, menaçant de l'étaler sur la place, signa un poulet vengeur contre le « parvenu », « l'amateur innocent », le « maladroit et mauvais garçon », le « négociant industrieux », le « marchand de papier »...

> Naguère, écrit Ajalbert, ce n'était, « du côté de chez Bernard Grasset », qu'invitations, appels téléphoniques, lettres, envoi des livres postulants sur papier fastueux. Qu'y a-t-il de changé pour déchaîner un tel accès contre le prix Goncourt ? Serait-ce que depuis quelques années aucun « Grasset » n'a figuré à notre menu de décembre ?... Le Goncourt lui manque, c'est sur nous qu'il cogne. Comme si nous étions responsables de la production essoufflée où il a poussé tout son monde, à la cravache. Que de jeunes il a ainsi vidés... Vous êtes riche. Cela dégoutte de votre stylo — nouveau riche, éclaboussant de votre insolence dorée le talent « qui n'a pas su y faire ». Vous êtes riche à tout casser. Vous ne cassez rien. Vous êtes riche... pauvre Grasset !

Toute sa harangue est à l'avenant. Avec, en prime, cette flèche empoisonnée d'assez mauvais goût, lui qui connaît la fragilité mentale de l'éditeur : « N'est-ce pas trop m'attarder à chaque phrase mal embouchée de cette bouffonne agression, qui relève de la psychanalyse plus que de la saine polémique[10] ! »

Grasset réagit mollement. Il avait ouvert le feu, cela lui suffisait. Ne doutant ni de la portée de cette « querelle de l'esprit », ni de sa victoire, il écrivait, en guise de conclusion, dans différents journaux.

> Le prix Goncourt cesse désormais d'être le miracle annuel de la littérature, accompli par une assemblée de dieux. Il reprend la place qui lui revient, parmi les autres récompenses décernées à des écrivains méritants, par des juges dont le moins qu'on puisse dire est qu'ils sont aussi qualifiés que nos régents de décembre. Et s'il fallait — pour que prît fin une suprématie injustifiée, pour que les choses rentrassent dans l'ordre — qu'un éditeur vînt dire : « Je ne me prêterai plus à un jeu qui, comme tous les jeux de hasard, ne profite qu'à la cagnotte » ... eh bien, c'est fait !

Cette conclusion, à la fois prétentieuse et désabusée, devait, singulier hasard de l'Histoire, également marquer la fin de toute une période de la vie personnelle de l'éditeur. Perturbé jusque-là par cette mélancolie sauvage qui le saisissait régulièrement, son état de santé s'aggrava brusquement. Grasset était-il fou? Longtemps reçue comme une boutade, l'interrogation allait, bientôt, devenir une affirmation dans l'entourage familial et professionnel de l'éditeur. C'est le moment d'ouvrir une longue parenthèse, d'oublier cette « allure Grasset » qui déteignait sur le monde littéraire pour s'attarder sur le Grasset intime, sur ce « blessé de l'âme », comme le définissait Jean Cocteau.

« Si l'on peut me pardonner un mot un peu vulgaire d'aujourd'hui, je dirai que le "slogan" de tous les névrosés est : "La vie commencera demain." Ainsi tout se ramène à la faculté de jouir, à ce bonheur qui n'est pas une conséquence mais une capacité. »

BERNARD GRASSET

9

LE BLESSÉ DE L'ÂME

Est-il fou ? Sa famille engage un procès en interdiction. — Tout avait commencé en 1922 : un journal annonçait sa... mort ! — Il se réfugie à Divonne-les-Bains. — Quand la « caravane » s'ébranle. — Le défilé des égéries. — « L'affaire » du Bal du comte d'Orgel. — Les problèmes financiers de la Maison. — Pérégrinations de Divonne à Bordeaux. — D'une chambre d'hôtel à l'autre. — Sa rencontre avec René Laforgue, fondateur de la Société psychanalytique de Paris. — Il commence une psychanalyse.

LE SUBSTITUT. — Est-il exact que depuis quatre ans vous vous adonniez à la boisson et aux soporifiques ?

BERNARD GRASSET. — C'est inexact, je ne prends plus une goutte d'alcool. Il est vrai que, sur le conseil des médecins, pour pouvoir dormir, j'ai pris du Gardénal et des médicaments de cet ordre, mais je n'ai pas pris d'opium ou autres stupéfiants. Je n'ai qu'un défaut, c'est la cigarette ; je suis un grand fumeur.

LE SUBSTITUT. — Quelle était la cause de ce grand chagrin contre lequel vous vouliez réagir ?

B. G. — C'était la lutte contre mon idéal, les abus de tous ordres sur mon compte, dont les allusions diffamatoires sur mon état de santé.

LE SUBSTITUT. — Comment expliquez-vous les lettres que vous avez écrites en déclarant fréquemment : « Je meurs... » ?

B. G. — Je me sentais dépérir de chagrin.

LE SUBSTITUT. — Avez-vous adressé des reproches à vos médecins ?

B. G. — Je n'ai adressé de reproches qu'à un médecin, le Dr Laforgue, qui, en pratiquant sur moi la psycho-analyse pendant six ans, n'a fait que remuer tout ce fond douloureux de mon enfance très dure.

LE SUBSTITUT. — Veuillez dicter vous-même au greffier vos précisions.

B. G. — Ce médecin s'est allié aux miens, devenu actionnaire de la Société, et je l'ai quitté en novembre 1931, en présence de faits que je ne pouvais lui pardonner. Ce qui, joint à l'incompréhension et à l'esprit de lucre des miens, m'a fortement ébranlé.

LE SUBSTITUT. — Que reprochez-vous aux membres de votre famille, en particulier à vos sœurs?

B. G. — C'est un véritable assassinat moral. Séquestration à la suite d'une syncope et volonté progressive de faire disparaître un homme au point que, cet homme ayant échappé miraculeusement à la séquestration et commençant à faire valoir ses droits commerciaux, la famille en arrête brusquement l'exercice par un procès en interdiction.

Eh oui! Le 31 octobre 1934, dans une salle du Palais de justice, « le plus grand des éditeurs », selon le supplément littéraire du *New York Times*, doit répondre de sa santé mentale. Grasset est-il fou? La question, qui, depuis longtemps, parcourait les couloirs du 61, rue des Saints-Pères, est brusquement posée sur la place publique. Grasset est-il fou? Ses deux sœurs, Mathilde et Marguerite, le croient; nombre de ses associés, collaborateurs ou auteurs le murmurent. Mais comment, s'il est fou, a-t-il pu diriger et animer sa Maison, lancer avec fracas tant de romanciers qui sont l'honneur des lettres françaises, défrayer, par ses articles polémiques et ses essais, la chronique parisienne?

Aujourd'hui, à l'aube de l'an 2000, alors que les motivations, les qualités, le dynamisme, les recettes du chef d'entreprise sont dépecés et disséqués, les spécialistes du management se pencheraient avec délices sur la singularité du cas Bernard Grasset. Dans les années trente, on ignorait le management et la presse s'amusa davantage des tribulations de l'éditeur avec sa famille qu'elle ne s'interrogea sur la manière dont il sut concilier sa folie avec la direction de sa maison. Grasset fou? La belle affaire! Cocteau, Radiguet, Hémon, Montherlant, Giraudoux, Mauriac, Ramuz, Maurois, Cendrars, Delteil, Morand, Châteaubriant, Guéhenno, Malraux, Chardonne, Daudet brillent de tous leurs feux à la vitrine des libraires et, sur la couverture de leurs ouvrages, un seul nom pour tous: Bernard Grasset.

*

Pourtant, le 25 juillet 1934, devant le juge de paix du 16ᵉ arrondissement, le conseil de famille, à la demande de Mathilde Grasset-Privat et de Marguerite Grasset-Peyronnet, décide à l'unanimité d'engager contre Bernard Grasset, cinquante-trois ans, un procès en interdiction. Une assignation extrêmement grave. L'interdiction se justifie lorsque la raison, la lucidité ne sont plus qu'un accident, un instant précaire et aléatoire dans la vie d'un être humain. L'interdiction vient constater et légitimer une incapacité de fait, déjà reconnue par la nature.

Bernard Grasset n'aurait-il plus que de rares intervalles d'entendement ? En tout cas, le conseil de famille qui se penche sur son destin est fort curieux. Outre Mathilde et Marguerite, il y a là ses cousines, Adrienne Grasset, la veuve du vice-amiral, qui vit en Provence, et Yvonne Veyrier, née Grasset, demeurant à Thouars, dans les Deux-Sèvres, lesquelles ne l'ont pas revu depuis vingt ans ; le commandant Carbillet, lui aussi un parent, mais qui ne l'a rencontré qu'une seule fois ; Me Gillet — l'avoué de Mathilde et de Marguerite —, censé le représenter ; son très fidèle ami Gabriel Boissy, l'auteur en 1907 de *la Dramaturgie d'Orange*, qui ne peut, ironie de l'Histoire, assister à la réunion ; Robert Burnand, éditeur et écrivain, avec qui il eut des mots ; enfin, Henri Menabréa, le seul qui lui soit proche et qui assiste, impuissant et sans doute timoré, à cette funeste délibération. Il manque quelqu'un dont on ne s'explique pas l'absence : son cousin germain, son compagnon d'adolescence, Pierre Grasset, qui habite Paris et qu'il eût été facile de convoquer. Pierre continue d'entretenir avec lui d'affectueuses relations qui s'expriment dans ces deux lettres, d'août et d'octobre 1934, que voici :

> Mon cher Bernard, ton article sur le chef-d'œuvre est parfait et j'ai eu, en effet, le plaisir le plus plein à le lire. Je te remercie de me l'avoir envoyé et de ne pas oublier que ma vieille amitié t'est fidèle plus encore que tu ne crois peut-être. Pas loin du 20 août, reçois mes vœux de fête. De cœur, ton vieil ami.

Et celle-ci :

> Mon cher Bernard, comme je te remercie de m'avoir envoyé ton article de *Comœdia*, ingénieux et profond. Je ne puis m'empêcher de me rappeler comment, en philosophie, tu étais adroit au jeu des idées ; moi, plus pénétré dans les matières et la sensualité, je t'enviais ce sens de l'abstraction. Crois à ma vieille affection...

Trois mois après ce conseil de famille, Bernard Grasset comparaissait devant la première chambre du tribunal civil de Paris. On a lu le début de son interrogatoire, qui fut très bref. Ce jour-là, le tribunal ne voulut entendre personne d'autre, invitant chacune des parties à apaiser ses passions, après quoi, il aviserait... Rien dans l'esprit des juges ne pressait. Le procès eut lieu les 11 et 12 juillet 1935, tandis que le jugement fut prononcé, après de nouvelles expertises, le 3 janvier 1936. La demande d'interdiction était rejetée, Bernard Grasset obtenait satisfaction et reprenait « le gouvernement de sa Maison ». Il revenait de loin.

Avant ce dénouement, que d'aventures, que d'embrouillaminis !
De quoi combler Balzac et Freud. Quinze ans de la vie d'un
homme au sommet de sa gloire vont être donnés en pâture aux
magistrats, aux avocats, aux écrivains, aux journalistes... Quinze
ans, en effet, parce que tout avait commencé en 1922. Il venait de
démarrer « les Cahiers verts », de lancer *Maria Chapdelaine, le
Baiser au lépreux, Siegfried et le Limousin*, et il se préparait à
publier *la Brière*. Bref, il était, on s'en souvient, comme jamais au
centre de la marmite littéraire française. Fascinant paradoxe.

*

Dès 1907, Bernard Grasset s'absentait, on l'a vu, trois ou quatre
mois par an. Il se réfugiait à Montpellier, en Avignon, dans le
Bordelais et, le plus souvent, à Divonne-les-Bains ou en Suisse. Il
avait conscience de sa fragilité psychologique et ressentait périodiquement le besoin de quitter Paris pour se détendre. Déjà, le
16 novembre 1908, il s'excusait auprès de Louis Brun de son
éloignement : « Vous le savez, grand bêta, que je tiens à vous [...].
Vous avez fait marcher ma boîte deux mois. » Pendant ces esca-
pades, il correspondait ainsi, tous les jours, avec son second, sous
une forme très comminatoire, ne lui épargnant aucun détail, tout
en jouant la comédie de la commisération envers lui-même, une
comédie très au point et qui servait d'épilogue à chacune de ses
lettres :

> Je vous laisse, je suis éreinté par cette longue lettre. Je vous en prie,
> décidez de plus de choses vous-même. Réfléchissez qu'il est impossible
> de diriger à distance et que je suis venu ici pour me reposer... En un
> mot, en mon absence, dirigez comme si vous étiez le seul patron. Mais
> cela, mon pauvre Brunot, vous ne le comprendrez jamais et pour cette
> raison, je ne pourrai prendre aucun vrai repos...

D'Yvonne Langevin à Joseph Peyronnet, de Louis Brun à Pierre
Tisné, nul ne s'émouvait de son lamento obligatoirement ponctué
par un « mon pauvre Brunot » mi-narquois, mi-tendre. L'étrange-
té des liens qui l'unissaient à son second engendrait, selon son
humeur, une gamme d'appellations — Brun, Monsieur Brun,
pauvre Brun, cher Brun, cher Brunot, grand bêta, pauvre Bruno,
mon petit — et un dosage subtil du vouvoiement et du tutoiement,
avec en toutes circonstances une pointe de mépris.
Mais voilà qu'au printemps 1922 ses tendances cyclothymiques
s'aggravent brusquement. Jusque-là, ses familiers faisaient mal la
part entre le jeu et la réalité quand il plongeait dans des moments
de profonde mélancolie. Il était un jour un éditeur de génie, un
autre jour un enfant pleurnichant sur son sort. La vie rue des

Saints-Pères allait ainsi. Chacun s'en accommodait, beaucoup en riaient.

Le 10 avril 1922, on a moins le goût de rire. Grasset, en proie à une crise de neurasthénie particulièrement aiguë, ne veut plus se contenter de quelques semaines d'évasion et décide de se livrer à un « chirurgien de l'âme ». Alors que son ami Louis Barthou, ministre des Affaires étrangères, se rend à la conférence de Gênes pour tenter de réorganiser une Europe encore considérablement troublée, il rend visite au Dr Vachet, afin de remettre un peu d'ordre dans sa tête.

Pierre Vachet, qui deviendra un ami de Louis Brun, écrira plusieurs ouvrages de recettes psycho-médicales : *la Pensée qui guérit*, *l'Énigme de la femme*, *Vivre vieux*, *Rester jeune*... Pour l'un d'entre eux, Brun inaugura dans *la Vie parisienne* et *le Sourire* un style très particulier de publicité : « Êtes-vous insatisfait ? Cherchez-vous un compagnon qui apportera une solution à vos problèmes d'ordre sexuel ? Désirez-vous être apaisé ? Si oui, adressez un mandat de 18 francs, plus 2 francs de frais de poste au compte postal suivant... » Les insatisfaits, assez nombreux du reste, reçurent en retour *Psychologie du vice* par le Dr Pierre Vachet...

Que s'est-il passé pour que Bernard Grasset s'en remette au Dr Vachet ? Rien de très particulier, sinon que la poisse colle bizarement à son destin, au point que *le Quotidien* du 13 février 1922 annonce son... décès ! Un article nécrologique rappelait les temps forts de sa vie d'éditeur. De la rue Rosa-Bonheur, son domicile, où il découvrit la nouvelle, il téléphona au Tout-Paris son accablement et télégraphia à Brun : « Vous voyez, mon petit, ils m'enterrent déjà ! » Le lendemain, les journaux habillèrent le démenti d'une bonne dose d'humour noir, tandis que « le mort-vivant », comme le baptisa *l'Intransigeant*, demandait réparation devant les tribunaux. Grasset refusa de prendre l'affaire sur le ton de la plaisanterie. Des témoignages de condoléances affluèrent rue des Saints-Pères, dont un du président Alexandre Millerand, qui prévenait que deux officiers d'ordonnance le représenteraient aux obsèques... Mes Leauzun le Duc et Maurice Garçon plaidèrent et gagnèrent. A l'issue du procès, *le Figaro* publia, sous la signature d'un certain Louis Faurès, une épitaphe d'un goût douteux :

> Passant, ci-gît Bernard Grasset
> De se reposer, peu pressé,
> Sa mort dès le siècle passé
> Fut l'objet d'une controverse.
> Cette nouvelle à sensation
> A connu plusieurs éditions
> Rapport, sans doute, à son commerce.

Cet événement d'une funeste cocasserie l'avait-il profondément ébranlé ? La veille de son rendez-vous chez Vachet, il s'est confié à « Guiguite », Marguerite Grasset-Peyronnet :

> Je viens de rencontrer le médecin qui éclairera mes journées, le Dr Pierre Vachet. Je le vois demain et je suis décidé à m'en remettre à lui. Je l'ai connu par cette amie dont je t'ai souvent parlé. Mais une femme ne pourrait pas me sauver ; après toutes ces choses atroces, c'est une forte action sur ma pensée qui est nécessaire pour me redonner confiance en moi. Comprends-moi, tout mon désespoir s'est rouvert et je vais vers cette thérapeutique encore bien jeune que l'on appelle une analyse.

Grasset, au début des années vingt, avait déjà lu Freud. Sujet à des phases dépressives, abonné depuis son adolescence aux cures d'hydrothérapie, familier, à travers son oncle Joseph Grasset, des problèmes neurologiques, tout le prédisposait à s'intéresser aux nouvelles psychothérapies d'inspiration psychanalytique. Interpellant, trente ans plus tard, Frédéric Hoffet, l'un de ses auteurs, il se pique de connaître le sujet :

> Parlons d'abord de la psychanalyse. Dire, dès le début de votre ouvrage, que toute la psychologie est à refaire, en partant des écrits de Freud, prendre en pitié Platon pour les avoir ignorés, imaginer que La Rochefoucauld eût écrit d'une autre manière s'il avait connu la théorie de la libido, c'est proprement se moquer des gens. Avez-vous songé, mon cher Hoffet, que la libido — le mot et la chose — est vieille comme le monde ? Que Platon reliait déjà à l'acte amoureux toutes les poursuites de l'homme ? Que dans son explication du monde, Lucrèce prélude par une invocation à Vénus qui est dans toutes les mémoires ? Que ce mot « libido », Freud ne l'a pas inventé, qu'il l'a pris aux scholastiques, avec tout le système s'y rattachant ? Savez-vous que, depuis les scholastiques, il y a toute une littérature — si le mot convient — de la libido, façon de ligne continue. Connaissez-vous, par exemple, le Traité de la concupiscence et les beaux commentaires de Sainte-Beuve dans son Port-Royal sur la libido ? Le seul apport de Freud tient en ceci qu'il sut dire, d'une manière à lui, et qui frappa, que la loi du plaisir régit l'espèce animale entière. Mais cela on le sait, depuis que l'homme pense.

La façon cavalière dont il expédie Freud est le reflet de sa profonde déception de l'analyse comme procédé curatif. En effet, dès sa rencontre avec le Dr Vachet, auquel il s'accrochera pourtant plusieurs années, il ressentira l'« imposture » des psychanalystes. Il les traitera de sots, de roublards, ou les deux à la fois, il dénoncera leur « barbarie de civilisés ». Le voilà, néanmoins, qui se jette dans leurs filets pour s'y débattre longtemps.

Quel secours immédiat lui apporte le Dr Vachet ? Celui-ci, gêné par la notoriété de son patient, préfère-t-il se décharger sur un autre confrère ? En tout cas, deux semaines après son premier rendez-vous avec Vachet, Grasset se retrouve au Grand Hôtel de Divonne-les-Bains, un endroit où il a ses habitudes. Rien de nouveau ? En vérité, le changement est profond : il a auprès de lui un psychanalyste que lui a conseillé Vachet, le Dr Leschinsky, qui va le suivre dans ses pérégrinations, entre Divonne, Montreux et Paris, jusqu'en... octobre 1927.

Régulièrement, il en appelle à Vachet, qui, sans doute inquiet de ses récriminations pathétiques, vient le voir entre deux trains. Troublantes suppliques qui se ressemblent toutes et reflètent les tourments d'une conscience malheureuse, le drame d'un être qui se disloque sous son propre regard :

> Je veux faire auprès de vous une dernière tentative pour obtenir non les soins et l'appui fort que vous aviez juré de me donner et que vous n'avez pas voulu me donner, mais au moins le conseil à un être qui veut vivre, qui veut oublier, qui veut rebâtir sa vie et qui cherche vainement depuis des mois, au milieu des incompréhensions, le moyen, si courageux soit-il, de se ressaisir. Je fais, je vous le jure, Vachet, les efforts les plus grands pour m'adapter au Dr Leschinsky [...]. Il a une telle incompréhension de moi-même, nos âmes sont tellement loin l'une de l'autre, nous parlons si peu le même langage, qu'alors que j'attends de lui le conseil fort, fraternel, il s'embarrasse dans des discussions, me citant des textes latins, me parlant des différentes écoles de psychothérapies. Je veux vivre, Vachet, que dois-je faire ?
>
> Premièrement, il faut inévitablement que je reste ici car les voyages m'épuisent et je n'aurai bientôt plus de forces pour me ressaisir.
>
> Deuxièmement, dois-je avoir deux visites de Leschinsky ou dois-je me passer de cette conversation du matin qui me fait mal ?
>
> Troisièmement, dois-je dans la conversation du matin me contenter de lui demander un emploi du temps et refouler en moi toutes les demandes de conseils ? [...]
>
> Quatrièmement, dois-je supporter ses suggestions du soir ? Doivent-elles me faire du mal par leur incompréhension ou peuvent-elles me faire quelque bien ?...

Était-il si incapable de bonheur, si étranger à l'idée même de bonheur ? Les pages où il s'abandonne ainsi se comptent par centaines et recouvrent du voile de la malédiction sa recherche de rivages plus sereins.

Pendant cette fuite éperdue, Grasset se déplace avec sa « caravane », selon le mot de Brun. Trois ou quatre personnes qu'il entasse dans sa superbe Talbot « 15 HP Lorraine » ; son chauffeur Robert, un couple de compagnie qui lui assure l'intendance, le secrétariat et la conversation, une amie enfin pour soulager son cœur et très souvent ses sens.

Impossible, bien sûr — et d'ailleurs inutile — de le suivre dans le labyrinthe de ses tribulations. Très vite on s'y perd, l'ennui gagne, tandis que l'on éprouve une compassion empreinte de perplexité devant sa souffrance existentielle. S'il continue, dans ce fatras de lettres, de porter en lui sa vocation d'éditeur, d'imaginer des coups publicitaires, de donner des ordres précis ou des conseils avisés, de fourrager dans les manuscrits de son choix, on le voit qui s'approche du gouffre de la folie, sans jamais y tomber.

Une lente dérive en trois étapes qui révèle un Grasset se cognant à lui-même, à ses collaborateurs, à sa famille, transformant des incidents mineurs en catastrophes, mobilisant toute son énergie à régler des conflits insignifiants ou imaginaires.

*

La première étape commence donc en mai 1922. Il part avec Robert, avec Henry Lemeunier, dont l'esprit enjoué l'avait séduit, et sa femme « Nénette » ; avec Louise Massis, enfin, l'égérie, qui n'a, apparemment, rien en commun avec Henri Massis. Son amitié amoureuse pour Louise sera éphémère. Au début de l'automne, il réclame Many Gigandet, l'épouse d'un industriel marseillais qui écrivait sous le pseudonyme de Georges Imann. Il venait de publier chez Grasset son deuxième roman, *les Nocturnes*, qui relatait l'action des agents secrets en Suisse pendant la Grande Guerre. Many était d'une éclatante beauté.

> Il y a toujours des hauts et des bas, toujours cet état d'anxiété si pénible, écrit, de Montreux, Lemeunier à Brun. En ce moment, cet état est dû à son projet d'arrivée de Mme Gigandet. Il n'en veut pas d'autres, vous savez. Il ne croit pas que Mme Massis puisse avoir le dévouement persistant qu'il faudrait car elle lui paraît, malgré sa bonté, un peu frivole. En tout cas, il ne veut pas que vous preniez la moindre décision sans avoir vu le Dr Vachet, et que ce dernier ait vu Mme Gigandet si elle doit venir. Son esprit tourne autour de cette arrivée. Une minute, il y croit, à la suivante, il se désespère... Si elle vient, prévenez-la de se munir de tout le nécessaire pour les sports...

Many Gigandet viendra, repartira, reviendra. Quant à Grasset, il ne réapparaîtra à Paris qu'au lendemain de Noël. Les rumeurs sur sa « folie » iront bon train. On s'étonne surtout qu'il ne prenne aucune part à la polémique autour du prix Balzac, laquelle défraya la chronique. Coupé de sa Maison pendant près d'un an, il se sent abandonné de tous. « Je n'en peux plus, mon cœur saigne. Je pleure toutes les larmes de mon cœur, mon petit, venez, répète-t-il, semaine après semaine, à Brun. Qui m'aime assez passionnément pour me sauver ? » Il rentrera pour s'occuper de Radiguet.

*

Épuisé par le tapage qu'il a orchestré autour du *Diable au corps*, par la bataille qu'il a menée sur la noblesse de la publicité

littéraire, convaincu également qu'il a fait pour *le Diable au corps*
le plus qu'il pouvait faire, il remonte dans sa Talbot à la mi-mai
1923 et gagne sa retraite de Divonne. Fatigué plus que réellement
déprimé, c'est à ce moment-là qu'il transformera sa suite du Grand
Hôtel en quartier général pour le lancement du *Fleuve de feu* de
François Mauriac, de *Plutarque a menti* de Jean de Pierrefeu et de
la Brière d'Alphonse de Châteaubriant. Quand il revient rue des
Saints-Pères, en septembre, « abandonné », dit-il, par Many Gigandet, mais déjà cajolé par Germaine dont on sait seulement
qu'elle est « d'une spontanéité foudroyante pour la chose », il
déborde de projets et semble plein de vitalité retrouvée.

S'appuyant sur un catalogue prestigieux, sur des collections qui
marchent, c'est l'époque où il découvre Cendrars, où il arrache
Paul Morand à Gallimard et Anna de Noailles à Fayard, où il se
mêle, en vain, de vouloir préfacer *l'Homme de cour* de Baltasar
Gracian, où, avec Jean Cocteau, après la mort de Radiguet, il
corrige « pieusement les épreuves » du *Bal du comte d'Orgel*, où
Henry Poulaille, recommandé par Frédéric Lefèvre, le rédacteur
en chef des *Nouvelles littéraires* et l'ami d'André Billy, le seconde
avec efficacité dans l'organisation du service de presse.

L'époque où il s'acharne, sans doute motivé par son expérience
de l'univers thérapeutique, à lancer *Dimanche médical*, un hebdomadaire qui ne verra jamais le jour en dépit du soutien que lui
apporta le baron Henri de Rothschild, lequel avança 50 000 francs.
Dans un vaste bureau, spécialement affecté à la réalisation du
journal, il dessine avec zèle les maquettes, commande avec enthousiasme les articles.

> Pierre La Mézière, qui venait de se distinguer en publiant *J'aurai un
> bel enterrement*, fut le premier rédacteur en chef mais il se découragea
> vite ; Pierre de Lacretelle le second ; et le troisième fut Albert Pigasse.
> Henri de Rothschild prit l'existence éphémère du *Dimanche médical*
> avec une certaine humeur. Il vint un temps où il demanda le rembourse-
> ment de la somme avancée et il y eut, l'espace d'un après-midi, un vent
> de panique qui souffla sur la rue des Saints-Pères. Ce fut Gabriel Astruc
> qui négocia la réconciliation. Il le fit avec tact. Pour le remercier, on
> publia son livre *le Pavillon des fantômes*, dans lequel il évoque le temps
> où il était le seul maître après Dieu du théâtre des Champs-Élysées[1].

C'est l'époque, encore, où il s'attache pour plusieurs années
Mauriac, Ramuz, Montherlant, où il négocie avec Colette.
L'époque enfin où Henry Muller, à l'âge des grandes audaces,
débarque comme grouillot rue des Saints-Pères.

> Je grimpai un escalier sombre, étroit, assez sale. Je frappai à une
> porte. On ne me répondit pas. J'entrai. J'étais seul. J'attendis. Un

désordre inouï régnait dans ce bureau directorial ; le tapis était usé jusqu'à la corde, et, par endroits, déchiré. Les vitres étaient opaques, les cache-poussière gris. Sur la cheminée, surgissait d'une pile de paperasses un buste de femme en bois peint et dont, par dérision, on avait poussé de travers la perruque collée et filandreuse. Au mur quelques médiocres gravures de Marty. Le fauteuil, sur lequel au bout de quelques instants je m'assis, faillit s'écraser sous mon poids ; je me calai alors sur le bord en tâchant de me faire aussi léger que possible ; de ma place, je voyais la table centrale qui disparaissait complètement sous un amoncellement hétéroclite : des livres accumulés en piles incertaines, des épreuves d'imprimerie dispersées, deux encriers vides, trois porte-plume sans plume, deux crayons cassés, deux cendriers débordant de mégots dont quelques-uns achevaient de se consumer ; un peu partout des feuilles blanches vaguement griffonnées de notes ou ornées d'arabesques... Je fus, je l'avoue, un peu décontenancé, et j'en étais à me demander si je ne m'étais pas, par erreur, introduit dans quelque chambre de débarras lorsque la porte s'ouvrit brusquement. Bernard Grasset entra... Il rejeta en arrière du plat de la main une mèche qui tombait sur son front, eut une sorte de reniflement qui devait se répéter maintes fois pendant l'entretien et qui lui soulevait curieusement la joue, puis, me jetant un regard vif et perçant, il me cria : « Alors c'est vous ! », et au même moment il éclata d'un rire formidable, célèbre paraît-il, mais qui ce jour-là me glaça[2].

C'est le Grasset provocant, excessif, volubile, le Grasset de tous les possibles dont on devine qu'il peut, à chaque instant, basculer dans les ténèbres intérieures. Rue Rosa-Bonheur défilent à nouveau tous les gens qui comptent à Paris. On le croise aux générales, dans les dîners, au Bœuf sur le toit, chez la princesse Bibesco, chez Jacques-Émile Blanche. On le voit, soucieux de se tenir au courant, dans les galeries où exposent les surréalistes. « Vous savez, écrit-il au grassouillet Fritz Vanderpyl qui donne des articles de gastronomie au *Petit Parisien* et dont il publiera un essai, que je fréquente ces musées et que je me rends très bien compte que quatre cents mètres du boulevard Montparnasse représentent actuellement le Quartier latin [...]. Je sens très bien que la Rotonde représente même un des lieux géométriques européens. »

Un soir de décembre 1923, au Vieux-Colombier, il renoue avec Jeanne Mühlfeld, la Sorcière, qui l'aborde, souriante mais réservée, et lui lance : « Dites-moi, Grasset, je ne me rappelle plus : sommes-nous brouillés ? »

Un autre soir, Maurice Martin du Gard le rencontre dans l'entrée du 89, rue de la Pompe, l'immeuble des Mauriac, « allant et venant dans le vestibule comme un félin dans sa cage ». L'éditeur est là depuis un quart d'heure, fumant cigarette sur cigarette, attendant on ne sait ni qui, ni quoi, pour monter. Martin du Gard, éberlué, racontera la scène dans *les Mémorables* :

Je trouve Bernard Grasset devant l'ascenseur. « Les obsèques de Lénine ont eu lieu le 27 janvier. Le président Wilson est mort le 3 février. Le 29 février, c'était le duc de Montpensier. Je ne sais plus où donner de la tête. » Quelqu'un qui n'eût connu ni le nom, ni la profession de ce petit homme aux yeux verts, aux sourcils fournis, au teint malsain de l'insomnieux, sans doute eût-il confondu le fameux éditeur avec un politique, un diplomate, voire un entrepreneur de pompes funèbres à l'échelle mondiale. Moi-même, je me posais la question : qu'avait-il pu lui arriver pour que la mort de ces trois personnages inégaux l'ait mis dans cet état ?

Il passe ainsi l'hiver 1923-1924, sinon paisiblement, du moins sans graves secousses, soutenu par Julienne Bosset. Ni coup de génie, ni erreur stratégique. La maison tourne à plein rendement.

*

Avec les premières chaleurs — comme en 1922, comme en 1923 — son activisme rebondit, prend une tournure obsessionnelle. Le prétexte : la campagne pour le Bal du comte d'Orgel. Apparemment, sa stratégie ressemble à celle qu'il déploie pour tous les ouvrages qui ont « pris son cœur ». Il veut un lancement éclatant.

Déjà, pendant les prémices de l'opération, il avait éprouvé quelques contrariétés. En effet, dès après la mort de son jeune ami, le 12 décembre 1923, Cocteau avait, avec diplomatie, demandé à Daniel Halévy d'abriter le second roman de Radiguet sous ses couleurs, dans « les Cahiers verts » :

> Je ne vous connais pas et je sais que vous connaissez mal Raymond Radiguet mais je connais, par contre, votre haute attitude d'esprit et de cœur. Avec Radiguet je perds tout. Il me reste son œuvre et son livre admirable, le Bal du comte d'Orgel... Il espérait en vous, pour donner, par l'entremise des « Cahiers verts », une tenue qu'il sentait impossible chez son éditeur... Je vous supplie de comprendre ce drame angélique par-dessus toutes les mésaventures et de m'aider à sauver cette mémoire. Ne dites rien à Grasset. Il ne faut pas exaspérer sa manie. Si vous acceptez de partager cette aide noble, nous agirons en silence.

Passons sur les trois dernières phrases, des plus déconcertantes quand on sait que Grasset intervint plusieurs fois auprès du « directeur moral » des « Cahiers verts » en faveur de Radiguet avec une pesante insistance. Ne s'était-il jamais, sur ce point, entretenu clairement avec Cocteau ? Ou bien, l'auteur des Enfants terribles, redoutant les foucades de l'éditeur, voulait-il ménager Halévy ? Quoi qu'il en soit, si Halévy marque, par courtoisie, une certaine bienveillance, il prétextera, lecture faite du Bal du comte d'Orgel, de la surcharge de ses engagements pour refuser le manuscrit. Comme pour le Diable au corps. Il n'aimait, on le sait, ni la jeunesse, ni les écrits de Radiguet. Celui-ci avait, de son vivant, deviné cette hostilité mais il espérait, trois mois avant de s'éteindre, que Daniel Halévy voudrait bien, comme il le confiait à son éditeur, « abandonner un peu de sa haine » envers lui.

Déçu, Grasset se tourne alors vers Jacques Rivière, qui dirige la revue de la *NRF* depuis juin 1919, et qu'il tient pour un admirateur de Radiguet. Il lui propose, pour 2 000 francs, ce qui était donné, la prépublication intégrale du *Bal du comte d'Orgel* avant sa parution en librairie. Une façon de consacrer, auprès de l'establishment littéraire, son défunt protégé, dont il a toujours gardé l'écharpe « un peu bleutée ». Rivière accepte. Dans sa livraison du 1er juin 1924, la *NRF* reproduit la première partie du roman, précédée d'un texte critique de Jacques Rivière.

> ... Je n'ai jamais bien compris, écrit-il, comment *le Diable au corps* avait pu donner cette impression de précocité presque monstrueuse qui a révolté et repoussé certains lecteurs... Dans le fond rien d'anormal, aucune vue sur les sentiments qui dépassât les convenances de l'âge... La naïveté en était plutôt effacée qu'absente... La preuve que Radiguet n'était pas un prodige, un monstre, mais un écrivain, plein de sensibilité, de faiblesse encore, qu'il combattait par l'étude des maîtres, donc d'un grand avenir, nous est apportée aujourd'hui par *le Bal du comte d'Orgel*... Ce n'est plus seulement à la tradition psychologique française en général, mais précisément à Mme de La Fayette qu'il demande conduite et soutien... Sans doute ne peut-on pas dire que les grands détours intérieurs soient suivis par lui, ni les méandres des caractères... mais chaque point touché est sur la veine ; on avance par une détection constante du sentiment vrai... Je n'admire rien de plus dans ce livre que la parfaite justesse d'une analyse prévue.

Reconnaissons à Rivière le don de noyer l'éloge dans les eaux de la perfidie.

Aussitôt l'éditeur se déchaîne. Sa missive à Jacques Rivière est de son meilleur cru. Le directeur de la *NRF*, qui se voit reprocher « deux pages d'élucubrations inutiles [...] sans aucun profit pour le livre, ni pour la littérature », s'est rendu « complètement indigne de la confiance » qu'il lui avait accordée. « C'est ainsi, comprenez-le, monsieur Jacques Rivière, mon rôle d'éditeur que je vous confiais. Vous n'aviez donc pas à faire besogne de critique ou de pseudo-critique. Vous aviez — et c'était votre devoir strict — à faire précéder le roman de quelques phrases enthousiastes. »

La réponse de « monsieur Jacques Rivière » ne se fit pas attendre et prit la forme insidieuse des attaques indirectes : « Le ton que vous adoptez pour chanter les louanges de tous les auteurs, indistinctement, que vous éditez fait beaucoup rire le monde littéraire, il faut que vous le sachiez. » Rivière avait visé au cœur.

Sur le mode du mépris et en cherchant le ridicule, il rallumait la vieille querelle autour des méthodes publicitaires de Grasset. Depuis quatre ou cinq ans déjà, Grasset ferraillait sur ce front-là et il n'admettait pas qu'on pût douter de « la seule ambition » qui l'animait : servir les lettres françaises.

Il est touché. Il riposte. Mais il ne le fait pas avec cet orgueil dévastateur et cynique qu'on lui connaît, un orgueil qui le rend insensible à toute forme d'attaque. Il est blessé. Il veut se justifier, il en rajoute, il relance Rivière :

> A partir du moment où vous m'avez dit : « Je partage en tous points votre admiration du *Bal du comte d'Orgel* », votre rôle de critique était terminé. Votre rôle d'éditeur commençait. J'entends par là que votre seul but devait être de faire partager au public l'admiration que vous ressentiez.
>
> Tout le monde comprend, sauf vous, que le rôle critique d'un éditeur s'exerce avant qu'il ne publie et non après...
>
> Que vous m'ayez trompé par une admiration feinte, que vous ayez subi, par la suite, quelque influence ou que tout simplement vous soyez de ceux à qui la manie d'écrire ôte tout pouvoir d'admirer et par là tout pouvoir de faire partager une admiration, tout cela n'a pas d'intérêt. Je vous plains simplement.

Certes, ses arguments ne manquent pas de pertinence. L'admiration pour autrui n'est-elle pas le réconfort des grandes âmes ? Cela ne lui suffit pas. Il entend porter le conflit sur la place publique. De la rue Rosa-Bonheur, qu'il ne va pas quitter pendant une semaine, il téléphone aux directeurs de journaux, à ses auteurs les plus célèbres, aux hommes politiques pour leur expliquer sa détresse, son désespoir de n'être pas compris, de n'être pas aimé. Il télégraphie à Brun : « On veut m'enlever toute ma confiance en moi. Je passe toute ma journée dans les larmes à chercher dans mon pauvre cerveau ce que je dois faire. » Son « second » et Peyronnet s'affolent. Chez lui, l'usage du télégramme est le déclic, le signe avant-coureur de ses inclinations mélancoliques. Va-t-il par cette attitude de persécuté qui paraît dicter son comportement briser dans l'œuf le lancement du *Bal du comte d'Orgel* ? Son histoire pathologique, expliqueront les experts au moment du procès familial, est plutôt celle d'un hyperémotif, qui, d'une manière cyclique, connaît des accès d'excitation ou de dépression, à caractère anxieux, et il va, en effet, s'enflammer avec la même brusquerie qu'il mit à s'éteindre « dans la douleur ».

Le 12 juin, il abandonne son refuge de la rue Rosa-Bonheur et regagne la Maison comme si rien ne s'était passé. C'est la mobilisation générale. Brun, Peyronnet, Poulaille, mais aussi le père de Radiguet, sont sur le pont. Quant à Cocteau et Joseph Kessel, qui avaient retravaillé la fin du roman, ils se mirent également en campagne. La vente du *Bal du comte d'Orgel* s'envola dans un concert d'éloges et de polémiques. Grasset avait rebondi et bien rebondi.

Cette année 1924, il passe l'été entre Montpellier et Divonne. Regonflé par le succès du *Bal*, amusé par celui du roman de Dranem, *Une riche nature*, il fait sa rentrée de septembre sans tambour ni trompette. Rue des Saints-Pères, on souffle.

*

Incapable néanmoins de rester en retrait, attentif à sa réputation de père fondateur de la publicité littéraire, il caresse l'idée de créer une « Académie de publicité et de psychologie appliquées ». Les réflexions que lui inspirent les Drs Vachet et Leschinsky à propos des « méthodes de domination et de manipulation » — c'est lui qui parle — ne sont certainement pas étrangères à son projet.

En s'appuyant sur les techniques de la psychologie, sur les consommateurs de publicité qui constitueraient son « Académie », il se propose d'organiser dans les écoles secondaires, lycées et collèges des cours où les futures élites de la nation — industriels, commerçants, avocats, fonctionnaires, hommes politiques, etc. — s'initieraient à « l'art de la publicité pour mieux faire connaître à l'étranger notre activité intellectuelle, notre production industrielle, nos richesses naturelles, nos beautés touristiques, tout ce qui fait le charme et la grandeur de notre pays ».

Il veut également établir une bibliographie complète des ouvrages touchant la publicité, organiser des congrès, des expositions, provoquer sur des bases solides un mouvement continu d'opinion autour de ceux qui conçoivent et exécutent, imaginent et réalisent, ceux qui dépistent la clientèle et savent lui mâcher la besogne pour son plus grand profit. « En un mot, il faut utiliser ceux dont le métier est de persuader et de convaincre, c'est-à-dire faire de la publicité une chose vivante et fructueuse. »

Il adressa une lettre-circulaire aux journaux spécialisés, à de nombreuses personnalités et, bien sûr, au président de la République. « L'emmerdeur a encore frappé », grognait Poulaille.

Pourtant, ses suggestions ont-elles, soixante ans plus tard, pris une ride ? Ne rejoignent-elles pas celles de tous les grands seigneurs de la publicité, de David Ogilvy à Marcel Bleustein-Blanchet ? Le projet fut sans suite.

Un enthousiasme décontracté et guilleret, auquel il n'avait pas habitué son monde, habita Grasset jusqu'à l'été 1925. Lui qui se vantait, avec profondeur et gravité, de « publier des auteurs et non des sujets », il remit à la mode les mots croisés, qui connaissaient une vogue immense aux États-Unis. Il relia en volumes des séries de mots croisés — dont ceux de Tristan Bernard — et organisa un concours doté de prix qui récompensaient les cruciverbistes les plus rapides et les plus exacts. Les donateurs de cadeaux bénéficiaient, en échange, d'une publicité placée au début du volume. Il relança *le Guide du gourmand* de Robert-Robert, édita, coup sur coup, les *Mémoires* de Radiolo, « l'homme le plus écouté du monde », *les Exploits galants du baron de Crac* de Cami, présenté comme « l'éclat de rire de l'année », et *la Bonne Vie* de Jean Galtier-Boissière, un tableau coloré et documenté des maisons closes à soldats qui fleurirent après 1918. Quant aux grands auteurs de sa Maison, ils s'épanouissaient sans vacarme. Et puis, un matin de la mi-août, sans raison apparente, c'est à nouveau la crise. Cap sur Divonne...

*

C'est la deuxième étape de sa course contre la maladie qui commence : Grasset a fait ses bagages, sans qu'il le sache, pour... vingt-six mois. Jusque-là il ne s'était jamais absenté plus de huit mois. Cette fois, dès ses premières lettres et à travers les nombreux comptes rendus de ses compagnons, on devine que la nature de son mal a changé. Le plongeon sans retour ?

Robert le chauffeur, Henry et Nénette Lemeunier, un aventurier aux allures félines, joueur d'échecs, que tout le monde appelle « marquis », l'accompagnent. Pas d'égérie. Germaine a disparu, d'autres femmes l'ont aussitôt relayée, sans qu'aucune ait voulu ou pu s'imposer. Ses confidences, il les réserve à Julienne Bosset ou Jeanne Duc.

> Ma chère amie, depuis que je suis arrivée, je n'ai pas eu une minute de tranquille, raconte Nénette à l'épouse de Louis Brun. Nous avons affaire à un homme terrible. Toutes les minutes, il est dans votre chambre, il faudrait marcher sans cesse, il est effrayant et c'est une satisfaction pour lui de crever les autres... J'admire Henry, moi je n'aurais jamais cette patience ; au moment où l'on croit que cela va aller, crac, tout est à recommencer, il pleure, il geint, il dit qu'il est foutu, il demande à Henry de lui sacrifier son existence...

Grasset, comme d'habitude, est installé au Grand Hôtel. Sa « caravane » loge à l'hôtel des Alpes. Henry Lemeunier est alors l'homme de confiance, l'infirmier, voire le médecin.

> Pour l'instant, écrit-il à Brun, je calme le patron. Je m'efforce à suivre une discipline qui m'empêche de m'user trop vite. J'ai trouvé le ton pour répondre à toutes ses angoisses. Il m'a dit que j'étais devenu son grand

amour, le seul être pour lequel il se rase et pour lequel il se fera bientôt couper les cheveux. Je ne plaisante pas. Je vous communique ses paroles exactes pour que vous ayez une idée de ses pensées et de son état. Il est calme maintenant, mais tout cela est grave car le mal est profond. Je l'analyse sans cesse et il y a certainement dans ses pensées des poussées de folie nettement marquées. J'ai fait une suite de remarques qui sont particulièrement intéressantes à mon avis. Elles portent toutes sur le même geste. Elles me font penser à Edgar Poe. Tous les matins nous allons dans un petit café suisse à Chavanne. Il y a là un chat. En arrivant, il le cherche, le poursuit et le prend. Il le place sur ses genoux et fait semblant de le caresser. Personne ne voit rien, mais moi j'observe. Il le pince, lui serre le cou, le torture et le flatte en même temps. De temps en temps, il lui lève la lèvre avec son doigt et tape les dents. Il a une envie folle de l'étrangler. Ce sadisme cruel, il l'applique aussi aux hommes qui l'entourent mais moi je le devine et ne me laisse pas faire comme la première fois... Actuellement, vous n'êtes pas sur la sellette. Depuis notre arrivée pas un mot de vous. Il me dit toutes les minutes que Vachet est un assassin et Peyronnet un con. Moi je suis un être divin, intelligent, bon, dévoué. Le seul but de sa vie. Je commence du reste à devenir psychologue pour l'après... Je fais des progrès.

En plus de Pierre Vachet qui passe périodiquement, il est suivi par les Drs Vieux et Balivet. Le diagnostic qui est adressé régu-lièrement à ses deux sœurs ressemble à une explication charitable, plus qu'à une analyse sérieuse de son triste état :

> La forme de sa maladie est caractérisée par le besoin de se faire du mal pour se venger de son entourage qui ne se sacrifie pas assez pour lui. Souvenez-vous de sa phrase : « Il n'y a pas de différence entre un roi de France et le petit éditeur que je suis. » C'est-à-dire que le monde entier doit avoir l'œil sur lui pour le sauver. Il serait la cause d'une déclaration de guerre que cela lui semblerait naturel. Cela ne le guérirait pas, au contraire ; ce serait l'aliment que cherche son mal. Si vous veniez, aujourd'hui, lui dire avec violence comme vous me le suggériez au téléphone : « Assez de comédie, la Maison a besoin de toi », il se mettrait aussitôt à pleurer, à répéter qu'on veut le tuer, parce que vous seriez venu lui apporter cet aliment qu'il cherche pour se torturer et se gargariser de douleur. Il faut le lasser de son mal (qu'il aime). Au fond, il n'a pas envie de guérir, il a peur de guérir, et c'est cette peur qu'il faut atténuer. Ce sera long.

En effet, ce sera long. Très long. Morne existence d'un conva-lescent, le plus souvent abattu, meublant ses longues journées — il se lève à 6 heures — de siestes, de visites à ses médecins traitants, de promenades ennuyeuses et d'interminables palabres ou disputes avec Lemeunier. C'est le tunnel. Il écrit rue des Saints-Pères des lettres qui ont jusqu'à vingt feuillets et dans lesquelles il s'étend à l'infini sur sa souffrance.

Il vit en reclus. Aucun de ses auteurs, aucun de ses amis ne viendra le visiter. Lui-même évite de se déplacer. Durant ses séjours à Divonne, il avait, en particulier, l'habitude de se rendre au château du Reposoir, chez Robert de Traz, à Prégny, dans les environs de Genève. Il ne semble pas qu'il y soit allé, ni en 1926, ni en 1927. Pourtant sa Maison a publié, ces années-là, un essai et deux romans de Traz.

Il est également peu probable qu'il soit revenu pour de courts séjours à Paris, bien que Louis Cario, un fonctionnaire qui a sa rubrique dans *le Mercure de France*, ait raconté à Paul Léautaud, le 7 octobre 1926, que Grasset passait ses journées à peindre dans un atelier de Montparnasse, la Grande Chaumière.

> Cario, rapporte Léautaud, dit qu'il dépense, certainement, au moins 400 000 francs par an, donnant sans cesse des dîners de douze à quinze personnes. Il a un médecin attaché à sa personne et qui vit avec lui. Il paraît que sa peinture n'est pas mal du tout. Cario le rencontre souvent. Il est toujours gai, aimable, fin, l'air bien portant, « un peu putain », mais très séduisant, charmant au possible. J'ai dit à Cario combien il m'a toujours plu, depuis le temps que je l'ai connu à ses débuts rue Corneille, toujours si aimable , si charmant et si simple, pas esbroufeur le moins du monde.

Dans ce mélange de vrai et de faux, Cario ne raconte-t-il pas, tout simplement, ce que veulent bien lui raconter Brun et Peyronnet, dont il est l'ami? Louis Brun, surtout, s'employait à entretenir le flou autour des absences de Grasset. En vérité — la correspondance des auteurs le montre — très peu de gens savaient exactement où il était et ce qu'il faisait.

On ne trouve plus trace du « marquis » après octobre 1926. Au même moment, Henry et « Nénette » l'abandonnent, épuisés. Robert, en revanche, ne l'a pas encore quitté. Quelques femmes viendront partager sa solitude, dont Mlle Vera, « sensible et douce », qui remplace « Nénette », pour lui taper son courrier, noter ses impressions, et en prime lui offrir son corps auquel il prête un « certain flexible ». Insolite expression qu'il resservira plus tard dans un court récit autobiographique, *Une rencontre*:

> Quant aux femmes c'est toujours de leur grâce que je pars. J'ai dit le mot: d'un certain « flexible ». Mais d'un flexible d'où je fais découler, malgré moi, un autre flexible, qui est de l'âme. Une certaine façon de se ployer de deux manières, surtout « d'être bien dans deux sortes d'abandon ».

*

Ce qu'il y a surtout de curieux dans sa rupture avec Paris, c'est le soin qu'il met à organiser sa délégation de pouvoir. A peine

installé à Divonne, il demande à Louis Brun d'occuper la place de
« premier » et il le lui rappellera périodiquement en répétant
presque mot à mot des formules dont la cohérence contraste avec
ses lamentations :

> Premièrement, vous êtes le seul patron de la Maison. J'ai pu accorder
> à Peyronnet un traitement égal au vôtre, moi étant présent. Et à un
> certain titre, vous mettre en balance, moi étant présent. Mais moi
> n'étant plus là, il serait fou de ne pas confier la direction de la Maison à
> un seul. Et surtout de la confier à deux tempéraments aussi opposés.
>
> Deuxièmement, vous avez donc qualité pour trancher en dernier
> ressort de toutes les questions de la Maison, aussi bien en ce qui
> concerne les traitements que les diverses actions ou orientations de la
> Maison. Sous cette seule restriction de limiter ma propre autorité par des
> commandites ou une mise en société. C'est le seul acte que je vous
> interdis.
>
> Troisièmement, votre seul contrepoids sera mon propre contrôle de
> votre gestion si je reprends un jour ma Maison.
>
> Quatrièmement, je vous demande d'apporter la plus grande gentillesse
> et affection dans toutes les décisions que vous prendrez relatives à la
> Maison. Commander n'est pas heurter : c'est avant tout comprendre.

Lui d'habitude si pinailleur, si soucieux d'entrer dans le détail
des décisions à prendre, il va, désormais, s'en tenir à l'énoncé de
cette « charte ». Il va se complaire à raisonner sur les concepts
d'autorité et de responsabilité. Il plane.

*

L'époque, pourtant, appelait de la rigueur dans la gestion des
affaires. En 1926 commence le temps des incertitudes. Depuis la
guerre, la situation économique de la France ne s'est jamais
vraiment redressée ; les problèmes monétaires et internationaux
créent un état de tension permanent, tandis que les charges sociales, les prix et les impôts s'envolent. L'édition souffre de cette
morosité ambiante et le public va au plus facile, surtout vers les
hebdomadaires qui se développent à grande vitesse. On assiste
d'ailleurs à la disparition de certains éditeurs, ou à des prises de
contrôle. Le fonds Ollendorff, par exemple, est repris par Albin
Michel.

La rue des Saints-Pères n'est pas à l'abri d'une secousse. Mais
Grasset regarde tout cela de très haut. Ainsi, quand Joseph Peyronnet l'alerte sur les livres de luxe à tirage limité que continue de
publier la Maison et auxquels reste très attaché Louis Brun, il va
adopter l'attitude du philosophe retiré sur l'Aventin :

> Veuillez, Brun, me donner votre position sur la question que me
> soumettait Peyronnet dans une longue lettre à laquelle je n'ai pas

répondu, celle touchant aux dépenses pour les éditions de luxe, susceptibles de compromettre l'équilibre de la Maison. Dites à Peyronnet, avec douceur, que si je ne lui ai pas répondu c'est que je ne peux pas déléguer une autorité divisée (ce qui supposerait un arbitre permanent et présent).

Ma sensation personnelle est que ces éditions de luxe sont en fait une erreur dans votre direction si sage dans l'ensemble. Ne pouvant vous déléguer une autorité absolue, je vous mets cependant en garde contre la responsabilité que vous engagez en passant outre à des avis qui peuvent être sages, ou en heurtant celui qui vous les donne, au lieu de vous efforcer d'arriver avec lui à une opinion commune. Ne me téléphonez pas. Écrivez-moi très brièvement avec des chiffres en laissant de côté toutes questions de sensibilité. Ces luttes de sensibilité entre Peyronnet et vous m'ont fait trop de mal pour que je m'y mêle dans le martyre que j'endure actuellement. Je vous prie de montrer ma lettre à Peyronnet. Il comprendra certainement que vous ayant délégué mon autorité, je me crois tenu de ne signaler qu'à vous-même, et directement, ce qui pourrait être une erreur de votre direction, en vous laissant le soin d'en décider en fin de compte sous votre responsabilité.

Brun décidera de poursuivre. Il va même, en 1927, avec l'accord explicite de « l'exilé de Divonne », créer, auprès de la collection « les Inédits », une nouvelle collection, « Bibliothèque Grasset » réservée à l'édition de luxe. La définition du livre de luxe est, au reste, très large. Pour ces deux collections, il s'agissait de livres qui se distinguaient de l'édition courante, essentiellement par la qualité du papier, la limitation et la numérotation du tirage. Jusqu'au début des années trente, le livre de luxe connut un succès considérable. Brun n'avait pas commis une erreur. Grasset le savait, mais il méprisait cet engouement. Dans un article polémique qu'il écrira, après être « revenu à la vie », en 1929, il dénoncera, comme on le sait, violemment ce qu'il baptise « l'ère bibliophilique » :

Le livre est donc une valeur ! On peut jouer sur le livre ! Il est ainsi des valeurs « émises » à 3,50 francs et qui atteignent en quelques années un cours trois cent fois plus élevé ! C'est donc cette spéculation nouvelle que l'on appelle « la bibliophilie » ! Un si petit risque et tous les espoirs : quelle nouveauté, quel attrait !...

Pour faire bonne mesure, il n'épargnait personne, et ajoutait :

Dieu merci ! On n'achète pas seulement des livres pour les revendre : certains en achètent pour les montrer. Et ici nous reconnaissons un autre trait de notre époque : la forme littéraire du snobisme. « Et maintenant venez voir mes livres ! » Combien de fois ne l'avez-vous pas entendue, cette phrase !

*

A Divonne, il n'entend plus grand-chose. Il a des semaines

entières de « blanc ». Il ne parle plus, il n'écrit plus, il se mure. En janvier 1927, la panique gagne la rue des Saints-Pères. Après chacune de ses visites, le Dr Pierre Vachet revient un peu plus sceptique, un peu plus troublé. L'état du malade est « stationnaire ». Le 5 mars 1927, dans un long courrier, Louis Brun évoque, pour la première fois, les problèmes financiers qui ébranlent dangereusement la Maison. Il tire la sonnette d'alarme avec une vigueur qui, au bout du compte, témoigne de son optimisme. Il n'aborde pas Grasset comme on approche un vrai malade, mais plutôt comme on traite un enfant capricieux :

> J'ai pendant longtemps hésité à vous écrire ; j'ai pendant tout le mois écoulé respecté le repos que vous aviez exigé ; mais maintenant, mon cher Grasset, il faut que je vous dise de la façon la plus ferme que cela doit cesser. Il y va de l'avenir de la Maison. Je vous l'ai déjà dit ; je croyais que vous l'aviez compris. Mais cette fois, je le crie avec plus de force. D'autre part, les auteurs s'agitent, les gens bavardent, colportent mille bruits plus susceptibles les uns que les autres de porter atteinte au crédit et au prestige de la Maison. M. Muller* veut retirer ses 500 000 francs [...]. Excipant de votre maladie et voyant le danger que court son capital, il est prêt à plaider. Tout le monde s'inquiète de l'abandon par vous de votre Maison. J'ai fait ce que j'ai pu mais je ne suis pas vous. Le capital Grasset, valeur individuelle représentant toute la Maison, est bien diminué.
> A cela je ne vois qu'un remède, votre retour !... Je ne vous parlerai pas des soucis que j'ai depuis vingt mois, ni de ma santé. Cela ne vous intéresse pas. Mais je n'en puis plus. Et il faut que je travaille quelque temps avec vous avant de prendre un long repos indispensable, si je ne veux pas claquer.
> ... Je sais, vous allez dire : « Laissez-moi souffrir... Je m'en fous ! » Non ! Vous avez créé une maison, vous vous y devez quitte à en souffrir.
> ... L'état des affaires est effroyable ; il est impossible d'équilibrer cette maison et j'ai réduit les frais généraux au minimum. Tout croulera un de ces quatre matins, et donc votre seule ressource. J'en viens ainsi à vos dépenses. 300 000 francs par an, c'est de la folie. Vos moyens ne vous permettent pas de dépenser cela. Revenez, vous le verrez ; et si vous refusez de reprendre votre place, il faut que vous vous adaptiez aux circonstances et que vous vous contentiez de 180 000 francs, soit 15 000 francs par mois. Au-delà, nous ne pouvons pas tenir le coup. Au cas où vous décideriez de ne plus revenir, ou de ne revenir que dans x temps, ce qui revient au même, il faut prendre une décision immédiatement.

Grasset répondra le 10 mars sans faire la moindre allusion aux difficultés que lui a exposées Louis Brun. Il va réussir la performance de noircir une dizaine de feuillets pour se lamenter sur son sort, sur sa douleur, sur son désespoir absolu, sur l'abandon dont il

---

* Il s'agit du père d'Henry Muller.

est la victime. Il termine, tutoyant son second : « Finalement, mon vieux Brun, je désire mourir. Ne m'écris plus. Je n'ouvrirai pas tes lettres. Laisse-moi mourir, loin de vous tous que j'ai trop aimés et qui ne m'avez jamais compris. »

A cette date, il n'a plus personne à ses côtés pour lui taper son courrier. Ses notes éparses, comme ses lettres, sont toutes de sa main. Entre Noël 1926 et Pâques 1927, il semble bien qu'il ait été seul. Ni collaborateur, ni chauffeur, ni femme de compagnie. Dans le registre de ses comptes personnels, que s'efforcent de tenir, avec plus ou moins d'acrobaties, Peyronnet et Brun, le retour du chauffeur à Paris est signalé le 22 décembre 1926. Il est précisé que la Talbot qui stationne chez un garagiste de Divonne « doit subir d'importances réparations et révisions d'un coût total de 2 700 francs ».

Le montant des dépenses annuelles de Grasset, que mentionne Brun, est également confirmé par la comptabilité de la Maison. 300 000 francs, c'est énorme. En 1927, Brun gagnait environ 3 000 francs par mois — 36 000 francs par an — et Grasset avait la réputation de payer généreusement ses employés.

> De toutes les maisons d'édition littéraire : Albin Michel, Cres, Gallimard, Grasset, qui vendent bien leurs livres, il n'y a qu'au Mercure que le personnel soit si mal payé, écrivait amèrement Paul Léautaud le 18 janvier 1924. Chez Grasset, un jeune homme de vingt-cinq ans au plus, qui fait un peu le travail que je fais et qui est loin d'avoir le savoir que j'ai, est entré à 700 francs. Moi, après quinze ans comme secrétaire, avec toutes les connaissances que j'ai et qui sont utiles dans mon emploi, j'ai 500 francs, et encore à cause de la guerre et du prix de la vie actuelle. Sans cela, je serais toujours à mes 250 francs d'avant-guerre.

Le témoignage du « grincheux de Fontenay » est éclairant. Les dépenses de Grasset à Divonne passaient les bornes. Combien de temps encore la Maison pourrait-elle assumer une telle charge ? La question n'est plus théorique. Mais que faire ? Grasset est le seul propriétaire de sa Maison et il est sourd aux menaces qu'agite Brun — « Muller veut retirer ses 500 000 francs ». Une surdité qui lui est naturelle et qui n'a rien à voir avec sa maladie. Il a, toute sa vie, jonglé avec l'argent, le sien comme celui de ses créditeurs, et le goût, le sens du profit ont si peu inspiré son action d'éditeur qu'il dut convenir — mais trop tard — avoir manqué de discernement.

> L'argent, par quoi se traduit toute réussite commerciale, exige d'être recherché pour lui-même, d'être gardé pour lui-même, écrira-t-il en 1954, et, si l'argent n'obtient pas satisfaction, il se venge sur l'entreprise. Cette vérité n'est pas, pour chacun, d'évidence. Je dois, pour ma part,

reconnaître que je ne m'en suis que maintenant pénétré... J'ai été victime de l'argent... Je n'avais pas ramené les choses à cette proposition simple, qu'une entreprise est proprement condamnée quand elle n'est pas commandée par l'esprit d'enrichissement.

En 1927, les embarras de trésorerie qui préoccupent Brun et Peyronnet sont le cadet de ses soucis. « Je suis vraiment né donateur », note-t-il dans son Journal, estimant qu'il ne vaut que par l'admiration qu'il porte aux autres et surtout à l'œuvre des autres. C'est en ce sens qu'il se croit un « éditeur par nature ». La souffrance psychique qu'il dit endurer provoque chez lui un florilège de réflexions sur son métier, sur la vocation littéraire, sur l'écriture. Jamais sur des problèmes d'intendance ou de train de vie. Il ne découvre son chemin qu'à ces moments où il touche le fond. Son désespoir devient créateur. Cette idée imprègne tout ce qu'il écrira par la suite. Il se pense, il se voit condamné à poursuivre des chimères parce qu'il n'a pas, pleinement, la faculté de jouir :

> Je dirai que le « slogan » de tous les névrosés est : « La vie commencera demain. » Poursuivre, c'est proprement désespérer d'atteindre et quand même persévérer. C'est une jouissance toujours reculée. C'est l'impossibilité de s'arrêter dans sa poursuite, l'impossibilité de se complaire dans une réussite, l'impossibilité de finir, dans tous les sens de ce mot.

Dérangeante lucidité pour ceux qui le côtoient et dépendent de lui. Comment, en effet, se déterminer sur son cas ? Éternelle interrogation qui hante un Louis Brun tout à la fois révolté, peiné, agacé, désemparé ou furieux.

Le 15 mai 1927, Robert, le chauffeur, reprend le train pour Divonne. Grasset a décidé de quitter la charmante station thermale de l'Ain. Il s'est brouillé avec les Drs Vieux et Balivet. La Talbot traverse la France en prenant les chemins buissonniers et termine sa course à Bordeaux, au Grand Hôtel, place de la Comédie, le palace de l'époque. C'est un endroit qu'il fréquente depuis très longtemps. Il y retrouve, très probablement, une ou plusieurs femmes qui lui sont dévouées. A nouveau, son courrier est dactylographié.

De leur côté, Brun et Peyronnet ne désarment pas et continuent d'insister pour qu'il rentre, enfin, à Paris. L'infernal dialogue de sourds entre sa Maison et lui-même reprend de plus belle. Il ne supporte pas qu'on l'invite à revenir, surtout qu'on lui propose une date qui tienne compte de certains impératifs :

> Il suffit que de tels délais me soient fixés, écrit-il le 18 août 1927, pour que malgré des efforts conscients, surhumains et à cause même de ces

efforts, mon inconscient s'empare de ces délais à mon insu, et en fasse une raison nouvelle de m'enfoncer dans la mort par impossibilité de vivre !

Vous ne pouvez comprendre, mon petit, l'horreur de cette lutte entre deux êtres, dont l'un, conscient, veut vivre, et l'autre, inconscient, l'être instinctif (dont toute la sensibilité a été faussée par l'entourage de sa petite enfance), ne peut tendre que vers le désespoir parce que c'est la seule chose qu'il puisse fabriquer sans les autres.

Ne cherchez pas à comprendre cette horreur, Brun. Mais je vous en conjure, inclinez-vous devant ces choses qui vous dépassent... Vous qui avez vécu vingt-cinq ans près de moi, vous auriez dû sentir que toute ma vie était un trompe-l'œil et que c'est par impuissance à vivre et à aimer que je me suis retranché dans les constructions monstrueuses de l'esprit et de l'action !

Comprenez, Brun, que me fixer ces dates, c'est m'empêcher à tout jamais la reprise de la vie véritable et mesurez ainsi tout le mal que, à votre insu et guidé par votre seule affection, vous avez pu me faire depuis deux ans !

Impossible de le sauver du martyre qu'il prétend vivre ? Un jour, il s'évanouit dans une rue de Bordeaux et il faut qu'une ambulance le ramène à son hôtel. Un autre jour, il téléphone pendant des heures au Dr Pierre Vachet, pleurant, gémissant, hurlant, à tel point que le directeur du Grand Hôtel menace de l'expulser manu militari.

A lire toutes les lettres où il relate ses mésaventures et se répand en jérémiades, on devine, en dépit de la perplexité qu'on peut éprouver, qu'elles ont été dictées par une nécessité intime et profonde. La voix unique, monocorde, de toutes ces pages résonne dans un espace vide, clos, qui ressemble à celui de la folie. Grasset est-il à la recherche d'une enfance interminable et jamais trouvée ? Quand bien même il serait pour partie un génial simulateur, tout, chez lui, renvoie à la douleur d'un être abandonné : appel à la fusion, retour au sein maternel, au giron familial, confusion des sentiments, son corps ne pouvant plus, croit-il, trouver sa place qu'absent.

Pourtant — est-ce cela le miracle ? — cette logique de mort, de destruction dans laquelle il s'installe est, un jour, interrompue sans que personne, ni lui, ni son médecin, ni ses proches, puisse expliquer pourquoi et comment.

*

A la rentrée d'octobre 1927, Grasset est, en effet, de retour. Dans quel état ? Pendant quatre ans, tous ceux qui vont le rencontrer, rue des Saints-Pères ou rue Rosa-Bonheur, tous ses pairs qui vont le croiser au Syndicat de la librairie, Vallette, Eugène Fasquelle, Albin Michel, Gaston Gallimard, tous le retrouveront

tel qu'en lui-même, balançant entre ses deux natures, l'une charmante, gaie, amicale au possible, l'autre autoritaire, cassante,
capricieuse. Quatre années pendant lesquelles il va se déployer sur
tous les fronts.

Rappelons-nous! Il signe ses premiers ouvrages — *Remarques
sur l'action, la Chose littéraire, Psychologie de l'immortalité, Remarques sur le bonheur* —, il lance Jacques Chardonne, Jean
Giono, provoque la « querelle du Goncourt », transforme la maison Bernard Grasset en société anonyme, inaugure la collection,
ou plutôt *sa* collection, « Pour mon plaisir », dans laquelle il
publie Jean Cocteau, Georges Bernanos, Irène Némirovsky, Marguerite Yourcenar, Malaparte...

S'il s'absente quelques semaines pour Divonne ou Montreux, s'il
s'embusque, assez régulièrement, rue Rosa-Bonheur, c'est lui, et
personne d'autre que lui, qui dirige la Maison.

En vérité, son retour à Paris est motivé par un coup de foudre,
non pour une jouvencelle mais pour un psychanalyste de l'École
freudienne, très en vogue, le Dr Laforgue.

D'origine alsacienne, René Laforgue avait fait ses études médicales à Berlin et lu, en allemand, les principaux ouvrages de
Freud. En 1923, après s'être installé à Paris, il créa la première
consultation psychanalytique hospitalière, à l'hôpital Sainte-Anne,
avant de fonder quelques années plus tard la *Revue française de
psychanalyse*, organe de la Société psychanalytique de Paris, dont
il était le président. Il fut sans doute, au cours de ces années
1920-1940, le plus chaleureux et le plus doué vulgarisateur de la
pensée freudienne en France.

Le traitement que suivait Grasset depuis maintenant près de
cinq ans ne s'apparentait nullement, dans l'esprit du Dr Vachet, à
une véritable psychothérapie, encore moins à une « analyse ». Il
était, comme Vachet l'a souvent expliqué, « psychologiquement
aidé à se supporter » par la présence constante de médecins à ses
côtés, par des cures de repos, des bains et des douches de relaxation, etc.

Avec Laforgue, il entame une psychanalyse au sens plein, c'est-
à-dire comme l'entend le commun des mortels: il passe une heure
ou deux, par jour, « sur le divan ». Là comme ailleurs, son
caractère impérieux, son côté Napoléon de l'édition, l'emporte sur
toute autre considération: Laforgue, comme son chauffeur,
comme sa secrétaire, comme sa gouvernante, doit être à sa disposition vingt-quatre heures sur vingt-quatre. A son ami Émile
Baumann, à mille lieues de la psychanalyse, mais qui est pour lui
le vieux témoin, toujours affectueux, prévenant, attentif de son
mariage avec sa Maison, il confie: « Savez-vous que chaque jour,

pendant une heure et parfois davantage, je me délivre de tous les secrets, de toutes les souffrances de ma vie ? Je parle, le médecin m'écoute et, le croirez-vous, cela suffit pour apaiser mes tourments. »

Est-ce ce soutien qui lui permet de diriger très convenablement sa Maison d'octobre 1927 à novembre 1931 ? Les faits plaident dans ce sens puisque sa rechute et le moment où il entre en conflit avec Laforgue sont concomitants.

Après le fameux article qu'il donne le 31 octobre 1931 aux *Nouvelles littéraires*, et qui sera à l'origine de la violente polémique autour du Goncourt, il est mis en échec, lors d'une réunion de son conseil d'administration. Son attitude est sévèrement jugée par Brun, Peyronnet et Baratier, en particulier. Il entre dans une colère qui frôle la démence. Le vice-amiral Grasset, qui préside le conseil, essaye de le calmer. Sans succès. Il hurle, tape du poing sur la table, jette un cendrier contre une vitre qui vole en éclats. Alerté par Joseph Peyronnet, Laforgue arrive ventre à terre pour recevoir une bordée d'injures de la part d'un Grasset déchaîné, qui le traite de « charcutier de l'âme ». Une sorte de torpeur envahit les étages de la rue des Saints-Pères. Il faudra plusieurs heures avant que Grasset ne se reprenne.

Depuis quelques mois, l'éditeur s'est mis à boire — c'est un amateur de cocktails. Il semble que les séances chez Laforgue, aidées par les vapeurs de l'alcool, l'ont tenu artificiellement debout. Devant l'hostilité de son conseil d'administration, ses nerfs ont craqué.

Le lendemain, 7 novembre 1931, il quitte Paris. Il ne va pas loin. « Je me rendis simplement à Versailles avec Marguerite Rousseaux, une noble et très modeste jeune femme, mais trop jeune et qui ne comprit pas que je cherchais éperdument dans l'amour le remplacement de tout ce qui venait de craquer. Puis elle partit, car j'étais trop douloureux. »

Il annonce alors à Laforgue qu'il veut s'installer à Divonne. Le médecin acquiesce, précisant qu'il ira régulièrement le voir bien qu'il ne partage pas du tout les méthodes de ses collègues de la station thermale. Pour la énième fois, la « caravane » s'ébranle. Fidèle parmi les fidèles, Robert conduit la Talbot ; Lucienne Foucrault, que la Maison vient d'engager, tient le bloc-notes de la toute dévouée secrétaire ; Charles Decroix, apparemment chasseur de talents pour l'éditeur, est l'homme des confidences. A son insu, Grasset ouvre le troisième chapitre de son calvaire. Le dernier. Encore plus long que les précédents. Il ne reprendra formellement les rênes de sa Maison qu'en février 1936. Plus de quatre années d'éloignement.

« Je regrette surtout que pendant mon
absence, il y ait eu une politique précaire
de jeunes auteurs. Depuis mon départ
vous n'avez pas été foutus de trouver un
seul écrivain. »

BERNARD GRASSET

10

L'ÉLOIGNEMENT DU « FOU »

*Des mois d'errance. — Aux bons soins du Dr Hesnard, à
Toulon. — Il retire sa confiance à Brun. — Ses démêlés
grand-guignolesques avec Jacques Benoist-Méchin. — Son
« factum » déposé chez Alexandre Millerand. — Sa famille
prend peur. — Le défilé de ses maîtresses s'accélère. — La
méfiance de ses auteurs. — La clinique du château de Garches.
— Il est, malgré tout, présent. — Le procès en interdiction:
10 juillet 1935. — Jugé « apte » à diriger sa Maison.*

Dans les années trente, les cures de Divonne-les-Bains ont
acquis une réputation internationale. Beaucoup d'artistes, d'écrivains, de « créateurs », comme nous le dirions aujourd'hui, au
système nerveux sérieusement endommagé, viennent y goûter les
charmes de la douche relaxante. Georges Bernanos y séjourna
deux semaines, en août 1930, alors « au fond du trou », incapable
de terminer *la Grande Peur des bien-pensants*: « J'ai fini par
échouer dans cette espèce de maison de santé, sans murailles ni
gardiens, où je partage l'eau de la source Nidard avec le fraternel
troupeau de dames hystériques, de tiqueurs et d'obsédés. Ceci
pour la punition de mes péchés, je l'espère. » Après ces quelques
jours de repos complet, il achève son livre et recommence[1] à
travailler « avec une régularité, une obstination magnifique[1] ».
Bernard Grasset, pris dans l'étau d'une multitude de démons,
n'a pas les mêmes ressorts. Il a fixé son attention sur un seul
thème: ses relations avec le Dr Laforgue, et il s'est, très vite,
convaincu de leur nocivité. Il se plonge dans l'*Introduction à la
psychanalyse* et les *Essais de psychanalyse*, deux ouvrages de
Freud édités chez Payot en 1926 et 1927. Il éprouve désormais le
sentiment de vivre avec Laforgue quelque chose de « mons-
trueux », d'être mis à la question comme on exorcisait au Moyen
Age. Dans sa correspondance, il développe des théories sur les
méthodes curatives « lourdes et pédantes qui nous viennent du
germanisme » et qui ont troublé et détruit, avec une brutalité

systématique, sa sensibilité trop vive. Il refuse les visites de Laforgue et cherche l'appui d'un autre médecin. Comme il ne le trouve pas à Divonne, il gagne, en février 1932, l'hostellerie du Château de Tivoli à Brignoles, dans le Var.

La composition de la « caravane » est inchangée. La « noble et modeste » Marguerite Rousseaux et Louise, sa gouvernante de la rue Rosa-Bonheur, viendront le rejoindre vers le 15 mars.

Grasset est déjà descendu dans cette hostellerie avec quelques-unes de ses conquêtes, pour se détendre, mais jamais pour y suivre un traitement médical.

Cette fois, il prend contact avec le Dr Hesnard, l'un des fondateurs avec Laforgue de la *Revue française de psychanalyse*, et qui enseigne à l'école d'application du service de santé de la Marine nationale, à Toulon. Curieuse idée de choisir Hesnard, qui devrait lui rappeler Laforgue ! En tout cas, il s'enthousiasme pour son nouveau médecin, qu'il qualifie de « premier analyste de France ».

> A chacun de ses mots, écrit-il à Peyronnet, je sentais tout ce que je vous disais depuis longtemps, c'est-à-dire que ce Laforgue est un monstre, qui a répondu à mon trouble en me troublant davantage. J'ai essayé, vous le savez, d'échapper à ses griffes plusieurs fois. Vous m'y avez ramené. Louise m'y a ramené parce qu'elle croyait bien faire, vous parce que c'était plus simple de me livrer à Laforgue que de vous attacher à me sauver... Il y a deux ans, rappelle-toi, je m'étais rapproché de Guiguite par un dernier instinct de vie. Vous m'avez privé d'elle et j'aurais peut-être pu encore être sauvé à ce moment-là. Mais l'amour ne se demande pas, il s'impose, il est impérieux, il a besoin[2].

Le Pr Hesnard n'attendit pas longtemps pour livrer à Grasset son diagnostic, dans des termes assez surprenants pour un ancien disciple de Laforgue :

> Je cherche à me figurer exactement votre état. Je crois qu'on peut le caractériser en disant que le monde tout entier vous apparaît sous « le signe de la faute ». Tout est « coupable » ou plutôt prétexte à culpabilité. Les amis, les êtres chers, le médecin sont des juges (ou des incompréhensifs). Vous êtes devant une sorte de tribunal et le seul soulagement dans ce cauchemar est de vous faire de temps à autre le juge des autres. Cette abominable farce s'alimente aux sources, hélas, universelles, de la « bigoterie » psychanalytique.
>
> Quel beau prétexte un tel sentiment imaginaire de faute trouve dans cette science difficile à comprendre ! Je vous en supplie, laissez tous ces oripeaux, toutes ces grandiloquences, ces « œdipes ». Vous, Latin subtil, et merveilleusement intuitif, ne vous laissez pas égarer plus avant par ces spectres de l'envoûtement judéo-germanique. C'est en ne les prenant pas au sérieux que vous parviendrez à la véritable et réconfortante analyse que tout votre être réclame. Ame de pur cristal, ne laissez pas flatter, stimuler jusqu'à l'exaspération ce loyal et magnifique besoin de rendre

compte, besoin de confession, qui révèle votre point faible : *la peur de la virilité*. Dans votre esprit d'enfant on a fait de la virilité une chose tragique et défendue à vous... Il n'est de pire innocent que celui qui vit éternellement la peur de la Faute[3].

Terribles mois que ceux qu'il passe dans la région toulonnaise. La nuit, dans laquelle Laforgue l'invitait à descendre « pour découvrir le jour », s'est refermée sur lui. Dans la République des Lettres, on dit partout, non seulement à Paris, mais aussi en province, qu'il est fou. Brun et Peyronnet, en dépit des insultes, des vexations que leur inflige Grasset, qui, tous les jours, téléphone, télégraphie, écrit, passent les trois quarts de leur temps à démentir les rumeurs :

> A La Baule, un banquier que je ne connais pas, écrit Brun à Peyronnet, m'a parlé de la santé de Bernard en me disant que tout le monde était au courant, et que d'ailleurs la situation financière de la Maison était des plus mauvaises. Naturellement, je proteste, mais tout ceci crée autour de la Maison une atmosphère irrespirable, et nous avons beau faire, vous et moi et tous nos amis, nos efforts n'empêcheront pas que de plus en plus de bruits se répandent d'une aggravation de la santé de Grasset. A Toulon, sur le quai de la Rade, c'est une immense rigolade, Grasset dictant des télégrammes et ses ordres téléphoniques, d'une voix claironnante en plein café, devant toutes les poules, les officiers de marine et les touristes... Trois bonnes trompettes pour notre renommée !

Jusqu'à la fin de l'été, personne, pourtant, ni dans la Maison, ni au conseil d'administration, n'envisage d'écarter le « patron », de lui trouver un remplaçant comme administrateur délégué ou de le mettre en congé. C'est d'ailleurs impossible puisque Grasset est très largement majoritaire dans sa société et que lui seul peut négocier la vente de ses actions. Au demeurant, son absence n'affecte pas la marche de la Maison. Le chiffre d'affaires de juillet 1932 est supérieur à celui de juillet 1931 — 855 691 francs contre 816 481 — et l'année se soldera par un compte d'exploitation largement bénéficiaire : un peu plus de 1 000 000 de francs.

Son délire, qui inonde la plupart de ses lettres, contraste également avec son attention pointilleuse, ses remarques subtiles et opportunes, dès l'instant où il s'agit de conclure avec un nouvel auteur. Le dérèglement de la boussole s'arrête là où commence son pouvoir ultime et suprême d'éditeur, ce qu'il appelle son « arbitraire » : signer ou ne pas signer un contrat. Le contrat, c'est la clef de voûte d'une maison d'édition et la clef de voûte de Grasset, c'est précisément *sa* Maison. Et tout se passe comme si son délire s'arrêtait toujours face à la seule réalité qui comptât jamais pour lui : *sa* Maison. Dès l'instant que *sa* Maison est en cause, il lutte, il se raidit, il se reprend, pour éloigner tout péril de ceux qu'il a, le mot n'est pas trop fort, « *enfantés*[4] ».

Enfin, depuis qu'il séjourne dans le Midi, errant d'un hôtel à l'autre, entre Brignoles, Toulon, Bandol et Remoulins, il reçoit de nombreux visiteurs — Henry Muller, André Sabatier, Georges Bernanos, Louis Roubaud, Blaise Cendrars, Léon Lafage —, dont les uns ne font que passer, tandis que d'autres lui tiennent compagnie plusieurs semaines. De son côté, Lucienne Foucrault prend soin d'adresser, rue des Saints-Pères, ses impressions hebdomadaires :

> Il est content de voir de tels amis qui font tout pour lui être agréables. Bernanos, en particulier, est la gentillesse même. Et pour nous, quel réconfort de voir de temps en temps un homme comme lui, vivant, gai et généreux ! Mais ce qu'il lui faut, c'est un compagnon de tous les instants ; je vous dis là ce que vous savez bien déjà.

Blaise Cendrars partage le même avis : « Sa vie est un drame affreux. Est-ce également Hesnard qui organisera sa vie domestique ? Il aurait besoin de quelqu'un. Ces quinze jours auront été bien durs à supporter, mais ils se tirent. »

Bien que chacun s'efforce d'aider le patron, il n'était pas possible d'empêcher que l'anxiété croissante des intimes de Grasset, que le bavardage ou les confidences des uns et des autres ne viennent, un jour, inquiéter les principaux administrateurs et financiers de la Maison.

Fin août 1932, les événements vont se précipiter. Quelques actionnaires, sans s'être donné le mot, informent Louis Brun de leur intention de porter plainte contre Grasset, pour abus de confiance. Ils se basent sur des faits qui tombent réellement sous le coup de la loi : se gardant d'évoquer les problèmes de santé, ils soulèvent la question des frais de représentation que perçoit Grasset depuis un an alors qu'il ne travaille plus, et celle des prélèvements sur l'actif social. Pour masquer ces avances, Brun vient d'ailleurs d'obtenir ce mois de juillet 1932 un emprunt de 150 000 francs, gagé sur 300 000 francs d'actions, de l'homme d'affaires Pierre Dreyfus, lequel reçoit en contrepartie l'affermage de la publicité de la Maison pour huit ans.

Le procureur de la République peut fort bien prendre une telle plainte en considération. Une instruction sera ouverte et Grasset devra se présenter devant le juge. Quelle figure fera-t-il ? Comment réagiront les banques ? Et les auteurs ? Ne vont-ils pas fuir, mesurant brusquement la fragilité de la Maison ? Daniel Halévy, le 30 août, envisage de donner sa démission du conseil d'administration si Grasset n'accepte pas de renoncer, le temps nécessaire au rétablissement de sa santé, à ses pouvoirs. Le 15 septembre, il arrête sa décision et la confirme à Louis Brun:

> Depuis plus de quinze jours, je demande la convocation d'un conseil. Je n'ai pu l'obtenir. Je vous adresse ma démission de membre du conseil de la maison Grasset. Je ne peux accepter plus longtemps la responsabilité d'une administration abandonnée aux signatures d'un irresponsable. Je vous envoie ceci, vous considérant comme administrateur délégué en second de la Société d'édition Grasset.

Cette lettre restera sans suite. Halévy n'abandonnera pas sa fonction.

Néanmoins, c'est l'alerte. Le 21 septembre, Louis Brun souhaite se rendre auprès de Grasset et il s'en ouvre au Dr Hesnard:

> J'ai décidé de venir à Toulon la semaine prochaine voir Grasset. Bien entendu je vous verrai d'abord et je crois qu'il est préférable de ne pas m'annoncer à lui et de le surprendre dans son hôtel, ou chez vous de préférence, à l'heure de la consultation; car cette conversation, je voudrais l'avoir en présence d'un tiers: la mauvaise foi de Grasset est telle que si notre conversation a lieu en tête à tête, il la transformera et elle pourrait se tourner contre moi. Le prétexte de ma visite sera d'un directeur qui vient voir son patron et lui parler de la marche de sa Maison, de projets littéraires, de questions financières, etc.

Mais le but principal de cette conversation est de mettre Grasset en garde contre le danger que présente la prochaine assemblée générale des actionnaires, dont plusieurs ont décidé de demander sa déchéance.

> Vous voyez l'effet désastreux de cette demande! s'exclame Brun. Je veux dire cela à Grasset avant la réunion du conseil d'administration, pour lui demander ce qu'il compte faire. Si son état devait se prolonger, il faudrait qu'il prît les devants et qu'on puisse lire à cette assemblée générale une lettre de lui demandant, pour une durée qu'il fixerait lui-même, mettons six mois, la suspension de ses pouvoirs d'administrateur délégué, étant entendu que si son état de santé se rétablissait, automatiquement il reprendrait ses pouvoirs. Cela apporterait tous les apaisements et couperait complètement toutes les interpellations désastreuses. Mais voudra-t-il « abdiquer », même provisoirement? J'avoue que je ne suis pas très « fier », comme on dit chez nous, de faire une telle démarche. Mais je la ferai au risque d'en supporter toutes les conséquences. Je connais l'injustice de Grasset, c'est moi qui serai responsable de cela. Il ira certainement jusqu'à dire que c'est moi qui ai monté le coup avec des actionnaires. Mais cela m'est égal, je veux avant tout sauver la Maison de sa ruine.

Brun n'ira pas à Toulon. Hesnard va le lui déconseiller:

> Mon rôle est parfaitement de vous aider dans cette affaire. Si j'ai un peu tardé, c'est que j'attendais une occasion favorable, qui s'est produite

au cours de cette journée de dimanche passée avec lui à la campagne. Je lui ai lu des passages de votre lettre, évitant encore d'aborder la question de la plainte en justice — qui amènerait une violente réaction — et celle de l'amputation de ses mensualités. Il se prépare à recevoir une lettre de vous dont je vous propose la teneur sous la forme de votre propre lettre modifiée dans le sens de l'atténuation des termes. Faites-moi ce plaisir.

Grasset a surtout peur : premièrement, qu'on nomme un président qu'il n'apprécie pas ; deuxièmement, de perdre sa majorité ; troisièmement, donc, qu'on lui enlève, par des réductions de salaire, le moyen de mener l'existence qu'il croit encore indispensable à son traitement ; quatrièmement, qu'on le remplace comme administrateur délégué, après l'avoir mis en congé. Comment peut-on raisonnablement apaiser ses craintes par un compromis et une heureuse formule ? Hesnard n'a pas la réponse.

Cette « journée de dimanche » sera fatale. Grasset n'attendra ni le courrier de Brun, ni aucune autre explication du Dr Hesnard pour contre-attaquer. Le peu que lui a dit son médecin l'a persuadé du pire. Il prend feu. Le 6 octobre, par lettre recommandée, il retire sa confiance à Brun :

> J'ai écrit aux banques, aujourd'hui même, que votre signature était supprimée, pour des raisons qui ne me permettaient pas d'attendre la réunion du prochain conseil d'administration. Je vous demande de l'accepter humblement. Comme vous devriez toujours tout accepter humblement, pauvre bougre que vous êtes... Comprenez en toute amitié que si vous voulez continuer de balader des poules de luxe à La Baule, cessez de faire la bête.

Il s'entiche dans le même temps de Clément Gueymard, son chef comptable, qu'il convoque à Toulon et renvoie à Paris, oint de sa bénédiction, avec les pleins pouvoirs. « Même celui d'entrer dans votre cabinet à tout moment du jour, précise-t-il à Brun, de s'informer de ce que vous y faites, d'écouter les conversations que vous y tenez, de contrôler vos absences, de me tenir exactement au courant de vos heures de présence au bureau. »

Gueymard, un gentil bonhomme, soucieux des rentrées d'argent, mais ignorant tout du monde des éditeurs comme de celui des auteurs, n'est ici que le jouet de Grasset. Il n'aura, évidemment, aucune autorité de fait dans la Maison et gagnera, dans cette opération, un poste d'administrateur de la société que lui octroiera royalement le patron.

Louis Brun est terriblement affecté. Si rien, au fond, ne change, ce retrait de la signature atteint son honneur et ternit son image extérieure. Sa correspondance avec Grasset reprend de plus belle. Les deux hommes proclament leur mutuelle affection, leur amitié

Portrait au crayon de Bernard Grasset
réalisé en 1942 par Jean Cocteau.
L'éditeur a 61 ans.

Eugène Grasset,
le père de l'éditeur.

Le grand-père,
Félix Grasset.

Bernard Grasset à 11 ans, avec sa sœur Mathilde, la mère de Bernard Privat qui
dirigera la Maison à la mort de son oncle.

Bernard Grasset
vers 2 ans.

Marie Grasset-Ubertin,
la mère de l'éditeur.

Bernard Grasset (à droite) avec son jeune frère Joseph qui se fera tuer pendant la Grande Guerre.

La famille en vacances aux Charmettes. De gauche à droite, Joseph, Marguerite, Marie Grasset-Ubertin, Eugène Grasset, Bernard et Mathilde.

Septembre 1894 à Montpellier : les Grasset. Au centre, en haut, le neurologue Joseph Grasset, auprès de son frère Eugène et de Marie Grasset-Ubertin. Au centre, en bas, Bernard, en costume marin.

Bernard Grasset en 1905. Il a terminé ses études de droit mais refuse
d'embrasser une carrière juridique. Il a 24 ans.

L'éditeur à la veille de la Seconde Guerre mondiale et...

... au lendemain de la Libération quand commence « l'affaire Grasset ».

1894. Bernard Grasset écrit
et dessine ses vacances.

1922. Remarques *soulignées* à l'adresse de son
collaborateur Louis Brun.

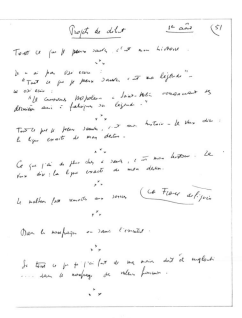

Il n'est pas d'autre problème politique que le problème du bonheur humain. Et c'est à leur ignorance de cette vérité que les peuples doivent leurs plus grands malheurs.

1931. Au dos des couvertures usagées, des « notes politiques » préparent *Remarques sur le bonheur.*

1948. Le carnet de travail de Bernard Grasset où il consigne ses projets pour un livre posthume.

Salle des expéditions et des ventes dans les années 20, les « années Grasset ».

Trois plans du « clip » publicitaire
réalisé pour le lancement du
Diable au corps de Raymond Radiguet
en avril 1924.
On voit Bernard Grasset
et son tout jeune auteur
signant le contrat d'édition.

Bernard Grasset (à droite) rue Mazarine en compagnie de Daniel Halévy,
directeur de la collection « Les Cahiers Verts ». On est en 1942.

Le retour de l'éditeur dans sa Maison en 1950 : de gauche à droite, Dominique Lapierre, Bernard Grasset, Bernard Privat, Jean Blanzat.

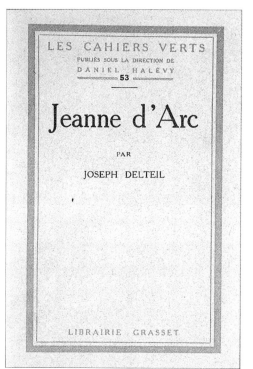

Couvertures et publicité... 1925　　　　　　　　　　　1936

A gauche, Louis Brun, principal collaborateur de Bernard Grasset, de 1907 à 1939. Il est en compagnie d'Yvonne Langevin, la « doyenne », et d'André Sabatier.

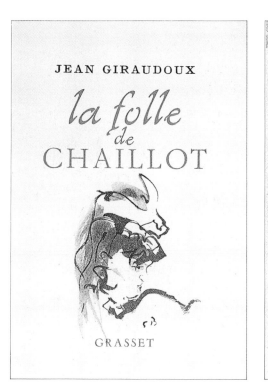

JEAN GIRAUDOUX

la folle de CHAILLOT

GRASSET

1948

126e Mille

A. DE CHATEAUBRIANT

Monsieur des Lourdines

(PRIX GONCOURT — 1911)

— Tous les admirateurs de *LA BRIÈRE* liront *MONSIEUR DES LOURDINES* qui dès sa parution valut à son auteur avec le *Prix Goncourt 1911* une des premières places dans le monde des lettres.

Un volume in-16. — Prix : **6 fr. 75**

BERNARD GRASSET, 61, RUE DES SIS-PÈRES, PARIS

1911

Joseph Peyronnet, beau-frère de l'éditeur, avec ses collaborateurs du service « publicité ».

1921   1928

La « grande salle » de presse vers 1925, sur laquelle régnait Henry Poulaille que l'on voit ici un livre à la main, auprès de sa secrétaire Berthe Zlotykamien (à droite).

1930

L'éditeur au soir de sa vie, devant son chevalet à Cliouscat dans la Drôme où Bernard Privat avait une maison de campagne.

de vingt-six ans, leur fidélité indéfectible. L'éditeur promet de rendre la signature à son « vieux bougre » le plus tôt possible, mais pas avant le prochain conseil d'administration. Celui-ci a lieu l'après-midi du 19 décembre, aussitôt après la réunion de l'assemblée générale qui s'est tenue le matin. Aucune plainte, aucune interpellation, aucune mauvaise humeur. « Nous avons, écrit Brun à Hesnard, en véritables amis de Grasset, examiné la situation personnelle de notre chef. Tous nos vœux ont été exprimés publiquement pour le prompt rétablissement de sa santé. » Adieu, orages redoutés...

Il n'empêche. A Toulon, depuis la lettre du 5 octobre, c'est le grand chambardement. Après la houle, la tempête. Lucienne Foucrault, exténuée, Charles Decroix, agacé, Marguerite Rousseaux, affolée, jettent l'éponge. La petite Miche, « la fesse rebondie et le sourire ensoleillé », assure Léon Lafage, occupe seule la place. Grasset oscille entre l'exaspération morbide et l'effondrement, entre l'activisme destructeur et l'abattement. A chaque dispute avec la petite Miche, il se prend à rêver de la belle Many Gigandet, téléphone à Julienne Bosset, réclame un compagnon, veut rappeler Henry Muller, Cendrars, Lafage...

« Rien que de très normal », confie le Dr Hesnard, qui voit là le contrecoup du sevrage de la psychanalyse. Si la présence d'un ami n'est nullement nécessaire à sa santé, elle permettrait, admet Hesnard, de soulager sa petite amie, qui, excédée, peut à tout moment le quitter, ce qui le jetterait dans le plus complet désarroi. Brun et Peyronnet partagent la même inquiétude et sont, depuis le retour à Paris de Charles Decroix, à la recherche d'un « nouveau pigeon ».

Ils jettent leur dévolu sur Jacques Benoist-Méchin, brillant intellectuel de trente ans, en quête d'éditeur et qui va, ainsi, se trouver mêlé à une histoire grand-guignolesque, laquelle aurait pu très mal tourner.

*

Benoist-Méchin a de la branche. Son arrière-grand-père, le baron Benoist-Méchin, préfet de Napoléon et gouverneur des pays rhénans, fut l'ami de Lamartine, de Benjamin Constant, de La Fayette, et l'un des théoriciens du parti libéral au moment de la Restauration. Son père, explorateur distingué, collectionneur d'objets d'art orientaux, correspondant du prince de Galles et de Jérôme Bonaparte, fut parmi les premiers Européens à visiter le Turkestan et la Mongolie. Jacques Benoist-Méchin n'a malheureusement pas hérité d'une fortune patrimoniale correspondant au prestige de son nom ; il n'a pour lui que l'honneur de le porter et une remarquable culture universitaire.

Après des études en Grande-Bretagne, en Suisse et à Paris, sa parfaite connaissance de l'allemand et de l'anglais lui permit de pénétrer très tôt les milieux diplomatiques européens. Déjà pendant son service militaire à l'état-major de l'armée du Rhin que commandait le général Degoutte, il participa aux négociations Rathenau-Luscher à Wiesbaden. En 1924, il dirige à Paris l'agence de presse News Service, qui avait la mauvaise réputation d'être francophobe. Il y reste trois ans, part pour les États-Unis, prend en 1928 la rédaction en chef de *l'Europe nouvelle* — hebdomadaire antifasciste, proche d'Aristide Briand, et auquel collaborent de jeunes hommes comme Hubert Beuve-Méry ou Georges Bidault — avant de rejoindre la Société des Nations (SDN) à Genève, où il est chargé de tenir un répertoire analogique et analytique de tous les accords et traités signés, de par le monde, au cours des dix années précédentes. Dans le même temps, il se consacre à la traduction française d'importants ouvrages sur l'armée allemande, et c'est à ce titre, en 1932, qu'il a des relations avec la rue des Saints-Pères. Il va, coup sur coup, traduire le *Frédéric Nietzsche* de Lou Andreas-Salomé et le livre capital de l'Allemand Ernst Robert Curtius, *Essai sur la France*.

Benoist-Méchin n'a jamais rencontré Bernard Grasset et ne le connaît que de réputation. Il a pour lui de l'admiration, et aussi de la pitié. Comme il veut terminer la traduction de Curtius et qu'il cherche à se dégager de la SDN, il se laisse facilement persuader par Louis Brun que sa présence dans le Midi pourrait alléger, voire abréger, les malheurs du patron. Il débarque à Bandol, le 25 octobre, au cœur du délicieux automne provençal. Les couleurs, la lumière, la courbe amollie de ce port qui est déjà italien incitent à la gaieté, à l'insouciance. Il y découvre un Bernard Grasset qui se ronge, qui accuse, qui clame l'infamie de sa Maison et de sa famille. Mieux: l'éditeur associe sa tragique destinée à celle de Napoléon, et à son nouveau confident il lance, regardant le rivage: « Quelle Sainte-Hélène pour un homme comme moi! » Plus humain que Sir Hudson Lowe, Benoist-Méchin va s'efforcer de consoler et de distraire Grasset, aidé bientôt par la nouvelle dactylo-concubine, qui porte un nom d'héroïne de feuilleton, Geneviève de Saint-Pol.

Il tient deux mois. Tous ceux qui s'étaient offerts à ce rôle presque surhumain s'étaient enfuis.

> J'ai souvent admiré, lui écrira Hesnard, aidé simplement de mes conseils et encouragements, que vous ayez continué cette assistance dont bien des médecins que je connais n'eussent pas été capables malgré leur entraînement professionnel. Je crois que cette patience, vous la deviez, non seulement à l'amitié admirative pour Grasset, qui avait inspiré

initialement votre tâche, mais aussi à notre étroite collaboration à tous deux qui agissions au mieux des intérêts de notre maître, malade et ami, et en plus grande conformité possible avec ceux de sa Maison.

En décembre, il abandonne et regagne Paris où sa présence est d'ailleurs des plus légitimes. *Essai sur la France* de Curtius, qui vient de paraître dans la collection « Pour mon plaisir », provoque aussitôt une vive polémique.

Grasset ne jure plus que par lui. Il l'assaille de lettres, de télégrammes. « Suis toujours pareil. Hâtez votre action à Paris. Veuillez me téléphoner n° 56 demain mardi vers midi. Toute mon affection. Bernard. »

L'hiver 1932-1933 s'écoule ainsi. Benoist-Méchin ne reviendra pas à Bandol. Autour du 10 mars 1933, la Talbot, Robert, Geneviève de Saint-Pol et Grasset s'en retournent à Divonne après un crochet à Paris, le temps de convaincre Benoist-Méchin d'être du voyage.

Il l'est. Pour son malheur. Après quelques semaines à Divonne, Grasset ira à Frangin, à Durtigny, à Vevey, à Adelboden, puis à Montreux, à Berne, à Baden-Baden, à Interlaken, sans jamais se satisfaire, ni de l'hôtel, ni de la cure, ni du psychiatre qui le soigne. Pour s'épargner tout souci pécuniaire, pour éviter de correspondre sur ce sujet, de plus en plus épineux, avec Brun, Peyronnet ou ses sœurs, il délivre à Benoist-Méchin une procuration pour que celui-ci règle toutes ses dépenses.

Jacques Benoist-Méchin restera auprès de l'éditeur, avec un dévouement inlassable, pendant trois mois, sans rémunération et abandonnant tous ses travaux en cours. Désirant lui témoigner sa gratitude, Grasset lui offrira, à plusieurs reprises, une place d'administrateur de la Maison. Il refusera, alléguant que ce serait donner un aspect intéressé aux raisons purement amicales qui inspirent sa conduite. Pourtant, il va être victime d'une navrante « affaire de cuisinière ».

*

Durant son bref passage à Paris, Grasset, véritablement sans le sou, avait emprunté 1 000 francs — environ 3 000 de nos francs — à Louise, sa vieille gouvernante qui était aussi sa cuisinière. Et il avait disparu. Louise, évidemment, avait réclamé son argent. Grasset lui disait: « Allez vous faire rembourser rue des Saints-Pères, j'ai donné des ordres dans ce sens. » Dans le même temps, il avait demandé à Benoist-Méchin, sans autre explication, de téléphoner à Gueymard, le comptable, pour lui dire: « Ne payez pas Louise. » Le malentendu, soigneusement organisé, prit une forme si absurde que Clément Gueymard vint le 25 mai 1933 voir Grasset à Lausanne. Alors qu'il essayait d'éclaircir l'incident, Grasset voulut obtenir de Benoist-Méchin, un témoignage qui laissait croire que Louise n'avait pas été remboursée, parce que Brun ne l'avait pas voulu! « Monsieur, avait répliqué Benoist-Méchin, je suis obligé de déclarer devant vous et devant Gueymard que c'est vous qui êtes le menteur dans cette histoire. » C'était courageux. Jusque-là, il avait accepté de négocier avec tous les excès, dans le comportement et dans la parole, de son compagnon d'infortune, lequel s'était habitué à sa docilité, sa patience et son abnégation.

Humilié et furieux, l'éditeur avait proféré injures et menaces, puis, en apparence, s'était calmé. Quand, à bout de forces, Benoist-Méchin, qui a oublié la péripétie « Gueymard-Louise », lui demande le 2 juin de rentrer à Paris, il est à mille lieues de deviner ce qui l'attend : Grasset, avec l'obsession du névropathe, avait machiné sa revanche. Il avait, en particulier, soutiré à Mme Lucca, la propriétaire du Clos-Beysonnet à Frangin, un hôtel où il séjourna, une fausse facture sur laquelle il allait s'appuyer pour rouler dans la boue Benoist-Méchin. Le 3 juin, il envoie son réquisitoire à Gueymard :

> Je suis littéralement scandalisé de votre attitude dans la question Benoist-Méchin. Je l'avais été dès le premier jour, je vous l'avoue, dès notre douloureuse rencontre de Lausanne, puis lors des coups de téléphone que je vous ai donnés, au cours desquels, entre la parole de votre patron et celle d'un escroc (il faut bien l'appeler par son nom), vous n'avez pas hésité: vous avez pris le parti de l'escroc. Ces choses seront durement réglées à mon retour et peut-être même avant. En attendant je vous prie de me donner l'adresse de notre inspecteur de comptabilité ; faites-moi parvenir cette adresse par dépêche. Heureusement, je recevais, en même temps que votre lettre du 30 mai, une lettre de même date de Mme Lucca, directrice du Clos-Beysonnet, dans laquelle était jointe copie de la lettre qu'elle avait adressée le 19 mai à B.-M. Ces deux lettres sont le témoignage par écrit d'un vol de 4 000 francs qui, selon moi, n'est à peu près que la moitié du vol total de B.-M. envers moi, comme je vous l'expliquerai plus loin. Vous voudrez bien trouver ci-inclus: premièrement, copie de la lettre adressée à moi-même par Mme Lucca ; deuxièmement, copie de la lettre adressée par Mme Lucca à B.-M., le 19 mai.

Suivent des pages d'élucubrations dans lesquelles Grasset s'emploie à démontrer qu'il a lui-même payé le 6 mai 1933 à Mme Lucca l'ensemble de sa note d'hôtel, soit 1 954,70 francs suisses. Par conséquent, affirme-t-il, lorsque Benoist-Méchin fait valoir qu'il a payé à Mme Lucca une première fois 750 francs suisses, une

seconde fois 204,70 francs, il ment. En vérité, Grasset avait seulement versé à ladite Lucca 1 000 francs. Il était donc normal que,
de son côté, Benoist-Méchin, pour solder la note, verse 954,70
francs suisses, ce qu'il avait fait. D'ailleurs, Mme Lucca admettra
avoir délivré, le 6 mai, un faux reçu.

Cette histoire de queues de cerises prendra une ampleur considérable et mobilisera le temps, l'esprit, les avocats de Grasset
durant des mois et des mois. Le nom de Benoist-Méchin va, dans
sa tête, se développer comme une tumeur et engendrer une série
d'événements tous préjudiciables à la Maison comme à sa réputation. Il somme Brun, Peyronnet, Gueymard de faire une lecture
publique du flot de lettres qu'il leur adresse, lecture à laquelle
doivent assister « tous les chefs de service, ainsi que Sabatier,
Muller et Fraigneau ». Enfin, il interdit à Benoist-Méchin « l'accès
du siège social des Éditions Grasset ».
Si cet engrenage infernal échappe à toute interprétation logique,
on ne peut toutefois ignorer qu'il permettait à Grasset de dégager,
à peu de frais, sa responsabilité quant à ses dépenses somptuaires.

> Je vous répète, Gueymard, à ma grande peine, que je suis scandalisé
> de la façon dont vous gardez mes intérêts dans la situation douloureuse
> où je suis. N'avoir pas cru que cet homme m'a volé depuis le jour où il
> en a eu la possibilité de par ma procuration est inimaginable de la part
> d'un comptable : c'est en tout cas la preuve que vous n'avez pas voulu
> aller au fond des choses. Je comprends maintenant comment mon solde
> débiteur s'élève à la somme invraisemblable où il est, et je vous répète
> que si je suis obligé de signer le bilan pour éviter une catastrophe, je
> garde le droit d'attaquer ce bilan. Mais, bien entendu, cette fois-ci, après
> ce qui vient de se passer, je ne songerai plus à vous couvrir.

Instruisant le procès de Benoist-Méchin, il instruit le procès de
tous ses collaborateurs. Est-ce la raison de son acharnement ? A
Joseph Peyronnet il explique son intention d'adresser un rapport
au président du tribunal de commerce « afin, précise-t-il, de faire
vérifier mon compte débiteur et de porter au débit de qui il
appartiendra les sommes payées à quiconque sans ma signature, en
particulier les sommes que Brun s'est attribuées à lui-même en
dehors de son traitement, alors qu'il savait très bien qu'il ne
pouvait toucher ces sommes que sur *un bon à payer signé par
moi* ». Il veut demander au président du tribunal de nommer un
expert pour vérifier et analyser l'ensemble de ces comptes depuis
son départ en novembre 1931. Curieux et tardif souci !
Devant une telle mauvaise foi et tant de hargne, Jacques Benoist-Méchin l'assigne, le 7 juillet 1933, en paiement d'une somme
de 500 000 francs pour réparation du tort qu'il a subi à travers

cette accumulation de calomnies. Rue des Saints-Pères, c'est la consternation. Deux jours plus tard, le vice-amiral Grasset, président de la société, meurt. Et Bernard, majoritaire au conseil d'administration, décide de lui succéder, fait un saut à Paris, charge son notaire de régulariser son nouveau statut et s'en retourne à Adelboden.

La préparation du procès Benoist-Méchin — qui n'aura lieu que le 1er février 1935 —, la persistance de l'état dépressif et la manie de la persécution du patron feront, pour l'essentiel, l'actualité de la Maison, avec, comme point d'orgue, la nomination, le 10 juillet 1934, d'un administrateur provisoire, — M. Moulin — à la personne et aux biens de Grasset, en attendant que le tribunal se prononce sur la demande d'interdiction produite par Mathilde et Guiguite. Pris dans un typhon dévastateur qu'il arrose de moult cocktails, l'éditeur n'en finit plus de « mourir de chagrin ». La plupart des médecins qui, à un moment ou à un autre, se sont penchés sur son « cas » défilent à son chevet : Vachet, Forel, Schaer, Hesnard, Petitpierre... Seul Laforgue manque à l'appel.

*

Est-il, pour autant, complètement coupé de son métier ? Au plus fort de la vague qui accompagne son délire, il ne dételle pas. Il intervient généralement sous la forme d'un post-scriptum, quinze ou vingt lignes, qui couronnent plusieurs pages de récriminations, d'invectives, de gémissements. Quand paraît *les Hommes malades de la paix* de Georges Suarez, il donne, de Suisse, ses instructions à Pierre Tisné :

> J'ai regardé vos échos et vos placards pour Suarez. Mon avis (quoique je n'aie plus de goût à vous le donner puisque vous avez tous cru pouvoir vous passer de moi) est qu'il ne faut pas vous presser pour les placards, sauf pour *les Nouvelles littéraires* et *Candide*, et peut-être aussi *l'Action française*. En tout cas il ne faut pas employer pour le nom de l'auteur et le titre de l'ouvrage le même ordre de caractères. Je préfère votre cliché n° 3 ; je crois même que pour ce cliché vous pourriez économiser de la place en bas, en supprimant le commentaire et en mettant le nom de Grasset dans le filet. Je vous laisse, cher Tisné, dans une atroce désolation.

Il refuse à Brun l'autorisation de lancer une collection de livres allemands, estimant que ceux-ci trouvent aisément leur place dans les collections existantes. « Brun, écrit-il à Peyronnet, veut jouer l'éditeur. Je te donne l'ordre formel de ne donner aucune suite à une pareille connerie. » Après la mort d'Anna de Noailles, il s'occupe attentivement de la publication de *Derniers Vers*. Il supplie Albert Thibaudet de renouveler son contrat. Le critique littéraire refusera, en dépit du succès qu'avait obtenu, en 1927, *la République des professeurs*. A Fernand de Brinon, qui ambitionne de publier la synthèse des relations franco-allemandes entre 1918 et 1934, il demande d'être plus modeste et de centrer « l'essentiel de son travail sur la pensée de Daladier ».

Mais c'est, surtout, sa collection « Pour mon plaisir » qu'il suit sans relâche. 1933 est un bon cru. Et s'il n'accorde pas la même attention aux huit écrivains qu'il abrite sous ses couleurs — d'André Demaison à Paul Nizan, de Ramuz à François Mauriac —, il ne négligera la lecture d'aucun manuscrit. Cette année-là, Colette publie *la Chatte*. « J'attends, ma chère et grande amie, que vous me donniez un grand livre », lui écrivait-il. Il presse Irène Némirovsky, lit et relit *l'Affaire Couriloff*, tout en laissant percer l'amoureuse amitié qu'il éprouve pour la jeune romancière.

Il reproche à Brun de gérer « comme un pauvre type répétant depuis vingt-sept ans les mots de son maître » le lancement du *Mystère Frontenac* de Mauriac. Quand celui-ci est élu à l'Académie française le jeudi 1er juin 1933, il s'étonne, auprès de Peyronnet, que la Maison n'ait pas sauté sur l'événement :

> Mais qu'est-ce que vous foutez, bande d'incapables ! Alors que l'élection de Mauriac était certaine depuis six mois, je n'ai vu aucune annonce portant sur ses œuvres dans *les Nouvelles littéraires* de cette semaine. Rien non plus dans le *Figaro*, rien dans *le Temps*...

Henri Duvernois, qui obtient le grand prix de littérature de l'Académie française pour *A l'ombre d'une femme*, le remercie chaleureusement de ses interventions « très efficaces » auprès des Immortels.

Il lit, à Vevey, le manuscrit d'André Suarès *Vues sur Napoléon* et note :

> M'essayer à une psychologie du héros. Réfléchir sur *l'aspect enfantin* du génie de l'Empereur. Mme de Staël dit que Napoléon était plus ou moins qu'un homme [...]. Moins qu'un homme ? Pour oser un tel jugement, il fallait, semble-t-il, une femme et qu'il n'eût point contentée. « Moins qu'un homme », qu'est-ce à dire sinon qu'en dépit de sa grandeur, Napoléon resta, sur certains points essentiels, en deçà de l'homme, plus précisément qu'il ne parvint pas tout à fait à franchir ce cap, que le plus grand nombre double avec aisance et qu'on nomme la maturité ? Certes, je ne prétends pas là le diminuer. Je pense, en effet, que si l'on entend, par maturité, cette seule acceptation qui permet à l'homme de s'accommoder de la vie, c'est le propre du génie de n'y point parvenir [...]. J'ai toujours pensé qu'à Brienne Bonaparte était déjà l'Empereur : j'entends que depuis longtemps, sans doute, il se berçait de son histoire et frémissait de la vivre, en n'ayant que du dédain pour les joies qui ne viennent pas de la conquête.

Quelle peine fuyait-il à un âge si tendre, en se retranchant derrière le personnage qu'il devait immortaliser? se demande l'éditeur. Napoléon ne dut jamais concevoir la gratuité du bonheur. « Mon cœur, disait-il, se refuse aux joies communes comme à la douleur ordinaire », ajoutant qu'il était toujours seul au milieu des hommes. Une précoce blessure l'avait-elle, comme le suggère Suarès, pour toujours rendu insensible aux bienfaits quotidiens de la vie? « Pour ma part, répond Grasset, je me refuse à imaginer qu'un homme se condamne à construire quand il a la faculté de jouir. »

Troublante confession, autour de laquelle il bâtira, en septembre 1934, un article pour *le Journal*, « l'Enfant et le Héros », laissant croire qu'il achève un gros livre sur Napoléon. « Maintenant il va mieux! s'exclamera *le Canard enchaîné*. Il ne travaille plus que du petit chapeau! »

*

Un fil, aussi ténu soit-il par moments, le relie donc toujours à sa Maison au travers de ce qui est, il faut s'en convaincre, l'unique ressort, la seule finalité, la source de sa vie: cinq ou six manuscrits par an, pas plus, qu'il tripote, respire, éventre, annexe. Cette manière qu'il a de s'identifier au texte d'un autre, de le défendre comme s'il était le sien, de suggérer, voire d'imposer de nombreuses et importantes corrections, n'est-elle pas servie par sa névrose? Sa démarche de redoutable censeur — les auteurs s'en plaindront — a quelque chose d'obsessionnel. Pour lui le difficile dans la réussite d'une œuvre n'est pas de projeter, d'écrire, de dire même, mais de faire pénétrer la pensée dans la parole et la parole dans le style, le style dans les caractères d'imprimerie, dans la matière rétive du papier, du livre, proposé à mille lecteurs. Être éditeur, c'est juger seul, le crayon à la main, un manuscrit inconnu, c'est engager son renom, choisir le format, la symphonie du noir et du blanc, secouer l'inertie, obtenir que l'ouvrage enfin soit. Il ne concevait son métier que dans cette osmose auteur-éditeur, une osmose de l'esprit et du corps. Sans la « folie » qu'on lui prête, Grasset aurait-il pu, aurait-il su s'investir, se fondre dans ces quelques manuscrits qui ont fait la grandeur et la richesse de sa Maison?

Le 13 août 1933, dans un ultime appel qu'il adresse à Brun de l'hôtel Savoy à Interlaken, il décide de revenir à Paris pour se consacrer à... l'histoire de sa vie:

> C'est vraiment trop long de laisser un chef deux ans sans comprendre que c'est à la fois le tuer et tuer sa Maison. Seul un don gratuit du cœur pourrait m'apporter un peu d'apaisement, et ni ma famille, ni ma Maison

n'en est capable. Le Dr Petitpierre que je vois ici me donne le suprême conseil d'écrire l'histoire de ma vie et de l'incompréhension qui m'a entouré. Donnez-moi, je vous prie l'adresse de Bradley, car un tel livre que j'ai écrit avec mon sang, si je ne meurs pas de douleur avant de l'avoir terminé, ne peut paraître qu'en Amérique. Il faut prévenir Bradley de mon arrivée rue Rosa-Bonheur.

Il n'ira pas, en effet, rue des Saints-Pères. Il se retire dans son petit appartement confortable et bohème, encombré de journaux, de livres écornés, déchirés, tachés, avec, au mur, des toiles uniquement de lui, et dans un coin un gramophone presque toujours muet, ou répétant vingt fois de suite une rengaine qui lui plaît. Il se mure. Il reçoit peu. André Sabatier, l'adjoint de Brun, Yvonne Langevin, Joseph Peyronnet, Pierre Bessand-Massenet, Charles Decroix seront pendant plusieurs mois son seul lien régulier avec l'extérieur. Il boit de plus en plus, se néglige, se lamente.

Parfois, il éprouve le besoin de sortir de sa claustration et il appelle quelques auteurs, ou ses amies Julienne Bosset et Jeanne Duc. Marguerite Rousseaux est, selon Sabatier, sa « maîtresse appointée ». Sans compter les « petites poules », comme le dit Brun, qui, sous couvert de lui taper sa correspondance, ses réflexions quotidiennes et ses divers travaux, comblent surtout ses fantasmes. Catherine, Colombe, Rose, Aliette, Vivianne... Elles ne font que passer, vite effrayées par les exigences du « maître ». Excepté une certaine Geneviève, dont il « n'apprit que bien plus tard la véritable moralité » et que l'on voit apparaître, disparaître, reparaître... Si Alphonse de Châteaubriant, la princesse Bibesco, Louis Roubaud, Henri Massis, Jean Cocteau ou Jacques Chardonne tentent de distraire sa torpeur, d'autres « grands » de la Maison — les quatre M, Jean Giraudoux, Daniel Halévy — évitent soigneusement la rue Rosa-Bonheur durant cet hiver 1933-1934, le plus sombre, le plus désespéré de toute l'existence de Bernard Grasset.

*

Hanté — « persécuté », répète-t-il — par l'affaire Benoist-Méchin, qui n'est, dans son esprit, rien de moins qu'un gigantesque complot de sa famille et de ses collaborateurs contre sa personne, il s'emploie à fourbir ses armes, et il réclame, jour après jour, la nomination d'un « comptable juré » pour réviser son compte personnel et deux ou trois autres comptes.

Il n'écrira pas sa vie. En revanche, il rédige cet ahurissant réquisitoire de soixante-six pages — on l'a déjà cité — contre ses proches et sa Maison, qu'il adressera d'abord à l'ancien président de la République, l'avocat Alexandre Millerand, en l'implorant d'être son conseil, et qu'il fera, ensuite, circuler dans le Tout-Paris. Il est alors épris de Maurice Bedel, un vieil ami, animateur des Écrivains combattants, une association où se retrouvent la plupart des auteurs qui l'aidèrent ou qu'il édita au début de sa carrière, Gabriel Boissy, André Maurois, François Duhourcau, Émile Henriot, Jean Tharaud. Bedel aura ainsi le privilège d'assister à l'accouchement du « factum », de discuter les principaux thèmes qui sont consignés dans une note que lui a remise Grasset : « Mon enfance — les médecins remplaçant l'amour — toute ma vie de cette sorte — ma Maison remplaçant l'amour — les six ans d'analyse — ma libération dramatique de Laforgue — l'abandon de tous (famille, Maison, foyer) — les deux ans de martyre — la trahison de Benoist-Méchin — mon dernier effort vers la vie — ce que Bedel représente : le foyer qui m'a toujours manqué — son titre de médecin pour me guérir des médecins — notre amitié. »

Il respectera son plan, à l'exception des « chapitres » concernant le rôle de Maurice Bedel. Pour le bonheur de ce dernier ! Aucune personne de son entourage immédiat n'est épargnée.

Louis Brun, d'abord :

> Sachez que Brun entretient trois ménages, qu'il a une auto qu'il renouvelle chaque année (alors que j'ai été obligé de m'en priver moi-même), qu'il a une propriété à Bures, des terrains dans le Midi, qu'il s'est fait une véritable fortune avec des éditions rares, et que je préférerais même ne pas savoir à quelles compromissions, à quels marchandages était due la fortune de mon second...

Ensuite Joseph Peyronnet :

> Homme honnête, mais d'une vanité sans mesure et sans aucune psychologie. C'est, je l'espère (car je ne peux pas imaginer qu'il ait été consciemment complice d'un tel crime), tout ce que je peux en dire. Mais ce « tout » est considérable pour les raisons que je vais vous donner. Peyronnet est marié à la seconde de mes sœurs, Marguerite Grasset, femme intelligente, sensible, rêveuse, très près de moi comme nature mais ayant trouvé dans son mari plus qu'un mari, une sorte de médecin, et ne pouvant accepter que son mari n'ait pas tous les dons du monde. De ce fait, je me suis trouvé privé de l'affection d'une sœur à laquelle je tenais, alors que cependant j'avais confié à son mari une autorité plus grande qu'il ne le méritait. Il faut ajouter à cela (et du même coup vous serez informé sur toute la question « famille » qui joue un si grand rôle dans le drame) que ma sœur aînée Mathilde Grasset, femme autoritaire, auprès de laquelle ma sœur Marguerite a toujours cherché une protection, s'est jointe à Peyronnet pour la détacher de moi.

Puis c'est au tour de Léo Baratier, vice-président des éditions Grasset :

Je fis sa connaissance chez des amis, il y a vingt-huit ans environ. Jusqu'au moment où je fondai ma société en 1929, je le rencontrai peu à travers la vie. D'ailleurs, si vous le trouvez mêlé à la création de la Société, ce fut uniquement parce que m'étant ouvert de mon projet à une de nos amies communes, cette dernière m'aboucha avec Baratier et nous entrâmes directement en pourparlers. Léo Baratier était alors directeur de la Société nancéenne à Nancy; il y avait fort bien réussi et eût dû y rester, pour mon bien d'abord et, selon moi, pour le sien, car il n'était pas né pour de plus grandes choses. Aidé par quelques amitiés politiques, cueillies un peu dans tous les milieux (son ambition lui faisait dire à chacun les paroles qui lui étaient utiles), il fut nommé directeur de la BNC. Peu de temps après cette nomination, il fut congédié. Depuis lors, il circule à travers l'Europe et dans tous les milieux politiques, sous le prétexte de trouver à des questions internationales des solutions que d'autres, plus qualifiés que lui, n'ont pas trouvées. Si je vous parle des « hautes visées » politiques de Baratier, c'est que j'ai le sentiment, et même sur beaucoup de points la preuve, que son désir serait de faire de ma maison d'édition, qui n'a jamais eu d'autres prétentions que de représenter « le meilleur des Lettres », un moyen de parvenir dans l'ordre de la Politique.

Enfin Clément Gueymard:

J'avais nommé cet homme au conseil d'administration contre l'avis de tous, pensant trouver en lui un appui administratif et comptable de toute sûreté, moi-même me réservant pour la direction générale de notre production littéraire et le lancement des livres qui me paraissaient mériter le plus large public.

Gueymard, « homme intelligent et sans aucun scrupule », est accusé, tout à trac, d'avoir signé des « bons à payer » sans son autorisation et d'avoir fomenté avec des gens de « la finance » un complot dans le but de l'écarter de sa Maison. Partout, il voit l'ombre « satanique » de Gueymard.

Quant à l'affaire Benoist-Méchin proprement dite, qui sert de prétexte à ce document — « bien entendu confidentiel », répète à l'envi son auteur —, elle se perd au milieu de toutes ces pages, d'une émouvante confusion, sans qu'il soit jamais possible d'en connaître la cause, les faits et la conclusion.

Le 10 janvier 1934, Grasset dépose le « factum » chez Alexandre Millerand. L'ancien président de la République lui communique sa réponse le 18: il refuse d'assurer sa défense. Il va aussitôt solliciter la plupart des avocats qui comptent au barreau de Paris, saisir le bâtonnier, Me Saint-Auban, en appeler à l'arbitrage de personnalités politiques — dont Édouard Herriot et André Tardieu —, tandis que le « factum » alimente, plusieurs semaines durant, les déjeuners et dîners du milieu littéraire. Tous les avocats se récusent, souvent sans le ménager. Ses « grands » auteurs commencent à le lâcher. André Maurois, qui ne veut plus le voir, est « tout à fait d'avis de l'écarter des affaires ». François Mauriac et Jean Giraudoux, « très peinés », se sont mis aux abonnés absents quand Louise, sa gouvernante, cherche à les joindre. Henry de Montherlant et Paul Morand ont, chacun à sa manière, expliqué à Brun qu'ils ne veulent rien savoir de ce « drame ». La veuve de Maurice Barrès, qui connaît ses tourments, explique à Louise que son fils Philippe « ne s'occupera pas de lui ».

*

Les membres de sa famille et de son conseil d'administration, redoutant le désastre, ont-ils à ce moment-là conçu le projet de l'écarter définitivement de sa Maison? Tout incite à le penser au regard du Journal qu'a tenu Louis Brun de janvier à mars 1934, la période la plus folle. La stratégie est simple et a reçu l'aval de Maurice Garçon : « Ne pas bouger et attendre qu'il s'enferre suffisamment pour donner prise à une action médicale contre lui. »

A toutes les demandes de Grasset les administrateurs s'opposent de plus en plus, et de façon très formelle, très juridique. Ainsi, on lui refuse le 23 janvier une avance de 30 000 francs :

> Je viens de voir Louise, note Brun, qui m'a donné l'impression qu'a eue hier Grasset en recevant la lettre signée de tous les administrateurs. Il a été très ulcéré ; ce qui lui a fait le plus de peine, ça a été de voir le nom de Muller. Il a dit qu'il fallait absolument que Gueymard saute... Il envoie aujourd'hui une sommation, par huissier, à Peyronnet d'avoir à lui remettre immédiatement 30 000 francs...

Il est empêtré dans des problèmes d'argent. Son salaire mensuel, qui était de 40 000 francs — environ 120 000 francs actuels — le 1er juin 1933, a été ramené à 28 000 francs le 1er novembre de la même année. Le 1er septembre 1934, il tombera à 15 000 francs et, enfin, le 1er octobre 1935, à 10 000 francs... Cette réduction de ses revenus — une amputation de soixante-quinze pour cent en quatre ans! — l'oblige à emprunter en hypothéquant son portefeuille d'actions. Il est encerclé, cerné. Son délire, l'abus de cocktails, les soucis d'argent : la nasse se resserre. « J'ai dit à Maxime Lévy d'amener Grasset à la vente de toutes ses actions, écrit Louis Brun le 26 janvier. Il va s'employer à faire admettre le principe et viendra me voir demain. »

Le lundi 29 janvier se tient un conseil d'administration dont l'ordre du jour concerne uniquement les « graves accusations » consignées dans le « factum » : « Grasset a prévenu qu'il serait présent. Il a dit à Louise qu'il viendrait présider le conseil. Il veut mettre Peyronnet, Gueymard et moi à la porte. Il viendra avec sa dactylographe et son secrétaire actuel et dans le bureau de Sabatier il veut un boxeur. » Aucune décision n'est prise durant ce conseil. Brun attend des excuses de son patron. Elles ne viennent pas. Grasset, qui passe les trois quarts de la réunion à sangloter, refuse tout compromis pour en terminer élégamment avec l'affaire Benoist-Méchin. Malgré les affirmations réitérées de plusieurs témoins qualifiés, malgré l'arbitrage des avocats en Suisse qui n'aurait pas dû laisser le moindre doute dans son esprit, il persiste dans son erreur. En plus du « factum », il s'est livré à une campagne de calomnies, tant à l'ambassade de France à Berne qu'au ministère des Affaires étrangères à Paris, et auprès de toutes les personnes dont il sait qu'elles sont liées à Jacques Benoist-Méchin.

Le 28 février, Maxime Lévy rend compte à Brun de sa mission :

> Il a eu une conversation avec Grasset au téléphone, au sujet de la vente possible de son paquet d'actions. Grasset a dit qu'il fallait que la vente se fasse au comptant et à réméré, moyennant une forte prime. Puis quand Maxime Lévy lui parle de la somme approximative en lui disant : « Tu as 5 millions, cela ne vaut pas la moitié maintenant, mais enfin on t'en donnerait certainement 3 millions », il s'est mis en colère. Il a dit que ce n'était pas seulement ses actions qu'il voulait vendre mais la Maison et qu'il en voulait 10 millions. La journée à cause de cela a été très mauvaise. Il s'en est suivi, paraît-il, l'absorption d'une demi-bouteille de marc... Dans le quartier tout le monde le considère comme fou, et quand on en parle à Louise, on dit « le fou ». Notamment la teinturière.

Une de ses amies, Mme Triboulet, la nièce du Dr Voronoff, est convaincue que seul le mariage peut le sauver et elle lui a présenté une jeune femme qui viendra, pendant plusieurs semaines, régulièrement le voir. Une nouvelle aventure commence, qui s'épanouira au début de 1935. Elle se prénomme Claire :

> Elle est paraît-il riche et a un hôtel particulier 100, rue de l'Université, note Brun. Il a demandé à Mme Triboulet si cette jeune personne, qui avoisine la quarantaine, ne pourrait pas être sa maîtresse avant d'être sa femme. Il y a aussi une folle qui passe, avec l'aspect d'une religieuse sécularisée. Quand Grasset lui a proposé de coucher à l'appartement, elle a répondu qu'elle allait manquer à ses meubles. Grasset lui a demandé de mettre un pyjama. Elle a dit qu'elle n'en avait jamais porté de sa vie. Grasset lui a dit qu'avec un pyjama une femme paraissait un homme et qu'il avait besoin d'avoir un homme auprès de lui.

Le tableau s'assombrit. Claire, Julienne Bosset et Jeanne Duc mesurent la précarité de sa situation et la menace qui pèse sur son avenir. Elles le supplient d'entrer dans une maison de santé. Il est à bout, s'abandonne à l'alcool, entre dans des scènes de fureur qui paniquent tous ses visiteurs.

Les événements s'accélèrent. Le 1er avril 1934, nouvelle chaude alerte : syncope. Sa famille le fait transporter à la clinique du Dr Buvat, rue de la Glacière, où on lui passe la camisole de force. Il restera un mois dans cet univers asilaire. Le 30 avril, Julienne Bosset parvient à l'en sortir. Elle témoigne :

> Quand, à l'appel de Bernard, j'ai été le voir, j'ai été frappée par l'aspect de cette maison dans laquelle on ne pénétrait qu'avec difficulté, accompagné d'une infirmière qui vous ouvre et referme la porte à clef, comme dans une prison. J'ai été effrayée de la tristesse de mon pauvre ami, lequel était privé de tout vêtement, même de la ceinture de son pyjama, enfin de toute chose pouvant l'aider à se supprimer. J'ai vu des femmes l'air complètement égarées se promener devant la fenêtre de sa chambre, et je n'arrive pas à comprendre comment on pouvait espérer guérir un malade aussi impressionnable que Bernard dans un cadre pareil.

Elle décide donc de le faire sortir par n'importe quel moyen. A la visite suivante, elle va trouver le Dr Buvat, lui assurant qu'il peut lui faire entièrement confiance et qu'elle prend l'entière responsabilité de cette « libération ». Buvat objecte qu'il est dangereux d'emmener l'éditeur avant trois mois, son état s'étant aggravé à la suite de l'absorption exagérée de somnifères. Devant tant d'insistance et n'ayant guère le droit de séquestrer le malade, il finit par donner l'autorisation de sortie, et elle l'emmène sur-le-champ.

Bernard Grasset ne s'attardera pas rue Rosa-Bonheur. Sous l'affectueuse pression d'Alice Turpin — qui travaille auprès d'Henry Muller et qui lui manifesta toujours une amitié vraie — il consulte un jeune psychiatre, le Dr... Jacques Lacan. Au bout de vingt-trois jours, il rompt avec le futur grand timonier de la psychanalyse, dont il juge l'action inutile et néfaste : « Jeune médecin, vraisemblablement de bonne foi, mais manquant d'expérience humaine, et surtout ne se rendant pas compte que l'état où je me trouvais n'avait pour cause que le régime sans nom auquel j'avais été soumis pendant plus d'un mois. »

*

Il accepte, pourtant, sur le conseil de Lacan, de séjourner dans la clinique du Dr Olivier Garrand, au château de Garches, vaste bâtisse Napoléon III au milieu d'un parc, où il pourra bénéficier d'un soutien médical tout en jouissant d'une liberté complète de mouvements. Cocteau venait d'y faire une cure de désintoxication.

C'est le début d'une rapide résurrection. Elle va coïncider avec la phase judiciaire de ses déboires, c'est-à-dire avec la demande d'interdiction, formulée début juillet 1934 par sa famille. Comme si l'entrée en scène des juges le revigorait. Dès la nomination d'un administrateur provisoire, le 10, il riposte avec vigueur et habileté. Son avocat — enfin il en a déniché un! —, Marcel Ribardière, assigne le 25, en référé d'heure à heure, la Société anonyme Bernard Grasset et tous les membres du conseil d'administration, Léo Baratier, Jean Dubar, Daniel Halévy, Jean Lafond, Louis Brun, Joseph Peyronnet, Clément Gueymard et Henry Muller. Dans son référé, Mᵉ Ribardière estime « qu'à la suite de manœuvres ourdies par la famille et le conseil d'administration, les conspirateurs veulent déposséder Grasset du patrimoine moral et matériel qu'il avait créé par le labeur acharné d'un quart de siècle ».

Cette procédure du référé d'extrême urgence est très gênante. Il faut paraître à l'audience, parfois dans la journée. Or rien n'empêche Grasset de l'utiliser, à tout propos, pour des motifs invraisemblables, et il ne s'en privera pas, même si, sur le fond, c'est sans résultat. Il fallait donc que Brun, Peyronnet ou quelqu'un d'autre soit tous les jours rue des Saints-Pères pour s'assurer qu'aucune assignation n'était lancée contre eux.

« Ça va barder! » explique Grasset à Lafage, qui est passé, début août, au château de Garches. « Bernard pète le feu, croyez-moi », dira l'auteur de la Chèvre de Pescadoire à Brun. C'en est fini, en effet, des lettres dégoulinantes de douleur et de chagrin. Une grande partie de la journée, il se promène dans la campagne. Il s'est remis à peindre des portraits et des paysages. Il reprend contact avec ses amis, ses auteurs.

De 1922 à 1935, Bernard Grasset aura passé quelque sept années hors de sa Maison! Il s'apprête, enfin, à y revenir.

*

A la date du jeudi 12 juillet 1934, Paul Léautaud raconte:

> La visite à Grasset, très intéressante. Lui plein de propos intelligents, fins, d'esprit élevé, extra-sensibles. Je suis trop occupé pour noter tout cela. Où une certaine maladie mentale apparaît, c'est dans l'abus qu'il fait du mot: émotion. « Ils (Brun et Peyronnet) ont spéculé sur mon émotion. » Et quand il parle du procès qu'il veut leur faire, du meilleur moyen pour les atteindre: « Il faut les atteindre dans leur émotion. » Un contraste déconcertant entre son désintéressement pour tout ce qui concernait ses intérêts dans la Maison, et les qualités qu'il a montrées comme homme d'affaires, lanceur d'affaires littéraires. Il semble qu'il ait laissé prendre par les autres, administrativement, des mesures qui se retournent contre lui. Vallette corrige mon appréciation de ce désin-

téressement par cette remarque : « A la fondation de la société anonyme au capital de 9 500 000 francs, Grasset a quand même su se faire attribuer pour sa part 7 500 000 francs. » Très préoccupé de sa littérature à lui. Il nous a fait lire par un M. Decroix, qui est souvent auprès de lui, une sorte de morceau dans son état d'esprit. A un moment, ce M. Decroix lisait un pluriel pour un singulier. Il a corrigé vivement de mémoire. Il nous a fait lire aussi, par le même, la requête qu'il va présenter au tribunal aux fins de procès à Brun et Peyronnet. Pleine de choses vraies, très bien dites, bien qu'un peu trop son panégyrique, mais trop éloignée de la réalité des actes, comptes, rapports, etc., etc., sur lesquels seul le tribunal fera son appréciation — bien que, certes, les éléments moraux aient leur poids. Sur tout cela Vallette dit avec raison : « Nous entendons Grasset. Il faudrait entendre les autres. » Il nous a confié (j'emploie ce mot parce qu'il y a mis le caractère d'une sorte de secret) que c'est presque lui qui a écrit *Du côté de chez Swann*, tant il a fait recommencer plusieurs fois à Proust, et que c'est lui aussi, mais alors réellement cette fois-ci, *le Bal du comte d'Orgel* de Radiguet. Le fait est que ce livre m'a émerveillé par la façon dont il est écrit. Il demande à Vallette de lui donner l'hospitalité du Mercure pour la publication d'un long récit sur son *cas* actuel. Comme titre je crois bien me souvenir : *Défense du malheur*. Vallette a accepté. C'est entendu. Il a fait tout de suite observer à Grasset : « Et datez de maintenant. La date donnera tout son prix. Qu'on ne croie pas que c'est un récit d'autrefois. » Il m'a fait lui promettre de revenir le voir. Il a besoin de voir des gens sérieux, libres de tout intérêt avec lui. Il me fera mon portrait (depuis longtemps il fait de la peinture), cela lui fera plaisir. J'ai trouvé Grasset changé, le visage durci, un peu marqué. Il a dû passer moralement par des moments durs, et encore maintenant.

On revoit l'éditeur dans les dîners, chez Marthe Bibesco, chez Léon Daudet, chez Nathalie Clifford Barney, chez Édouard et Denise Bourdet, chez Raymonde Corniglion-Molinier, qui peignait sous le nom de Raymonde Heudebert. Bien sûr, chez Marie-Louise Bousquet, qui, tous les jeudis, en fin d'après-midi, recevait dans un hôtel particulier de la rue Boissière. Il y retrouve les frères Tharaud, ses vieux compagnons, son ami Jean Cocteau, François Mauriac, Jacques de Lacretelle, André Maurois...

> Marie-Louise, toujours souriante, toujours ravie de vous voir, recevait ses hôtes avec chaleur... C'était encore l'époque où le sort d'une pièce ou d'un livre se décidait en partie dans quelques salons de Paris, dont le sien. Une renommée pouvait « démarrer » rue Boissière, une élection académique s'y ébaucher, une chance à un prix littéraire s'y dessiner[5].

Le 17 août, prolongeant une enquête du journaliste Pierre Lagarde sur l'évolution du goût et des valeurs en littérature, il pose dans *Comœdia* ce qui lui paraît être la vraie question : « Qu'est-ce qu'un chef-d'œuvre ? » Sa réponse n'est pas insensée :

> Le premier mot qui en moi fait écho au mot chef-d'œuvre est le mot « durée ». C'est en effet le privilège des chefs-d'œuvre de durer...

Ensuite c'est le mot « humain » qui me vient. Une œuvre, en effet, ne survit, selon moi, que pour autant qu'elle est humaine, c'est-à-dire qu'elle répond aux aspirations, aux idées et aux sentiments les plus communs et les plus constants de l'homme. A ce mot « humain » je voudrais associer sans retard le mot « jeunesse » dans le sens où l'on dit « la jeunesse de Virgile ». C'est en effet proprement à ce qu'ils enferment d'humanité éternelle que les chefs-d'œuvre doivent de ne point vieillir. Ils prennent même à travers les âges une vie nouvelle en chacun de ceux qu'ils émeuvent, s'enrichissant pour ainsi dire à chaque saison de nouveaux échos ; et je crois bien que ce que nous appelons la « culture » d'un homme n'est pas autre chose que la vie nouvelle et particulière qu'ont trouvée en lui les chefs-d'œuvre dont il fut nourri.

Le 28 août, alors que le film de Julien Duvivier *Maria Chapdelaine* sort sur les écrans parisiens, Grasset raconte dans *l'Intransigeant* comment il découvrit et lança le célèbre roman de Louis Hémon. Il dispute gentiment avec *le Temps*, qui, dans un article du 27 août, revendique avec orgueil le privilège de cette découverte : « Je viens de lire votre intéressant post-scriptum [...]. Je sais très bien qu'Hémon envoya lui-même du Canada au *Temps* le manuscrit de *Maria Chapdelaine* et qu'ainsi votre journal fut le premier à publier cette œuvre... »

Dans la presse, des échos qu'il a inspirés, sinon rédigés lui-même, et dont il a probablement payé la parution — c'était une pratique courante — annoncent son retour. Des *Écoutes* à *l'Action française*, de *Marianne* au *Petit Journal*, du *Figaro* à *D'Artagnan*, du *Cri du peuple* aux *Nouvelles littéraires*, la bonne nouvelle est rapportée avec les mêmes phrases, le même enthousiasme :

> Allons-nous revoir Bernard Grasset, qui, depuis trois ans, avait quitté Paris, reprendre en main sa maison et ses auteurs ? Des bruits, qui avaient alarmé les amis de Bernard Grasset, avaient couru sur son état de santé... Ce grand sensible, qui, pendant des années, avait fourni un effort cérébral à qui tous rendaient hommage, avait connu une période de dépression qui fut mise à profit par certains pour essayer de l'isoler moralement et de l'évincer de la célèbre maison qu'il a créée.

Suit une brassée d'éloges sur l'« animateur prodigieux », le « magnifique découvreur », l'« accoucheur de génie »... On apprend aussi qu'il prépare ce livre sur Napoléon dans lequel il entend démontrer que chez tous les grands hommes, l'enfance est éternelle...

« Ça va barder ! » Le pronostic de Léon Lafage semble bien se vérifier. Rue des Saints-Pères, Louis Brun est de plus en plus agacé par les échos que répand le patron. Le 3 septembre, il affiche sa mauvaise humeur auprès de Joseph Peyronnet qui se repose en Normandie :

J'ai déjeuné avec Giraudoux qui me donnait le conseil de ne pas répondre, car je ne vous cache pas que j'avais un désir fou de répondre, d'inspirer des réponses, notamment quand il dit que *Maria Chapdelaine* a rapporté 8 000 000 de francs à la Maison... Vous êtes-vous demandé quel tirage avait atteint *Maria Chapdelaine*? C'est une question que j'ai fait résoudre par la fabrication; il était amusant d'en être soi-même informé. Eh bien, mon cher, on a vendu 40 000 exemplaires de moins que *Climats*. Nous avons tiré en treize ans 266 750 exemplaires, plus les passes, ce qui fait 303 550. D'un livre éternel, vous avouerez qu'il n'y a pas de quoi s'en vanter, et Pierre Benoit est de beaucoup l'auteur se vendant le mieux...

Peyronnet — prend-il conscience d'être allé trop loin sur le front judiciaire? — s'efforce de calmer le jeu. Toute sa correspondance en porte le témoignage. On a de plus en plus le sentiment que la famille est prise au piège d'une procédure qui, si elle pouvait se comprendre voilà quelques mois, est, désormais, très suspecte. Mais comment reculer sans perdre la face? Grasset ne transformerait-il pas sa victoire en règlement de comptes? Incapable de se déterminer et comme engourdie, la famille laisse aller la justice.

*

Du côté de la rentrée littéraire, l'optimisme n'est pas davantage au rendez-vous. Le fait nouveau du moment, c'est l'appétit d'ouvrages politiques. Les Français, surtout les jeunes, sont préoccupés, inquiets. L'affaire Stavisky a déchaîné une opposition antiparlementaire violente qui se manifeste par la formation de partis nouveaux, le développement de ligues, l'essor du communisme. L'événement du 6 février 1934 marque l'époque: des scènes tragiques sur les Champs-Élysées, les Grands Boulevards et la place de la Concorde, des autobus en feu, le Maxim's transformé en hôpital, la garde mobile qui tire à plusieurs reprises... Il y a une vingtaine de morts et plus de deux cents blessés. Le 9 février, la manifestation communiste se heurte, elle aussi, violemment au service d'ordre. Huit morts, quelque trois cents blessés. Et puis c'est « l'affaire Prince ». Une commission d'enquête administrative, présidée par le premier président de la Cour de cassation, avait été instituée pour juger les défaillances de la magistrature. Le conseiller Prince devait déposer devant cette commission le 22 février. Ce jour-là, on retrouve son corps déchiqueté sur la voie ferrée près de Dijon, au lieu-dit la Combe-aux-Fées.

L'opinion reste divisée sur les mobiles et les causes de ces funestes journées que l'on évoquera régulièrement dans les polémiques ultérieures.

Quant à l'œuvre de restauration économique et institutionnelle tentée par Doumergue, elle échoue. A l'automne 1934, l'occasion est passée de tenter, dans la légalité, une réforme constitutionnelle qui aurait sauvé le régime et donné l'autorité au gouvernement. Cet échec, la mort du maréchal Lyautey, celle de Raymond Poincaré, lequel ne survit que quelques jours à Louis Barthou, signent de façon symbolique la disparition de l'ancien personnel de la Troisième République. Le pouvoir politique et intellectuel change de mains avec l'arrivée d'une nouvelle génération. Les « non-conformistes des années trente[6] » occupent la scène. Les uns venant du surréalisme, les autres du marxisme, d'autres encore de l'Action française, tous se libèrent simultanément des poncifs de droite et de gauche, dénoncent les erreurs du capitalisme et les déviations du communisme, diagnostiquent les périls prochains en jouant les Cassandre.

Dès 1931, sous la signature de deux auteurs inconnus, Robert Aron et Arnaud Dandieu, paraissait *Décadence de la Nation française*, où le pays des libertés était présenté comme « l'homme malade de l'Europe ». D'un côté, c'est l'indignation, on crie au scandale ; de l'autre, celui de la jeunesse et des milieux intellectuels, c'est l'enthousiasme. Cette volonté de réagir, voire de s'insurger, s'affichait dans *Esprit*, d'Emmanuel Mounier, *Ordre nouveau*, d'Arnaud Dandieu, *Plans*, de Philippe Lamour, *la Revue du siècle*, de Jean de Fabrègues, *l'Homme réel*, de Dauphin-Meunier, *la Revue française*, de Jean-Pierre Maxence... Dans une formule lapidaire et claironnante, *Ordre nouveau* résuma, dans son premier numéro, en mai 1933, les aspirations communes de cette nouvelle génération : « Contre le désordre capitaliste et l'oppression communiste, contre le nationalisme homicide et l'impérialisme impuissant, contre le parlementarisme et le fascisme, l'Ordre nouveau met les institutions au service de la personnalité, subordonne l'État à l'homme[7]. »

*

Les éditions Grasset s'adaptent à ces bouleversements du paysage politique. *Demain la France*, un essai collectif de Robert Francis, Thierry Maulnier, Jean-Pierre Maxence, fait recette. Normaliens de la rue d'Ulm, passés par l'Action française, ils ont tous trois moins de trente ans. Le colonel de La Rocque, président des Croix-de-Feu, sort son premier livre, *Service public*, qui n'est pas encore fasciste, mais qui reprend les thèmes classiques de l'extrême droite, ceux de l'Union nationale des combattants comme ceux de la Ligue des contribuables. Le syndicaliste Hyacinthe Dubreuil vante dans *les Codes de Roosevelt* le prestige de l'économie américaine et reçoit un bon accueil auprès des cadres d'entreprise. Robert Vallery-Radot publie *la Dictature de la Maçonnerie*,

Abel Bonnard promet d'achever son étude sur les modérés, et Henry de Montherlant son *Service inutile*.

Pour mieux « coller » à l'actualité politique, la Maison va reprendre un projet de collection baptisé « les Grandes Heures », que Grasset avait dans ses cartons depuis longtemps, et dont il avait en 1933 peaufiné la maquette avec Pierre Bessand-Massenet. Dans son esprit, cette collection devait être une sorte de tribune libre ouverte à tous les hommes sincères, à quelque parti ou école qu'ils appartiennent, un reflet des grands moments littéraires, moraux et politiques du monde. Pour permettre une parution rapide à la veille ou à la suite d'un événement important, il entendait recourir aux méthodes de tirage des hebdomadaires, sans tomber dans une formule de livres à bon marché. Il s'était inspiré des libelles révolutionnaires, tirés sur papier à chandelle, mais avec une très belle typographie. Sous l'autorité de Brun, « les Grandes Heures » connurent une carrière aussi modeste que brève : six ouvrages sans intérêt, tous très marqués « à droite », surtout *la Grande Peur du 6 février au Palais-Bourbon* de Georges Suarez et *le Scandale des Assurances sociales* de Germain Martin.

Grasset ne rate pas une si belle occasion pour distribuer, par lettre recommandée, un blâme :

> Ce que je reproche à la collection « les Grandes Heures », c'est :
> 1. Au point de vue de la présentation, de constituer une sorte de publication à bon marché du plus mauvais goût et indigne vraiment de la Maison où n'ont jamais paru que des livres de présentation impeccable et où figurent des collections comme notre collection « In-quarto » où ont paru, notamment, trente ans de traductions admirables.
> 2. Au point de vue de l'esprit, de n'avoir absolument rien de l'envergure que j'envisageais et de s'être limitée à des événements politiques français, pour ne pas parler des fascicules tels que celui portant comme titre *le Scandale des Assurances sociales*.
> 3. D'être selon moi, ce qui est plus grave encore, inéquilibrable, au moins durablement.
> [...] Ces précisions, vous le remarquerez, rencontrent mes préoccupations générales touchant la gestion de la Maison en mon absence, puisqu'une telle collection est contraire à tous les principes qui m'animaient et qui peuvent d'ailleurs se ramener à ces quelques mots : « qualité et indépendance avant tout ». Les principes qui ont présidé à votre gestion en mon absence, en particulier à cette foule de publications pour le moins injustifiées, ont abouti à ce que vous n'avez pu porter votre souci à découvrir et à gagner un large public à aucun écrivain nouveau.

Le jugement est sévère. Il est justifié. La cuvée 1934 ne révèle aucun écrivain qui ne soit déjà reconnu, sinon couronné, à l'exception de Joseph Peyré et d'Henry Poulaille.

Le premier, fasciné par les espaces sahariens et l'Espagne mythique, rebelle, confirme avec *l'Escadron blanc* et *Sous l'étendard vert* les talents d'un singulier romancier qui rêve ses aventures héroïques guidé par sa seule intuition, les cartes d'état-major et les confidences de quelques voyageurs. Ami de Poulaille et de Brun, d'une santé fragile, Peyré ne visita guère les lieux, ni ne vécut les scènes qu'il restitue avec la précision du géographe, l'art du conteur, le souci de l'historien. Sa conquête fiévreuse, intense et imaginaire du monde, son obsession pour le héros tragique dont le destin s'identifie à la grandeur, la fidélité, le courage, s'épanouiront dans *Sang et Lumières*, prix Goncourt 1935. Dans l'état des ventes qui suivit la mort de Bernard Grasset, l'œuvre de Joseph Peyré occupe une place enviable. *L'Escadron blanc* totalise 57 258 exemplaires, *Sous l'étendard vert*, 19 477 et *Sang et Lumières*, 109 336. Aujourd'hui encore, Peyré se vend et les éditions Bernard Grasset l'ont, en 1986, réédité dans « les Cahiers rouges ».

Quant à l'ardent Poulaille, fils d'un charpentier et d'une canneuse de chaises, désormais maître absolu de la salle de presse de la Maison, écrivant et lisant la nuit, il s'est inspiré de son enfance pour *le Pain quotidien*, premier roman d'une fresque qui débute dans les faubourgs parisiens de 1903. Publié par la librairie Valois en 1931, *le Pain quotidien* ne fut qu'un succès d'estime, selon la formule consacrée. Sa réédition chez Grasset lui donne un public. *Les Damnés de la terre* paraîtra en 1935, *Pain de soldat* en 1937, et *les Rescapés*, en 1938, achèvera le cycle, révélant les désillusions, la lassitude, le dégoût des années 1917-1920. Baptisé « écrivain prolétarien » par son ami Henri Barbusse, le chantre du communisme et du pacifisme intégral, Poulaille était un personnage autrement complexe, de l'espèce rare des anarcho-poètes érudits. Il n'eut jamais avec Grasset d'autres relations que professionnelles et ses fonctions dans la Maison furent purement alimentaires. Méprisant le style et l'écriture — « je veux la vie, même si c'est torché ! criait-il. Les esthètes m'emmerdent ! » —, il clamait ses désaccords avec le patron, comme il rembarrait, sans se gêner, aussi bien Mauriac que Cocteau, Giraudoux que Maurois, auteurs bourgeois et « pantins de luxe »[8].

*

Peyré, Poulaille : c'est tout. Un autre écrivain aurait pu, cette année 1934, s'imposer dans sa génération, Emmanuel Bove, qui, après trois ans de silence, venait de publier chez Grasset *le Beau-Fils*. L'éditeur avait remarqué, dès 1928, quand était paru *Un soir chez Blutel*, ce peintre de nos grisailles, effroyablement lucide sur lui-même et sur ses semblables, doué d'une puissance, très troublante, d'introspection et d'évocation. Ainsi, dans *le Beau-Fils*, un être agit et grandit sans qu'il soit possible de dire pourquoi il agit et quelles sont les raisons qui déterminent sa conduite. Sa destinée est absolument privée de sens. Les circonstances le ballottent, tout lui est parfaitement indifférent. Il n'éprouve rien. Aucune passion ne parvient à s'ébaucher, se développer en lui. Et pour ressembler à un être normal, à un être vivant, il joue une comédie, il feint d'éprouver des sentiments qui lui demeurent étrangers. Les autres n'existent pas pour lui. Que par son attitude et son comportement il puisse les faire souffrir est une idée qui ne l'effleure pas. Sa cruauté finit par triompher, sans qu'il en ait conscience, sans qu'il y trouve le moindre plaisir, tant il semble écrasé sous le poids de sa prodigieuse veulerie.

Bernard Grasset tenait *le Beau-Fils* pour l'un des trois ou quatre romans remarquables de la saison. Serait-il parvenu, s'il avait dirigé sa Maison, à imposer Emmanuel Bove? Aurait-il bousculé la critique qui ressentit un profond malaise devant ce spectacle désordonné et qui éprouva une antipathie violente à l'endroit de cet anti-héros, en pleine décomposition? Si *le Beau-Fils* ne connut pas le succès public, Emmanuel Bove, mort à quarante-sept ans, en 1945, n'est pas totalement oublié. Il a ses prosélytes et plusieurs de ses romans ont été réédités ces dernières années. Comme Amiel il aurait pu écrire un traité de psychologie ou de psychopathologie, et c'est à cela, probablement, qu'il dut de toucher le cœur de Grasset.

La collection « Pour mon plaisir », qui reste, au pire du « drame familial », sous l'égide de Bernard Grasset, corrigea — modestement — cette pauvreté de 1934 en essayant de porter haut les couleurs de la Maison. Aucun ouvrage néanmoins ne fera vraiment date. C'est l'année de *la Machine infernale* de Jean Cocteau, du *Journal d'un homme de quarante ans* de Jean Guéhenno, des *Destinées sentimentales* de Jacques Chardonne, de *Combat avec l'ange* de Jean Giraudoux, de *Gens de mer* d'Édouard Peisson — un auteur Brun —, de *l'Instinct du bonheur* et des *Sentiments et Coutumes* d'André Maurois... Avec *Angelina*, Louis Guilloux donne son dernier roman chez Grasset avant de passer à la NRF. André Suarès, âgé de soixante-six ans, venu des *Cahiers* de Charles Péguy, a délivré le meilleur de son œuvre quand il rejoint en 1933 la rue des Saints-Pères et publie ses *Vues sur Napoléon*. En 1934, paraissent *Cité, nef de Paris* et *Marsiho*.

C'est l'année encore où Jean Giono fait paraître dans la « Collection blanche » de Gallimard *le Chant du monde*, une escapade dictée autant par ses besoins d'argent — le coryphée du retour à la nature et de l'idéal primitiviste ne dédaignait pas les pistoles — que par son aversion profonde pour Grasset:

> Tu sais qu'à part deux ou trois amis personnels qui sont chez Grasset et sous tes ordres, écrit-il à Louis Brun le 1er janvier 1934, tu es le seul

que j'aille voir quand je fais une visite à la Maison. C'est volontairement que je l'ai toujours fait pour ne pas cacher en quelle médiocre estime je tiens Grasset et tout ce qu'il organise. Je ne reviens jamais sur un sentiment, car mes sentiments sont toujours longuement et mûrement balancés... Tu sais que lors de la parution de *Colline* Grasset n'aimait pas ce que je faisais... Il était marchand en gros, j'étais fournisseur ; il n'aimait pas ma marchandise, il me semblait normal de le délier moi-même de sa parole donnée. Il n'a pas accepté, prétendant que s'il n'aimait pas *Colline*, il aimait *Un de Baumugnes* et il fit pour « mon plaisir » une présentation à ce livre qui restera le plus beau motif de rigolade qui puisse enchanter les longues journées de pluie, ici sur le plateau. Je ne suis resté à ce moment-là que pour toi et à cause de toi.

Ce courrier n'est pas innocent. Dans le bras-de-fer qui s'engage à ce moment-là entre Grasset et sa famille, Brun n'a-t-il pas une chance de sortir grand gagnant ? Les paris sont ouverts et, dans les salons, tout bruissants des affres de l'éditeur, certains — ravis ou peinés — sonnent déjà l'hallali. Le bilan de l'exercice de 1934, loin d'éclairer l'horizon, conforte les plus pessimistes : pour la première fois, la Société des éditions Bernard Grasset accuse un déficit important : 300 000 francs.

*

Le déclin ? Les coups portés contre la Maison et son fondateur sont rudes. Et ce n'est là qu'un début. Depuis que nous suivons Grasset dans ses tribulations juridico-familiales, nous ne sommes guère sortis du cercle des initiés, sinon à travers quelques échos de presse. A lire plusieurs notes laissées par Louis Brun, les journalistes les mieux informés — comme Galtier-Boissière du *Crapouillot*, André Rousseaux et Fernand Vanderem du *Figaro*, Frédéric Lefèvre des *Nouvelles littéraires*, ou André Chaumeix — apprécient très mal la situation de Grasset et relatent ses démêlés avec plus d'ironie ou de férocité que de sérieux. Très peu d'entre eux — voire aucun d'entre eux — savent pourquoi et dans quelles conditions l'éditeur a été écarté de la direction de sa Maison. « Grasset continue d'être perçu comme le patron », remarque Brun le 12 décembre 1934, après une conversation avec des collaborateurs de *l'Intransigeant* et des *Nouvelles littéraires*.

En revanche, avec 1935 s'ouvre le bal de la grande lessive publique. Le décor change. La rue des Saints-Pères, la clinique de Garches, la rue Rosa-Bonheur cèdent la place au Palais de justice. Le 1er février, l'affaire Benoist-Méchin est portée devant le tribunal de Paris. Me Montigny, l'avocat de Jacques Benoist-Méchin, après avoir brossé un portrait en demi-teintes de l'éditeur, met les pieds dans le plat :

> La manie de la persécution aidant, Bernard Grasset a fini par devenir sa propre victime et il a déchu dans le rôle odieux et néfaste où nous

allons le trouver à l'égard de Benoist-Méchin et où le tribunal, bientôt, le retrouvera à l'occasion d'un autre procès où il viendra accuser de trahison et de perfidie ses parents les plus proches, et ceux qui ont été et restent ses plus fidèles et ses plus dévoués collaborateurs. Sa famille, messieurs, vous le savez, a dû introduire contre lui une procédure en interdiction. Déjà votre tribunal, siégeant en chambre du conseil, a nommé M. Moulin administrateur provisoire à la personne et aux biens de Bernard Grasset jusqu'à ce qu'intervienne la décision de procédure en interdiction.

L'ancien ministre de l'Instruction publique, Me Léon Bérard — « mon cher ami Bérard », lui écrivait Grasset —, élu en 1934 à l'Académie française, devait répondre le 8 février à la plaidoirie de son collègue Montigny. Pour éviter de se brûler les doigts dans un procès aussi dérisoire que ridicule, il se défausse, à la dernière minute, sur l'un de ses collaborateurs, Me Delzangles. Celui-ci va plaider la non-recevabilité de la plainte pour des raisons techniques — Benoist-Méchin n'aurait pas respecté les délais de procédure —, en se gardant d'« aller au fond », tant il est évident que Grasset a diffamé, sali son ancien collaborateur.

Comme Montigny, mais en retournant le raisonnement, Delzangles entend, lui aussi, lier l'affaire Benoist-Méchin et le procès en interdiction :

> C'est qu'en effet, messieurs, tout ceci, et vous l'avez deviné, ne constitue qu'un épisode, et pour tout dire qu'une première escarmouche, dans un duel judiciaire qui est entamé par la famille Grasset et les administrateurs de la maison d'édition, contre Bernard Grasset [...]. Messieurs, toutes ces personnes ont conçu le projet de se débarrasser de celui qui avait été leur bienfaiteur, et c'est ainsi qu'a été ourdi un drame balzacien, un drame où rien ne manque, ni la séquestration, ni la demande d'interdiction judiciaire. Tout y est. Mais il fallait, à la veille de la grande audience, une affaire destinée à créer l'atmosphère, et ceci vous explique la hâte soudaine mise par Benoist-Méchin à vouloir juger son procès en présence de toute la famille et du conseil d'administration...

Les juges ne suivirent pas Delzangles. Bernard Grasset fut condamné pour diffamation. C'était le moindre mal. Le procès, pour la gent littéraire, révélait toute la gravité du différend qui opposait Bernard Grasset à sa famille et à sa Maison. Dans ce monde fermé où l'on quitte plus facilement le navire quand il prend l'eau qu'on ne vient au secours du commandant, ce déballage allait-il entraîner la perte de Grasset ? Celui-ci, comme toujours, se raidit contre l'adversité, serre les dents, réagit avec un enthousiasme émouvant et malicieux.

*

Juridiquement empêché, contraint de se plier à la tutelle de

Moulin, l'administrateur provisoire, exilé à Garches, il n'en continue pas moins de suivre sa Maison. « Envoyez-moi les ventes des dernières semaines », écrit-il régulièrement à Yvonne Langevin, qui lui répond avec délicatesse et rigueur. Le banquier Muller, le père d'Henry, a résumé le cocasse de la situation, d'une phrase : « Un homme ayant un conseil judiciaire ne peut évidemment pas diriger une entreprise, mais comment l'empêcher de s'en occuper sans la diriger ? » Insoluble dilemme ! Grasset débarque à l'improviste rue des Saints-Pères, y passe deux ou trois heures, traitant avec superbe M. Moulin et convoquant dans son bureau tous ceux avec qui il est en procès, de Baratier à Brun, de Gueymard à Muller. Dans ces rencontres improvisées, il mène la danse, son autorité naturelle reprenant le dessus. Comme il ne peut, légalement, décider de rien, il est très à son aise pour admonester les uns et les autres.

C'est dans le cadre de l'une de ces réunions qu'il tente, le 12 avril 1935, de reprendre un peu de son pouvoir perdu. Il propose de réintégrer la Maison en qualité de directeur technique :

> Je crois, explique-t-il, que ma présence ici ne serait pas inutile pour éviter des résultats aussi médiocres que ceux de 1934. Je ne reviens pas sur la collection « les Grandes Heures » qui a été une catastrophe. Je regrette surtout que pendant mon absence, il y ait eu une politique très précaire de jeunes auteurs. Depuis mon absence vous n'avez pas été foutus de trouver un seul écrivain.

Louis Brun fait remarquer qu'il fallait vivre et exploiter commercialement la Maison, en se gardant de toute initiative hasardeuse, lesquelles auraient été d'autant moins pardonnées que le « chef » était loin.

> Est-ce d'ailleurs de notre faute si vous étiez loin ? demande Brun. Je ne ferai qu'une allusion discrète à cette maladie qui a motivé votre absence, et s'il est vrai que nous souhaitons tous votre retour, nous voulons qu'il soit synonyme d'une activité saine et continue. J'ai connu d'autres périodes durant lesquelles vous avez repris vos occupations, mon cher Bernard. Elles ont été presque aussitôt interrompues par de nouvelles absences et nous voulons être sûrs, cette fois, qu'il n'en sera plus ainsi.

Bernard Grasset repose alors la question qui est au centre du débat : « Êtes-vous oui ou non d'accord pour que je revienne en technicien passer deux heures par jour dans ma Maison selon les conditions précédemment indiquées, c'est-à-dire en salarié ? Le seul que je ne verrai pas est celui qui a commis le crime de la famille, mais on pourrait s'arranger... » Il vise son beau-frère,

Joseph Peyronnet. Et il précise : « Je collaborerai avec Gueymard, Muller, et vous n'avez pas à craindre que je reprenne le gouvernement de ma Maison, n'ayant nul désir de me mêler à la responsabilité des conseils et des comités. Enfin, je demande que le courrier que je reçois, ici dans ma Maison, ne soit plus ouvert. » Brun, excipant du procès en cours, refuse de lui donner une réponse immédiate, sauf en ce qui concerne sa dernière revendication.

Quatre jours plus tard, le comité de direction étudie sa proposition. Sont présents Léo Baratier, Joseph Peyronnet, Daniel Halévy, André Sabatier, Clément Gueymard, Henry Muller, Yvonne Langevin. Louis Brun, retenu au lit avec quarante de fièvre, manque à l'appel.

Baratier veut donner une suite positive aux suggestions de l'éditeur, afin d'éteindre l'incendie allumé par la cascade des procès. Il est isolé : Grasset ne sera pas « directeur technique »... Peyronnet l'écrit aussitôt à Brun :

> Halévy et nous tous avons répondu à Baratier que Bernard, totalement à l'écart de sa Maison depuis trois ans, et très souvent absent depuis 1925, était à peu près dans la situation d'un médecin qui n'aurait pas ausculté pendant neuf ans. Que de plus les projets de Bernard Grasset ne pouvaient être réalisés que par Bernard Grasset. Nous lui avons dit que la méthode qu'il envisageait était pernicieuse, car si une idée donnée par Bernard réussissait, il ne manquerait pas de s'en attribuer tout le mérite ; si, au contraire, l'idée échouait, il s'empresserait de rejeter toute la faute sur les exécutants. J'ai ajouté, personnellement, que ces pourparlers au moment du procès engagé par la famille pouvaient gêner notre action car les avocats de Bernard ne manqueraient pas de faire remarquer que celui dont on demande l'incapacité est actuellement le conseiller technique officiel de la Maison qu'il a fondée ! Baratier a paru assez ébranlé par ce raisonnement mais je crois qu'il tient à son idée et peut-être serons-nous obligés de revenir là-dessus, un de ces prochains jours. Mais ce qui lui tient le plus à cœur, c'est de maintenir des relations étroites entre lui et Moulin pour démontrer à ce dernier que nous sommes animés d'un esprit très conciliant... En résumé, le comité a été unanime pour refuser à Grasset le titre qu'il demande, et sur le point des relations d'édition proposées par Baratier, il a été extrêmement froid. Je pense qu'il sera facile de décider Baratier à s'en tenir peut-être à une dernière visite, et à rompre par la suite toute relation avec Bernard... Un dernier mot au sujet du procès. J'ai vu hier notre avoué Gillet qui m'a dit que Bernard n'avait pas encore conclu et que cette absence de conclusion empêchait la mise au rôle de l'affaire. Si cette conclusion n'était pas signifiée immédiatement après les vacances de Pâques, on prendra, devant le tribunal, un défaut, faute de conclure. Devant la menace de ce défaut, je ne doute pas que les avocats de Bernard ne s'activent.

Cette détermination de Joseph Peyronnet ne fléchit plus jusqu'au procès, qui s'ouvre le 10 juillet 1935. Est-ce par pure affection qu'il tient, avec Guiguite et Mathilde, à faire passer Grasset pour une personne « en état de démence, d'imbécillité ou de fureur » ? Car ce sont là les trois conditions, dont l'une est indispensable, pour transformer l'intéressé en un mineur, au point de vue légal, et pour lui infliger un tuteur qui prendra la responsabilité de ses actes et régira sa fortune. Aux termes du Code civil, l'« interdiction judiciaire » est une mesure prise dans l'intérêt même de celui qu'elle frappe. Mais il est curieux de constater combien ceux qui la demandent confondent souvent cet intérêt avec le leur. Est-ce, ici, le cas ? Les deux sœurs, les deux beaux-frères de Bernard Grasset veulent-ils le déposséder en s'appropriant la Maison ? Ils n'ont jamais été animés d'aussi noirs desseins. Ils ont fini par se persuader que leur parent, en dépit des périodes de rémission, est vraiment fou, et qu'ils ne peuvent plus lui accorder leur confiance pour la gestion de la société. Ils veulent donc l'empêcher de nuire, du moins pendant quelque temps, redoutant que ses extravagances ne débouchent sur un dépôt de bilan. Et ils ne reculeront plus. Guiguite et Mathilde étaient déchirées, mais elles firent confiance au jugement de Joseph Peyronnet.

*

Pourtant le Grasset de 1935 n'est plus du tout celui de 1934, et encore moins celui de 1933. Il a trouvé à Garches, auprès d'Olivier Garrand, une « paix de l'âme » qu'aucun autre spécialiste des maladies nerveuses n'avait su lui donner. Au mois d'avril, Jean Giraudoux et André Maurois iront, enfin, le voir à Garches.

> J'ai retrouvé l'homme que j'ai toujours connu, conviendra l'auteur des *Silences du colonel Bramble*. Notre conversation a roulé sur Chamfort, Rivarol, Montaigne... Pas une fois Bernard n'a évoqué la Maison ou ses projets. A mon avis il faut une réconciliation et Léon Bérard est le plus qualifié pour la faire[9].

C'est aussi l'opinion de Jean Giraudoux, Léon Lafage, et Jacques Chardonne.

Il a un nouveau secrétaire de vingt-huit ans, Maurice Chapelan, esprit vif et rieur, bientôt essayiste, romancier et journaliste, que lui a présenté Henri Clouard.

> Singulier secrétariat ! Mon rôle n'y fut, en vérité, que d'un monsieur de compagnie... J'allais rejoindre Bernard Grasset tous les jours, vers 6 heures, dans un bistrot de la porte de Saint-Cloud où nous prenions l'apéritif. Je ne le quittais plus jusqu'au lendemain matin 11 heures[10].

Pour s'occuper de son procès, de ses rapports avec sa Maison et ses avocats, il a engagé un Méridional, « court et grassouillet, d'apparence molle et bonasse », qu'il surnomme le « joueur de boules ». C'est Jean Vigneau, qui en juin 1941, va créer, à Marseille, sa propre maison d'édition et réussir un joli coup en publiant au mois d'avril 1944 *les Amitiés particulières* de Roger Peyrefitte.

Il a, surtout, une liaison amoureuse intense avec Claire Eyriault, « cette Claire, paraît-il riche, qui voisine la quarantaine », qu'évoquait Brun dans son Journal et qui restera près de lui jusqu'en 1938.

> Ma dernière liaison avait pris fin vers 1939. Elle avait duré cinq ans [...]. A part un amour de jeunesse que je n'avais même pas osé déclarer, le seul autre amour que j'avais connu, autour de 1920, n'avait pas abouti à la liaison que j'avais souhaitée. La jeune femme que je rencontrai en 1934, en plein drame de famille, était la grâce même. Je la désirai dès notre première rencontre. Elle était toute simple de nature, sans mensonges, donnant toute excuse à l'amour. Par surcroît, modeste, effacée et du caractère le plus facile. Je fus peut-être le grand amour de sa vie. Nous nous étions connus dans le travail et le travail resta la raison officielle de notre liaison. Elle avait son foyer, mais nous ne nous quittions pas de tout le jour. Claire prenait son repas du matin chez moi. Souvent nous passions ensemble le dimanche. Nous avions fait ensemble plusieurs voyages. J'ai traversé sans trop de dommages, grâce à elle, les plus atroces jours[11].

Le 6 mars 1935, Grasset fête ses cinquante-quatre ans. Amoureux, un peu reposé, il est convaincu qu'il pourra, dès la rentrée de septembre, en dépit de l'acharnement de sa famille, reprendre les rênes de sa Maison. Elle vient de verser au dossier le certificat du Dr Heuyer, agréé auprès de la Préfecture de police. Ce certificat date du 27 avril 1934, quand il était le « prisonnier » du Dr Buvat. N'est-ce pas un lointain et funeste passé ? Heuyer, après l'avoir vu un quart d'heure, avait conclu que le « patient », alors dans un état de dépression psychique, avec tristesse, anxiété verbale, plaintes sur son sort et ses malheurs, présentait des dispositions paranoïaques, à la limite du délire systématisé. Olivier Garrand tient aussitôt à le rassurer :

> Vous m'avez dit qu'une procédure était engagée contre vous dans le sens d'une limitation de votre capacité civile. Je ne vois rien dans votre comportement actuel qui puisse faire penser à l'opportunité d'une mesure de cette nature. Nous vous considérons ici comme un pensionnaire, vous n'êtes soumis à aucun traitement, nous n'avons avec vous que des conversations amicales, vous circulez comme bon vous semble, vous circulez en ville comme vous le désirez, en un mot votre régime de vie ici est celui d'une pension de famille aménagée pour le repos. J'ajoute que votre comportement ne donne lieu à aucune remarque, que vos comportements avec tous sont parfaitement cordiaux[12].

*

Attardons-nous un instant sur cet homme qui, au plein jour des belles fins de matinée, s'en va planter son chevalet sur le bord de la Seine ou dans le parc de Saint-Cloud. Robert, le fidèle chauffeur, est là qui le regarde manier sa palette de bois et travailler sa toile. « Je crois bien que Monsieur ferait bien de ne plus la chatouiller! dit-il quand il est fatigué d'attendre. — Tu le penses vraiment? Eh bien, alors rentrons. » Le visage un peu plus maigre et creusé, les poches sous les yeux un peu plus lourdes, le teint un peu plus plombé, la moustache en brosse, le regard toujours aussi vif, tantôt enjôleur, soudain glaçant, la voix autoritaire d'un officier de cavalerie, un peu rauque, avec des inflexions féminines, Bernard Grasset, dans ses costumes sombres et son col cassé, a fini par ressembler à un cénobite de salon.

> Gros fumeur, raconte Maurice Chapelan, il grillait, même au lit, quatre-vingts cigarettes par jour. Il allumait l'une au mégot de l'autre, introduite dans un fume-cigarette à coulisse, qu'il avait toujours au coin des lèvres. Il n'en offrait jamais. Et l'une de ses coquetteries consistait à laisser pendre sur sa veste un long morceau de pochette blanche. Pour sortir, il se couvrait la tête d'un béret basque étroit et jetait son pardessus sur les épaules... J'ai eu de la sympathie, voire de l'amitié, et surtout de la pitié pour cet homme [...]. Je crois qu'il souffrait surtout d'avoir trop d'intelligence et pas assez de cœur.

*

Son angoisse n'est pas de celles que l'on dissimule, qu'on n'ose s'avouer et qui s'appellent la peur de vieillir, la peur de cet automne de la vie. Elle est plus mystérieuse, et il s'en délivre à travers cette fuite éperdue de lui-même. Elle le poursuit partout, s'empare de toutes ses actions, et il n'est presque pas de moment qui ne lui apporte de souffrance produite par cette anxiété, ce tremblement de son esprit sans cesse alarmé. Et tout ce qu'il a déjà écrit — en dehors de ses réflexions et témoignages sur son métier ou de ses articles polémiques — n'est qu'une longue méditation sur le « déchirement ».

S'il est vrai, comme le prétend Bergson, qu'un écrivain est « un homme qui n'a jamais qu'une seule chose à dire, quelque chose de simple, d'infiniment simple que nul n'avait dit avant lui et pourquoi il parle toute sa vie », cette chose que tenta d'approcher Grasset fut ce « déchirement », qui est en chacun de nous, et que lui ne put dominer.

C'était un impuissant du cœur, qui, par là même, avait sans cesse à la bouche, comme dans ses ouvrages, les mots amour et

amitié. « Chaque être, écrit-il, peut tendre à la fois à deux personnages sans même s'en rendre compte. Il peut connaître de tragiques hésitations entre les deux personnages qui luttent entre eux,
chacun d'eux répondant à quelque nature essentielle de la nature
profonde de l'homme. De là de pathétiques débats où chacun de
ces personnages perd ce que gagne l'autre... »

Réfléchissant sur le besoin d'agir dans ses *Remarques sur l'action*, que nous montre-t-il, sinon les déchirements que l'action
impose à celui qui la sert, puisque « la réussite n'est souvent
qu'une réussite sur le bonheur » ? Pour échapper au seul danger, la
mort, dont l'homme ne peut supporter la menace, il célèbre dans
Psychologie de l'immortalité les déchirements entre l'instinct et la
raison, la nature et l'intelligence, la chair et l'esprit, la bête et
l'ange. De quelque création qu'il s'agisse — les enfants ou les
œuvres —, il faudra qu'en fin de compte nous en soyons frustrés,
dépossédés, car la nature exige que la création se détache du
créateur... « Dépossession, c'est le mot le plus dur que l'homme
puisse entendre, et c'est toute la vérité de l'homme. »

Déchirement encore dans *Remarques sur le bonheur*, *Aménagement de la solitude* et *Sur le plaisir*, où il revient inlassablement sur
cette étrange concurrence entre l'amour et l'œuvre, la jouissance
et le travail, la volupté et le devoir de « produire ». Pour lui, toute
création artistique est une revanche contre « la difficulté à être »,
et c'est, peut-être, par inaptitude à aimer qu'on poursuit la
chimère de la perfection formelle. Si le poète, si l'écrivain a autant
besoin de liberté que d'amour, s'il n'y a pas de volupté d'écrire
sans jouissance amoureuse, la femme doit être, malgré tout, subor-
donnée à l'œuvre.

Tout ce qui nous enracine — et en particulier le mariage —
serait incompatible avec le métier d'écrivain. Aux créateurs il ne
faut ni chaînes, ni obligations, ni habitudes, mais la perpétuelle
vacance de l'âme. Le « nous » est haïssable, et Grasset donne à
méditer, aux épouses, cet aphorisme : « Se réveiller neuf, c'est se
réveiller seul. »

On comprend mieux qu'il coure, depuis son adolescence, après
la compagne qui serait à la fois inspiratrice insouciante, parfaite
secrétaire et capable de se renouveler perpétuellement dans
l'amour. Elle serait pareille à ces modèles uniques qui ont comblé
tant d'artistes. Ces conditions une fois réunies, le créateur connaî-
trait ce « contentement intérieur », source la plus féconde de l'art.
Mais combien de femmes accepteront le rôle qu'il leur assigne
ainsi, non sans quelque ingénuité ?

Esprit entier, Grasset perdait souvent, dans sa recherche des
« profondeurs », recul et humour. Ses propres expériences, ses

propres débats, ses propres tourments, bref, ses « déchirements », ne s'inscrivent pas moins clairement dans ces pages qu'il a laissées. D'où leur accent pathétique. Quand il parle des « tragiques résistances de certains à d'inévitables renoncements », de ces folles prétentions auxquelles « certains sacrifient leur bonheur », de ces dons que « certains reçoivent de la nature et qui leur sont trop lourds », c'est de lui qu'il parle sous le masque de l'impersonnel. Tout ce qu'il écrit, il l'a vécu avant de l'avoir pensé, il l'a souffert avant de l'avoir compris. Il n'emprunte rien, il ne doit rien à ses connaissances livresques. Son œuvre est l'expression de son rêve intérieur, et cette curiosité qu'il a de son mal, la façon abstraite dont il le consigne pour nous en rendre témoins font partie de ce drame. Son plus terrible ennemi « se trouve en lui-même », lui disait un jour Chapelan. « Mais bien sûr, il y a longtemps que je sais cela, tu penses ! Ne m'en parle pas, veux-tu ? »

*

Bernard Grasset est un nomade déchiré, d'une lucidité contenue.

Nomade dans l'amour, n'ayant jamais pu ni su — ni voulu ? — retenir, posséder une femme. Claire Eyriault, elle-même, en compagnie de qui il souffle ses cinquante-quatre bougies, est de passage. Quand elle le quittera en octobre 1938, « l'immense vide » qu'il ressentira ne durera pas deux mois. A Divonne où il se repose, il croise une femme qui « ressemble étrangement » à celle qu'il désespère de remplacer. Il racontera cette liaison dans le seul récit qu'il ait publié, *Une rencontre*, reprenant à quelques virgules et mots près ce qu'il avait consigné dans le Journal qu'il tint entre le 21 février 1939 et le 8 mai 1942.

> Une certaine mollesse. Silencieuse. Très secrète. Plus de grâce encore peut-être que l'autre. Elle faisait partie d'un groupe de femmes complètement stupides. Vieilles filles à qui avait toujours manqué l'homme. Femmes mariées du type « incomprise ». Enfin des êtres que j'aurais eu envie de rosser après cinq minutes de conversation... Je me disais : « Comment donc cette femme qui est pleine de charme et par surcroît me semble être de nature passionnée (on sent ces choses) est-elle là ? » Surtout je me demandais : « Comment en faire une chose à moi ? » [...] Cette femme me semblait faite pour moi.

Avec beaucoup de celles qu'il croisa, il eut ce premier réflexe. Il part toujours d'une émotion, il s'y abandonne et il se lasse. De façon assez naïve, il confondait le libertinage avec l'amour.

Nomade dans la vie quotidienne. Il n'eut jamais de « chez-soi ». Il n'habita pas son appartement de la rue Rosa-Bonheur, ni plus tard celui de la rue de l'Estrapade. Il s'y posait pour un dîner, un déjeuner, parfois pour une nuit coquine, entre deux hôtels, deux cliniques, deux établissements de cure. Comme la vie du vagabond, la sienne est une esquisse, toujours en quête d'un autre chemin. Ce qu'il doit trouver, il ne le sait pas au juste. Il sait seulement qu'il cherche, et que ce doit être par là. Il part avec ou sans enthousiasme. Mais il part. Il ne fait que partir. Il ne possède rien et ce « rien » n'est pas, pour le coup, un vain mot. Il dépense tout ce qu'il gagne, et beaucoup plus, pour vivre cette perpétuelle errance, non pour s'installer ou constituer son patrimoine. C'est sa liberté. Ce qu'il nomme la « mer libre » du créateur, de l'écrivain. « La mer libre, c'est l'aise, le sentiment que rien n'arrête plus, qu'il n'y a plus de récifs, plus de courants contraires, mais seulement des choses qui s'offrent. Et puis, surtout, cette certitude qu'on est le premier à naviguer là, que tout y est à prendre, que tout y est à dire, et que c'est si nouveau que tout plaira, même le plus mince. » Les écueils le détournent vite de la route qu'il pensait suivre, alors il abandonne la navigation, revient au port et repart.

Nomade, enfin, de l'esprit, butinant dans tous les registres de la création intellectuelle ou artistique, impatient de réagir aux événements, tranchant sur tout et sur rien, captant les modes et les idées.

> Je suis aux ordres du quotidien. Dans le métier qui est le mien depuis
> trente ans, les journaux n'ont cessé d'être ma pâture du matin, ma
> première nourriture. Je la prends dans mon lit, sitôt éveillé, près du
> téléphone qui s'offre à mon impatience. A ma portée, ciseaux et colle.
> Notes hâtivement jetées. Projets d'articles jamais écrits.

Une insatiable curiosité, un cannibalisme qui aurait pu le divertir, calmer son besoin de fuir. Non. Tout le ramène vers lui, vers son « âme tendre et chirurgienne ».

D'une femme à l'autre, d'une chambre à l'autre, d'une idée à l'autre, et jamais seul. En somme, la véritable solitude.

Dans ce chaud printemps de 1935, alors qu'il s'apprête à sortir du sombre labyrinthe où il est enfermé depuis des années, comment s'étonner qu'il médite sur l'homme et son personnage, sur les loisirs du créateur, sur la souffrance et l'écriture, rêvant d'une réconciliation avec lui-même, rêvant d'une harmonie qui lui est inaccessible ?

> Je distingue profondément en moi l'homme et le personnage [...].
> Tout ce que l'on peut dire sur cette dualité du point de vue du bonheur,
> c'est que plus le personnage est près de la nature véritable de l'homme,
> plus l'homme est heureux. Plus il s'écarte de cette nature, plus l'homme
> est malheureux... Le mieux pour l'homme qui est le champ clos de telles

joutes est de ne pas trop prétendre au rôle d'arbitre des diverses parts de lui-même. Le mieux, quand ils s'expriment, est de leur laisser la parole à tous deux...

Il écrit aussi :

> C'est, je crois bien, dans leurs loisirs que les créateurs sont le plus accommodés aux autres... C'est tout un trésor d'enjouement, libéré pour un temps, que certains dépensent alors. Ainsi pourrait-on presque mesurer la puissance créatrice d'un homme à l'espièglerie de ses loisirs.

*

Oublions son style. Sa langue, avec sa forte syntaxe et toutes ses charpentes de vieux chêne — il écrit comme on traduirait une version latine —, s'accorde mal avec notre univers télématique. N'empêche que son retour à la vie est courageusement contrôlé et, s'il s'interroge avidement sur la signification de « ces choses si simples pour lesquelles nous sommes nés », selon Montaigne — le bonheur, la durée, l'action, l'amour —, on sent qu'il est déjà rue des Saints-Pères, seul point fixe, seul repère de son vagabondage, seul endroit du monde où il a su « aménager sa solitude ».

Ses suggestions de conseiller technique — qu'il n'est pas — se font de plus en plus pressantes. Surtout quand, en mai 1935, Brun et Peyronnet projettent d'étendre leur expérience de collection à bon marché, en dépit de l'échec patent des « Grandes Heures », aux domaines du voyage, de l'histoire et de la religion catholique. Ces collections devaient être, pour la plus grande partie, établies à partir de textes empruntés au fonds de la Maison. Une seule verra le jour, « les Grands Aventuriers d'aujourd'hui », et elle ne comptera pas plus de six ouvrages, dont trois d'Henry de Monfreid, qui furent les plus mauvaises ventes de l'auteur des *Secrets de la mer Rouge*.

Pour des raisons de principe, qui rejoignaient sa philosophie du métier d'éditeur, Grasset était farouchement opposé aux collections à bon marché, nées au XIXᵉ siècle, et dont toutes les formes du « livre de poche » sont l'aboutissement. Il tenait le « bon marché » pour la plus grave atteinte à la valeur de son fonds. Pour lui, la richesse d'un fonds ne vient pas de la vente, même fructueuse, de tel ou tel ouvrage ou collection, qui tombe, au bout de quelque temps, sinon dès son apparition, mais de la propriété, pendant soixante-quinze ans, d'œuvres susceptibles de se vendre encore au bout de ces soixante-quinze ans (cinquante ans de propriété littéraire et vingt-cinq ans de survie moyenne).

Les fonds littéraires, dans son esprit, tirent donc tout leur prix de quelques dizaines d'auteurs seulement.

C'est le cas de Fasquelle, c'est le cas de Calmann-Lévy, c'est le nôtre, écrivait-il le 3 juin 1935 à « Messieurs les membres » de son conseil d'administration. [...] Étant donné ma conception de l'édition qui tient dans une large publicité d'origine pour les écrivains dont les ouvrages ont des chances de rester, nous avons d'autant plus besoin de maintenir le prix élevé que nous avons plus dépensé pour créer la valeur. Établir des éditions à bon marché pour des ouvrages dont le lancement ne remonte, pour certains, qu'à quelques années, c'est, selon moi, proprement dévaluer le fonds.

Le « bon marché » déclasse et atteint le prestige d'une maison tel qu'il le conçoit. « Les Cahiers verts » avaient été imaginés à rebours, précisément, du « bon marché », l'utilisation de la vogue bibliophilique étant l'un de leurs moteurs. Grasset avait fondé l'équilibre de sa Maison sur le prix élevé, et s'il assistait très rarement aux délibérations du Cercle de la librairie — ancêtre du Syndicat national de l'édition —, il batailla durement sur le prix de l'in-douze, pour qu'on le maintienne à 7,50 francs, puis à 12 francs et 15 francs. Chaque fois, il imposa son point de vue que partageait la trentaine de romanciers qui vivaient de leur plume et qui avaient besoin du « prix élevé ». Certains, et parmi les plus grands, comme Paul Valéry et Georges Bernanos — qui vendit le manuscrit de *Sous le soleil de Satan* 15 000 francs et celui du *Journal d'un curé de campagne* 40 000 francs —, avaient besoin du « prix bibliophilique ».

Dans les années trente, comme aujourd'hui d'ailleurs, il n'était pas possible à un écrivain, de s'assurer des revenus convenables sur des éditions à bon marché. D'abord parce que les droits d'auteur étaient de trois à cinq pour cent au lieu de dix et même vingt pour cent ; ensuite parce que les collections populaires, qui, jusqu'à la crise économique mondiale de 1929, n'avaient pas vraiment gêné l'édition courante, lui faisaient, désormais, une rude, voire fatale concurrence. « Pour tout dire, concluait Grasset dans cette lettre, s'engager dans la voie du "bon marché", c'est porter la plus grave atteinte, non seulement à l'équilibre du budget de la Maison, mais à celui de tous nos auteurs : c'est la fin même de la Maison. »

*

Mises en garde, lettres recommandées, « coups de gueule », vexations et autres taquineries entre le patron sous tutelle et les « directeurs » de la Maison meubleront les journées de la rue des Saints-Pères, jusqu'à l'ouverture du procès attendu par les échotiers, le 12 juillet 1935.

Le spectacle est un four. Tous les journalistes présents, et ils sont nombreux, sont déçus. Me Guilhouet plaide pour la famille et le conseil d'administration. C'est sans surprise, sans émotion, sans éloquence. Il s'appesantit sur les pérégrinations de l'éditeur, ses absences, l'abus d'alcool ; il lit plusieurs lettres ou télégrammes, apporte des témoignages, cite longuement le certificat du Dr Heuyer. Pour terminer sur une tirade qui fit sourire la salle et les juges :

> « Comment, s'il n'était fou, notre malheureux parent aurait-il pu proclamer, dans un écrit de sa main, la mort du roman ? [...] Le roman, messieurs, qui n'a jamais été si vivant puisqu'il fait la fortune de notre Maison !
> — Bien sûr, bien sûr, maître, bougonna le président. Mais annoncer la mort du roman, n'était-ce pas qu'un paradoxe ? Peut-être même un paradoxe publicitaire. »

Du volumineux dossier se dégage un Grasset certes délirant, mais qui pourrait être aussi bien un vrai fou, une vraie victime ou un vrai mystificateur.

Me Lémery défend Grasset. D'une grandiloquence agaçante et désuète, il n'est guère plus passionnant que son collègue. Il est, néanmoins, plus convaincant et plus habile :

> L'état de fatigue et de dépression dans lequel s'était trouvé Grasset, explique-t-il, eût nécessité des soins vigilants dans une atmosphère de tendresse. Or l'éditeur fut abandonné aux mains de psychiatres qui « l'ont soumis aux travaux forcés des devoirs analytiques », soigneusement conservés et dont on prétend faire état devant le tribunal ! On alla, messieurs, jusqu'à le transporter dans cette maison d'aliénés de la rue de la Glacière où il se réveilla un matin les pieds liés...

Le 16 juillet, dans son arrêt, le tribunal ordonne un supplément d'information et désigne trois experts, les Drs Capgras, Logre et Mallet, « qui examineront si Grasset est, ainsi que le prétendent ses proches, incapable de diriger ses affaires et doit être frappé d'interdiction, ou si c'est à tort que la mesure qui le priverait de ses droits naturels serait prise ».

Le tribunal ne cherche pas à se couvrir. Son opinion est faite : Grasset n'est pas fou, et il attend des experts cette confirmation qui mettra le point final à ce drame. Henry Muller, lié à un des juges, l'explique à Brun, dès le 22 juillet, lui enlevant ses dernières illusions :

> Vous n'avez plus l'oreille du tribunal. Les juges sont retournés, depuis l'hiver dernier, surtout depuis l'interrogatoire de Bernard qui a répondu brillamment sur tous les points. Pas une contradiction, pas trace d'aucune obsession. Mon ami m'a dit, textuellement, qu'il est vraiment difficile de donner un conseil judiciaire à un homme parfaitement sain.

Au mois de septembre, c'est la débâcle. En vacances dans sa maison de Beauvallon, Brun reçoit Baratier, Peyronnet, Gueymard. Chacun convient que cette « fâcheuse affaire » a été lancée un peu vite, et que les moyens de pression de Grasset, ses relations, en particulier avec le banquier Dreyfus — ce dernier, depuis des mois, assure à l'éditeur un revenu à la hauteur de ses besoins —, ont été gravement mésestimés. Baratier s'autoflagelle et accepte de porter le chapeau. C'est, admet-il, le conseil d'administration qui a poussé Peyronnet contre son beau-frère. Peut-on éviter le dernier acte et trouver les solutions d'un arbitrage ? Le nom de Léon Bérard, encore lui, est cité. En vain. Triste fin de partie.

A Garches, Grasset se redéploie. Il quitte la maison de santé du Dr Garrand et loue, tout à côté, la villa les Rouges-Gorges, avenue Édouard-Detaille. Il multiplie les dîners comme les aller retour à Paris. Bien sûr, on ne se bouscule pas à sa table, mais quelques figures acceptent l'invitation. Par curiosité ? Par amitié ? Rosny aîné, Léon Daudet, Gabriel Boissy, la Bibesco, Alexandre Arnoux, Henri Clouard, André Billy, René Gillouin... Viennent aussi les Crémieux, Benjamin et sa femme Anne-Marie Comnène, des fidèles amis s'il en est. Et puis André Gide, qui, entre le café et les liqueurs, se plaignant de la qualité des traducteurs, lui offrira un sujet de chronique : « L'État, explique l'auteur des *Caves du Vatican*, devrait astreindre tous les bons écrivains à consacrer une part de leur temps à la traduction des grandes œuvres étrangères. Vraiment, nous en usons avec elles de façon trop cavalière. » Quatre jours plus tard, Grasset développe le sujet dans le *Figaro*. Il est ainsi, et ne déroge jamais à cette règle quasi sacrée : revenir sur le devant de la scène, c'est, d'abord, faire, habilement, parler de soi. A l'heure où il s'apprête à remonter sur le ring, il agit pour lui comme il agissait pour ses auteurs et, durant l'hiver, il publiera une dizaine d'articles. Il voyage également et fera un séjour au Luxembourg, un autre à Londres.

*

Le 13 novembre 1935, Capgras, Logre et Mallet remettent leur rapport. Cinq pages dactylographiées très denses. Citons la conclusion :

> Aujourd'hui, nous nous trouvons devant un homme qui a réalisé en grande partie ce qu'il y a de pathologique dans sa conduite, dont le comportement est normal depuis plusieurs mois et qui se montre, comme il a toujours été, comme il sera toujours, un hyperémotif. Hyperémotif constitutionnel, susceptible de faire des poussées d'angoisse avec idées fixes, qui garde un caractère obsédant, à moins qu'un facteur occasionnel, toxique ou infectieux, comme cela s'est produit, ne déclenche une confusion mentale aiguë. M. Grasset présente aujourd'hui les signes

habituels de l'hyperémotivité, sans symptômes d'ordre toxique ou de lésions nerveuses. On note, du côté physique, des troubles vaso-moteurs, du tremblement, de la tachycardie, une réflectivité exaltée du côté psychique, un hyper-tonus alimenté par une intelligence particulièrement vive et qui se traduit par un langage quelque peu hyperbolique, un certain degré d'égocentrisme, une susceptibilité toujours en éveil. Toutes ces tendances s'exaspèrent sous l'influence de l'angoisse, de l'anxiété, et peuvent entraîner alors des réactions hypocondriaques si la sensibilité physique est particulièrement en cause, des réactions plus marquées du caractère s'il s'agit surtout de chocs moraux, mais elles n'aboutissent pas, facteur surajouté, au délire proprement dit, elles n'entraînent pas l'abolition de la conscience.

M. Grasset se présente donc comme un psychothénique constitutionnel, non comme un paranoïaque. Les seuls symptômes d'hyperémotivité que nous constatons aujourd'hui ne font pas de lui un malade. Il corrige les erreurs du passé, il envisage l'avenir avec sagesse, semble-t-il. Il proteste encore contre son maintien à la maison de santé du Dr Buvat pendant un mois, mais il reconnaît que ce sont ses excès de médicaments et de boissons qui l'y ont conduit. Il se défend d'avoir eu des dettes, quand le 17 juillet 1934 a été introduite contre lui la procédure d'interdiction dont il a « tant souffert ». Il demande ardemment de rentrer dans sa Maison, non « enchaîné », sa Maison à laquelle il tient « plus qu'à tout ». « J'arriverai non en conquérant mais en homme qui veut avoir une Maison honorable. » Il reproche à sa famille l'attitude qu'elle a eue envers lui, mais avec tristesse, sans menace. On ne trouve actuellement chez M. Grasset aucun de ces signes d'imbécillité, de démence ou de fureur qui constituent l'état habituel d'aliénation mentale que réclame la mesure d'interdiction, et rien dans notre examen ne peut être retenu comme un obstacle à ce qu'il gère lui-même ses affaires.

Sans attendre la décision de la première chambre du tribunal civil de la Seine, Benjamin Crémieux et Anne-Marie Comnène cherchent à mobiliser les écrivains autour d'un manifeste — plusieurs journaux le publieront fin décembre — en faveur de Grasset, « un éditeur qui a rendu de si éminents services aux lettres françaises et qui doit reprendre au plus vite son activité dans un domaine où il a toujours montré les plus précieuses qualités d'initiative et d'énergie ». Si l'on découvre, parmi les soixante-quatorze signataires, quelques noms comme Abel Bonnard, André Gide, Maurice Maeterlinck, Charles Maurras, François Porché, les Rosny, Mme Simone, André Billy, Maurice Martin du Gard, aucun, absolument aucun des « grands auteurs Maison », excepté Irène Némirovsky, qui vient justement de passer chez Gallimard, n'a répondu à l'appel des Crémieux. « Vous vous êtes heurtés là à un mur, leur écrira Grasset. Quoi qu'il en soit, cette adresse m'est d'un immense réconfort... Je dirais presque que je préfère que nul n'ait signé que convaincu et passionné. Je puis ainsi compter mes amis véritables[13]. »

Les « quatre M » étaient-ils absents? Et Chardonne? Et Châteaubriant? Et Giraudoux? Et Cocteau? Et le vieux complice Léon Lafage? Et Malraux?

Le 3 janvier 1936, c'est le dénouement. Les juges, après avoir pris acte du rapport Capgras, Logre et Mallet, rejettent la demande en interdiction judiciaire tout en refusant de condamner la famille.

Dans quel état d'esprit se trouve Bernard Grasset? A Benjamin Crémieux il confesse:

> Je serai content de vous voir très prochainement. Je vous dirai comment j'envisage ma rentrée et mes dispositions au moment de reprendre le gouvernail. Ces dispositions tiennent d'ailleurs en un mot: pardon. Bien évidemment ne garderai-je pas le beau-frère qui, jusqu'à la dernière minute, a joué sur ma disparition. Mais la sanction de cette invraisemblable affaire se limitera à cela. Je crois d'ailleurs savoir que je n'aurai même pas à congédier Peyronnet, le conseil d'administration devant vraisemblablement s'en charger avant mon retour. Pour tous les autres, je saurai sinon tout pardonner, du moins tout oublier. D'ici le 8 février, date de l'assemblée générale, mon rôle se borne à l'examen de la gestion au cours de mon absence, afin que je puisse me prononcer en connaissance de cause lors de cette assemblée. Le dernier jugement m'a, en effet, rendu le pouvoir législatif, mais non encore le pouvoir exécutif. Celui-là, je ne le tiendrai que de l'assemblée de février. C'est là vous dire que mes amis ne me trouveront qu'après cette date à mon cabinet rue des Saints-Pères. J'espère, mon cher Crémieux, que vous serez des premiers que je pourrai accueillir[14].

La suite fut sans surprise. L'assemblée générale du 8 février renouvela sa confiance à Bernard Grasset. Le 14, réunion du conseil d'administration. L'éditeur « verrouille » avec habileté son pouvoir. Il se donne le titre de « conseiller littéraire et technique », avec autorité sur tous les directeurs ou chefs de service de la Maison. Puis il nomme PDG de la société Guillaume Hamonic, un personnage du XIXᵉ siècle, portant guêtres et canne, que lui a présenté Mᵉ Ribardière et qu'il place là pour défendre ses intérêts. D'ailleurs, Hamonic, alors président de la première chambre du tribunal de commerce de la Seine, n'entend pas seulement assister aux délibérations du conseil d'administration. Il veut exercer un contrôle effectif de la gestion. « A cet effet, précise le procès-verbal du 14 février, il a été décidé qu'il viendra plusieurs heures par semaine, à jours fixes, au siège social, pour s'y faire rendre compte des actes importants de la gestion. » Jean Vigneau, qui a été, depuis l'automne 1934, d'une fidélité à toute épreuve, est nommé secrétaire général du conseil d'administration. Enfin, le procès-verbal stipule: « En ce qui concerne la collection "Pour mon plaisir", le droit d'initiative appartiendra à M. Bernard Grasset seul, ainsi que l'appréciation des modalités de publication, de traduction, d'adaptations théâtrales ou cinématographiques de cette série qui lui est personnelle depuis son origine. »

Joseph Peyronnet a plié bagage. Quand Grasset, le nomade, abandonnera Paris pour Divonne ou Bordeaux, le Var ou les Hautes-Pyrénées, Guillaume Hamonic veillera au grain.

Sur les pages épaisses et grises de son Journal, à la date du 16 février, il griffonne : « Fin d'une longue éclipse... Je n'ai pas de violence contre l'erreur ni même contre l'injustice, quand elles séduisent. Par contre la sottise — qui est le nom de l'erreur quand elle prétend à des couronnes — me trouve sans indulgence. »

« L'œuvre, c'est à la fois contentement et devoir, satisfaction et sacrifice. C'est pour chacun tout l'achèvement possible, toute la perfection qu'il peut atteindre, le meilleur usage de soi-même. »

BERNARD GRASSET

11

LE RETURN

Sa première visite : pour Gaston Gallimard. — Remise en ordre des dépenses. — Brun « tient la boutique ». — Lancement des Jeunes Filles. — S'attacher Colette. — Il ne retient pas Malaparte. — Les belles années de Giraudoux et Zweig. — Les trente ans de la Maison. — Lettres à un jeune poète. — Le virus de l'écriture. — Jean Zay et le projet de réforme des droits d'auteur : sa première « bataille corporative ».

A l'issue de la tempête qui vient de secouer la rue des Saints-Pères, Pierre Tisné a dû céder sa place de secrétaire général à Henry Muller. André Sabatier, solidaire de Benoist-Méchin, a démissionné et rejoint Albin Michel. Un nouveau directeur des ventes, Jacques Bour, aussi précis qu'inventif, remplace le fameux Bouquinet. L'historien Pierre Bessand-Massenet, qui a persuadé Lenotre de publier sa série « la Petite Histoire » — quinze ouvrages de vulgarisation —, promène dans les couloirs la silhouette pensive et grave du « dernier gentilhomme de lettres français ». L'esthète et nonchalant André Fraigneau s'est imposé comme le conseiller littéraire en titre. Henry Poulaille règne sur la salle de presse. François Salvat dirige le service « fabrication ».

Tous ont de quinze à vingt ans de moins que l'éditeur. Le changement ressemble un peu à une relève. Restent, toujours investis des mêmes fonctions, Louis Brun, le « second », et Yvonne Langevin, la « doyenne » — les compagnons historiques, les gages du pardon.

L'une des premières visites de Grasset, réinstallé dans sa Maison, est pour Gaston Gallimard. Il lui demande d'éditer, sous le titre *Commentaires*, une sélection de ses préfaces et articles. Il retient sept textes. Sa « Lettre à Friedrich Sieburg sur la France » ; sa « Lettre familière » à Jacques Chardonne, l'auteur de *Claire* ; sa préface à l'ouvrage de Louis Roubaud *la Chose judiciaire*, un pamphlet sur les mœurs du Palais ; des réflexions, « la Compagne du créateur », qu'il rédigea en 1931 et plaça en tête des *Souvenirs* de Georgette Leblanc, l'ancienne interprète de *l'Oiseau bleu*, l'ex-femme de l'illustre écrivain Maurice Maeterlinck ; un article traitant du « Goût de l'énigme » ; un autre paru dans *les Nouvelles littéraires* du 23 mai 1931, intitulé « Considérations sur le roman », dans lequel il développait une de ses thèses favorites sur la fin des « vrais romanciers » ; un troisième, enfin, sorti dans *le Temps* du 2 mai 1932, sur l'inspiration romanesque.

Si l'on excepte la lettre à Sieburg, *Commentaires* condense la pensée de l'éditeur sur des interrogations qui ont, à la fin des années vingt, encombré maints débats : la signification du roman, le rôle du romancier, la place de celui-ci dans la société, sa fonction auprès des intellectuels, des politiques, etc., mais qui ne sont plus d'actualité.

Le roman « existentialiste » s'impose, tandis que de plus en plus d'écrivains se sentent investis d'une mission — « engagés ». André Gide, proche des soixante-dix ans, prend conscience des problèmes sociaux en donnant une espèce d'adhésion morale au régime communiste russe, adhésion qu'il devait fortement tempérer après un voyage en Union soviétique. Romain Rolland s'efforce de concilier dans une synthèse spirituelle des tendances sans doute incompatibles : le rationalisme et l'intuition, la pensée orientale et la pensée occidentale, le communisme et l'humanisme, l'individualisme et le marxisme... Malraux, transcendant l'« absurde » de la condition humaine par l'« héroïsme » et la « solidarité », donne à ses romans un contenu moral, social et métaphysique. Sartre s'impose à la fois comme philosophe et comme écrivain. Georges Bernanos porte dans le pamphlet et dans le roman la même violence de conviction et une égale puissance verbale. Enfin, la victoire du nazisme en Allemagne, l'invasion de l'Éthiopie par les troupes de Mussolini, l'arrivée de Franco au pouvoir en Espagne obligent les écrivains de droite en général, et catholiques en particulier, à se déterminer. Il y a ceux qui, derrière Emmanuel Mounier et le groupe *Esprit*, seront antifascistes, « au nom de la morale », comme François Mauriac, Jacques Maritain, Louis Martin-Chauffier. Et il y a ceux qui accompagneront le fascisme, emportés par Maurras, Brasillach et Drieu La Rochelle, comme Henri Massis, Thierry Maulnier, Alphonse de Châteaubriant. Au milieu de cette guerre des intellectuels, prémice d'une autre guerre, les *Commentaires* prennent une dimension irréelle et ont un parfum de nostalgie.

*

Tout, curieusement, dans le retour de Grasset, ressemble à la recherche d'un temps oublié et perdu. Il lui faut renouer avec ses auteurs, retrouver son « allure », après des mois qui ne furent certes pas de complet silence, mais qui ont sérieusement fragilisé son image dans le milieu de l'édition, tandis que les difficultés financières commencent à s'accumuler. Il ressent toutes ces urgences. Le déclic, hélas, ne se fera pas.

La nécessaire remise en ordre des dépenses? Lui-même en est incapable. Hamonic et Brun seront ses bras séculiers. A eux revient la pénible charge d'avertir plusieurs auteurs qu'il conviendrait de réexaminer leurs contrats. La plupart des vedettes sont, bien sûr, épargnées. Pas toutes: Jacques Chardonne, par exemple, « mensualisé » depuis 1929. Il est vrai que les romans qui suivirent *Claire — l'Amour du prochain, les Destinées sentimentales, Pauline* — se vendirent médiocrement. En tout cas, le 12 mars 1936, il répondait à une lettre de Brun du 10, avec une certaine humeur:

> Il y a une force dans les habitudes quand elles sont agréables. Je ne pouvais oublier que, pendant des années, j'ai été bien traité par la Maison Grasset. Elle m'avait attaché par sa bonne administration, sa bonne grâce [...]. Elle pense que certains auteurs ont une valeur qui ne se traduit pas en chiffres mais qui est la parure d'une maison. Ils ne sont pas très nombreux; encore faut-il les reconnaître. La Maison Grasset avait ce discernement.
>
> C'est le moment que vous jugez opportun pour me proposer une diminution. Évidemment, il y a des changements dans la Maison Grasset. Comme vous le dites, ceci demande à être médité. J'ai besoin de voir plus clair sur certains points et aussi de calmer une irritation un peu trop vive. Je voudrais réfléchir quelque temps... Fixons un délai jusqu'à juillet... Si vous préférez abréger ce délai et précipiter le cours de ces « méditations », et même en changer la direction (votre lettre a déjà fait beaucoup en ce sens), je vous indiquerai le moyen le plus sûr: si, d'ici juillet, ma mensualité est réduite, fût-ce de 1 franc, je signerai sur-le-champ un autre contrat et vous ne publierez plus jamais un livre de moi.

Chardonne connaît trop son éditeur pour ne pas trouver la bonne riposte. D'autres, comme Alphonse de Châteaubriant, Joseph Peyré ou Émile Baumann, eux aussi touchés par la politique de rigueur, ont moins de réflexes et plus de manières. Ils réussissent néanmoins à conserver leurs avantages passés. En fait, tous ceux qui se rebiffent, avec souplesse ou brutalité, ont, plus ou moins, gain de cause. Seuls les plus timides ou les plus résignés feront les frais de cette sévérité. Grasset se moquait trop des chiffres pour s'impliquer vraiment dans une opération d'assainissement.

*

Il le paya cher: le 23 décembre 1938, l'assemblée générale

extraordinaire des actionnaires, constatant « une dégradation de la valeur des actifs par suite d'une mauvaise gestion prolongée », décida de proposer une nouvelle estimation du capital social. Celui-ci, à l'origine de la société anonyme, en 1931, correspondait pour l'essentiel à la valeur du fonds d'édition créé par Grasset. Une valeur que l'éditeur, de lui-même, avait estimée, on s'en souvient, à 9 500 000 francs, divisés en trente-huit mille actions de 250 francs. Au titre de son « apport personnel », il s'était attribué vingt-huit mille huit cents actions. Personne, parmi ceux qui constituaient le conseil d'administration, ne fit la moindre réserve. Ainsi Grasset « pesait », comme écrivent les magazines économiques, 7 200 000 francs.

Ses démêlés avec les psychiatres, sa famille, la justice, comme la morosité économique et l'inquiétant climat international avaient profondément modifié l'état d'esprit des administrateurs et des actionnaires. L'assemblée générale le contraignit à corriger, à la baisse, son capital. La valeur de l'action fut ramenée à 100 francs. Le patrimoine de Bernard Grasset tombait à 2 900 000 francs. En sept ans, si l'on tient compte de l'érosion du franc, il avait perdu les deux tiers de sa fortune...

Cette performance ne l'affecta guère. Pendant les trois mois qui avaient précédé l'assemblée des actionnaires, il s'était retiré au Grand Hôtel de France à Cauterets, dans les Hautes-Pyrénées. Hamonic et Brun l'informaient de la préparation de cette réunion et lui demandaient conseil. Il restait sourd à leurs appels. « Grande paresse pour la correspondance. Merci de ce que vous faites. Je m'en remets entièrement à vous, ne croyant pas opportun d'intervenir moi-même. » Il travaillait alors à son écrit sur la solitude, qui ne paraîtra qu'en 1947, sous le titre *Aménagement de la solitude*, avec une préface de François Mauriac. « Ceux à qui je le montre me déclarent le trouver beau. Quant à moi, dans le moment présent, il m'agacerait presque. A Paris on voit mieux les choses. »

Telles étaient ses préoccupations et, depuis son retour, il n'avait plus manifesté son ardeur d'antan à dénicher de nouveaux auteurs, à monter des coups, à faire le siège des journaux. Brun, sous la tutelle de Guillaume Hamonic, remplit comme jamais son rôle d'intendant du « chef ». C'est lui qui écrit, relance, propose des contrats. De Paul Léautaud à Georges Duhamel, de Charles Maurras à Pierre Drieu La Rochelle, de Maurice Thorez à Marcel Déat, de Léon Degrelle à Robert Brasillach, etc. En vain, le plus souvent. Deux projets faillirent aboutir. L'un avec Degrelle, le père charismatique du fascisme belge. L'autre avec Maurice Thorez, qui accepta formellement, en octobre 1936, d'écrire un ouvrage sur « la doctrine communiste »[1]. A la même date, la Maison publiait Adolf Hitler...

*

Brun tient la boutique. D'ailleurs, retrouvant son bureau en février 1936, Grasset est, dès juin, à Divonne, hôtel Chicago, où il restera deux bons mois. La victoire du Front populaire, le 5 mai 1936, comme les débuts de « l'expérience Blum », le laisse indifférent. Il connaît de longue date le nouveau président du Conseil, et s'il lui demande un texte — Blum acceptera de lui donner son essai *la Réforme gouvernementale* —, il confiera à Brun, et surtout à Henry Muller, le soin d'en gérer la publication.

> Pour moi, écrit-il à son second le 13 juillet 1936, je tire un grand bienfait de mon séjour à Divonne. A toucher le fond de la méchanceté humaine, j'ai gagné de ne plus demander à chaque être que ce qu'il peut me donner. J'ai en outre échappé à tout ce qu'enfermait pour moi d'illusion volontaire le mot « famille ». Enfin, pour moi, le mot « médecine » ne répond pas à beaucoup plus, maintenant, que le mot « purgation ». Mon trou de balle et les tubes qui y aboutissent sont les seules choses de moi que je leur confierai.

Ce repli, cette distance qu'il revendique ne l'empêcheront pas de réagir sur certains manuscrits, de relancer quelques auteurs. Ce n'est plus, cependant, l'éditeur enthousiaste d'hier, transformant les idées, les faisant siennes, téléphonant à n'importe quelle heure du jour ou de la nuit à un ami, à sa secrétaire, à sa maîtresse, pour leur demander une opinion, dicter des corrections, suggérer des modifications de plan...

Quand il se réveille, s'agite, c'est sur un ton désinvolte et non plus dictatorial, tyrannique. Il donne l'impression de se divertir. Ce serait bien la première fois...

*

Il suit néanmoins avec intérêt le lancement des *Jeunes Filles* puis de *Pitié pour les femmes*, qu'il accueille dans sa collection « Pour mon plaisir », et qui seront le tournant décisif dans la carrière de Montherlant, son couronnement, peut-on dire.

Le 19 juillet, il envoie à l'auteur vingt-cinq pages d'appréciations où l'on retrouve sa manière brutale, sans courbettes:

> Je ne vous ai pas pris à l'œuf, comme certains, par exemple Radiguet... Au point où j'en suis de ma lecture personnelle, le livre est, si vous me permettez une comparaison assez osée, une sorte d'*introduction à l'amour de Montherlant*, conçue comme une « Imitation de Jésus-Christ »: « Voilà comment on m'aime. Voilà comment je réponds. Voilà

comme j'entends être aimé. » Pourrait être mis en exergue au livre : « L'admiration est tout l'amour dont j'ai besoin. » De là découle qu'on ne se trouve pas en présence d'un livre répondant exactement à son titre : *les Jeunes Filles*, mais à la position personnelle d'un homme en face des sentiments qu'il inspire... Pour ma part, je trouve l'explication de cette difficulté que vous avez rencontrée *dans ce mélange de moraliste et de romancier* que vous êtes, selon moi ; en dépit de vos dons de romancier, les dons de moraliste l'emportent... Il est certain que la vraie source de l'irritation que j'ai ressentie à la lecture du premier fragment de votre roman répond au regret que *tant de vérités si belles et si nouvelles, de portée générale, se trouvent mélangées à des points de vue particuliers* qui n'ont de valeur que pour un personnage particulier.

Bien que très agacé par ce genre de commentaires, Montherlant n'y était pas insensible. Il regardait son éditeur comme « quelqu'un d'extrêmement intelligent » et il guettait toujours ses observations. D'ailleurs, il en tenait compte, et il lui manifestait sans détours cette confiance qu'il avait dans son jugement. De la part de Montherlant, on peut être sûr que n'entrait là aucune politesse, aucune convenance d'auteur à éditeur. Ce n'était pas dans ses façons.

A Brun, Grasset confie également ses impressions :

Je n'avais lu de Montherlant que le passage remarquable sur le bonheur que m'avait fait lire Fraigneau. J'en avale maintenant quelque dix pages par jour en le couvrant de notes. Je n'ai atteint que la page 60. Quel ouvrage irritant... Mon sentiment est qu'il faut, dès maintenant et sans aucun retard, axer toute la publicité autour de ceci : « Le livre qu'on discute. » Cherchez une bonne formule autour de ça. Il y a actuellement, de toute évidence, un « fait Montherlant » d'où peut sortir, si vous savez y faire, un grand succès. Montherlant y perdra sans doute des plumes mais il l'a bien voulu.

Bon pronostic. Le « fait Montherlant » sera l'un des événements littéraires de l'année 1936. *Les Jeunes Filles* provoque un petit scandale, la presse s'interrogeant sur l'identité réelle des deux héroïnes, Solange Dandillot et surtout Andrée Hacquebaut, la provinciale graphomane. Dans les journaux, des entrefilets insinuent que la correspondance d'Andrée serait composée de lettres adressées par l'une de ses amies à l'auteur.

Trois femmes vont, en effet, se manifester auprès de la rue des Saints-Pères. Assez pour exploiter, entretenir et gonfler le « scandale ». Exactement ce que Grasset sait orchestrer. Curieusement, il ne bougera pas, comme si le « fait Montherlant » n'était pour lui qu'une distraction. « Une véritable comédie, presque une farce ! » s'exclame-t-il, et il s'en tient là.

Il reçoit de Jeanne Sandelion, habitant Sète, *Alonso*, un document qui est, dit-elle, la réplique véridique du portrait qu'aurait donné d'elle Montherlant. Il le refuse. « C'est zéro. » Il l'écrit à l'auteur, tout en lui donnant rendez-vous, le lendemain à 17 h 30, à l'hôtel Terminus de Mâcon. « Ça m'amuserait de voir comment vous êtes. » C'est ensuite Alice Poirier, une protégée de Montherlant, qui lui adresse un texte, *la Croix de Saint-André*, lequel restera également au fond d'un tiroir.

> Imaginez-vous, lui écrit Grasset le 17 novembre 1936, de plus en plus émoustillé, qu'outre Mlle Jeanne Sandelion, il y a une troisième personne qui m'annonce un manuscrit sur le même sujet. Elle se dit amie de Montherlant, en donnant à entendre que ce dernier a emprunté certains de ses traits pour le personnage d'Andrée Hacquebaut. Tout ce que je puis vous dire, c'est que sa lettre est d'une femme d'esprit, et qu'elle me paraît avoir le don d'écrire.

Alice Poirier, dont il venait, dans le paragraphe précédent, de repousser le manuscrit, dut goûter l'élégance du propos. Sa goujaterie était légendaire, et, dans le cas qui nous occupe, il terminait, comme pour Jeanne Sandelion, par une invitation : « Je serais très curieux de faire votre connaissance. Voulez-vous venir me voir quelques minutes à mon bureau, jeudi vers 5 heures ? »

*

On le voit aussi qui s'excite sur un manuscrit de Marie-Laure de Noailles, intitulé *le Sixtinien*, qu'il juge impubliable :

> Je l'ai lu avec une conscience qu'aucun lecteur n'aurait eue, un crayon à la main. Dès le début, le livre m'exaspérait, mais je me suis, pendant les premières pages, demandé si on ne pourrait pas trouver un moyen, soit par une préface de moi, soit par une préface de Croisset, de faire passer « ça ». Vraiment ce n'est pas possible... En tout cas je ne veux pas ce livre, mon cher Brun, à aucun prix, la poule me paierait-elle 5 000 francs... Je vous fais porter avec ce mot le texte lui-même. Feuilletez-le. Vous rigolerez au lieu que moi j'ai ragé. Ce qui vient de la différence de nos natures. Mais vous conclurez comme moi. Le vrai titre du livre est : « Merde de déesse », et c'est même un titre très gentil.

On le voit encore qui cherche à s'attacher sa « chère grande amie » Colette et, tout en lui proposant de racheter à Ferenczi la totalité de son œuvre, il l'invite à écrire un petit livre portant comme titre « Femmes ». Colette a soixante-trois ans et derrière elle une vie tumultueuse.

> C'est une grande promenade libre que je vous demande. Des choses écrites au jour le jour qui ne seront en rien pour vous une tâche, mais un plaisir. C'est presque du premier jet : c'est-à-dire, pour les grands écrivains, le meilleur. Allez-y donc carrément et dans tous les sens. Essayez

de nous dire ce qu'est une femme. En quoi elles sont toutes différentes, toutes semblables. Comment on peut être un grand écrivain et ne rien abdiquer de la femme. Parlez de la Norvège, si vous voulez, avec ses « femmes d'État ». Parlez des femmes de chez nous, de celles qui valent et des raseuses, de celles qui se montrent et de celles qui se cachent, de celles qui sont pour un seul et de celles qui sont pour tous. Tout ce que je vous dis là comme programme est idiot. Mais vous saurez certainement en faire quelque chose d'infiniment séduisant. Vous n'avez qu'à considérer ce livre comme une récréation.

Un projet sans suite. Il n'insistera pas. Colette ne lui avait donné, c'est vrai, qu'une seule œuvre inédite, *la Chatte*, mais elle avait réédité chez lui une dizaine de romans depuis 1928. Colette le quitte définitivement en 1936. Pour quelle raison? On l'ignore. Il continuera d'entretenir avec elle des relations très affectueuses.

Il n'insistera pas davantage pour garder Curzio Malaparte, dont il avait publié *Technique du coup d'État* et *le Bonhomme Lénine*. Pourtant, l'auteur de *la Peau* paraît lui vouer une amitié et une admiration sans bornes:

> J'aurais tant voulu être parmi vos amis, rue des Saints-Pères, pour fêter votre retour chez vous. Vous me demandez ce que je fais? Je travaille, voilà tout... Au mois d'octobre, vous aurez la traduction complète de mon livre sur les Anglais, *l'Anglais au paradis* ou *l'Art de devenir anglais*, que je viens de placer, grâce à M. Bradley, en Amérique et en Angleterre. J'ai eu la première idée de ce livre en 1932, dans un petit restaurant belge du boulevard Saint-Germain: j'étais avec vous et avec Mlle Alice Turpin. Vous m'avez incité à l'écrire, vous m'avez même donné quelques excellents conseils, quelques idées très intelligentes. Le livre est prêt... Mon bouquin est très, très amusant. Ce sera un livre snob, un livre pour les snobs. J'ai passé un contrat avec vous depuis mars 1933. *L'Anglais au paradis*, par conséquent, vous appartient. Pourrais-je être à Paris pour le service de presse? Sans doute... C'est avec un cœur gros d'émotion que je gravirai l'escalier chez vous, rue des Saints-Pères.

Malaparte ne gravira plus les marches de la Maison. L'éditeur fera traîner. Il n'aime pas du tout Juliette Bertrand, la traductrice de l'écrivain italien. Est-ce assez pour qu'il enterre un livre?

*

Décidément, l'homme a changé. Lui qui n'avait jamais été blasé, lui qui apportait chaque matin, avec un dynamisme déroutant, des projets neufs, hardis, peu orthodoxes, il semble se reposer d'une longue épreuve. Même pour Giraudoux, pour son vieil ami Giraudoux, il ne s'investira pas. Il regardera, il suivra.

1936-1940 est une période faste pour celui-ci. Celle de *La guerre de Troie n'aura pas lieu*, publié à la fin de 1935, et qui est à l'affiche d'un théâtre parisien. Celle d'*Électre*, de *l'Impromptu de Paris*, du *Cantique des cantiques*, d'*Ondine*, de son roman *Choix des élues* et de son essai *les Cinq Tentations de La Fontaine*. Tous des succès de librairie, à tel point que ces quatre années furent, probablement, les seules pendant lesquelles la Maison gagna de l'argent avec Giraudoux.

Ce sont aussi les belles années de Stefan Zweig, que traduit Alzir Hella : *Marie Stuart*, *Magellan*, *le Chandelier enterré*, *la Pitié dangereuse*... Le célèbre auteur autrichien, l'air bon vivant avec son gros cigare à la bouche, se suicida au Brésil en 1943. Il n'entretint pas de relations étroites avec Grasset. Quand il passait rue des Saints-Pères, Brun le prenait sous son aile, l'appelait « mon cher Stefan » ou « mon vieux Zweig » et l'emmenait dans les meilleurs restaurants[2]. Brun, du reste, continue, comme par le passé, d'avoir la haute main sur les « affaires internationales », selon la formule de Grasset, c'est-à-dire les auteurs étrangers.

A ce titre, il négocia avec les éditions Franz Eher de Berlin la publication d'un livre d'Adolf Hitler, *Principes d'action*, qui parut le 1er août 1936. Bernard Grasset signa, en page de couverture, un bref avertissement :

> Voici le premier exposé de la doctrine nationale-socialiste par le chancelier Hitler, publié avec son autorisation. Il contient les textes intégraux des premiers discours, parfois peu connus, du Führer. Bien entendu, cette publication n'entraîne aucune adhésion, quelle qu'elle soit, de la part de l'éditeur français, aux principes qui y sont exprimés. Elle répond uniquement à une nécessité de documentation authentifiée sur l'idéologie du Parti national-socialiste et sur la pensée de son chef.

Six mille sept cents exemplaires de *Principes d'action* seront vendus entre sa sortie et 1944.

Quant aux « grands » de la Maison, Mauriac, Chardonne, Maurois, Giono, Châteaubriant, Morand, ils vont leur bonhomme de chemin en ralentissant plutôt leur pas. Les quatre romans, dont *les Anges noirs*, que publie Mauriac, entre l'achèvement du Front populaire et le début de la guerre, les trois essais de Morand, dont *l'Heure qu'il est*, les deux livres de Maurois, dont son *René ou la Vie de Chateaubriand*, enfin l'unique roman de Chardonne, *Porcelaine de Limoges*, connaissent tous un succès modeste si on le compare à celui des ouvrages qui les ont précédés. Cocteau, lui, marque carrément le pas : il ne sort rien chez Grasset.

Les meilleures ventes proviennent des rééditions. Celles, en particulier, des *Silences du colonel Bramble* d'André Maurois, publié en 1918, de *Monsieur des Lourdines* d'Alphonse de Châteaubriant, le prix Goncourt 1911, et des *Secrets de la mer Rouge* d'Henry de Monfreid. Dans la nouveauté, ce sont les récits d'aventures, contemporaines ou historiques, qui atteignent de très loin les plus hauts tirages. *Banquise* et *Boréal* de Paul-Émile Victor, *A la poursuite du soleil* d'Alain Gerbault, *la Dame de Malacca* de Francis de Croisset. Trois auteurs dont l'éditeur ne s'est jamais préoccupé.

Bref, les éditions Grasset ne sont pas à l'affiche quand le concurrent d'en face, Gallimard, lance *la Nausée* de Jean-Paul Sartre, *Gilles* de Drieu La Rochelle, récupère *l'Homme pressé* de Paul Morand, découvre Albert Cohen, réussit un superbe coup avec *Autant en emporte le vent* de Margaret Mitchell, publie *l'Espoir* de Malraux, *Terre des hommes* de Saint-Exupéry.

La Maison ne peut revendiquer la paternité d'aucun événement éditorial dans ces années bouillonnantes de débats, vibrantes d'émotions, de batailles haineuses, stériles ou courageuses. Bernanos est retourné chez Plon pour ses *Grands Cimetières sous la lune*. Céline est chez Denoël. Maurras, qui s'éloigne un peu plus, coupé des autres hommes par sa surdité, désavoué par l'Église et les monarchistes qu'il servait, reste la cible la plus véhémente des joutes intellectuelles et passionnées ; il est chez Fayard.

*

Mais que fait Grasset, d'habitude si prompt à ranimer une Maison qui s'endort sur ses lauriers ?

> Bernard a décroché, écrit Brun à Ziwes, un haut fonctionnaire que l'on retrouvera. Hier encore Mauriac s'en inquiétait auprès de Muller. L'autre jour, c'était Giraudoux et Maurois qui me disaient la même chose. Mais c'est vrai aussi qu'il nous fout la paix... Alors, hein ?

Paul Léautaud est plus explicite : « Nous aurons Mauriac un de ces jours comme auteur au Mercure. Peut-être aussi Thérive et Giraudoux. La Maison Grasset va plus ou moins dégringoler. » Jacques Bernard, alors la cheville ouvrière du Mercure de France, lui a parlé et l'a même invité à venir le voir « exprès chez lui ». C'est André Thérive qui, selon Léautaud, aurait « tâté le terrain » auprès de Duhamel, directeur du Mercure.

Est-ce vraiment si grave, ou Grasset est-il, dans son éloignement, à la recherche d'un second souffle ?

Une seule fois, on le verra s'investir avec ce tempérament de gagneur, de battant, qu'on lui a connu, pour lancer, au printemps 1938, la collection « le Trentenaire ». Il célèbre, avec un peu de retard, les trente ans de sa Maison. L'occasion pour lui de mettre toute sa fougue, son énergie, à défendre la mémoire d'Émile Clermont — vous l'aviez oublié ? —, « son » Clermont, mort dans une tranchée, dont il exhume le premier roman, *Amour promis*, publié par Calmann-Lévy en 1910. *Amour promis*, préfacé bien entendu par ses soins, inaugure « le Trentenaire ». La plupart des grands journaux, de *l'Intransigeant* au *Temps*, du *Figaro* au *Matin*, souligneront l'anniversaire. Ce n'est pas une pluie d'éloges, mais l'essentiel est dit. Il est encore perçu, à ce moment-là, comme « l'un des plus grands éditeurs » de son temps. La *NRF* elle-même, sous la plume de Benjamin Crémieux, n'oublie pas l'événement et lui réserve quatre pages :

> M. Bernard Grasset, en rééditant le premier roman d'Émile Clermont, dans la série du « Trentenaire », [...] nous donne à mesurer le renouvellement du roman français dit psychologique, depuis trente ans. Renouvellement est trop peu dire, c'est à une véritable révolution que nous avons assisté dont Marcel Proust et André Gide ont été les principaux artisans ; Dostoïevski le précurseur ; le théoricien : Freud ; l'objet de l'enjeu : la prise en considération de l'inconscient et des sentiments parias.

Crémieux, toutefois, attendait mieux et plus de l'éditeur préfacier : « On aimerait que M. Grasset, au lieu de se gaspiller dans des préfaces, entreprît d'écrire ses Mémoires. Ses amis savent quel portraitiste vigoureux et sans complaisance il pourrait être. Des maximes et des portraits, voilà ce qu'il nous doit. »

Écrire ses Mémoires ! Certes... Ses amis l'embaument. Précisément, il écrit. Pas ses Mémoires. Rien que d'y penser le glace. Il écrit en songeant à la postérité. Le virus l'a repris. C'est la raison principale de cet éloignement sur lequel on s'interroge. Deux choses l'envahissent, l'occupent pendant ces dernières années de paix, avant la grande tragédie meurtrière. L'écriture surtout, et ce qu'il appelle sa « bataille corporative ».

Quel troublant retour en arrière ! Il renoue avec ses deux obsessions qui précédèrent la plus grave de ses crises psychiques, celle de 1931 : ce besoin d'écrire et cette volonté d'incarner l'image idéale du métier d'éditeur, de se poser en archange saint Michel de la profession.

*

En mai 1936, quand il repart pour Divonne, un émigré d'origine allemande, qui a fait ses études au lycée de Toulouse et passé sa licence de philosophie à la Sorbonne, l'accompagne avec les fonctions de secrétaire particulier, Rainer Biemel. Correspondant à Paris d'une agence de presse, Tel-Or, qui travaillait pour les pays de l'Europe orientale et qui avait son siège à Bucarest, Biemel rencontra son futur employeur en voulant relater ses tribulations juridico-familiales. A travers son nouvel « homme de compagnie », fin connaisseur de l'actualité littéraire d'outre-Rhin, Grasset se prend de passion pour Rainer Maria Rilke et se met en tête de traduire *Lettres à un jeune poète*. Dix lettres que Rilke avait adressées, entre 1903 et 1908, à un jeune homme de vingt ans qu'il ne connaissait pas, Franz Xaver Kappus, cadet à l'académie militaire de Wiener-Neustadt. En 1929, trois ans après la mort du poète, Kappus décida de les publier chez Insel à Leipzig, sous le titre *Briefe an einen jungen Dichter*.

Grasset ne connaît pas l'allemand. « Proust, qui ne connaissait pas l'anglais, dit-il à Biemel, a bien traduit deux livres de Ruskin. Vous traduirez tandis que je donnerai à votre traduction sa forme définitive, son élégance. » Il veut également ajouter aux *Lettres* un texte de son cru sur « la vie créatrice », tant le poète des *Élégies de Duino* représente pour lui le cas typique du créateur.

> Rilke, écrit-il, ressentit plus qu'aucun autre écrivain la dure contrainte du faire. Créer fut sa respiration. Et quand il créait il se donnait au point qu'après ces explosions que furent ses diverses œuvres lyriques, il connaissait des fléchissements qui l'obligeaient à des cures véritables... On discutera longtemps sur ce que certains ont appelé la « névrose » de Rilke. Dans les fléchissements de l'âme, il est en effet presque impossible de faire la part de la faiblesse de l'homme et celle de l'ampleur de la vocation. L'équilibre est un rapport entre ce que l'homme exige de lui-même et ce qu'il peut.

A travers Rilke c'est donc lui, toujours et encore, qu'il cherche. Et toutes ces pages qu'il noircit, avec une fébrilité presque maladive, le ramènent inlassablement vers son propre destin. Vers cette idée qu'il a si souvent exprimée, qu'un homme parfaitement heureux serait incapable de créer.

Sa « fuite » avec Rilke durera l'été et l'automne 1936. Il est à Divonne. Après Rilke, c'est Proust. Il s'est mis à le lire. De bout en bout, prétend-il. Avec une patience dont il s'étonne lui-même. C'est ainsi qu'il préface *le Drame de Marcel Proust* d'Henri Massis, qui paraît en octobre 1937. Il redit d'une autre manière ce qu'il a déjà dit à propos de Rilke et qui tourne autour du « faire », du « créer », de l'« œuvre ».

Comme il est plongé dans Proust, il s'enflamme pour un autre écrivain, oublié aujourd'hui, Marie Leneru, qui mourut en 1918, à quarante-trois ans. Ses pièces étaient jouées, ses essais et ses articles étaient salués. La publication, quatre ans après sa mort, de son *Journal,* d'une authenticité, d'une qualité qui forcèrent l'admiration de la critique française et européenne, va la rendre célèbre. Son *Journal* prenait rang à côté des plus illustres journaux intimes.

Devenue complètement sourde en 1899, à vingt-quatre ans, privée ensuite de la vue, elle devait s'éteindre à demi paralysée. Derrière l'auteur reconnu qui avait fréquenté ou correspondu avec les plus grands de son temps — Barrès, Anna de Noailles, Maeterlinck, Bourget, D'Annunzio — surgissait la vraie Marie Leneru, émouvante, pathétique, orgueilleuse, absolue: « Souffrir le plus possible pour tirer de sa souffrance des accents jamais encore atteints, et guérir pour jouir de toute la vie. » Tout ou rien. « Le silence à ce point-là n'est pas un recueillement, c'est un évanouissement et un vertige. Le moindre bruit me rendrait plus présente à moi-même que tout ce que je vois et que je touche... Un aveugle perd son corps, un sourd perd son âme. » Ce fut une révélation, un choc.

Mais le *Journal*, publié en 1922, qui s'ouvrait à la date de septembre 1893, était très incomplet. Il y manquait surtout le « Journal d'enfance », qui va de 1886 à 1890, où l'on découvre qu'à l'aurore de sa vie, elle dut lutter quotidiennement contre la souffrance. A dix ans, poussée par sa mère, elle s'était mise à écrire pour se soulager et nous livrer son expérience. Or, en janvier 1938, Grasset avait reçu d'une parente de Marie Leneru le manuscrit complet du *Journal*, quelque cinq cents pages, qu'il n'éditera qu'en 1946, mais qui retint aussitôt son attention. Il va s'y attarder pendant plusieurs mois. Puis il voudra élargir le champ de ses investigations.

En étoffant ses textes sur Rilke et Proust, en reprenant ses annotations sur le poète italien Leopardi, sur Molière et sur Goethe, auxquels il fait également un sort, en ajoutant enfin le « cas Leneru », il ambitionne de « parfaire une étude » sur la genèse, la signification, la portée des créations de l'esprit. A cette occasion, il va correspondre avec Alexis Carrel, l'auteur de *l'Homme, cet inconnu*, lui demandant, sans succès, un livre sur « l'héroïsme, besoin de l'homme ».

Lui-même ne parviendra jamais à réaliser son ambitieuse synthèse. Il lui avait cependant trouvé un titre: « Unité de la vie créatrice », en toute modestie... « Je dois avouer que les échos qu'ont éveillés en moi les tourments d'un être se décidant, dès l'âge de dix ans, à livrer son pathétique m'ont, jusqu'à maintenant, empêché de conduire, jusqu'à son terme, une œuvre ordonnée. » Notes et réflexions, dictées au jour le jour, viendront s'entasser dans une grosse chemise cartonnée.

*

On peut suivre ainsi le cheminement de ses pensées, de ses préoccupations, d'avril 1937 au début de 1939, et on comprend aisément qu'il lui restait peu de temps pour l'organisation et la marche de sa Maison. On comprend aussi qu'Henry Muller, qui reçut le manuscrit d'un colonel de quarante-huit ans, dont le nom le laissa indifférent, n'ait guère alerté le « patron ». La mode, chez les officiers supérieurs, était de délivrer un message, sur l'état de l'armée, sur la défense de la France, sur la guerre qui menaçait et, si possible, de le publier ; Muller était las de ces essais qui, pour lui, se ressemblaient tous. Mais, cette fois-là, il s'agissait de *la France et son armée*, d'un certain Charles de Gaulle ; Grasset aurait publié de Gaulle, son destin, après 1944, aurait peut-être changé.

Côté cœur, c'est, à la ville, la « période Clothilde », l'épouse d'un danseur étoile que cette liaison ne gêne nullement ; il affiche ostensiblement son homosexualité. Pour le train-train, c'est-à-dire sa villa de Garches, où il passe plus de temps que rue des Saints-Pères — quand il n'est pas à Divonne —, il y a Berthe, une grande femme blonde. Auprès d'elle, il écoute, les yeux mouillés, la môme Piaf qui chante l'amour d'un voyou pour une femme dévouée, la mort d'un légionnaire, les larmes d'une putain, les hôpitaux des banlieues désossées, les drames des trains et les chagrins de l'homme. Berthe est aussi sa secrétaire.

On lui doit cet incroyable fatras de feuillets dactylographiés. Quelques-uns se retrouveront dans *les Chemins de l'écriture*, qu'il publiera en janvier 1942. L'ouvrage est une suite de variations, de commentaires plus ou moins longs sur tous ces thèmes si chers à l'éditeur et qui nous sont maintenant familiers : « la Souffrance et l'écriture » ; « Sur les parentés de l'esprit » ; « L'homme est né pour agir » ; « Esprit et pauvreté du poète » ; « Sur la vocation littéraire », etc.

D'avril 1937 au début de 1939, disions-nous. Après, s'ouvre en effet une autre phase. Le virus de l'écriture ne l'a pas quitté. Au contraire. Il abandonne son travail sur « l'unité de la vie créatrice », qui lui pèse trop, pour concentrer son effort, d'une part sur une « œuvre intime », d'autre part sur un projet de petite revue hebdomadaire qui serait le « reflet » de lui-même.

Alors que la Maison ronronne de plus en plus, que la guerre devient une certitude — « pour Hitler, écrivait-il à Brun en décembre 1938, c'est la guerre ou le déclin » —, il emprunte, décidément, des sentiers de plus en plus singuliers.

*

C'est à ce moment que vont mûrir deux livres et un projet de revue.

D'abord, ce curieux et très bref récit autobiographique, *Une rencontre*, qui paraît en mars 1940, et où il reprend, sans qu'il les

ait pratiquement retouchées, des confessions qu'il a rédigées entre
le 18 mai et le 1ᵉʳ juin 1939, pendant un séjour à... Divonne. A la
fin de ces notes, songeant visiblement à une publication future, il
précisait : « Je crois bien que ce récit pathétique, où aucune
circonstance de détail n'a été oubliée, pourrait porter comme titre
"Rencontre de l'impossible", et quant à l'être rencontré, et quant
à l'homme qui rencontre. »

Le seul intérêt, en effet, de ce « roman », auquel nous nous
sommes déjà référé, tient dans l'écho qu'il renvoie d'une liaison
manquée entre deux êtres psychologiquement très fragiles, esclaves de leurs difficultés, de leur incapacité à s'épanouir dans
l'échange, dans l'amour.

> J'ai bien vu que cette femme ne pouvait pas accepter de recevoir, écrit
> Grasset le 22 mai. Un jour, je lui avais offert de lui envoyer des romans
> pour la distraire. Elle avait, avec gentillesse, repoussé l'offre, prétextant
> qu'elle devait partir bientôt. Mais le vrai est que pour elle, selon moi,
> recevoir, c'est, en quelque sorte, être obligé de rendre, être tributaire.
> En somme, dépendre. Elle devait d'ailleurs me dire ce mot : « Je ne peux
> pas accepter de dépendre. » Je lui ai parlé de ma vie difficile, plus
> difficile que la sienne. De mes difficultés d'aimer. Je lui ai dit que
> l'exemple de quelqu'un de plus malheureux pouvait être bienfaisant.

A propos d'*Une rencontre*, François Mauriac eut un mot cruel et
juste, qu'a rapporté Henry Muller : « Tout le monde peut écrire un
roman, mais, c'est curieux, pas lui. »

Son essai *Aménagement de la solitude*, où il pose le problème de
la femme et du mariage dans la vie des créateurs, où il se penche
sur ce temps que l'écrivain ne peut partager avec personne sans
danger pour son œuvre et pour lui-même, prend définitivement
corps en février 1939, lorsque le magazine *Marie-Claire* lui demande un article. Il ne voit guère de sujet cadrant avec ses goûts et
les besoins du journal. Il pense à une « fantaisie sur la dactylographe ». Puis le matin du 8 mars, il a une autre idée : « La femme
et le métier de l'homme, surtout du point de vue de l'écrivain. »
Et de dicter aussitôt :

> Ce qui pour une femme a le plus d'importance, c'est son amour ; mais
> pour un homme c'est son métier. Concurrence de l'écriture notamment ;
> les soupapes qu'il faut à l'homme. Cette espèce de « liberté en soi ».
> Obliger un homme à choisir entre sa femme et son métier, c'est le
> déchirer.

Durant son séjour à Cauterets, dans les derniers mois de 1938, il
avait rédigé une quinzaine de pages sur cette « nécessaire solitude
du poète ». Il n'en était pas satisfait. Le moment est venu de s'y

replonger et il va, pendant des mois, découper et commenter tous les articles qu'il trouve se rapportant à son sujet. Un entretien de Cocteau avec Luc Bérimont, plusieurs recensions des *Lettres intimes de Juliette Drouet à Victor Hugo*, ce bréviaire des servitudes amoureuses, un texte de Montherlant sur les femmes, un fragment du *Journal* de Julien Green, des coupures de presse sur Saint-Exupéry, une interview de Mauriac par André Rousseaux dans *le Figaro*, etc.

Quant au projet d'une revue, il est né autour du 20 février 1939. Prolongeant ses réflexions sur les mécanismes de la création littéraire, il est parvenu à la conclusion qu'il faut un « organe » qui mette en scène cette gestation des textes, qui démonte le travail des écrivains, qui publie des ébauches, de la matière brute, ce qu'il appelle « l'imparfait des meilleurs ». Il en parle à Muller et à Brun, qui disent leur enthousiasme. Pouvaient-ils dire autre chose ? Ils tâtonnent sur le titre. « Créer », « les Ides de mars », « Naissance », « Jeunesse »... Finalement, ce sera *le Quotidien de l'écrivain*.

A la date du 24 mars, il griffonne dans son Journal :

> Pour *le Quotidien de l'écrivain*, consulter Boutelleau, Brasillach, Saint-Exupéry. Qui donnera le permier article pour dire le besoin de l'organe ? Difficultés : force de dire « non » à tous les fabricants consacrés, ceux qui pontifient.
>
> 25 mars : collaborateurs, les Tharaud, Claudel, Saint-Exupéry. Téléphoner à Giraudoux et Châteaubriant. On me parlait hier de *la Revue hebdomadaire* pour accueillir cela. Ne vaudrait-il pas mieux un organe propre, presque copié sur *la Revue hebdomadaire*. Mais pour la diriger ? Brasillach ? Blond ? Écrire à dix bonshommes là-dessus en leur demandant : premièrement voyez-vous la chose ? Deuxièmement, qui verriez-vous pour la diriger ? Peut-être écrire là-dessus à André Tardieu.

Ce même 25 mars, il demande à Robert Brasillach de venir le voir à Garches, le lendemain matin. Son chauffeur l'attendra devant la gare, dans une « Simca bleue ». C'est la dernière fois qu'il évoque son projet.

Il va de plus en plus se disperser. Il songe à un essai sur l'édition française, destiné à l'Angleterre. Il envisage, un moment, de refondre en un livre unique ses recherches sur la « solitude » et le récit de sa rencontre malheureuse de Divonne. Cela s'appellerait « Histoire d'un homme ».

*

Un événement, toutefois, aura réussi, pendant toutes ces années, à le distraire de ses méditations et de ses confessions, pour le ramener sur la scène publique : la « bataille corporative ».

A peine installé au pouvoir, Jean Zay, ministre de l'Éducation nationale dans le gouvernement Blum, avait déposé, le 13 août 1936, un projet de loi d'une cinquantaine d'articles, tendant à réformer le droit d'auteur et le contrat d'édition. Le radical Jean Zay, figure de la gauche généreuse et réformiste, père de la scolarité obligatoire jusqu'à quatorze ans, n'avait rien d'un agité. Il venait pourtant de toucher à un sujet tabou, sacré, dans le milieu des professionnels de l'édition: il proposait de réduire le temps pendant lequel l'éditeur possède le droit exclusif d'imprimer un ouvrage ou un ensemble d'ouvrages du même écrivain.

En France, la durée de la propriété littéraire est de cinquante ans, à dater de la mort de l'auteur, tandis que le contrat qui lie l'écrivain à son éditeur est définitif. *Thérèse Desqueyroux*, par exemple, a été publié en 1927; François Mauriac est mort le 1er septembre 1970. Ainsi les éditions Grasset disposent d'un droit exclusif de publier cette œuvre jusqu'en 2020. De 1927 à 2020: près d'un siècle d'exploitation commerciale. Il n'en va pas de même de tous les livres et de tous les auteurs! On estime, cependant, qu'un éditeur possède pendant soixante-quinze ans en moyenne ce droit exclusif de publier les ouvrages qu'il a sous contrat.

Grasset était farouchement attaché à cet ensemble de principes juridiques. La « durée » était pour lui le mot clef de l'édition. Sans cette « durée », c'est-à-dire sans l'assurance qu'il a, devant lui, l'avenir pour récolter ce qu'il sème inlassablement, et un long avenir débordant de beaucoup sa propre vie, l'éditeur ne peut rien, en tout cas rien de grand, rien de véritablement utile aux lettres. C'était son credo. « J'exprime souvent cette vérité d'une façon plus saisissante encore, écrivait-il en 1929, en disant: "Nous travaillons pour nos héritiers." » Hervé Bazin n'illustrera-t-il pas, à merveille, son propos? C'est lui qui s'attacha, en 1948, l'auteur de *Vipère au poing*. Depuis, Bazin a vendu, tous titres, toutes éditions, toutes traductions confondus, quelque vingt-cinq millions de livres... Il a encore bon pied, bon œil. Si la règle des cinquante ans de propriété littéraire n'est pas changée, la Maison pourra disposer de son œuvre jusqu'en 2050, voire 2060. Plus de cent ans après la mort de Grasset.

> Je conçois très bien, écrivait-il en 1927, que dans quatre ou cinq siècles on dise à propos de telle ou telle œuvre « Mercure de France 1911 » ou « Plon 1928 ». C'est proprement cette survivance, ou, du moins, pour mieux dire, ce sont les gages que, de notre vivant, nous en pouvons recueillir, qui constituent le principe même de notre action et sa récompense.

Le projet de Jean Zay s'attaque précisément à cet édifice. Dans son article 21, il met en cause de façon brutale les cinquante ans de propriété littéraire : dix ans après la mort de l'auteur, ses héritiers pourraient confier la gestion de son œuvre à un autre éditeur, et il disposerait de ce droit pendant quarante ans. Après quoi, l'œuvre tomberait dans le domaine public. Concrètement, la durée de la propriété littéraire serait ramenée de cinquante à... dix ans !

L'article 32 est tout aussi « révolutionnaire » : il stipule que l'auteur ne peut pas céder l'exploitation de son œuvre à un éditeur pour une durée de plus de dix années. Après quoi, l'auteur reprend l'entière disposition de celle-ci.

Grasset, aussitôt, endosse sa tunique de croisé. Il va se poser en champion du combat contre le projet. Gaston Gallimard et la plupart de ses confrères sont derrière lui. A ceux qui, comme Robert Denoël, approuvent, au nom de la concurrence, la « loi Jean Zay », il réplique dans *l'Intransigeant* du 12 septembre 1936, avec cette hauteur de ton qu'il affectionne :

> Entendons-nous. Il est deux sortes d'éditeurs : ceux qui créent la valeur, ou plus exactement ceux qui transforment des valeurs littéraires, encore ignorées, en valeurs marchandes, et ceux qui se bornent à répandre des valeurs déjà créées, soit qu'ils en acquièrent les premiers le droit d'exploitation, soit qu'ils les puisent gratuitement dans le domaine public. Ces derniers ne sont en rien menacés par le projet « Jean Zay »... Les premiers seuls, qui ont à faire directement avec l'esprit, avec la création littéraire — des tâtonnements de ses débuts à sa pleine force —, sont si gravement atteints par le régime projeté qu'on doit redouter qu'ils y perdent le goût de leur métier et qu'ils n'aient plus d'imitateurs. C'est en leur nom que je voudrais parler ; non certes du point de vue étroit de leurs intérêts de commerçants, mais au point de vue du dommage que leur disparition causerait à l'esprit.

Le projet, proclame-t-il, méconnaît tout du rôle de l'éditeur dans la transformation du talent en moyen de vivre, ignore tout de la part qui lui revient, sinon dans la création littéraire proprement dite, du moins dans la création de cette richesse transmissible, de cette « monnaie » que devient l'œuvre une fois passée par ses mains. « Avez-vous songé, monsieur le ministre de l'Éducation nationale, qu'il n'est pas dans l'ordre des choses que les plus grands connaissent, de leur vivant, la gloire qu'ils méritent, et que les éditeurs de notre temps leur escomptent pour ainsi dire la Postérité ? Vous voulez supprimer notre ordre ? Par quoi comptez-vous le remplacer ? »

Il décide de publier, à l'appui de sa « bataille corporative », la lettre que Diderot adressa à M. de Sartine « sur le commerce de la librairie », dans laquelle il a découvert les arguments les plus forts à opposer au projet de Jean Zay. Diderot, bien avant que la loi ne défendît le principe de la propriété littéraire — l'œuvre était protégée tant bien que mal par les « privilèges du Roy » —, allait très loin et estimait que le droit exclusif du libraire pourrait être... éternel. Grasset édite également un essai, *la Doctrine française du droit d'auteur*, rédigé par trois spécialistes, les Prs Jean Escarra, Jean Rault et François Hepp, qui aboutissent à une conclusion très proche de ses thèses. La législation nouvelle leur semble dictée par deux axiomes : d'une part, les auteurs sont uniformément exploités par les éditeurs ; d'autre part, l'éditeur incarne la richesse, et l'auteur la pauvreté.

Par-delà, en effet, les menaces concrètes que représente le projet, l'esprit et l'idéologie qui l'ont inspiré heurtent tout autant l'éditeur. L'air du temps est à la lutte des classes, à la révolte des exploités contre les exploiteurs, et dans la « loi Jean Zay », dès l'exposé des motifs, l'écrivain est qualifié de « travailleur ». Un mot tiré du dictionnaire marxiste, qui sent le soufre ! « L'écrivain un travailleur, quelle épouvantable confusion ! » lance Grasset. On entrerait en littérature comme on devient fonctionnaire, comme on entre dans une maison de commerce, une entreprise, une banque. C'est faire bon marché de cette « flamme intérieure, de ce don sans lequel il n'est pas d'écrivain ». Bientôt, explique-t-il, nos « travailleurs-écrivains » descendront dans la rue, réclameront un salaire, une assurance, une retraite...

De fait, dans la foulée de la « loi Jean Zay », le gouvernement Blum, juste avant sa chute en juin 1937, proposa la création d'une « caisse des lettres », alimentée par « le domaine public payant ». Le raisonnement était, en apparence, lumineux : si Virgile ou Homère étaient vivants, ils toucheraient de gros droits d'auteur ; en revanche, beaucoup de « travailleurs-écrivains » ne trouvent pas leur compte dans l'écriture ; pour les nourrir, pourquoi ne pas faire payer Virgile et Homère ? Ainsi prit naissance cette mirobolante idée du « domaine public payant », qui était, en réalité, un impôt que les éditeurs acquitteraient sur la vente des ouvrages tombés dans le domaine public, impôt qu'ils répercuteraient, bien évidemment, dans leurs prix. Comme le dit Grasset, « si le projet aboutit, quelque protégé de Paulhan touchera demain des droits de Montaigne ».

La Société des gens de lettres poussait dans le sens de toutes ces réformes annoncées. Elle y voyait un moyen de « moraliser » la profession et aussi, à travers d'autres dispositions de la « loi Jean Zay », une plus grande transparence dans la gestion des tirages.

« M. Rageot, déclara Grasset au *Crapouillot*, veut connaître les tirages de mes auteurs. Fort bien. Alors je demanderai à connaître les tirages de M. Rageot.

— Qui est M. Rageot?

— Le président de la Société des gens de lettres... »

L'éditeur ne cessait, depuis des années, de railler cette institution « dirigée par des auteurs, certes inconnus, mais qui sont d'illustres c... ». En 1937, il s'en donna à cœur joie. Il se fit des « amis », qui n'auront rien oublié en 1944, à l'heure de l'épuration.

*

La « bataille corporative » traîna près de trois années. Il resta, de bout en bout, d'une vigilance extrême et fit intervenir, comme Gaston Gallimard, ses plus célèbres auteurs. La pression des deux monstres sacrés de l'édition ne fut pas vaine. De procédures de retardement en amendements concoctés par leurs amis politiques, ils avaient gagné du temps. Beaucoup de temps. Ce fut seulement le 1er juin 1939 que le projet de loi vint, enfin, en discussion au Palais-Bourbon. Sur le fond, rien n'avait changé : « L'idée maîtresse du projet, prévient d'emblée le rapporteur Albert Le Bail, c'est la disparition de cette propriété littéraire qui a été génératrice de tant d'abus [...]. Nous n'avons pas voulu que l'éditeur continue à être un véritable gérant d'affaires. Nous avons voulu que l'on ne puisse lui céder qu'un seul droit : celui qui correspond à sa mission principale. » Le lendemain, le député François Martin, allié des éditeurs, réfute point par point l'argumentation de son collègue Le Bail[3]. Le débat se perd dans le silence de l'hémicycle pratiquement vide. Que va-t-il en sortir?

Jean Zay, prétendra Grasset, retira son projet et le fit appeler pour lui déclarer qu'il était entièrement convaincu qu'on ne saurait réduire la durée légale des contrats d'édition sans mettre en péril la culture. « Par-delà, il me donna l'assurance qu'il avait compris que notre métier reposait sur l'intangibilité des contrats. » Une interprétation personnelle, et flatteuse, de l'histoire. Le projet de loi ne fut jamais retiré. Il resta, comme beaucoup d'autres, sans suite.

On était en juin 1939. La tension internationale venait de monter d'un cran, la Pologne refusant de céder Dantzig. La guerre — on ne parlait plus que de la guerre. La « bataille corporative » était le dernier souci des Français, des parlementaires et, probablement, de Jean Zay, alors victime des calomnies les plus basses et les plus ridicules de la presse de droite.

Bernard Grasset lui-même, le 2 juin, bouclait ses valises et prenait la route de Cauterets. La veille, dans les salons du Lutétia, il avait offert son épée d'académicien à André Maurois, élu par les Quarante le même jour que Charles Maurras, et qui s'apprêtait à entrer sous la Coupole.

Le succès, mon cher André Maurois, mon cher ami, ne vous a pas changé. Vous êtes resté gentil, dans le sens où notre Moyen Age entendait la chose, qui est d'ailleurs toute française. Là, je crois que mon apport le plus personnel à l'hommage qui doit vous être rendu, pour cette gentillesse et cette parfaite droiture qui sont votre marque, sera de révéler que nul traité général ne nous lie, et que ma sécurité d'éditeur n'en est pas moins entière. Cela valait d'être dit en ce temps de compétition, de surenchère, de course à l'auteur, qui, fort heureusement pour les Lettres, touche à son terme.

Hélas, ce n'était pas ce temps-là qui s'achevait. C'était le temps d'une paix par trop précaire qui mourait.

« Je tiens à le répéter, plus que quiconque j'ai souffert de l'Occupation avant de la connaître [...]. Je n'en ai pas moins formé le projet d'un écrit qui pourrait porter comme titre : « De l'Occupation comme occasion ». Mon dessein était d'y montrer que l'Occupation était une occasion unique d'échanges, de pénétration mutuelle. »

BERNARD GRASSET

12

NI HÉROS NI LÂCHE

Sa « drôle de guerre ». — La mort de Louis Brun. — L'arrivée
de René Jouglet. — Son indifférence aux tragiques événements.
— Ses relations avec le gouvernement de Vichy et les autorités
allemandes. — Ses trois lettres à Friedrich Sieburg, Alphonse de
Châteaubriant et Guillaume Hamonic. — L'affaire Hitler et
moi. — La Collection « A la recherche de la France ». — Les
« sales bouquins » des auteurs collaborationnistes. — Sa « ba-
taille corporative au nom de la littérature ». — Ennuis avec
l'occupant. — La Maison « durait » dans le déclin. — Il ne voit
pratiquement personne.

Où étiez-vous, que faisiez-vous ce jour-là? On éprouve souvent l'envie de poser la question à ceux qui furent les témoins de ces rares moments où l'Histoire bascule vers le meilleur ou vers le pire. On croit, avec le recul, qu'ils les ont nécessairement vécus avec une force, une émotion, une intensité qui ne s'oublient pas. Où est, précisément, Grasset, que fait-il le 3 septembre 1939, quand la France entre en guerre contre l'Allemagne nazie? Il est à Saint-Tropez, à l'hôtel Aïoli, avec son chauffeur Robert. Il a une nouvelle manie: il rédige des « notes à leur date », c'est sa formule. Jeanne Duc est auprès de lui et on apprend qu'il a rencontré Claudette. « Sa grâce, sa gentillesse. La tête sur l'épaule. Elle est sténo. Besoin de la joindre à la fabrication du beau. » Il est terriblement préoccupé par ses relations avec les « jeunes filles ». Celles-ci l'inspirent davantage que le pacte de non-agression germano-soviétique du 23 août 1939, que la mobilisation générale et la guerre. Il ne pense qu'aux « jeunes filles ». Le ciel de Provence lui donne de grands appétits de vivre. L'âge? L'angoisse du temps perdu? Il cite Montesquieu: « C'est un malheur qu'il y a trop peu d'intervalle entre le temps où l'on est trop jeune et le temps où l'on est trop vieux. » Il vient d'avoir cinquante-huit ans.

> Pas venu ici pour travailler. Le matin: recherche de l'amour. Pas trouvé assez vite, ou obstacle redouté. Si je commençais ma vie aujourd'hui, je crois qu'elle serait belle. Belle pour moi d'abord, c'est-à-dire heureuse. Et par surcroît fertile, mais sans que je me condamne à la

rendre fertile, sans que je me prive de jouir... Serait-ce le Midi où je suis qui me fait écrire ces choses? Besoin de jours fervents. Besoin de caresses [...]. Ai senti cette petite M. en dansant. La joie de vivre même. Une des deux ou trois danseuses de ma vie. Le démon *du* Midi. Son regard croisant le mien avec insistance et crainte. Lui a-t-on simplement dit mon nom? Ou cette ressemblance avec Hitler?

Il ressemble, en effet, à Hitler, de façon assez troublante. Mèche brune, moustaches, lèvres fines, taille brève, voix de commandement, et ce regard gris-bleu qui peut devenir, à volonté, caressant ou chargé d'éclairs. Il ne fera rien, curieusement, pour atténuer cette ressemblance qui lui vaudra des sarcasmes et une aventure ubuesque.

Le 10 janvier 1942, sa photo a paru à la une de l'hebdomadaire *Comœdia,* sous le titre « Les muses sont sœurs et vivent en compagnie », par Bernard Grasset. Il s'agissait d'un article inoffensif sur Maurice Ravel qu'il avait confié à René Delange, directeur de *Comœdia,* à l'occasion de la parution de son livre *les Chemins de l'écriture.* Beaucoup de lecteurs crurent découvrir le Führer. Certains, choqués que le journal eût pu commettre une erreur aussi grossière, écrivirent leur indignation. Berthe Zlotykamien, qui avait, depuis le début de l'Occupation, quitté le service de presse pour devenir sa secrétaire, porta le 14 janvier un mot à Delange: « Désolé, mon cher ami, des embêtements que je vous cause. C'est vrai que je ressemble à Hitler, mais lui il a l'air con[1]... »

*

Saint-Tropez est alors un vieux port paisible et enchanteur que l'impressionniste Paul Signac, l'un des fondateurs du Salon des indépendants, découvrit vers 1910. Il en fit un des lieux de ralliement des peintres modernes, comme Maximilien Luce, Henri Cross, Théo Van Rysselberghe. D'autres suivront, Henri Matisse, Pierre Bonnard, Charles Camoin, André Dunoyer de Segonzac. Grasset s'y plaisait. Il y viendra de plus en plus, sa confidente Jeanne Duc ayant choisi de terminer là ses jours. Son intention, à l'heure où la guerre embrasait le monde, était d'y rester.

Il semble loin, le temps où trois brèves sonneries de téléphone annonçaient, rue des Saints-Pères, son arrivée. Il débarquait de Garches, de Divonne, de Hyères, nul ne le savait exactement. Il s'installait dans le bureau qu'occupaient Henry Muller, André Fraigneau et Renée-Claude Terrasse, la fille du compositeur. Il poussait l'un d'entre eux et prenait sa place. « Bonjour, mes enfants; appelez-moi Brun, Salvat, Bour, ainsi que la doyenne*; qu'elle vienne avec son bloc sténo, elle notera ce que je

---

* Il s'agit, nous l'avons déjà dit, d'Yvonne Langevin.

dirai, vous lui en demanderez une copie. Ah! à propos, prévenez la standardiste qu'on ne nous dérange pas: tout le monde est sorti pour tout le monde. Alors voilà... »

Il n'a pris, en quittant Paris, aucune disposition particulière. Le samedi 5 août, Guillaume Hamonic a fermé la Maison jusqu'au lundi 4 septembre, pour les congés annuels. Brun, comme d'habitude, a rejoint sa maison de Beauvallon. Tout est en ordre. La déclaration de guerre ne l'inquiète pas. Il n'a pas à quitter Paris, dont le ciel est rempli des ballons de défense antiaérienne, puisqu'il n'y a plus séjourné depuis bientôt trois mois. Il aurait pu néanmoins donner quelques instructions à son personnel, mettre à l'abri ses archives. Nenni. Gaston Gallimard est plus vigilant. Jean Giraudoux, que le gouvernement Daladier vient de nommer commissaire général à l'Information, lui a conseillé de plier bagage. Cinq voitures emmènent sa famille, les dossiers et la caisse jusqu'à sa villa de Mirande, près de Sartilly, dans la Manche. L'état-major de la NRF va l'y rejoindre et continuer, de la retraite normande, à faire tourner la maison. Une circulaire dans ce sens a été adressée aux auteurs pour leur assurer que Gallimard reste prêt à les éditer.

Le lundi 4 septembre, Henry Muller et André Fraigneau rentrent de vacances. Rue des Saints-Pères, l'inquiétude sévit comme partout, mais la Maison est ouverte. L'éditeur, le 11, a télégraphié à Muller: « L'idée d'écrire *Histoire d'un homme* me poursuit. Ne m'attendez pas. » Dans son Journal il mentionne: « J'ai accepté dans la vie tous les risques, hormis celui de l'amour. »

Plus étonnante encore est son indifférence à un événement aussi tragique que romanesque, qui aurait dû l'arracher à sa sinécure tropézienne. Le 22 août, le trop volage Louis Brun était assassiné par sa femme. « Le premier mort de la guerre », laissera tomber Maximilien Vox. Le drame ne suscitera aucun article, aucun commentaire. Les obsèques auront lieu dans la plus stricte intimité. Une dizaine de personnes, dont l'éditeur. Trente-deux ans d'une collaboration quotidienne s'achevaient brutalement, sans éveiller dans le cœur de Grasset la moindre tristesse, le moindre regret apparent. Brun était mort. Il n'en parla plus.

Cette funeste « sortie » de son second ne l'incita nullement à regagner Paris. Brun, pourtant, n'était-il pas le véritable « mécanicien » de la Maison? Celui sur qui retombait l'ensemble des tâches administratives, des décisions ingrates, du « suivi » des auteurs? Il s'était taillé, au fil des ans, ce rôle capital qu'aucun autre après lui ne pourrait assumer. Grasset en était parfaitement conscient. Il ne trouverait pas un deuxième Brun. Mais il lui fallait quelqu'un pour assurer cette « cuisine », comme il disait. Muller, Fraigneau, « la doyenne » le suppliaient de revenir. Il prit ses dispositions de Saint-Tropez.

Il appela un certain René Jouglet. Pourquoi lui? Jouglet était à l'enterrement de Brun. Il avait à Beauvallon une villa voisine de celle du défunt, avec lequel il entretenait des relations amicales. Fut-ce à cette occasion que l'éditeur prit sa décision?

*

D'origine modeste, né en 1884, Jouglet le connaissait depuis 1912, pour avoir publié chez lui son premier livre, un gros recueil de poèmes, *les Roses de la vie*. Il était alors instituteur dans une commune du Nord, et il ne lui pardonnera jamais de l'avoir édité à compte d'auteur, puis pendant dix ans de lui avoir refusé, dans des termes souvent cruels, plusieurs manuscrits. En 1923, son roman *l'Enfant abandonné* fut, enfin, accepté. Sa rancune n'en resta pas moins tenace. Grand voyageur, Jouglet avait parcouru l'Europe, l'Asie, l'Afrique et l'Amérique latine. Son inspiration se nourrissait de ses voyages comme de son expérience sociale et il occupait en 1939 une petite place parmi les écrivains populistes. Socialiste durant le temps de sa jeunesse, il était devenu un compagnon de route du Parti communiste. Il avait vécu la bataille de Verdun et avait été nommé vice-président de l'ARAC (Association républicaine des anciens combattants), fondée en 1918 par Henri Barbusse et Paul Vaillant-Couturier, contrôlée par le PCF. Après sa mort, le 25 août 1951, le journal communiste *France nouvelle* lui rendra un hommage qui éclaire on ne peut mieux la qualité de ses relations avec le Parti: « A chaque étape de son évolution, il s'émerveillait de toute marque d'affection que lui témoignaient ses amis au Comité central et à la direction du Parti communiste français [...]. Nous gardons de René Jouglet le souvenir d'une gentillesse authentiquement française et populaire. » Bref, il n'y avait chez lui, ni dans ses origines, ni dans ses engagements politiques, ni dans son style romanesque, absolument rien qui pouvait séduire Grasset. Pourtant il le choisit pour succéder à Brun, lui donnant le titre de « directeur des services ». Un choix qui sera lourd de conséquences.

A la même époque, il engageait Robert de Châteaubriant, le fils de l'auteur de *la Brière*. Robert ne partageait pas la fascination de son père pour l'Allemagne nationale-socialiste. Depuis 1934, il fréquentait la Maison comme lecteur, en compagnie des « anciens », Gabriel Marcel et André Thérive. Il sera, à l'instar de Jacques Benoist-Méchin ou de Maurice Chapelan, le « secrétaire particulier » du patron, c'est-à-dire son homme de compagnie. Il le restera jusqu'à l'été 1944.

*

Le Paris de l'hiver 1939-1940 vit les derniers jours du bon vieux temps. Chacun, dans cette « drôle de guerre », le pressent. « Jours de sursis d'une liberté dont nous avions à peine conscience, écrit Denis de Rougemont, parce qu'elle était notre manière toute naturelle de respirer, de penser, d'aller et venir. » Depuis un décret du 28 août, les éditeurs sont soumis au « contrôle préventif » du Commissariat général à l'Information, puis du Conseil supérieur de l'Information, que dirige Jean Giraudoux. Bientôt, sous l'autorité de Louis Frossard, ministre de l'Information, les premières mesures de répartition du papier seront arrêtées.

Un climat peu propice à l'activité littéraire. La Maison, comme toutes les autres, tourne au ralenti. Grasset, pourtant, de retour vers la mi-octobre, passera toute la « drôle de guerre » à Paris, plus exactement entre Garches et la rue des Saints-Pères, dans une étonnante inconscience : il organisait son programme comme si l'Europe allait, très vite, sortir du cauchemar hitlérien.

> Que deviens-tu ? écrivait-il à Jacques Chardonne au début de 1940. Où en est le roman que tu nous destines ? Je compte prendre quelques vacances, dans un quinzaine de jours, n'ayant pas dételé depuis le 20 octobre. La Maison est en pleine renaissance ; nous avons un programme vraiment éblouissant pour plus d'un an. Sais-tu que « les Cahiers verts » vont renaître sous ma direction personnelle ? Je commence par un *Péguy* de Daniel Halévy. J'aimerais tant y donner ton prochain roman, faisant pour toi une exception. Car je ne veux pas que « les Cahiers verts » redeviennent ce que Brun en avait fait : la première édition de *tous* les ouvrages de nos meilleurs auteurs.

La collection des « Cahiers verts » attendra, pour être relancée, le roman d'Hervé Bazin *la Tête contre les murs,* en 1949. En revanche, durant les cinq premiers mois de 1940, Grasset parviendra à éditer plus de vingt nouveautés, contre seulement trois entre septembre et décembre 1939. Parmi ces nouveautés, *Quand vivait mon père,* le dernier ouvrage que lui confiera Léon Daudet ; un Blaise Cendrars, *D'Oultremer à Indigo ; Israël et nous,* de Robert Vallery-Radot ; le troisième tome du *Journal* de Mauriac ; *Portrait de Staline,* de Victor Serge ; trois livres antihitlériens : *l'Allemagne face à la guerre totale,* du général Serrigny, *la Jeunesse de Hitler,* de Conrad Heiden, et surtout *Hitler et moi,* d'Otto Strasser.

Membre du Parti national-socialiste, Strasser avait pris rapidement ses distances vis-à-vis de Hitler, qu'il connaissait intimement, et il avait fondé en 1930 le Front noir, ou Comité du national-socialisme révolutionnaire. A l'arrivée du Führer au pouvoir en 1933, traqué par la Gestapo, il était entré dans la clandestinité.

Pour le chancelier du Reich, Strasser incarnait l'insupportable. L'ami, le compagnon d'hier, qui l'avait percé à jour et qu'il n'avait pu abattre. Qu'il n'abattra d'ailleurs pas. Après avoir vécu en Espagne, au Portugal, aux Bermudes, au Canada, Strasser retrouvera l'Allemagne en 1954.

Hitler et moi est précisément en librairie la semaine du 6 mai, celle de la grande offensive allemande. Le 11, à l'aube, les forces terrestres du Reich envahissent la Hollande, la Belgique et le Luxembourg, tandis que la Luftwaffe bombarde aérodromes et nœuds ferroviaires. En France, les attaques aériennes ont touché plusieurs bases, dont Calais, Dunkerque, Metz et Châteauroux. Des bombes sont tombées près de Pontoise, à trente kilomètres de Paris. Dans une déclaration solennelle, le Führer a proclamé que cette bataille « décidera du sort de la Nation allemande pour le prochain millénaire ».

Le front, à Sedan, se disloque dès le 18 mai. Des divisions blindées allemandes soutenues par les Stukas déferlent sur les provinces du Nord et, après la bataille de la Somme, la capitale est directement menacée. Le 12 juin, Paris est débordé tant par l'ouest que par l'est. Déclaré « ville ouverte » par le haut commandement, il est évacué dans le cadre du repli général, sur la Loire, de nos armées.

Grasset aussitôt quitte Paris. Avec sa voiture, celle de son comptable et un camion, dans lesquels s'entassent les archives commerciales, les contrats et une quinzaine d'employés. Sa Maison occupait alors cinquante-trois personnes. Il envisagea de se réfugier à Mayenne, chez son imprimeur Floch. Ce ne fut pas possible, matériellement, et il prit la direction de Nontron, cité pittoresque de la Dordogne, aux confins du Limousin et du Périgord, où lui-même et son ami Pierre Mimerel — un des administrateurs de la société — connaissaient un petit industriel susceptible de les accueillir.

C'est là qu'il apprendra, tard dans la soirée du 22 juin, la signature de l'armistice franco-allemand. « N'ayant plus d'armes, note-t-il, nous ne pouvons apporter à la construction nouvelle du monde que notre vertu. » Huit jours plus tard : « Les éclipses remplissent d'effroi les animaux eux-mêmes. Comment — pour peu que l'on soit sensible à cette chose qui s'appelle la France — ne serait-on pas bouleversé, dans tout son être, par ce qu'il faut bien appeler son "éclipse". » Il reprendra ces formules dans son recueil *A la recherche de la France,* qu'il publiera en novembre 1940.

Pour occuper son personnel, il imagina un journal dont la vocation serait double : offrir aux familles dispersées par l'exode un moyen de communiquer, et permettre à tous les Français « soucieux de l'unité nationale » de s'exprimer. Il déposa le titre *Retrouvons-nous* à Périgueux et programma la sortie pour septembre.

Ce n'était pas son principal souci. Ce qui lui importait pardessus tout concernait sa Maison, son métier : comment reprendre son activité d'éditeur, soit à Paris, soit à Vichy — où le gouvernement du maréchal Pétain venait de s'installer ? Théoricien de sa profession — c'est en tout cas ainsi qu'il se voyait —, il avança dès ce moment-là l'idée d'un « armistice de l'esprit », qui permettrait aux éditeurs de travailler à Paris sous la tutelle de l'occupant et il conçut le projet d'être, sur tous ces problèmes, l'intermédiaire entre le gouvernement de Vichy et les autorités allemandes.

Le 5 juillet, il adressa au directeur général de *la Petite Gironde* à Périgueux un article portant comme titre : « Nécessité d'un armistice de l'esprit », dans lequel il développait ses thèses et proposait ses services. « Article remarquable. De portée presque historique. Mais prématuré. » Telle aurait été la réponse de *la Petite Gironde*. Le 30 juillet, il l'envoya à *Candide*. Cet article n'est jamais paru. Quand Grasset inventait des notions comme « armistice de l'esprit », celles-ci se retrouvaient inévitablement dans ses écrits du moment. Le texte qu'il publia dans *l'Œuvre* du 12 octobre 1940, « Écrire dangereusement », reprend très probablement l'essentiel de sa philosophie.

> Si vraiment une France nouvelle était près de surgir, elle apparaîtrait déjà dans les écrits des Français. Dans un certain danger couru, dans un risque accepté. Une révolution, même de l'esprit, ne pouvant aller sans danger ni risque. Or il semble que le premier souci des Français qui écrivent présentement soit de le faire sans risque... Nous ne pourrons bâtir quelque chose de solide avec l'Allemagne que si nous acceptons en cours de route de lui déplaire, au moins dans l'expression de nos sentiments et de nos besoins. Et si l'Allemagne l'accepte, tenant avant tout à notre totale vérité. D'ailleurs les vraies unions ne se bâtissent que si chacun connaît ce qui le sépare de l'autre et s'il a le courage de le dire.

Plus concrètement, à la base de cet « armistice de l'esprit », il y a la « franche acceptation » par les éditeurs français de la censure politique de l'occupant. « Je demande seulement que, "du point de vue politique", nous ne recevions pas d'ordre de publier. En somme des défenses mais pas de consignes. »

Convaincu, par conséquent, qu'il fallait engager, au plus vite, des négociations avec l'Allemagne, il rédigea le 13 juillet une note pour l'un de ses collaborateurs — René Jouglet ? —, qui devait se rendre à Vichy auprès de son ami François Pietri, ministre des Communications et des Travaux publics :

1) Recueillir le sentiment de M. François Pietri sur la question d'un *armistice de l'esprit,* ce qui revient à un accord avec les forces d'occupation en vue de *l'unification du régime de la chose écrite* en France. Danger extrême du régime des deux France.

2) *Mon offre de participer officiellement aux négociations dans le domaine de l'édition,* un négociateur particulier étant désigné par le gouvernement pour la presse (cette question débordant sur divers points ma compétence). Rappeler à M. François Pietri que je me suis fait spontanément le champion de l'édition quand elle était menacée par le projet de la loi Jean Zay, que j'ai été suivi par tous mes confrères et que j'ai, en fait, tenu en échec jusqu'à ce jour un projet de loi qui menaçait gravement l'esprit.

3) Demander à M. François Pietri s'il estime que le *fonctionnement*[I] *provisoire de notre maison d'édition à Vichy est souhaitable.* Ou s'il pense qu'un accord avec les occupants, ayant comme objet l'unification du régime de la chose écrite en France, est assez proche pour que le mieux pour nous soit d'attendre la possibilité d'un retour à Paris.

4) Dans le cas où M. François Pietri estimerait que le fonctionnement[I] normal d'une maison d'édition française est subordonné à des négociations trop longues pour que nous puissions les attendre dans l'inaction, mettre immédiatement à la disposition du gouvernement notre maison d'édition jusqu'au jour où elle pourra normalement fonctionner.

5) Enfin demander à M. François Pietri s'il estime, comme je le crois, utile à l'intérêt français que je tente de publier, en pays occupé, avec l'agrément du gouvernement français, l'article que je lui ai soumis. Ou s'il préfère que, l'ayant remanié, je le publie en zone non occupée.

Bernard Grasset[2].

I. Fonctionnement qui implique, selon moi, un accord préalable avec les forces d'occupation, permettant aux livres français, non seulement de circuler librement dans toute la France, mais encore d'être exportés.

On ignore si lui-même, Jouglet ou quelqu'un d'autre vit Pietri et discuta de ces cinq points. En revanche, on le sait, il décida le matin du 26 juillet de quitter Nontron pour se rendre à Vichy avec René Jouglet et Robert, qui conduisait la Simca bleue. Il entendait, d'une part, régler ce problème qui lui tenait à cœur : « l'armistice de l'esprit » et « l'unification du régime de la chose écrite en France » ; d'autre part, obtenir l'autorisation de faire paraître son journal *Retrouvons-nous.*

Quelles furent exactement ses démarches auprès du gouvernement de Pierre Laval — celui-ci a été nommé vice-président du Conseil le 13 juillet — et du tout nouveau chef de l'État français, Philippe Pétain ?

Grasset est à Vichy en compagnie de son collaborateur René Jouglet, lit-on dans *le Figaro* du 3 août. Il n'a pas conçu de projet pour l'avenir immédiat. Les circonstances imposent une position d'expectative. Point de travail utile hors de Paris, pense-t-il. Son désir est d'y revenir dès que les échanges de vues de la Commission d'armistice auront permis d'établir un statut précis de l'édition. Pour l'heure, donc, Bernard Grasset ne met aucun livre nouveau en fabrication.

Que faisait-il, avec quelques autres célébrités parisiennes comme Pierre Brisson, Louis Jouvet, Paul Morand, ses amis Jean Vigneau, Maurice Martin du Gard, André Billy, au milieu des « gaietés vichyssoises » ? Il écrivit trois lettres qui confirment son ambition de jouer un rôle dans la « relance » de l'édition, mais qui pourraient être également interprétées — c'est du moins ce qu'il affirmera après la Libération — comme un moyen de se couvrir face aux menaces des Allemands.

Cette seconde version est celle de Guillaume Hamonic, qu'il nomma en 1936, après ses tribulations juridico-familiales, président de son conseil d'administration. Hamonic n'a pas quitté la rue des Saints-Pères au moment de la débâcle :

> Lorsque les Allemands arrivèrent à Paris, je fus, en l'absence de Bernard Grasset qui était dans la zone sud, convoqué par la police allemande et interrogé longuement, et plusieurs jours de suite, sur l'un des écrivains de la Maison, l'Allemand anti-nazi Otto Strasser. Les Allemands prétendaient me rendre complice de cet homme qu'ils recherchaient, et défendirent qu'on rouvrît, sans leur ordre, la maison d'édition. Je vins mettre au courant de la situation l'un des membres de la délégation de Vichy à Paris et, par son intermédiaire, je fis parvenir à Grasset, par la valise diplomatique, un rapport circonstancié sur les événements[3].

Par-delà Strasser, la Maison avait depuis 1930 pris parti dans la querelle franco-allemande et édité coup sur coup une série d'ouvrages contre le national-socialisme : l'admirable *Essai sur la France* d'Ernst Robert Curtius, le *Hitler* de Conrad Heiden, *la Tragédie de la jeunesse allemande* et *l'Homme contre le partisan* d'Ernst Erich Noth, *le Dernier Civil* d'Ernst Glaeser, *Une famille allemande* de Brentano, les livres de Ludwig Bauer, de Jean Guéhenno, de Robert Aron, etc. L'éditeur avait des raisons sérieuses d'être inquiet.

A-t-il, comme il le prétendra, trouvé le rapport de Guillaume Hamonic à son arrivée, le soir du 26 juillet, à l'hôtel National, à Vichy ? L'invitant à rentrer très vite à Paris, Hamonic rapportait une conversation qu'il aurait eue avec Karl Epting, l'un des responsables de l'Institut allemand :

« Vous êtes, m'a dit Epting, passible d'une fermeture définitive. Strasser n'est pas un écrivain mais un doctrinaire. C'est un révolutionnaire dangereux, un homme de main à la solde de l'Intel-

ligence Service. La police se demande si votre Maison, ou quelqu'un chez elle, n'est pas complice de Strasser et n'en favorise pas
les desseins[4]. » Yvonne Langevin aurait ajouté : « Vous avez la
charge d'un personnel ; de plus, vous risquez que les Allemands
mettent la main sur votre Maison et publient des ouvrages sous
votre nom. »

L'éditeur a-t-il pris peur ? A Paris les rumeurs dramatiques
allaient bon train sur le sort de sa Maison. « Grasset a été saisi »,
écrit Léautaud dans son *Journal*. Ce qui est faux. La Maison est
fermée parce que Grasset est absent, que le personnel est dispersé,
et non sur ordre des Allemands. Ceux-ci s'apprêtaient-ils à la
sanctionner durement ? Avoir édité Otto Strasser, était-ce à leurs
yeux un véritable crime ?

*

A ces questions, il n'y a pas de réponses, sinon le témoignage de
Guillaume Hamonic et les trois lettres de Bernard Grasset datées
des 30 et 31 juillet et des 3-4 août. Trois lettres qui deviendront,
après la Libération, les pièces essentielles du « dossier Grasset »
devant les tribunaux de l'épuration. On ne sait pas si leurs destina-
taires les ont reçues. Elles sont très longues mais il faut prendre le
temps de les citer.

La première est adressée à Friedrich Sieburg, l'auteur de *Dieu
est-il français ?* Jouissant d'une fortune personnelle, Sieburg habitait le Ritz depuis 1932. Conseiller à l'ambassade d'Allemagne, il
était aussi correspondant de *la Gazette de Francfort* et du *Frankfurter Zeitung*. Il venait de publier chez Grasset un essai de
soixante-quatre pages, *Éloge de la France par un nazi*. Hormis ses
nombreux articles et ses conférences, très peu de renseignements
ont pu être recueillis sur son activité et sur sa réelle influence
durant la période de l'Occupation. C'est à lui néanmoins que
pense l'éditeur.

Après avoir rappelé l'amitié qui les lie, après être revenu sur ce
temps où leur souci commun était « de faire se comprendre mu-
tuellement l'Allemagne et la France », il en vient à l'essentiel et lui
explique que s'il voulait aujourd'hui l'éditer, il faudrait d'abord
qu'il puisse reprendre son activité.

Sitôt après l'Armistice, écrit-il, les conditions de cette reprise ont été
mon premier souci. De franches conversations avec l'Allemagne ayant
pour objet « l'unification du régime de la chose écrite en France »,
conditionnant selon moi toute reprise complète d'activités par un éditeur
français, j'avais écrit dès le 5 juillet un article portant comme titre
« Nécessité d'un armistice de l'esprit » ... Dès qu'il aura paru, je vous le
ferai tenir. Sachez en tout cas que dans cet article je m'offre au gouver-

nement comme négociateur dans les conversations à intervenir avec votre pays touchant « l'unification du régime de la chose écrite en France ». Je demande que, seulement du point de vue politique, nous ne recevions pas d'ordres de publier. En somme des défenses mais pas de consignes. Je souhaite ardemment, mon cher Friedrich Sieburg, rencontrer là votre sentiment de l'équitable. En tout cas je serais très désireux que — si comme les choses me le donnent à penser, je suis chargé par le gouvernement français de représenter l'édition dans des négociations nécessaires — vous ayez la même mission de votre gouvernement. Il n'est pas possible, en effet, que l'affection mutuelle que nous nous portons et aussi le sentiment aigu de la France que vous avez ne nous aident pas l'un et l'autre à mettre sur pied un statut de l'édition française, à tout le moins acceptable par des Français authentiques.

Ce mot « Français authentiques » que je viens d'écrire me porterait à placer là bien des choses pouvant encore aider à nos conversations. Je me bornerai donc à vous dire que, personnellement, j'ai de l'autorité un sentiment très voisin de celui qui inspire les actes de votre gouvernement ; qu'en particulier j'ai le même mépris pour ce régime de désordre qui a conduit la France à l'abîme, et sur certains éléments particuliers de ce désordre dont nous parlerons bientôt.

Reste une autre question dont j'ai à vous entretenir : la question de *la Gerbe*. J'ai appris l'existence de cette revue que dirige mon cher Alphonse de Châteaubriant par mon imprimeur M. Floch à qui il avait demandé quelques conseils techniques et administratifs... S'il est vrai que se sont groupés autour de Châteaubriant des hommes comme Abel Bonnard et Bernard Faÿ, il n'est pas douteux que cette revue soit de nature française. Et pour moi, c'est la seule qui importe. Encore une fois, étant parfaitement informé, et des conditions de publication de *la Gerbe* et des accords qui ont préexisté à sa création, je ne puis encore vous dire : je tiens à en être l'éditeur. Mais dès maintenant je puis vous dire : je souhaite ardemment que les choses me permettent d'être l'éditeur de *la Gerbe*. Qu'entends-je par « les choses » ? J'entends à peu près ce qui, selon moi, doit fonder l'accord à établir entre la France et l'Allemagne, touchant le « régime de la chose écrite en France », à savoir : *des défenses mais pas de consignes.*

... En somme je n'ai qu'une exigence. Qu'il me soit permis de rester français. Et, par-delà moi-même, que cette « chose » qui s'appelle la France, que ce ferment, que cet esprit, dont vous avez si profondément pénétré l'essentiel, soit maintenu. Je mets beaucoup d'espérances en vous, mon cher Friedrich Sieburg. Faites-moi vite parvenir une réponse. Avant-hier j'ai introduit auprès du gouvernement français une demande en vue d'être désigné comme représentant de l'édition dans les conversations à intervenir. Pour une telle désignation il me faut, outre une désignation formelle du gouvernement français, l'agrément de l'autorité allemande. Peut-être pourriez-vous m'aider à doubler les étapes, en profitant, par exemple, du séjour de M. Pierre Laval à Paris. Ma lettre est déjà trop longue. Je m'arrête en vous disant ma confiance et ma vieille affection.

La deuxième lettre, du 31 juillet, est adressée à Alphonse de Châteaubriant, qui vient donc de fonder l'hebdomadaire collaborationniste *la Gerbe*. Bernard Grasset redit à son « très cher ami Alphonse de Châteaubriant » ce qu'il vient d'écrire à Sieburg. Il évoque dans des termes quasi identiques l'action qu'il mène au sujet des nouveaux statuts de l'édition et des négociations qu'il souhaiterait conduire au nom des éditeurs français avec les autorités allemandes.

« Vous savez, mon cher Châteaubriant, que je suis un Français authentique, sans nul de ces alliages malsains que l'Allemagne condamne à juste titre. » Et d'ajouter qu'aussi loin que l'on remonte, dans sa famille paternelle ou maternelle, « on ne peut trouver un juif ou une juive. La chose est, peut-être, utile à préciser ». Enfin il termine en revenant sur le sort de *la Gerbe*.

> Mon cher Châteaubriant, je vous connais. C'est assez pour fonder tous les espoirs sur l'utilité vraiment française de cette publication. J'ai dit à Sieburg expressément combien je souhaiterais qu'il me soit donné de répandre votre revue avec le cœur et avec les moyens que je sais dépenser quand j'ai la foi. Mais là, il faut prendre les choses dans l'ordre. Nous sommes maintenant sous un régime d'autorité, d'ailleurs bien nécessaire à la France. De ce fait, je n'aurai pas l'agrément du gouvernement français pour un retour à Paris de ma Maison entière si, préalablement, cette question de « l'unification du régime de la chose écrite en France » n'est pas résolue. Je crois, d'ailleurs, personnellement, qu'il faut commencer par là. Il n'est pas possible, en effet, à un éditeur d'équilibrer son métier sur l'une seulement des deux zones françaises. Il faut que ses livres puissent passer librement d'une zone à l'autre et être exportés. De là la nécessité de ces conversations franco-allemandes que j'appelle depuis plusieurs semaines. Là-dessus, voyez Sieburg, je vous en prie, le plus tôt possible. Ce mois de piétinements, quand tant de choses seraient à faire, m'a plus usé que cinq ans de travail acharné.

La troisième lettre, datée des 3 et 4 août 1940, est envoyée à Guillaume Hamonic. Elle reprend l'ensemble des thèmes développés dans les deux lettres précédentes, en y ajoutant quelques précisions...

> ... Je n'entends pas, mon cher Hamonic, rentrer à Paris pour y attendre des jours meilleurs — ce que sont trop portés à faire les Français présentement —, mais pour rendre à la Maison l'activité de ses meilleurs jours, en tenant compte des circonstances nouvelles... J'estime que ma reprise d'activités est beaucoup moins difficile qu'on ne le conçoit ici. D'abord en raison de mon savoir-faire. Ensuite, et surtout peut-être, en raison de ma nature. En somme tout ce que condamne l'Allemagne, je le condamnais depuis longtemps. Les occupants ne veulent plus que l'argent ait le pas sur la valeur et, vous le savez, mon cher Hamonic, j'ai été une victime de l'argent... Les occupants condamnent ces sociétés secrètes, en particulier cette franc-maçonnerie

qui nous a fait tant de mal. J'ai toujours eu horreur de ces gens-là. Les occupants sont essentiellement racistes. J'ai une très nette tendance à l'être... En somme sur de nombreux points que j'appellerai de « doctrine » — opposant doctrine et politique — je partage beaucoup de leurs sentiments. Toute la question tient en ceci que rentrant à Paris je puisse y rester français. J'ai remis là-dessus un mémorandum à notre gouvernement et je dis expressément que la seule condition à laquelle je subordonne mon retour à Paris est que je ne sois pas tenu à exécuter des consignes. Plus précisément : que je ne sois pas tenu à publier d'ouvrages que je considérerais, dans ma conscience, comme contraires à l'intérêt français. J'accepte, bien entendu, comme je vous le disais dans mes précédentes lettres, la censure politique de l'occupant. Je ne discuterai même pas certaines « défenses de publier » qui m'apparaîtraient sans fondement de droit. Pas plus que je n'ai discuté la défense de publier *Israël et nous* quand cet animal de Mandel me l'a faite, fin mai dernier. Nous sommes malheureusement obligés d'accepter les conséquences de la défaite : et l'une des plus pénibles conséquences de la défaite, pour nous éditeurs, tient dans la limitation de notre droit de publier, venant de ceci que l'occupant a la police de Paris. Mais j'estime que même en acceptant ces défenses, beaucoup de choses sont à faire dès maintenant. Je crois même que je pourrais m'exprimer personnellement sur certains êtres, sur certaines choses, que j'ai toujours méprisés, d'une façon beaucoup plus libre que je n'aurais pu, sous ce régime de « combines » qui nous a conduits au désastre. En tout cas, mon cher Hamonic, sachez que j'ai très confiance dans mon sentiment du bien français et dans mon savoir-faire. Tout ce que je demande tient en somme en deux points : pas de représailles pour des ouvrages publiés avant l'Armistice ; deuxièmement, pas d'ordres de publier.

Évoquant, ensuite, ses négociations auprès du gouvernement en vue de la conclusion entre la force d'occupation et la France d'un « armistice de l'esprit », il affirme qu'elles auraient abouti :

J'ai vu, hier soir, le président Laval. Il m'a officiellement chargé de représenter la France dans ces négociations. Tout se réduit donc maintenant à une seule chose : l'agrément de ma personne par le gouvernement allemand, comme négociateur sur les questions d'édition... Tout ce qui pourrait y mettre obstacle, c'est cette idiote histoire Strasser. Là-dessus, ne manquez pas, je vous en prie, de faire savoir aux autorités allemandes que ce sont les dirigeants français de cette époque-là qui m'ont demandé de publier l'élucubration de Strasser. Faites savoir également aux autorités que je n'ai pas lu une seule page du livre de Strasser, ce qui est la stricte vérité. Surtout, comme peut se poser à propos de Strasser une question se rattachant à l'une des clauses de l'Armistice concernant l'activité d'Allemands dissidents en France, ne manquez pas de faire savoir à l'autorité allemande que depuis le 15 mai environ j'ai perdu complètement la trace de Strasser. D'ailleurs vous le savez puisque nous nous sommes enquis, vous et moi, à plusieurs reprises, de son adresse. En tout cas, et c'est essentiel, faites bien savoir aux autorités allemandes que je suis prêt à déclarer sous serment que je n'ai aucun renseignement sur l'adresse présente de Strasser, ni sur le moment où il a quitté Paris, ni sur les conditions dans lesquelles il a quitté Paris.

La lecture de cette correspondance laisse une impression curieuse. Rien de ce qu'annonce Grasset comme étant quasiment acquis ne verra le jour. Il ne sera pas l'éditeur de l'hebdomadaire *la Gerbe* et n'y écrira guère que deux fois. Sur la foi des documents d'archives disponibles, cette rencontre avec Pierre Laval, qui l'aurait « officiellement chargé de représenter l'édition » dans les pourparlers franco-allemands, n'est pas crédible, et il n'y a aucune trace de ce « mémorandum » qu'il aurait remis au gouvernement. Enfin Sieburg a-t-il reçu sa lettre, et s'il l'a reçue, avait-il les moyens de l'aider auprès des autorités allemandes? A la lumière de l'enquête de police effectuée en février 1950 sur l'activité de Sieburg pendant l'Occupation, il est permis d'en douter.

Que Grasset se soit beaucoup agité pour imposer ses convictions dans le « domaine corporatif » relève des certitudes. Son tempérament l'y entraînait et on l'a trop vu se draper dans sa tunique d'homme providentiel quand il pensait, à tort ou à raison, que son métier était en danger. Qu'il ait, conjointement, voulu sauver sa Maison n'est pas non plus douteux et si l'on peut lui reprocher des excès de zèle, on doit lui reconnaître une passion pour son métier qui, parfois, ne s'embarrassera pas de scrupules.

Impossible donc de connaître les vraies raisons qui le poussèrent à regagner Paris le 18 août 1940.

Il s'empressa, dira-t-il — mais faut-il le croire? —, de joindre, au téléphone, Alphonse de Châteaubriant. Celui-ci se montra très inquiet: « On vous recherche. Allez tout de suite à l'Institut allemand. Je pense pouvoir éviter pour vous l'arrestation. Mais faites vite. »

Dès l'armistice, les Allemands avaient créé deux organismes chargés de régenter l'édition. D'une part, la Propaganda Abteilung Frankreich, installée à l'hôtel Majestic, qui dépendait du commandement militaire, et dont le service littéraire, le Gruppe Schrifttum, avait été confié au lieutenant Gerhard Heller. D'autre part, l'ambassade d'Allemagne, qui avait la tutelle de l'Institut allemand, 54, rue Saint-Dominique, dirigé par Karl Epting. Celui-ci aurait reçu Grasset dès le 19 août. Sur cette entrevue et sur les conséquences qui en découlèrent on ne dispose que du témoignage de l'éditeur:

Interrogatoires très serrés. « Que savez-vous de Strasser? — Je l'ai complètement perdu de vue. Je ne sais pas où il est. » J'avais apporté comme preuve un mandat représentant ses droits d'auteur adressé chez lui à Paris quatre mois avant et qui m'était revenu avec la mention

« parti sans laisser d'adresse ». Epting ce jour-là fut dur, me laissant peu d'espoir sur la réouverture de ma Maison et même sur ma sécurité personnelle. Il me précisa que son interrogatoire n'était pas officiel puisqu'il n'appartenait pas aux services de renseignements de la Gestapo, avenue Foch, où je devais me rendre. Celui qui m'interrogea s'appelait Muller [*sic*]. Son interrogatoire fut très poussé.

Il y avait en effet, au service de sécurité de l'Institut allemand, le SS Obersturmführer Muehler. Il est exact aussi que les Allemands avaient appris qu'un éditeur possédait le manuscrit de Strasser, *la Révolution allemande,* scénario d'une révolte contre Hitler.

Je savais très bien l'existence de ce manuscrit, puisque nous l'avions détruit au cours de l'exode et que nous avions détruit également le traité s'y référant. Je m'aperçus assez vite que l'homme qui m'interrogeait n'était pas au courant. Il connaissait l'existence du texte mais ne savait pas du tout à qui Strasser l'avait confié. Je niai donc absolument l'existence de ce manuscrit et l'interrogatoire se termina là.

Dans la même semaine, il revit Karl Epting, qui cette fois un peu plus conciliant lui aurait tendu une perche :

Il me dit à peu près ceci : « Si on vous donne la liberté et si l'on rouvre votre Maison, est-ce qu'au moins vous serez reconnaissant ? » Je me souviens lui avoir répondu : « Qu'entendez-vous par reconnaissant ?... — A tout le moins diriez-vous que vous pouvez faire votre métier librement, quoiqu'on aurait le droit d'exercer des représailles sur vous en raison de votre position antinazie depuis de très nombreuses années ? » Je lui ai dit que je m'arrangerais pour donner un ou deux articles sur un ton qui me paraîtrait conciliable avec mes sentiments de Français. Mais la chose n'alla pas plus loin ce jour-là[5].

Vers la mi-septembre, toujours selon Grasset, une intervention de Ernst Achenbach, conseiller d'Otto Abetz qui régnait sur l'ambassade d'Allemagne, mit un terme à l'enquête de la Gestapo. L'éditeur put rouvrir sa Maison.

*

Serait-ce à ce moment-là qu'il revint sur la scène des négociations avec les autorités allemandes ? Visiblement pas. Le Syndicat des éditeurs, conduit par son président René Philippon, directeur de la librairie Armand Colin, devait en effet aboutir, le 28 septembre, à une « convention de censure », selon laquelle ses adhérents s'engageaient à ne publier aucun livre écrit par des juifs, des francs-maçons, des communistes — à partir de juin 1941 — et par tous les auteurs qualifiés d'anti-allemands. Cet engagement correspondait, en fait, à une autocensure, les éditeurs choisissant eux-mêmes de soumettre à l'approbation des autorités allemandes les ouvrages qu'ils jugeraient « douteux » et qui risqueraient d'être interdits de diffusion après avoir été imprimés. « En signant cette convention, lit-on dans le préambule, les autorités allemandes ont voulu marquer leur confiance à l'édition. Les éditeurs, eux, ont eu à cœur de donner à la pensée française le pouvoir de continuer sa mission, tout en respectant les droits du vainqueur. Ils espèrent y avoir réussi. » Les éditeurs s'étaient lié les mains tandis que les représentants du Troisième Reich se donnaient le beau rôle. Le rapport d'activités allemand est très explicite: « Ainsi — sur la base d'un accord entre l'armée d'occupation allemande et les éditeurs français, c'est-à-dire sans la pression de la force militaire et sans l'appareil de la machine administrative —, un succès complet a désormais été atteint: une censure pratique sans loi de censure[6] ! »

La « convention de censure » fut signée le 2 octobre. Grasset n'assista pas à cette réunion, ni à celles qui la précédèrent. Le 4 octobre, la Propagandastaffel de Paris, en liaison avec l'ambassade d'Allemagne, diffusa quarante mille exemplaires de la « première liste Otto », c'est-à-dire de tous les ouvrages retirés de la vente par les éditeurs ou interdits par les autorités allemandes: mille soixante titres concernant cent trente-cinq éditeurs. Aucun document ne donne l'explication de ce nom de « liste Otto[7] ». Comme pour la censure, les Allemands attribuèrent, dans l'exposé des motifs, la responsabilité de cette liste aux éditeurs:

> Désireux de contribuer à la création d'une atmosphère plus saine et dans le souci d'établir les conditions nécessaires à une appréciation plus juste et objective des problèmes européens, les éditeurs français ont décidé de retirer des librairies et de la vente les œuvres qui figurent sur la liste suivante et sur des listes analogues qui pourraient être publiées plus tard. Il s'agit de livres qui, par leur esprit mensonger et tendancieux, ont systématiquement empoisonné l'opinion publique française; sont visées en particulier les publications de réfugiés politiques ou d'écrivains juifs, qui, trahissant l'hospitalité que la France leur avait accordée, ont sans scrupules poussé à une guerre dont ils espèrent tirer profit pour leurs buts égoïstes.
>
> Les autorités allemandes ont enregistré avec satisfaction l'initiative des éditeurs français, qui ont, de leur côté, pris les mesures nécessaires.

Une seconde « liste Otto » sera publiée en juillet 1942, dans laquelle figurent d'une part « certains ouvrages égarés, par-ci, par-là », d'autre part les ouvrages nouvellement interdits. Grasset fut, avec Gallimard, les PUF, Albin Michel, Flammarion, Fayard, Sorlot et Plon, parmi les éditeurs les plus lourdement frappés:

trente-sept ouvrages interdits, dont toute l'œuvre de Stefan Zweig, et celle de cinq auteurs allemands : Ludwig Bauer, Ernst Glaeser, Conrad Heiden, Ernst Erich Noth et Otto Strasser. L'attention que mirent les Allemands à établir cette « liste Otto » n'empêcha pas ses incohérences. Robert Aron, Paul Nizan, par exemple, interdits chez Gallimard, ne le furent pas chez Grasset. De même beaucoup d'auteurs « juifs » de la Maison passèrent entre les mailles du filet, dont les romans d'Irène Némirovsky. Malgré tout, la machine répressive allemande ne faillit pas à sa réputation d'efficacité. Quelque deux mille trois cents tonnes de livres allaient être mises au pilon.

La « convention de censure » et la « liste Otto » constituaient le cadre juridique à l'intérieur duquel l'édition pourrait, désormais, fonctionner. Un cadre que compléta un communiqué du 5 décembre 1940, ouvrant la zone libre aux livres édités en zone occupée. C'était une revendication de Grasset, comme en témoigne la lettre qu'il adressa le 25 octobre à Karl Epting :

> Vous savez, je crois, par Henry Muller, que j'ai rencontré le lieutenant Kayser, mercredi matin, au sujet de l'ouverture de la zone libre aux éditeurs français exerçant à Paris. Je me suis rendu à son cabinet comme président de la section de littérature générale du Syndicat des éditeurs, avec le président du syndicat, M. Philippon (de la librairie Armand Colin).
>
> M. Kayser nous a demandé un bref rapport pour Berlin sur cet objet. Il part en effet jeudi prochain pour la capitale du Reich et sera de retour avant la fin du mois. Je viens de rédiger « l'exposé des motifs » de ce rapport pour l'autorité allemande.
>
> Veuillez bien en trouver une copie ci-jointe. Je crois que les dispositions de M. Kayser sont très favorables. Et l'appui de l'ambassade nous serait évidemment extrêmement utile.
>
> Je voulais tous ces jours-ci aller vous voir car il y a bien longtemps que nous ne nous sommes rencontrés. Mais j'ai été vraiment écrasé de besogne. Faites-moi l'amitié de me dire quel jour de la semaine vous accepteriez de déjeuner avec moi.

Fut-il de ceux qui arrachèrent aux Allemands un accord sur ce sujet ? Rien, là encore, ne permet de l'affirmer. Ce sont plutôt les services de l'Information à Vichy qui menèrent les négociations.

D'autres mesures, plus spécifiques, suivront. En particulier, les Allemands essaieront, sans y parvenir, de prendre le contrôle de Hachette et de Gallimard. Ils décideront, surtout, en 1941, d'« aryaniser » les trois principales maisons juives : Calmann-Lévy, Ferenczi et Nathan. Ces mesures ne concerneront pas Grasset. S'il tenta, en avril 1941 (et la démarche est bien évidemment douteuse), de convaincre les dix principaux éditeurs de « littérature d'imagination » — dont Gaston Gallimard, Robert Esménard,

Jean Fayard, Edmond Buchet, Charles Flammarion — de racheter Calmann-Lévy pour éviter que cette maison ne tombe sous la tutelle directe des Allemands, il fut aussi le premier à « foutre en l'air la question » après examen du bilan de l'affaire et parce qu'il redoutait les difficultés d'une gestion à dix[8].

*

Quel est, dans cette atmosphère pesante d'interdits, de suspicion, le Grasset qui, début octobre 1940, réinvestit avec son personnel le 61, rue des Saints-Pères ? « Je suis venu à Paris pour reprendre mon métier, déclarait-il dans *la Gerbe*. La France ne reprendra elle-même que par les métiers. Et au premier chef par le nôtre, le plus étroitement lié qui soit à cet "ordre nouveau", qu'il faudra bien un jour faire passer dans les faits. » Il dit retrouver un Paris plus grave, chargé à la fois de menaces et d'espoir. « Plutôt la capitale de la France que Paris. Le lieu où les choses se forgeront dans la difficulté et non plus la ville où l'on se contentait, comme hier, de parler de tout, dans le facile. »

Il croit que Paris est le seul endroit où un éditeur puisse faire son métier et aussi celui où il sera le plus libre dans son expression personnelle. Une seule contrainte : « Cette correction envers l'occupant que commande la sévère réalité. »

Il rêve d'une littérature d'action. Des livres courts, accessibles à tous, imprimés comme les libelles de l'époque révolutionnaire ou certains ouvrages de la Restauration dont la première page faisait couverture. Au fond, ce qu'il fit en 1917, à la fin de la Grande Guerre. Il estime, par-delà les romans, qu'une part plus grande de la production des éditeurs doit tendre à la reconstruction de la France.

> Ce n'est un secret pour personne que la France n'a pas de propagande. Et il en faut aux nations comme aux écrits. « Dieu lui-même a besoin de cloches », disait Lamartine, parlant de la publicité naissante. Là je prends « propagande » en son sens le plus étendu qui comprend *l'exemple donné*. Bien faire son métier est ainsi déjà une propagande. Une nation forte n'est, en effet, à tout prendre, que la coordination de gens faisant bien leur métier.

Rien, par conséquent, ne sera construit de solide en France, explique-t-il, si les Français ne retrouvent pas foi en eux-mêmes, s'ils n'acceptent pas une réforme de leurs mœurs politiques, s'ils ne travaillent pas à une résurrection de l'esprit public.

« Vous êtes optimiste ? » lui demande-t-on enfin.

> Laissons, si vous voulez, ces mots « optimisme » et « pessimisme ». Ils appartiennent à la langue de ceux qui regardent, de ceux qui parlent. Et

non à la langue de ceux qui font. Demandez à un homme d'action s'il est optimiste ou pessimiste. Il ne saura vous répondre. Il n'a, d'ailleurs, ni le temps ni le goût de se définir, attaché qu'il est à la chose du jour, à l'objet particulier qu'il poursuit, aux difficultés qu'il doit surmonter. Et, le jour fini, il ne se demande même pas s'il a atteint beaucoup de choses mais seulement s'il a fait tout ce qu'il pouvait faire... Quant à moi, je sais déjà que je peux reprendre à Paris mon métier dans l'honneur, en dépit de ce qu'on m'avait donné à redouter. Et c'est beaucoup[9].

*

Dans l'honneur ou dans la crainte? Les faits, hélas, parlent d'eux-mêmes. Fermée depuis mai, la Maison va publier, le 12 novembre, son premier livre sous l'Occupation allemande. Un ouvrage que signe l'éditeur, *A la recherche de la France,* recueil de notes prises au jour le jour, entre le 4 septembre et le 1er novembre, et parues dans *l'Œuvre, la France au travail, Paris-Soir, le Cri du peuple. A la recherche de la France* inaugure une collection du même nom, qui abritera cinq auteurs, dont certains furent les représentants les plus autorisés de la Collaboration: Drieu La Rochelle, Barthélemy, Doriot, Suarez, et Daye.

Dans une circulaire qu'il adresse le 29 novembre aux libraires, il s'explique sur l'ambition de son projet:

> Je tiens à venir vous parler moi-même de la collection nationale que j'inaugure par mon petit livre *A la recherche de la France.* Comme vous l'avez sans doute observé, cet ouvrage, s'adressant à tous, a pour unique objet *l'ordre français,* indépendamment de toute question de politique extérieure. Il convient ainsi à tous les Français et vous pouvez donc très largement le répandre. Il sera suivi de courts ouvrages, présentés de la même manière et au même prix de 5 francs... Je sais, monsieur et cher confrère, que le succès d'une collection dépend étroitement de l'intérêt qu'y portent les libraires de France. Je sais aussi que chacun de vous connaît l'esprit qui m'anime dans tout ce que j'entreprends: faire œuvre française. Aussi viens-je tout simplement vous demander toute votre aide pour la diffusion de ce premier ouvrage d'une série dont j'attends beaucoup...

Cette collection est-elle le prix qu'il doit payer à Karl Epting de l'Institut allemand pour rouvrir sa Maison? Ou bien, comme ses adversaires l'affirmeront, s'est-il volontairement mis au service de la propagande allemande? Il n'est pas, pour les Allemands et leurs alliés à Paris, au-dessus de tout soupçon. L'hebdomadaire *Au pilori,* spécialisé dans la haine antisémite, la délation hystérique et les appels au meurtre, en fonction des consignes de l'occupant, notait dans sa rubrique « le Tir de barrage », particulièrement redoutée: « Pourquoi tous les journaux de la semaine sont-ils pleins des souvenirs de cet excellent Bernard Grasset? Peut-être

pour tenter de refaire une virginité à l'éditeur du livre d'Otto
Strasser *Hitler et moi* et du livre de Léon Blum, *la Réforme
gouvernementale,* courageusement anonyme! » Cette dernière allé-
gation était mensongère, Blum ayant signé son ouvrage.

*

En cette fin novembre Gaston Gallimard lui aussi retrouve son
entreprise, après « toute une série de négociations compliquées »
et après « l'établissement de garanties suffisantes », comme le
souligne Freidhelm Kayser, qui dirige alors le service littéraire de
la Propagandstaffel de Paris — Gerhard Heller le remplace en
décembre. Des garanties qui se soldent par l'éviction de l'équipe
dirigeante de la *NRF*: Pierre Drieu La Rochelle est nommé
responsable de la rédaction.

> ... Nous nous réjouissons, écrit le Dr Kayser à Gallimard, de pouvoir
> vous déclarer que la personnalité de M. Drieu La Rochelle semble nous
> donner à tous une garantie que votre édition dans sa tenue totale
> s'abstiendra d'un esprit hostile à l'Allemagne, mais au contraire apporte-
> ra un concours précieux à l'idée de la nouvelle idée de coordination
> politique de l'Europe, à la construction de la France, et à la collabora-
> tion entre l'Allemagne et la France.
>
> Il nous semble particulièrement agréable de pouvoir insister sur ce fait
> que la personnalité de M. Drieu La Rochelle est spirituellement et
> politiquement libre et indépendante.
>
> Ainsi vous pourrez vous rendre compte par la suite qu'il n'importait
> pas à tout prix de soumettre votre maison à des influences allemandes
> mais qu'il s'agissait uniquement d'une consolidation de votre maison afin
> d'obtenir d'elle une production correspondant à l'esprit de notre époque
> et à la tâche de l'avenir.
>
> Nous vous informons, en outre, que votre maison d'édition sera
> ouverte à nouveau sur-le-champ et que, pour cette raison, vous pouvez
> reprendre à nouveau toutes vos fonctions[10].

A chacun son prix? Pour Gallimard, la *NRF*; pour Grasset, sa
collection « A la recherche de la France »? Les deux éditeurs
furent victimes d'un chantage identique dans sa forme, s'il ne
l'était pas dans ses conséquences. Gallimard n'assuma plus la
responsabilité de la *NRF* quand Grasset, au contraire, revendiqua
celle de sa collection pro-allemande. De surcroît, à l'inverse de son
ami et concurrent, « Gaston » ne commit pas l'imprudence de
donner à la presse des articles tendancieux.

Grasset aurait-il pu s'en garder? Il a écrit et c'est ce qui reste.

> Les Français [...] se trouvent entièrement dans la main d'une autre
> nation qui, elle, est parvenue au sommet de la cohésion et de la force,
> par la vertu d'un homme [...].

... Quant à moi, ce que j'admire le plus dans un Hitler, ce n'est peut-être pas ce qui apparaît à tous comme le plus digne d'admiration. Cette vie uniquement tendue vers la grandeur et l'ordre allemand. Cette confusion presque totale de la personne et de l'œuvre... Ce que j'admire le plus en lui, c'est proprement sa force athlétique — sachant, par expérience, combien il en faut pour conduire quelques hommes seulement.

Sur les Allemands:

Ceux qui disent, parlant des occupants: « Que d'abord ils s'en aillent », ne mettent pas l'accent sur ce qu'il faut. Ce n'est pas la première chose à souhaiter pour la France. Imaginons, en effet, l'absurde. Que l'Angleterre prie gentiment les Allemands de quitter la France, et que les Allemands la quittent dans l'heure, pour faire plaisir aux Anglais. Eh bien, alors, j'ose dire que le pire serait à redouter pour la France. Et d'abord que Pétain fût exilé. Je demande s'il est un Français pour le souhaiter.

Sur l'Occupation:

Cette halte pour la nuit dans une bourgade de la Loire. Là, j'ai vu l'Occupation. La simplicité des rapports dans l'hôtel. Cette façon, ce naturel de tous, ces échanges vrais. En l'espace de dix heures à peine, j'avais franchi bien des étapes. J'étais arrivé à une tout autre façon de voir les choses. Et pourtant, je tiens à le répéter, plus que quiconque j'ai souffert de l'Occupation avant de la connaître... Je n'en ai pas moins formé le projet, ce soir de halte du 18 août, d'un écrit qui pourrait porter comme titre: « De l'Occupation comme occasion ». Mon dessein était d'y montrer que l'Occupation était une occasion unique d'échanges, de pénétration mutuelle.

Sur la radio de Londres:

Le devoir de tout Français, présentement, est de ne pas avoir de curiosité au-delà des choses qui lui sont officiellement annoncées. De rester sourd aux voix venues de Londres, qui ne se bornent plus à rappeler. Qui maintenant n'hésitent pas à répandre le mensonge en annonçant des faits en opposition absolue avec les faits véritables, dans l'espoir de troubler les Français.

Sur le maréchal Pétain:

La France est maintenant personnifiée. Chacun de nous sait maintenant pour qui il travaille et de qui il peut attendre un mot de gratitude pour son bien-faire. C'est au point que le vœu le plus ardent des Français dignes de ce nom tient en ceci: « que le Maréchal-régent de France nous soit longtemps conservé ».

Après la parution d'*A la recherche de la France,* il n'écrira plus rien sur la politique, les Allemands, l'Occupation ou Vichy. L'article qu'il signe dans les *Cahiers franco-allemands* de novembre et décembre 1940, sous le titre « Die Französischen Verlege und die Zusammenarbeit » (Les éditions françaises et la Collaboration), correspond en effet à la sortie de son recueil et s'en inspire largement :

> La République des camarades avait étendu ses méfaits jusque dans notre vie intellectuelle, écrit-il en particulier. Les éditeurs, comme les autres, n'ont été que trop complaisants. J'ai, il y a peu de temps, écrit un livre sur ces questions. Nous étions pratiquement étouffés par un snobisme — en grande partie d'origine juive. Il est hors de doute que les Allemands sont des juges sévères, mais je crois qu'ils sont tout de même attirés par le vrai talent français. L'Occupation ne pourrait-elle pas, de cette manière, être pour nous une occasion favorable pour retrouver l'être vraiment français ?

Parmi les autres ouvrages de sa collection qui paraîtront entre le 23 janvier et le 6 août 1941, *Ne plus attendre,* de Pierre Drieu La Rochelle, et *Pétain ou la démocratie?*, de Georges Suarez, ont, seuls, un caractère collaborationniste très marqué. Il ne s'agit d'ailleurs pas de livres mais d'opuscules dont la couverture reproduit le dessin d'une France coupée par la ligne de démarcation.

Pour Drieu, l'urgent c'est de construire l'Europe avec l'Allemagne et sans l'Angleterre, qui fut « énormément infidèle » à la France. « Il s'agit d'organiser l'Europe, de travailler à la révolution qui organise l'Europe. » Et pour lui, cette révolution s'appelle le national-socialisme. Sans plus attendre, sans hésiter, sans tergiverser, il faut, lance Drieu, collaborer entièrement, totalement avec les Allemands.

Georges Suarez, se dressant contre la « trahison gaulliste », la « propagande anglaise », la « lâcheté des États-Unis », fustigeant la démocratie, va jusqu'à justifier les conceptions allemandes de « l'espace vital ».

Provinces, de Joseph Barthélemy, *Je suis un homme du Maréchal,* de Jacques Doriot, enfin *Guerre et Révolution,* de Pierre Daye, le dernier essai de la série, ne présentent aucun intérêt, ni de fond ni de forme, et ils ne seront d'ailleurs pas retenus en 1945 contre Grasset.

Tous les ouvrages de la collection eurent un succès médiocre. L'éditeur, avec *A la recherche de la France,* et Drieu La Rochelle, avec *Ne plus attendre,* firent les meilleures ventes : quelque cinq mille quatre cents exemplaires.

La fascination pour l'Allemagne victorieuse, l'anglophobie et le mépris pour les hommes de la Troisième République donnaient à la collection une cohérence certaine, qui ne pouvait échapper à Grasset. Le maurrassien qu'il avait toujours été se réveillait.

Entre 1940 et 1944, il ne verra pas les agissements des forces occupantes. Il ne verra que le déclin de la France. Les seuls textes « politiques » qu'il écrira jamais dans sa vie font, par-delà les passages que nous avons cités, l'apologie de cette France abstraite, déifiée, la France d'un « ordre français », que la démocratie parlementaire, la République des camarades, le « régime des combines » auraient dévoyée et conduite au désastre.

> La question n'est pas pour les Français: « Qui vaincra? », en se préparant à suivre le vainqueur. La question est: « Comment la France reprendra-t-elle existence? » Existence comme esprit, comme vertu particulière, comme ferment nécessaire dans le monde. Voilà notre première force à retrouver. Bien avant la force des armes. Que valent d'ailleurs les armes sans cette première force?

Il ne comprend rien à la France qui souffre, celle de Nuit et brouillard, celle qui subit les monstruosités de la guerre, les tortures de la Gestapo, les déportations, les camps. Terrifiante inconscience? Lâcheté? Volonté de ne pas voir? Sa nature profonde, cette « folie », le tenait, et peut-être malgré lui, à l'écart, puisqu'elle le ramenait inlassablement, de manière obsessionnelle, à sa Maison, à sa personne.

Les autres livres, hors collection ceux-là, qu'il édita dans ce même esprit germanophile expriment la même exaltation naïve et irresponsable de l'Allemagne victorieuse. Une forme d'envoûtement que partageaient alors une majorité de Français.

*

Sept ouvrages vont ainsi compléter sa panoplie des « gages » donnés à l'occupant.

En mai 1941, *Pensées dans l'action*, d'Abel Bonnard, qui sera ministre de l'Éducation nationale de 1942 à 1944, et *l'Angleterre en guerre*, de Georges Blond. Il s'agit, dans les deux cas, d'une violente diatribe contre nos voisins d'outre-Manche, coupables d'affamer notre peuple, d'attaquer nos navires, de massacrer nos marins, de démembrer notre empire, de frapper nos villes... Abel Bonnard, qui nourrissait une haine viscérale à l'endroit des Anglais, n'eut guère à se forcer pour rédiger son libelle. L'homme déplaisait souverainement à Grasset, sans doute un peu jaloux de sa grande aisance intellectuelle. « Il phrase gratis », disait-il, et quand parut en 1938 *le Bouquet du monde,* il fit entourer tous les exemplaires du service de presse par la bande-annonce : « Du beau, du bon, du Bonnard »...

Jacques Chardonne mêlera également sa voix à ce concert germanophile et anglophobe. *Voir la figure* sort en octobre 1941. Il y manifeste une admiration plus béate que profonde pour le peuple allemand, « transfiguré depuis vingt ans », et il se laisse aveugler par la fatalité historique. A lire Chardonne, l'Allemagne est installée dans « la grandeur » pour l'éternité !

Le même mois, Montherlant voudra aussi apporter sa petite pierre à l'édifice. On se demande encore pour quelle raison, dans *le Solstice de juin,* qui traite nombre de questions humaines très générales, il a éprouvé le besoin, au détour d'un chapitre, de regarder avec cynisme les conquêtes du Troisième Reich, affirmant que le droit du vainqueur sur le vaincu est illimité et que cela est juste. « Les relations franco-allemandes, écrit-il, ne seront fécondes que si elles jouent dans le même climat révolutionnaire où est née l'Allemagne hitlérienne. » Chez ce professeur d'énergie, chez l'auteur du *Songe,* cet abaissement, cette soif d'humiliation et d'imitation ont quelque chose de confondant. Montherlant était, là, on ne peut plus sincère, lui qui écrivait à Grasset, au début de l'Occupation :

> Jouglet me dit que vous allez voir Epting. Faites-lui mes amitiés ; je ne recule pas devant ce mot. Les Allemands nous ont battus très régulièrement. Rappelez à Epting la soirée de boxe universitaire où nous nous rencontrâmes, où tous les universitaires allemands, sans exception, battirent les universitaires français. Et ils les battirent pour les mêmes raisons, exactement les mêmes, pour lesquelles l'armée allemande battit l'armée française[11].

Le Solstice de juin se vendit entre novembre 1941 et juillet 1944 à plus de vingt-cinq mille exemplaires, un chiffre très important pour cette période.

Et puis enfin il y eut *la Défaite,* de Jean Montigny, selon qui le bellicisme des hommes politiques français aurait conduit à la guerre, *Quand Israël se venge,* de Charles Lesca, propriétaire de *Je suis partout,* le journal de Robert Brasillach, *Roosevelt et l'Europe,* de Giselher Wirsing, une charge calomnieuse contre Roosevelt directement inspirée par les milieux officiels allemands.

Grasset a suivi, de loin, l'éclosion et la sortie de ces « sales bouquins », qualificatifs que retiendront en 1945 les épurateurs.

Henry Muller, André Fraigneau et Henry Poulaille assurent le quotidien de la Maison, tandis qu'il passe le plus clair de son temps dans sa villa de Garches, venant à Paris deux ou trois après-midi par semaine, entouré de « ses gens », Berthe Zlotyka-mien, sa secrétaire, Robert de Châteaubriant, et sa maîtresse du moment. A 18 heures on le voit au café de Flore au milieu de ses principaux collaborateurs et de quelques écrivains. Puis il dispa-raît.

C'est l'époque où il prend l'habitude d'aller passer de longs week-ends dans un hôtel, à Chantilly ou à Chartres. Il ne se mêlera ni aux mondanités de l'Occupation, ni à l'activité politique d'aucun des mouvements alors très à l'honneur, comme les groupes « Collaboration » animés par Alphonse de Châteaubriant. Le besoin de se replier qui caractérisait son comportement depuis 1936, avec parfois un coup de passion pour un sujet ou un problème, continuera de l'habiter pendant toute la guerre. Ses interventions publiques ne concerneront que la « bataille corpora-tive ».

*

Arrêtons-nous, avant de le suivre dans sa vie d'éditeur, dans sa vie plus intime, sur ce combat. Une parenthèse qui est aussi un chapitre de l'histoire administrative et législative de son métier.

Dans la France occupée, les forces allemandes ont, en effet, placé tous les secteurs économiques sous la tutelle de « comités d'organisation » rattachés au ministère de la Production indus-trielle à Vichy. C'est dans ce cadre que naît, le 3 mai 1941, le Comité d'organisation du livre, dont la direction est confiée à Marcel Rives, conseiller référendaire à la Cour des comptes, auteur en 1934 d'un rapport sur les industries du livre. Il coiffe quatre « groupes d'étude » : l'imprimerie, les industries gra-phiques, la librairie et l'édition.

Les deux problèmes essentiels, sinon uniques, que les respon-sables de l'édition auront à résoudre concerneront la répartition du papier et le prix des livres. Il faut être, par conséquent, très présent dans les instances qui décident cette répartition et fixent les prix. Or, au sein du « Groupe édition » que préside René Philippon, lequel est également président du Syndicat des éditeurs, les « maisons de littérature » — les seules qui comptent pour Grasset — se perdent parmi les éditeurs spécialisés dans la réédi-tion des classiques, dans les livres scolaires, dans les livres tech-niques, c'est-à-dire le droit, la science, la médecine, la défense, etc. Elles sont sous-représentées, noyées.

Pendant toute l'Occupation, Grasset va régulièrement s'insur-ger, au nom des éditeurs de littérature, contre le Comité d'organisation du livre et contre le Groupe édition. S'il n'est pas seul à conduire ce combat, si ses confrères, les « vrais éditeurs », le soutiennent, qu'il s'agisse de Gaston Gallimard, Jean Fayard, Maurice Delamain de chez Stock, Charles Fasquelle, Henri Plon, Charles Flammarion ou Robert Esménard de chez Albin Michel, c'est lui qui en prendra le plus souvent l'initiative.

Ce fut là l'essentiel de son action durant ces sombres années. Elle lui vaudra la tenace rancune des notables de sa corporation, ceux qui contrôlent le Cercle de la librairie et le Syndicat des éditeurs, dont la grande majorité des adhérents « fait », comme il dit, dans l'édition classique, pédagogique ou technique, et en particulier le président René Philippon, éditeur de livres scolaires.

> Nous avons plus d'une fois regretté, nous, éditeurs de littérature, d'être mélangés, dans une même corporation, avec des confrères n'ayant ni le même souci ni les mêmes intérêts que nous, explique-t-il dans un entretien à *Aujourd'hui*. Notre rôle est, avant tout, de découvrir le talent et de le transformer en valeur marchande. Nous ne sommes pas seulement commerçants, nous sommes également des serviteurs de la pensée française. Cela ne se passe pas de la même façon chez nos confrères des éditions techniques, juridiques, pédagogiques ou militaires, dont le public est bien connu et dont les éditions ne représentent pas un véritable risque. A peu d'exceptions près, on sait, chez eux, quand un livre paraît à combien d'exemplaires il sera vendu et en combien de temps. Cela est tellement vrai que lorsqu'un général célèbre publie ses Mémoires, c'est à nous, éditeurs de littérature, qu'il s'adresse et non pas à l'éditeur militaire qui a publié ses œuvres techniques. Pour résumer, nous sommes plus purement des éditeurs et nos confrères se rapprochent davantage de l'imprimeur.

Son credo ne varie jamais : l'édition littéraire a une mission, une valeur spécifique et elle doit donc être traitée de façon spécifique — que la France soit en paix, en guerre ou occupée. Il va persuader ses confrères, réunis le 11 avril 1941, chez Gallimard, de créer entre eux une association autonome, le Groupe corporatif des éditeurs de littérature.

Gaston Gallimard — qui descend souvent à l'hôtel Cavendish, à Cannes — se chargera de diffuser la nouvelle, en zone sud, en s'appuyant sur René Jouglet, représentant de la Maison à Vichy pendant toute la guerre.

> Pour vous éclairer, vous personnellement, lui écrit-il, au cas où vous ne le sauriez pas encore, je crois bon de vous dire que Grasset a pris cette initiative parce qu'il avait appris indirectement que sous l'organisation corporative du livre, aucune place n'avait été réservée aux éditeurs de littérature. Si bien qu'au moment où le contingentement de papier sera discuté, nous risquons de passer après *l'Almanach Vermot* et autres

publications d'un genre analogue. Il est question en effet de répartir le papier au prorata du chiffre d'affaires des différentes maisons d'édition. Grasset souhaite que vous alertiez toutes vos relations et que vous créiez un climat favorable à notre attitude[12].

*

Grasset propose également, dans le but de consolider la défense des « éditeurs de littérature », d'installer un organisme parallèle au Comité d'organisation du livre, qui dépendrait de Paul Marion, secrétaire d'État à l'Information. Considéré comme l'intellectuel du PPF (Parti populaire français) fondé en 1936 par Jacques Doriot, Marion, qui jouissait d'une certaine aura dans les allées de Vichy, semble avoir défendu son idée. C'est ce qui ressort d'une lettre qu'adressa probablement Henry Muller à René Jouglet :

> M. Marion a parfaitement compris le projet de B. G., qui n'est pas du tout un point de vue qui doit faire obstacle au plan de Vichy sur l'organisation de la corporation. Il s'agit simplement d'assurer aux Lettres françaises le papier nécessaire. Preuve qu'il ne s'agit là de rien d'autre que de littérature, est qu'André Bellessort, secrétaire perpétuel de l'Académie française, s'est joint à B. G. et a accepté la présidence d'un « Comité du livre » qui serait, selon le désir de M. Marion, rattaché au secrétariat de l'Information, B. G. en étant le président adjoint, pour la raison que Bellessort ne veut pas avoir de trop lourdes charges sur les bras. Ce comité comprendrait très peu de personnes, cinq ou six environ.
>
> Au cours de la conversation que M. Grasset a eue avec Marion, le collaborateur de ce dernier, M. Galey, a appelé déjà le comité « comité Bellessort-Grasset ». Grasset a fait part à M. Marion de certains obstacles que sa personne pourrait rencontrer dans l'entourage immédiat du Maréchal. M. Marion a déclaré à B. G. : « Je suis au mieux avec Dumoulin de La Barthète. Je fais mienne cette affaire. »
>
> Voir le plus tôt possible M. Marion là-dessus et lui demander où en sont les choses... Il est apparu au secrétariat de l'Information qu'il était indispensable que l'édition littéraire eût son organisme propre. En somme, serait ainsi officiellement reconnu par le gouvernement le Groupement des éditeurs de littérature, que B.G. a créé et qui, très volontiers, entrera ainsi dans les cadres réguliers de la corporation[13].

Les choses tournèrent différemment. Le 9 juin est institué sous l'égide de Jérôme Carcopino, secrétaire d'État à l'Éducation nationale, un Conseil du livre français chargé « de toutes les questions concernant l'orientation intellectuelle à donner à la production de livres, le développement de la lecture publique et la diffusion du livre français ». Le Conseil ne dépend pas de Paul Marion : Bernard Faÿ, administrateur général de la Bibliothèque nationale, le dirige. Grasset y siège en compagnie d'André Bellessort, de Pierre Drieu La Rochelle, Paul Morand, André Siegfried, Jean Vigneau et de ses confrères Benjamin Arthaud, Maurice Bourdel, de la librairie Plon, André Gillon, de Larousse. Mais il y retrouve aussi ses deux adversaires, Marcel Rives et René Philippon. Ce Conseil du livre français sera un organisme sans pouvoir, un lieu de querelles stériles, puisque aucune décision importante n'en sortira.

*

On le voit donc qui s'investit dans plusieurs instances avec l'ambition de peser sur la politique du livre. Pourtant, et en dépit de ses interventions qui furent parfois très énergiques, les éditeurs d'œuvres d'imagination resteront, dans l'État français du Maréchal, les parents pauvres de l'édition. Contrairement à ce que répand la presse sur son rôle d'agitateur et d'animateur, contrairement à ce que lui-même raconte dans ses interviews, Grasset n'a pas au gouvernement de Vichy de véritables amis susceptibles d'imposer ses vues.

Les hommes politiques connaissent son tempérament et redoutent ses foucades autant que sa tyrannie. Pour nombre d'entre eux, c'est un « fou ». Il n'est pas fiable. Il ne l'était pas auprès de la classe dirigeante de la Troisième République, il ne l'est pas davantage auprès des hiérarques de l'État français, ni des autorités allemandes. A Vichy, les deux ministres qu'il connaît le mieux sont en froid avec lui, s'ils ne le détestent pas: Jacques Benoist-Méchin et Abel Bonnard. « Grasset s'est toujours fait des ennemis, confiera Raymond Durand-Auzias. Il est intelligent, artiste, mais difficile à vivre, autoritaire et très nerveux. Tout le monde sait que pendant l'Occupation il était en délicatesse avec les principaux dirigeants de l'époque, dont le clan Luchaire-Déat[14]. »

Quand il se jette dans la « bataille corporative », comme à l'automne 1942 à propos de la répartition du papier, ou en octobre 1943 à propos du prix des livres, quelle est la portée réelle de son action? Mystère. On a le sentiment que ses confrères, plus timorés, le laissent partir sabre au clair, pour tenter ensuite de concrétiser, avec les milieux officiels, les revendications qu'il a développées. Il faut lui reconnaître ce talent d'aller à l'essentiel sans prendre de gants et avec des arguments qui font mouche.

Le 16 septembre 1942, par exemple, mandaté par les éditeurs de littérature, il écrit à Pierre Laval, chef du gouvernement:

> Il nous est absolument impossible de continuer à exercer notre métier, si nous nous en tenons à la stricte observance de la législation en vigueur touchant la distribution du papier.
> Pour ne point charger votre mémoire de trop de chiffres, je vous dirai que, pour mon compte, les chiffres d'affaires que permettent les « bons-matières » qui me sont attribués sont de 160 000 francs par mois, et que les seuls appointements du personnel se montent à 170 000 francs par mois. Il ne nous est donc même pas possible de payer notre personnel, à

plus forte raison de payer nos frais généraux et de rémunérer notre capital. Tous mes confrères sont dans la même situation [...].

La présente requête a pour objet, Monsieur le Président, de vous prier d'enregistrer d'abord les dispositions nouvelles des éditeurs de littérature française. Elle a, en outre, pour objet de vous prier de considérer l'édition littéraire, dans l'ensemble de la production française, comme méritant vos soins tout personnels, en raison de son étroite liaison avec l'intérêt français. Nous vous demandons, en particulier, de la façon la plus pressante, puisqu'il en va de la survie même de nos maisons, que des dérogations nous soient accordées dans une large mesure et de plein droit, et que nous soyons ainsi à l'abri d'une application trop rigoureuse des textes, incompatible avec la continuité de notre métier.

Six semaines plus tard, il adresse au secrétaire particulier de Laval un rapport sur le même thème. Le chef du gouvernement lui a, en effet, communiqué une lettre de François Lehideux, secrétaire d'État à la Production industrielle, dans laquelle celui-ci atteste la mainmise des éditeurs de livres scolaires sur quatre-vingt-dix pour cent du papier réservé à l'édition. Ce qui laisse aux éditeurs de littérature quelque deux ou trois pour cent du papier disponible. Il a donc constitué un dossier qui démontre « le véritable gaspillage de papier dont sont responsables les éditeurs scolaires ».

Son rapport fait le procès de l'ensemble des institutions mises en place depuis 1940. Sa méthode s'y déploie : d'un côté une attaque frontale contre Marcel Rives et René Philippon, coupables de n'avoir consulté « aucun éditeur de littérature qualifié et jouissant d'une certaine autorité dans la corporation », de l'autre un hommage appuyé au chef du gouvernement. « Tout ce qui concerne la pensée française, son expression écrite, doit être directement rattaché et demeurer rattaché à la plus haute autorité du pays, au lieu de rester perdu dans des organismes purement économiques ayant la charge de la répartition du papier et du carton entre les différents usagers. »

En conclusion, il fait trois suggestions. Il demande d'abord que l'édition scolaire soit contrôlée de très près par le gouvernement et suggère qu'on limite le nombre d'ouvrages sur la même question :

Je puis vous dire que, dans l'édition technique, si un ouvrage a paru sur la résistance des matériaux ou sur le ciment armé chez un éditeur, un autre éditeur ne peut pas publier un autre ouvrage sur le même sujet. Dans les temps difficiles que nous vivons et en face de la nécessité d'être économe de papier, je concevrais parfaitement la répartition des classiques entre les éditeurs de classiques, de façon à ce que nous ne nous trouvions pas, la même année, en face de *dix ou douze Andromaque* ou de *dix ou douze Athalie* voyant le jour.

Surtout il me semble que, non seulement on ne devrait pas pénaliser les libraires d'occasion, mais que l'on devrait même réglementer la revente des ouvrages classiques. L'opération pourrait parfaitement être faite dans chaque lycée quant aux ouvrages qui ne demeurent plus nécessaires à l'enfant, quand il passe d'une classe à une autre.

Il estime, ensuite, indispensable que le Groupe corporatif des éditeurs de littérature soit reconnu comme ayant une existence légale au sein de la corporation.

> Nous avons à assurer la vie des écrivains français, le rayonnement de leurs œuvres chez nous ou à l'étranger. Nous avons à nous défendre contre des concurrences étrangères très puissantes à l'heure présente, ne serait-ce que pour garder à la France la propriété des œuvres françaises. Tout autant de questions dont les éditeurs scolaires ne se soucient pas.

Lui-même, pour lutter contre cette concurrence, s'associera avec une maison belge, les Éditions de la Mappemonde.

Enfin, il lui paraît conforme à l'ordre des choses que nulle réglementation de l'édition ne soit effectuée avant consultation des éditeurs de littérature. « Je dirais, plus simplement, "avant consultation des éditeurs", car pour moi, l'édition tient dans la découverte de talents nouveaux et dans leur rayonnement et non dans la simple impression d'œuvres classiques à différentes sauces et au seul bénéfice des éditeurs classiques. »

Ce rapport donnera lieu à un incident qui, peut-être, explique en partie le sort que l'épuration réservera à Grasset. Marcel Rives, René Philippon et le Comité d'organisation du livre réagiront d'une façon singulière : ils prétendront que l'éditeur est directement intervenu auprès des Allemands pour essayer de régler des problèmes qui relèvent du gouvernement français. L'accusation est lourde de sens : Grasset pratiquerait le double jeu et se compromettrait avec l'occupant. N'est-ce pas la définition du véritable « collabo » ?

L'éditeur ne prendra pas l'accusation à la légère. Une lettre du 20 janvier 1943 d'Henry Muller à Charles Peignot — celui-ci représente les industries graphiques au Comité d'organisation du livre — est pleine d'enseignements sur la complexité du rapport des forces de l'époque, avec son cortège de calomnies, de magouilles, de délations.

> Mon cher Charles Peignot, si c'est moi qui réponds à la lettre que tu as adressée personnellement à Bernard Grasset, c'est que ce dernier, très occupé par l'organisation corporative, m'a demandé de mener moi-même l'enquête touchant la question que tu as soulevée et m'a autorisé à ouvrir les lettres adressées personnellement à lui sur cet objet.

J'enregistre que c'est sous une forme dubitative que tu as parlé de la prétendue intervention de Bernard Grasset auprès des autorités d'occupation touchant des questions intérieures françaises. Pourtant il est resté, et dans mon souvenir et dans celui de ma femme, que c'était bien une accusation que tu portes contre Bernard Grasset. Quoi qu'il en soit, Bernard Grasset a demandé d'urgence à M. Schulz de le recevoir à la suite de propos de toi que je lui ai rapportés. M. Schulz a déclaré avoir reçu effectivement une délégation d'éditeurs venus pour protester contre les sentiments de Bernard Grasset touchant à la façon dont M. Rives joua son rôle. Grasset ayant demandé à M. Schulz de quels éditeurs était composée cette délégation, l'Arbeitführer lui a répondu qu'il ne se le rappelait pas, mais qu'il se souvenait seulement que c'était M. Gidon (certainement Gillon) qui avait pris la parole en leur nom. Il a, en même temps, donné acte à Bernard Grasset qu'il n'avait eu à aucun moment d'échanges de vues avec lui sur l'organisation corporative française. Donc il ressort que, non seulement il ne peut pas être imputé à Bernard Grasset d'avoir fait appel à l'autorité allemande dans une chose intérieure française, mais qu'un groupe d'éditeurs mené par André Gillon a saisi l'autorité allemande sur une question ne concernant que les Français, ce qui est à tout le moins chose suspecte! Comme suite aux renseignements recueillis de la bouche même de Schulz, hier 19 janvier, Bernard Grasset a envoyé à André Gillon une lettre dont je t'envoie copie ci-jointe...

Quoi qu'il en soit, si tu acceptes de moi un avis amical, je te conseille de te désolidariser d'un groupe qui, sous prétexte de créer de l'ordre dans l'édition, désorganise toute la librairie en France, groupe dont les abus sont la base de nombreux rapports que Bernard Grasset a adressés aux autorités françaises compétentes.

Nous n'avons pas retrouvé sa lettre à André Gillon, un des directeurs de la librairie Larousse. Un épisode néanmoins fort éclairant...

*

Quand, en septembre 1943, il remontera à l'assaut, à propos de la « directive 168 » qui réglemente, selon de savants barèmes, le prix des livres, Gillon sera dans sa ligne de mire. Les éditeurs se devaient de présenter des dossiers pour chaque ouvrage et attendre, avant de le mettre en vente, l'homologation du prix par le Comité d'organisation du livre. Cette réglementation d'une rare complexité aurait entraîné, si elle avait été appliquée, la faillite immédiate des éditeurs littéraires.

Maurice Girodias, fondateur des Éditions du Chêne, qui fut le premier à mener la bataille contre ce texte en lançant un « Appel en faveur du livre français », expliqua, à la Libération, l'enjeu de sa contre-offensive :

Les autorités allemandes ont tout fait pour empêcher les éditeurs français non collaborationnistes de poursuivre leur activité : tout d'abord en diminuant de plus en plus les attributions officielles de papier aux-quelles ils avaient droit. Ces attributions de papier ayant finalement été presque entièrement supprimées, il ne restait aux maisons françaises qui voulaient rester ouvertes afin d'éviter le licenciement de leur personnel que la ressource d'acheter du papier au marché noir où on le trouvait, par contre, en abondance. Ceci a permis aux éditeurs français de pour-suivre leur activité à un rythme ralenti mais suffisant.

Les Allemands, par le biais de la répartition du papier, n'étaient donc pas parvenus à paralyser complètement la publication des œuvres d'imagination. En obligeant les éditeurs à déclarer « tous les éléments du prix de revient » de chaque ouvrage, la « directive 168 » avait pour principal objectif de contrôler ce marché noir du papier dont Sven Nielsen, lié à des papeteries scandinaves et futur patron des Presses de la Cité, était un des gros fournisseurs. Maurice Girodias prit aussitôt l'initiative de regrouper un grand nombre d'éditeurs et de transmettre au Comité d'organisation du livre une protestation musclée. Les journaux se mobilisèrent. Grasset emboîta le pas et rédigea, le 2 octobre 1943, un *Mémoire sur le désordre présent de l'édition et de la librairie en France,* qu'il envoya à tous ses confrères.

Un mémoire très polémique, dans lequel il exécute une nouvelle fois le Comité d'organisation du livre et les « éditeurs de mar-chés », ceux qui, publiant les classiques, les livres scolaires ou techniques, commercent directement avec l'État pour la quasi-totalité de leur production et ne sont pas, de ce fait, gênés par « la directive 168 ».

Ce mémoire révèle, une fois encore, son mode de fonctionne-ment, surtout son outrecuidance, qui désarmerait les plus scep-tiques.

La directive 168, j'en ai la certitude, ne sera pas appliquée. Elle a d'ailleurs comme toute première origine l'incapacité totale, pour ne pas dire davantage, de ceux qui prétendent parler au nom de l'édition de notre pays. Je sais bien qu'ils en rejettent la faute sur l'autorité alle-mande. Mais c'est à tort, et uniquement pour masquer leur *insuffisance française.* Entendez là qu'ils manquent de ce courage professionnel, à base de clairvoyance et de désintéressement, qui est l'une des formes, la première à notre portée, de l'esprit public...

... Vous vous demandez sans doute depuis longtemps, mon cher confrère, comment l'homme qui vous tient ce langage, l'éditeur « par nature » que je suis, qui fut même, dans le plus grave des tourments, l'unique défenseur de l'édition, a pu être délibérément écarté, depuis les événements de 1940, du gouvernement de sa profession, au point que ni lui, ni aucun de ses lieutenants, ne fait partie de la moindre sous-commission dans le Comité d'organisation du livre ? Je puis maintenant vous expliquer, n'étant plus tenu au silence par suite de certain engagement que j'avais pris auprès des pouvoirs publics, au début de la présente année... Ce que je tiens à vous dire en quelques mots ne manquera pas d'ailleurs de vous passionner.

C'est, en effet, le sommaire d'un chapitre de l'histoire intérieure du noble métier qui est le mien, auquel le vôtre est aussi étroitement lié. C'est surtout l'explication de la législation incohérente, contradictoire et tracassière, tous les jours plus nombreuse, à laquelle on prétend vous soumettre et nous soumettre ; de ce déluge de circulaires, de décisions, d'arrêtés et de directives, qui eût tôt fait de recouvrir votre profession comme la nôtre, s'il n'eût, dans ses plus grandes menaces, rencontré le *barrage du bon sens français*. En ces coups d'arrêt nécessaires, je suis personnellement, je puis le dire, pour beaucoup. Vous vous rappelez certainement les trois circulaires successives que j'ai adressées à messieurs les libraires de France en juin 1941, à la suite d'un arrêté absolument inapplicable relatif à la hausse du prix des livres... Vous savez qu'en cette circonstance, les éditeurs de littérature, suivant tous mon exemple, préférèrent se priver d'une large part du bénéfice d'une hausse pourtant bien nécessaire, que d'astreindre les libraires à des inventaires, à des manutentions, et à des acrobaties comptables, dont les plus certains résultats eussent été une correspondance entre éditeurs et libraires, à la fois si complexe, si enchevêtrée et si nombreuse que nous y eussions, les uns et les autres, perdu notre latin.

Puis, après avoir réaffirmé que depuis le début de l'Occupation il a eu ainsi, sans mandat officiel, une action continue auprès des pouvoirs publics et de ses confrères, il révèle que Jean Bichelonne, ministre de la Production industrielle — « le plus beau cerveau qu'ait forgé Polytechnique », disait-on de lui —, l'a nommé « directeur de l'édition » le 1er février 1943. Mais, n'ayant pu s'entendre avec François Ollive, commissaire du gouvernement auprès du Comité d'organisation du livre, il a renoncé à occuper le poste.

Février 1943 correspond à un temps fort de la lutte que mènent les « vrais éditeurs » et de nombreux libraires contre la multiplication des règlements administratifs. Grasset aurait-il essayé de « doubler » Marcel Rives, René Philippon et François Ollive ? Cette fonction de « directeur de l'édition » n'existait pas. Pourquoi diable Jean Bichelonne, l'ami de Jacques Benoist-Méchin, lui aurait-il offert cette place taillée sur mesure ? Au vrai, Grasset a dû exposer à Bichelonne, comme, sans doute, à plusieurs autres personnalités, ses ambitions, et les ayant exposées, il les a aussitôt tenues pour comblées. Agissait-il autrement avec ses auteurs ? Combien d'entre eux ne furent-ils pas surpris de s'entendre réclamer un manuscrit sur un sujet qu'avait, au hasard d'une conversation, évoqué devant eux l'éditeur ? Dans son *Journal*, Léautaud note avec amusement que Grasset, chaque fois qu'il le rencontre, lui réclame un texte qu'il n'a jamais promis...

Quant à la « directive 168 », elle est annulée et remplacée par une « directive 168 bis », beaucoup moins contraignante pour les

ouvrages d'imagination. Lui doit-on, pour partie, cette « mort de
la directive 168 » ? Le 27 octobre, dans une lettre à ses confrères,
Maurice Girodias, l'initiateur de l'« Appel en faveur du livre
français », donne d'utiles précisions qui paraissent plus proches de
la réalité et qui relativisent singulièrement le pouvoir de Grasset :

> M. Bichelonne nous a déclaré que c'est à la suite de nos premières
> interventions qu'il avait décidé l'annulation de la directive 168.
> Ce n'est qu'après ces démarches que le Comité d'organisation a décidé
> d'agir en notre faveur. Le résultat étant pratiquement déjà acquis, il lui a
> été facile d'en obtenir confirmation.
> Si nous tenons à faire connaître ces faits à nos confrères, ce n'est pas
> dans un but de publicité personnelle dont nous n'avons nullement be-
> soin ; c'est au contraire parce qu'il importe que tous nos confrères
> sachent dans *quelle mesure* nous sommes défendus par notre Comité
> d'organisation et par le Syndicat des éditeurs.
> Nous souhaitons vivement que M. Bichelonne comprenne la délicate
> situation dans laquelle se trouve notre profession et fasse qu'elle ne soit
> pas seulement dirigée mais défendue.

Ainsi l'influence de Grasset fut beaucoup plus modeste qu'il le
prétend. Elle fut surtout sans rapport aucun avec l'énergie qu'il
déploya, à trois ou quatre reprises — entre décembre 1942 et mars
1943 —, pour défendre ce qu'il croyait être l'intérêt de sa profession.

*

« Impayable Grasset ! Quand cessera-t-il de vibrionner ? », bou-
gonnait Poulaille à le regarder s'investir dans la « bataille corporative ». La Maison tira-t-elle à tout le moins un bénéfice quelconque de ses diverses croisades ? Non. Elle subit dans la
répartition du papier, seul critère intéressant, le sort commun.
Quant à l'éditeur lui-même, il fut victime de mesures vexatoires
dont nous ignorons les raisons. Les autorités allemandes le pri-
vèrent, en novembre 1941, de sa voiture personnelle, une décision
qui ne frappa aucun autre de ses confrères. Voulaient-elles lui
manifester leur mauvaise humeur, après qu'il eut refusé, prétex-
tant une trop grande fatigue, de participer au Congrès national des
écrivains, qui s'était tenu, le mois précédent, à Weimar ? Un
fameux voyage où Chardonne et Jouhandeau, mêlés à des écrivains ouvertement collaborateurs comme Robert Brasillach, Drieu
La Rochelle, Abel Bonnard et Ramon Fernandez, s'étaient laissé
inviter, avec beaucoup d'illusions, sans se rendre compte qu'on
leur faisait visiter un Reich imaginaire.
L'éditeur ne sera pas davantage, un an plus tard, présent au
second Congrès des écrivains, à Weimar toujours, où le Dr Goebbels prononcera un vibrant discours en faveur du « combat

commun » que mènent l'Allemagne et la France. Il écrivit au troisième personnage du Reich pour s'excuser, en précisant qu'il se ferait représenter par André Fraigneau.

Au mois d'août 1942, les Allemands réquisitionnèrent sa maison de Garches et lui donnèrent quinze jours pour déguerpir. Il s'installa à Paris, 7, rue de l'Estrapade, derrière le Panthéon — un bel appartement ancien dans un hôtel particulier, très haut de plafond, avec boiseries et fresques du XVIIe siècle. On y accédait par un escalier monumental. Il le meubla du strict nécessaire et accrocha ses toiles aux murs. Pourquoi cette réquisition ? Faut-il se convaincre qu'il ne jouait pas vraiment le jeu ? En tout cas, il ne jouait pas celui des relations directes, des déjeuners, des visites de courtoisie ou de travail à l'ambassade d'Allemagne, à l'Institut allemand ou à la Propaganda. Ce n'est pas sa manière. Ce ne le fut jamais. Lui, il écrit, donne des interviews, rédige des mémorandums... A l'inverse de Gallimard, qui se rendait aussi souvent que nécessaire auprès des autorités allemandes[15].

Lorsque Karl Heinz Bremer, l'adjoint de Karl Epting à l'Institut allemand, lecteur avant la guerre à l'université de Poitiers, puis à la Sorbonne et à Normale Sup, traducteur de Montherlant, quitta ses occupations parisiennes, la Maison offrit, le 21 février 1942, un déjeuner en son honneur. Henry Muller avertit, cinq jours avant, que Grasset, « retenu à Garches », se désolait de ne pouvoir présider cette réunion[16]... Il agissait souvent ainsi et sa correspondance apporte la preuve manifeste de nombreux rendez-vous manqués, remis ou annulés avec Heller, Epting ou Sieburg. Il s'en remettait entièrement à Henry Muller, à qui revenait la douloureuse et lourde charge de discuter et de négocier avec l'occupant.

Muller, avec son aval, refusera, entre mars 1941 et décembre 1942, de publier une vingtaine d'ouvrages qui bénéficiaient de toutes les faveurs des nazis et des collaborateurs. Dont, le 7 mars 1941, *le Testament de Richelieu,* de Friedrich Grimm, célèbre propagandiste allemand. Le 21 avril, *la Guerre en prison,* de Léon Degrelle, leader du fascisme belge. Le 30 avril 1942, *les Décombres,* de Lucien Rebatet, un violent pamphlet qui met en cause nombre d'auteurs de la Maison, parmi lesquels François Mauriac, traité de « fielleuse hyène » ; édité chez Denoël, *les Décombres* sera un des plus gros succès de librairie de cette période. Le 18 juin 1942, il refuse de rééditer *Mein Kampf,* de Hitler. C'était, il est vrai, une suggestion de l'Institut allemand, et non pas une injonction. Le même mois, *la France contre la France,* du critique italien fasciste Lo Duca, auteur appointé de dithyrambes sur les films anglophobes et antisémites. Le 11 décembre 1942, *la Fin de la Troisième République,* de Georges Albertini, numéro deux du

RNP (Rassemblement national populaire), partisan inconditionnel d'une Europe allemande, bras droit et homme de confiance de Marcel Déat...

*

Revenons au sort de la Maison. Elle ne fut donc ni mieux ni plus mal traitée que ses rivales, Gallimard, Hachette, Flammarion, Fayard ou Denoël.

Le contrôle de ce traitement n'est possible qu'à partir du 1ᵉʳ janvier 1942. Avant cette date l'achat et la vente de papier n'étaient pas sérieusement réglementés. En 1942, le Comité d'organisation du livre distribua des « bons-matières » et chaque éditeur devait noter sur un « carnet-matières » les entrées et les sorties de papier.

Avant la guerre, la Maison consommait environ 270 tonnes de papier par an. En 1942, elle reçut 55,47 tonnes ; en 1943, 12,9 tonnes et, en 1944, 4,5 tonnes. Pendant ces trois années, le papier qui lui fut officiellement attribué correspondait à onze pour cent de ses besoins. Il y avait le marché noir. En effet, l'écart entre le papier reçu et le papier consommé est énorme. En 1942, les livres publiés représentent 69 tonnes de papier ; en 1943, 73 tonnes ; en 1944, 71 tonnes. Certes, la Maison disposait, début janvier 1942, d'un stock de 240 tonnes environ. Mais il était interdit d'en utiliser plus de trois pour cent par an. D'ailleurs ce stock ne fut pas entamé. Le marché noir du papier, véritable bouée de sauvetage, connut visiblement de très beaux jours durant la guerre.

A l'aune de ces données, quel fut le destin exact des maisons concurrentes ? On ne dispose pas d'éléments précis puisqu'aucune d'entre elles — à l'inverse de Grasset — ne fit l'objet, après la Libération, d'une expertise comptable diligentée par la Justice.

Quant au chiffre d'affaires de la Maison, il dégringola. En 1938, dernière année de référence — qui fut aussi pour Grasset la plus mauvaise, de très loin, de l'entre-deux-guerres —, le chiffre d'affaires atteignait 7 153 470 francs. Du 1ᵉʳ juillet 1940 au 30 juin 1944, la maison fit un chiffre d'affaires annuel moyen de 10 300 000 francs, ce qui représente en francs de 1938 environ 3 800 000 francs. La moitié des médiocres résultats de 1938.

« On durait », dira l'éditeur dans son roman inédit *l'Admirable Madame Vontade*.

> Je demande à Grasset si sa maison marche, raconte Paul Léautaud. Il me répond oui, mais que le papier est rare, qu'il ne tient pas à vendre ses livres, qu'on ne sait ce que vaudra l'argent, qui ne vaut déjà plus rien, que le livre sera toujours le livre [...]. Grasset a vieilli de visage, comme tout le monde. Il va avoir soixante-trois ans [...]. Il était habillé de

vêtements bien usagés, n'arrêtant pas de fumer cigarette sur cigarette. Grasset est comme moi. Il ne pense pas beaucoup de bien de l'administration et de l'organisation françaises. En ce moment, ces créations de comités (Comité du livre) composés de gens qui ne connaissent rien à ce dont ils sont chargés[17]...

Pendant l'Occupation, le conseil d'administration se réunira seize fois : jamais il n'est question du lancement d'un livre. Ne sont évoqués que les problèmes de capital, de papier, de loyer, etc.

*

De fait, la Maison ne publiera aucun ouvrage important, à l'exception du roman de François Mauriac *la Pharisienne* et de la pièce de Jean Giraudoux *Sodome et Gomorrhe,* qui connurent un succès de vente : plus de quarante mille exemplaires. Quant aux autres livres qui figuraient alors parmi les « gros tirages », ils sont pour la plupart oubliés. Le record revient à Paul Mousset, prix Renaudot en 1941, avec un récit qui se veut un « anti-*Bramble* », sans en avoir ni l'éclat, ni l'originalité, ni la drôlerie : *Quand le temps travaillait pour nous.* Mousset vendra quarante-huit mille exemplaires. Jean de La Varende, avec son *Roi d'Écosse*, le talonnait, suivi par Jean de Baroncelli, avec *Vingt-Six Hommes*, de Joseph Peyré, avec *Mont Everest*, d'Henry de Montherlant, avec *le Solstice de juin,* de Jean Giono, avec *Triomphe de la vie,* et de Jean Montigny, avec *la Défaite.* Après quoi, on passe au-dessous de la barre des vingt mille exemplaires.

Neuf titres firent de la vente sur la centaine que Grasset édita ou réédita. Une vente qui ne souffre aucune comparaison avec les heures glorieuses de la Maison, et qui est bien modeste si on la compare aux vrais succès d'alors, comme *Vent de mars*, du vichyste Henri Pourrat, prix Goncourt de 1941, que publie Gallimard et qui frôlera les deux cent mille exemplaires. Comme le *Maréchal Pétain* de Georges Suarez, ou *l'Homme, cet inconnu,* d'Alexis Carrel, tous deux chez Plon. Ou, bien sûr, comme *les Décombres,* de Lucien Rebatet, chez Denoël, ou *la Mousson,* de Louis Bromfield, chez Stock.

D'ailleurs, pour tous les auteurs sans exception, Grasset laissera à Henry Muller le soin de régler les problèmes de fabrication et d'organiser les lancements. Si tant est que l'on puisse parler de lancements.

Il lui arriva, bien sûr, d'intervenir auprès de Gerhard Heller, de Karl Epting, ou de Karl Heinz Bremer pour réclamer des autorisations de tirages plus conséquents. Il le fit pour le *Péguy* de Daniel Halévy, qui parut en novembre 1942, et surtout pour *la Pharisienne* de François Mauriac.

Si la guerre n'améliora pas ses relations faussement amicales avec Mauriac, il ne semble pas non plus qu'elle les ait assombries. Entre juillet et novembre 1940, François Mauriac avait achevé *la Pharisienne,* que certains tiennent, avec *le Nœud de vipères,* pour le plus accompli de ses romans. A travers la vie intérieure de l'héroïne, Brigitte Pian, ce récit est une satire cruelle de la sainteté hypocrite, forcenée et malfaisante. En toutes circonstances, au nom d'une fausse justice, d'une charité feinte, Brigitte Pian, incarnation orgueilleuse de la Pharisienne, blesse les âmes et détruit le bonheur de ceux qu'elle croit sauver. Elle mettra du temps pour comprendre qu'elle s'est fourvoyée sur le chemin du mal et elle vieillira dans la médiocrité.

> Pourquoi ne pas voir que Brigitte Pian, dans l'esprit de Mauriac, conscient ou inconscient, c'est Vichy? suggère Jean Lacouture. Ce Phari-saïsme répressif (que Dieu est grand d'avoir fait de nous les derniers justes!) qui règne autour de l'hôtel du Parc, les « bons pauvres » dont on s'occupe et les mauvais qu'on livre au bras séculier de la Milice, cet acharnement à confesser les autres plutôt que soi-même, cette effrayante bonne conscience, tous ces traits sont ceux dont le romancier modèle « Madame Brigitte »: ils pourraient être ceux d'un reportage politique sérieux sur l'univers du Maréchalisme[18].

Sans aller aussi loin dans l'interprétation de *la Pharisienne,* on sait, en revanche, que les Allemands n'aimaient pas l'auteur de *Thérèse Desqueyroux* et disaient de son talent: « C'est un art décadent auquel nous ne comprenons pas que les Français attachent du prix[19]. » De son côté, l'éditeur avait, dès septembre 1940, écrit à Mauriac que celui-ci était, avec Giraudoux, « discuté » par les occupants. Il estimait néanmoins qu'il ne serait mis « aucun obstacle » à la publication de son œuvre romanesque. « Quant à tes *Souvenirs,* précisait Grasset, veille bien, je t'en prie, à en supprimer tout ce qui pourrait paraître hostile, soit à l'Allemagne, soit au régime national-socialiste[20]... »

En dépit des assurances de l'éditeur, la publication de *la Pharisienne* n'alla pas de soi. Au point que Mauriac, accompagné par Henry Muller, dut rendre visite, le 27 février 1941, à Karl Epting. Après la guerre, certains ne manqueront pas de lui reprocher cette entrevue, qui, en vérité, n'aurait pas eu lieu sans l'insistance de Grasset:

> Voici ce dont je me souviens de votre unique passage à l'Institut allemand, écrira Henry Muller à François Mauriac. Bernard Grasset tenait absolument à ce que *la Pharisienne* fût publiée. On lui objecta alors que l'ouvrage risquait d'être saisi si on ne s'assurait d'avance de l'approbation de l'Institut allemand, ce qui signifiait que nous savions en

quelle hostilité il vous tenait. Grasset téléphona à Epting, directeur de l'Institut. Celui-ci se montra immédiatement hostile... Grasset insista et Epting déclara qu'il voulait vous voir... Rendez-vous fut pris... Y assistaient, hors vous et moi, Epting et Bremer[21].

Après cette rencontre, l'éditeur se plaindra dans une lettre du 5 juin 1941 auprès de Gerhard Heller d'être limité à cinq mille exemplaires, alors qu'il a donné l'ordre de tirer *la Pharisienne* à huit mille huit cents exemplaires. « A aucun moment, affirme-t-il, la limitation de tirage n'a été soulevée lors de la visite de Mauriac à Epting. » Évoquant le préjudice dont il est victime, il ajoute avec cette goujaterie qu'on lui connaît à propos de quelques-uns de ses auteurs :

> Je paie à Mauriac 9 000 francs de mensualité, à valoir sur ses droits. Avant les pathétiques événements de juin, j'avais acheté ses *Mémoires* pour un prix forfaitaire de 100 000 francs. La somme mensuelle que je paie de ce fait à Mauriac est d'environ 20 000 francs. Et j'y suis engagé pour toute la durée de son traité.

Heller n'en demandait pas tant pour nourrir sa curiosité! Quoi qu'il en soit, avec l'équivalent, par mois, de quelque 50 000 de nos francs, le sort de Mauriac était enviable et, à cette époque, exceptionnel dans la Maison. Interrogé après 1945 par le juge qui instruisait son affaire devant les tribunaux de l'épuration, Grasset balaya d'une phrase les rumeurs calomnieuses sur les relations qu'aurait entretenues Mauriac avec Heller et Epting: « C'est de la cuisine d'édition[22]. »

« Parce que ma secrétaire avait pris un
jour de congé, je me suis marié, le 20 octobre 1943. Aymée, qu'as-tu fait ? Pourquoi
m'avoir violenté ? Pourquoi as-tu commis
ce que j'appelle un "crime" ? »

BERNARD GRASSET

13

NUIT DE NOCES

Les Cahiers *de Montesquieu. — La réédition de* Dieu est-il
français? *— Une existence au ralenti. —* Les Chemins de
l'écriture. *— Aymée, fausse comtesse Ferniani. — Son « oui » à
Aymée, le 20 octobre 1943. — La déplorable union. — La
clinique du Dr Bonhomme, à Sceaux. — La mort de Jean
Giraudoux. — Le spectateur désengagé. — La Libération.*

L'espèce de l'homme de lettres n'est pas une des plus grandes espèces
humaines. Incapable de vivre longtemps caché, il vendrait son âme pour
que son nom *paraisse.* Quelques mois de silence, de disparition l'ont mis à
bout. Il ne s'y tient plus... Il va sans dire qu'il est tout à fait plein de bonnes
raisons. « Il faut, dit-il, que la littérature française continue. » Il croit être
la littérature, la pensée française, et qu'elles mourraient sans lui.

Cette appréciation impitoyable de Jean Guéhenno sur les écrivains qui choisirent d'être édités pendant l'Occupation plutôt que
d'écrire pour eux seuls, comme il le fit, dans la torpeur des années
noires, vaut, on le sait, pour la plupart de ceux qui ont laissé un
nom dans notre littérature.

Si Grasset publia quelques-uns de ses « grands auteurs » —
Giraudoux, Mauriac, Chardonne, Morand, Ramuz et Montherlant
—, faut-il rappeler que Gallimard, qui se portait à merveille, édita
en 1941 Henri Michaux, Jean Cocteau, Paul Morand, Armand
Salacrou, Paul Eluard, Pierre Drieu La Rochelle, Paul Valéry,
Jean Rostand? En 1942, *l'Étranger,* de Camus, *Pilote de guerre,* de
Saint-Exupéry, *Ulysse,* de James Joyce, *Sur les falaises de marbre,*
d'Ernst Jünger, et, aussi, Paul Claudel, Gide, Raymond Queneau,
Francis Ponge... En 1943, *l'Être et le Néant* et *les Mouches,* de
Jean-Paul Sartre, *l'Invitée,* de Simone de Beauvoir, *les Voyageurs
de l'impériale,* d'Aragon, et puis Jouhandeau, Michel Leiris, Gide
encore, Marcel Aymé, Giono... Marguerite Duras donnait à Plon
son premier roman, *les Impudents.* Denoël, qui avait « fait un

carton » en 1942 avec *les Décombres,* de Rebatet, lançait l'année suivante *le Cheval blanc,* d'Elsa Triolet.

*

On pourrait fort bien écrire une histoire de la littérature française sous l'Occupation sans jamais évoquer les Allemands: les cocktails, les réceptions, les dîners remplissaient, comme avant la guerre, la rubrique des potins mondains. *Comœdia,* « hebdomadaire des spectacles, des lettres et des arts », qui reparaît le 21 janvier 1941 après quatre ans de silence, est la meilleure illustration de cette comédie littéraire qui foisonne de reparties plaisantes ou cyniques, d'anecdotes cocasses ou scandaleuses. *Comœdia* — Grasset est membre du comité de parrainage —, par son style, le ton de ses échotiers, la qualité de ses collaborateurs, se démarquait nettement de la violence fascisante de journaux comme *Je suis partout, Au pilori,* ou *la Gerbe.* Son « collaborationnisme » était plus intelligent. Peut-être plus insidieux. Son directeur, René Delange, une figure du Tout-Paris intellectuel et littéraire, était très lié à la *NRF* et à Gaston Gallimard. Sous sa bannière inaugurale, ils sont tous là, vedettes et figurants: Cocteau, Léautaud, Paulhan, Chardonne, Drieu, Arland, Audiberti, Morand, Honegger, Bourdet, Montherlant, Pagnol, Sartre, Giraudoux, Jouhandeau, Jean-Louis Barrault, Eluard, Anouilh...
Paris sous l'Occupation reste la capitale culturelle de la France et les écrivains paraissent s'y sentir plus libres, ou en tout cas plus à l'aise avec leur conscience, que dans le Vichy pétainiste.

> Leur lieu est Paris, écrivait Grasset, dès septembre 1940. Pourquoi ne sont-ils pas tous revenus? Ceux au moins qui sont des Français authentiques, sans nulle compromission avec le régime qui nous a conduits au désastre. On me dit par exemple que Montherlant compte passer son hiver à Nice. Pourquoi, quand c'est ici seulement qu'il peut avoir son rôle, et que ce rôle peut être grand?

Gide, lui aussi, observait dans son *Journal* à la date du 6 mai 1941:

> Je vais jusqu'à croire préférable, pour un temps, la sujétion allemande avec ses pénibles humiliations, moins préjudiciable pour nous, moins dégradante, que la stupide discipline que nous propose aujourd'hui Vichy.

Maurice Martin du Gard, après un passage dans la capitale notait:

> Paris donne à celui qui vient de le retrouver après une longue absence une impression d'aisance et même de liberté... J'entends sur les plates-

formes des autobus des mots désinvoltes ; personne aux terrasses pour
jeter un regard de soupçon sur le voisin avant de parler, comme à Vichy.

Certes, quelques écrivains ont quitté Paris. Mais ils sont les
moins nombreux et, dans leur exil, ils continuent de publier.
Bernanos est au Brésil. André Maurois est à New York, où il a
retrouvé Jules Romains, Jacques Maritain, Julien Green, André
Breton... D'autres ont choisi de rester en zone sud, comme Jean
Giono à Manosque ou Joseph Peyré à Beauvallon.

Chacun, donc, qu'il soit sur les bords de la Seine ou ailleurs,
veut exister. Et pour un écrivain, exister, c'est être publié. Ainsi,
pour beaucoup de nos gloires littéraires, les préoccupations quotidiennes se résument à des soucis d'intendance : obtenir des
avances sur leurs droits, se plaindre du manque de papier, accélérer la sortie de leur ouvrage.

Les auteurs de la Maison n'échappent pas à cette règle. Neuf
lettres sur dix que reçoivent Henry Muller, rue des Saints-Pères,
ou René Jouglet, 115, avenue des Célestins, à Vichy, ne sont
pleines que de ces problèmes : argent, papier, promesses de parution...

*

Chez Grasset, ce désir farouche d'exister par ses écrits, qui le
poursuit depuis maintenant plusieurs années, ne s'atténua pas
durant la guerre. Bien plus que la « bataille corporative » ou la
marche de sa Maison, le temps qu'il prit pour écrire occupa, à n'en
pas douter, l'essentiel de ses jours. Qu'il fût chez lui à Garches ou
rue de l'Estrapade, qu'il se reposât dans une clinique de Suresnes
ou à Néris-les-Bains — il y alla souvent —, qu'il vécût une
nouvelle passade amoureuse ou qu'il se complût à disséquer ses
« tourments du cœur », ce qui le tenait vraiment debout, c'étaient
toutes les impressions qu'il rédigeait ou dictait à sa secrétaire,
c'étaient les deux livres qu'il publia, *Cahiers* de Montesquieu, en
avril 1941, et *les Chemins de l'écriture,* en janvier 1942.

Nous ne reviendrons pas sur ce dernier recueil plusieurs fois
cité, où à travers les textes écrits entre 1931 et 1938 — dont la
plupart ont paru dans les journaux ou revues — il parle de
lui-même, en même temps qu'il cherche à nous éclairer sur les lois
mystérieuses de la création littéraire.

En revanche, la présentation des *Cahiers* de Montesquieu, un
texte inédit dont Sainte-Beuve avait souhaité la publication au
milieu du XIXᵉ siècle, va l'occuper et le passionner pendant dix-
huit mois.

Le 25 février 1939, *le Figaro* avait publié, sous le titre « Quand
Montesquieu n'est plus qu'un moraliste », un choix de pensées du

célèbre écrivain sur le bonheur, les femmes, l'amitié, le ridicule, l'esprit... « La ville de Bordeaux a acquis, avant-hier, précisait le quotidien, dans les enchères de la rue Drouot, les trois volumes de manuscrits au dos desquels Montesquieu a fait inscrire, sur la petite pièce de maroquin rouge, ce titre : *Mes pensées*. » L'éditeur interrogea André Masson, conservateur de la bibliothèque municipale de Bordeaux, et apprit que les manuscrits étaient bien en sa possession, et qu'il n'y avait nul obstacle à les publier.

Avec son sens habituel de la nuance, il eut aussitôt le sentiment d'avoir découvert l'œuvre du siècle. « Le vœu de Sainte-Beuve est enfin réalisé », écrit-il dans sa longue introduction, insistant sur la « négligence coupable » de tous ceux qui, avant lui, avaient laissé dormir dans un tiroir « ce trésor » de nos lettres. Il tria lui-même dans les textes originaux, en raison des nombreuses redites de Montesquieu et des fragments inintelligibles pour le public de notre siècle. Dans ce travail de mise en place, il était tout à sa joie, conduit par son seul instinct, par ses seules admirations. Les *Cahiers* le ramenaient à l'un de ses thèmes favoris de réflexion : l'éclosion et la genèse d'un texte.

Les *Cahiers* sont les « premiers jets » du grand moraliste dans les domaines les plus divers. Premiers jets atteignant, parfois, le point de perfection des écrits qu'il a publiés. C'est en même temps un Journal, une sorte de livre de raison. Montesquieu y note ce qu'on lui dit, ses propres mots, les passages de lettres reçues ou envoyées. Souvent on le voit qui revient sur la même idée, cherchant à l'exprimer de différentes manières, à la creuser, à la reconstruire.

Grasset retrouvait là une méthode de travail qui lui était familière. N'avait-il pas, lui aussi, consigné dans de grands albums cartonnés, dans des classeurs dispersés au gré de ses déplacements, mille pensées, analyses, projets, raisonnements ou intuitions ? Quant au choix qu'il fit, après avoir beaucoup élagué, il vaut ce que vaut son goût. Si bien qu'à travers Montesquieu — comme hier à travers Émile Clermont, Radiguet, Chardonne, Rilke ou Proust —, il ne peut s'empêcher de venir nous parler de lui-même et de ses blessures :

> J'aimerais dire que, dans ces *Cahiers,* Montesquieu fait figure d'homme heureux... On verra de quel ton et avec quelle force persuasive il nous décrit sa nature heureuse ; et comment ses notes sur l'homme, en cet objet de contentement intérieur, sont toutes imprégnées, et comme dictées par une complexion parfaitement accommodée à la vie. La chose méritait d'être relevée. Les créateurs, en effet, pour la plupart, ne sont pas heureux [...]. Montesquieu, qui fut souverainement intelligent, sut jouir de son intelligence comme d'un bien... Ainsi pourrait-on dire que Montesquieu fut un amateur de génie.

N'est-ce pas ce qu'il aurait, lui-même, rêvé d'être?

La sortie des *Cahiers* fut saluée par une presse unanime comme un événement. Que le tirage restât modeste — onze mille quatre cents exemplaires vendus pendant la guerre — importait peu à l'éditeur. L'accueil de la critique le comblait. Pourtant, il ne la sollicita guère, n'étant pas au meilleur de sa forme psychique au moment du lancement de l'ouvrage, en avril 1941. Il donna trois entretiens, tandis qu'Henry Muller organisa une campagne publicitaire très classique, sous forme de placards. En revanche, au mois de mai, revigoré par le flot des éloges, il écrivit plus de soixante-dix lettres de remerciements — certaines passent les quatre feuillets! — aux auteurs des articles. C'est avec Pierre Mac Orlan, alors chroniqueur aux *Nouveaux Temps*, qu'il fut le plus court et le plus explicite: « Votre article sur les *Cahiers* de Montesquieu m'a vraiment foutu le cul par terre. Je ne pouvais, en effet, souhaiter papier plus juste, plus complet ni plus affectueux. »

*

Quand il fait paraître, huit mois plus tard, *les Chemins de l'écriture,* il ne va pas davantage se dépenser pour réussir un vrai lancement. Pourtant, cette sélection de ses meilleurs textes sur lui-même et le métier d'écrire s'apparente à une confession et il affirmera dans une interview à la radio nationale qu'il est là « tout entier ».

Il ne met pas non plus beaucoup d'ardeur à promouvoir *Dieu est-il français?* de Sieburg, qu'il réédite en y laissant, en postface, sa fameuse « Lettre sur la France », une charge sévère, contre la « *Kultur* germaniste » et la volonté de puissance de l'Allemagne. Comment la Propagandastaffel a-t-elle pu laisser paraître ce texte? Il y a là, décidément, une énigme qu'on ne peut expliquer de façon satisfaisante par la seule amitié entre Sieburg et Grasset.

Invité le 22 mars 1941 par le groupe Collaboration à présenter Friedrich Sieburg devant un parterre de personnalités françaises pro-nazies et de dignitaires allemands, Grasset fit une intervention qui lui sera reprochée au moment de l'épuration. On y retrouve la thèse qu'il développait dès 1931 dans sa « Lettre sur la France »:

> Je n'avais pas revu Sieburg depuis le début des événements titanesques en cours de développement. Depuis le tout premier assombrissement du ciel français... Je tiens à redire, en des circonstances difficiles pour mon pays, ce que je disais déjà à Sieburg il y a douze ans, en lui donnant la réplique. Que je suis persuadé qu'il y a toujours eu une grande part de

sentiment dans les dispositions de l'Allemagne vis-à-vis de la France, et
que c'est peut-être seulement la force organique de l'Allemagne qui nous
a longtemps empêchés de prendre conscience de ce sentiment. Ou plutôt
qui nous l'a fait oublier: car il y a eu une époque où, pour ainsi dire,
l'Europe existant comme nation, l'Académie de Berlin décernait son prix
annuel à un ouvrage de notre Rivarol sur l'universalité de la langue
française.

... Notre France connaît une halte. Mais seulement quant aux armes.
Non quant aux mouvements des esprits ni quant à celui des cœurs. C'est
dans cette halte que, chez nous, tout doit se faire. En tout cas que tout
doit se préparer. Et là, je crois au rôle prépondérant des échanges
spirituels, à leur valeur primordiale, tout ce qui concerne les rapproche-
ments, voire les unions nécessaires. En ce domaine, en effet, tout est
simple. La vie de l'esprit est internationale.

Toutefois, un événement très parisien va quelque peu le sortir
de ses écrits et de ses « tourments » — le mot qui revient le plus
souvent sous sa plume. Un événement qui le renvoyait à son
histoire, à son passé prestigieux, à une époque qui devait alors lui
sembler à jamais perdue, l'époque des « années Grasset »: fin mai
1942, la veuve de Louis Brun décida de vendre à l'hôtel Drouot la
bibliothèque de feu son mari. Des manuscrits de Montherlant,
Delteil, Alphonse de Châteaubriant, Charles Maurras, Colette...
Les premiers tirages de Proust, Giono, Mauriac, Péguy, Webb,
Cendrars, Giraudoux, Maurois, Alain-Fournier, Léon Daudet,
etc., enrichis de dédicaces autographes et de lettres jointes aux
volumes. Sur l'exemplaire de *Remarques sur l'action*: « A mon
vieil ami Louis Brun, en souvenir de notre lutte en commun et en
témoignage de profonde affection. Bernard Grasset. »

L'ensemble montera à plus de 2 000 000 de francs. L'éditeur va
faire opposition, par ordonnance de référé du 23 mai, à quarante-
quatre pièces portées au catalogue de la vente. Seules cinq d'entre
elles seront finalement placées sous séquestre. Grasset, qui ne
décolère pas pendant dix jours et qui a pris, pour le coup, ses
quartiers rue des Saints-Pères, reviendra à la charge, parlera de
« vente scandaleuse », alertera les journaux, essayera de
convaincre les auteurs concernés de le soutenir dans son action.
Giraudoux, Morand, Giono, Châteaubriant et Mauriac le suivront
et récupéreront plusieurs de leurs lettres ayant un caractère personnel.

Je viens vous rappeler, lui écrira en décembre 1944 Mme Brun, un de
vos actes sans grandeur en vous priant de lever l'opposition qui reste sur
quelques livres qui sont bien la propriété de mon mari Louis Brun, votre
collaborateur de vingt-cinq années, et votre ami « Bruno » lorsque vous
vouliez vous faire pardonner quelque cruauté envers lui, bibliophile

passionné... Il serait trop long et cruel pour moi de vous rappeler tout le mal que vous avez fait à mon mari, que je défendrai toujours en tant qu'éditeur... Je vous laisse à la justice de Dieu... Je désire simplement que vous leviez votre opposition sur les cinq pièces restées sous séquestre.

Il ne répondra pas à la requête. Son attitude dans cette affaire était bien plus dictée par son mépris pour la bibliophilie et les bibliophiles que par le souci de défendre le patrimoine de sa Maison.

*

Dans la France incertaine et précaire de 1942, l'éditeur, en vérité, vit de plus en plus replié sur lui-même. Ses visites rue des Saints-Pères s'espacent. Robert de Châteaubriant assure la liaison entre Henry Muller et lui. Amoureux d'une certaine Marianne qui habite Pithiviers, il noircit des pages et des pages, qui, pour l'essentiel, se rapportent à cet élan contrarié. Il continue également de rédiger des « notes à leur date », à propos de livres ou d'articles qui ont excité son imagination. Il découpe et commente des chroniques de Robert Brasillach, d'André Thérive, d'Arthur Honegger, de Céline, d'Emmanuel Berl...

Une existence au ralenti. Le 8 novembre 1942, les Américains débarquent en Algérie et au Maroc. Aussitôt la zone sud est occupée, l'armée française de l'Armistice dissoute. La flotte se saborde à Toulon, pour ne pas tomber aux mains des Allemands, après avoir refusé de rallier les ports de l'Afrique du Nord. Désormais, la France entière connaît le même régime d'occupation ; le mythe du « Maréchal sauveur du pays » par la Révolution nationale prend fin. Il ne reste aux Français que deux chemins dans lesquels s'engager : celui de la Collaboration active, où s'enlise une minorité ; celui de la Résistance, derrière le général de Gaulle, que vont emprunter chaque jour un peu plus de citoyens.

Grasset ne s'engagera sur aucune de ces voies. Son existence est sur le point de basculer dans un sens tout à fait inattendu, inimaginable pour ceux qui le connaissent : il va se marier avec Aymée Fausto Lamare.

Âgée de quarante-deux ans, entrée en France en 1933, Aymée mène à Paris une vie légère et facile, passant la plupart de ses après-midi, au Ritz, où elle se fait appeler « comtesse Ferniani », du nom d'un riche aristocrate de Florence qui fut, prétend-elle, son premier mari.

Elle occupait alors, écrit Grasset, un petit studio avenue de Friedland, loué au nom d'un ami, évoluait dans un monde assez bizarre constitué par des snobs auxquels s'adjoignait un brave homme de Suisse, sorte de chien couchant, lui obéissant au doigt et à l'œil, sans avoir rien obtenu — selon elle — de ce à quoi les hommes tiennent le plus. Il y avait aussi parmi les intimes une jolie fille d'une trentaine d'années, d'assez bonne famille, à qui je dois d'avoir été présenté à cette comtesse Ferniani, qui devait devenir ma femme. Il y avait un ménage italien, les Rossi Landi. Les parents du mari avaient été, au dire d'Aymée, les serviteurs de sa famille au temps de sa splendeur à Florence.

Le visage anguleux, le nez fort, elle n'est pas belle. Mais tous ceux qui l'ont alors connue lui reconnaissent un charme certain qui tient à son élégance raffinée, à son accent et à son jargon italo-français. « Son chinois », disait Grasset.

L'éditeur la rencontre en février 1943, à l'occasion d'un dîner chez Jacqueline Jung, cette « jolie fille » qui est sa passion — toute virginale — du moment. Il vient de traverser, épuisé par la « bataille corporative », cinq semaines de profonde mélancolie dans une clinique de Suresnes.

> Pourtant, raconte sa secrétaire Berthe Zlotykamien, il avait passé l'année 1942 dans une apparente sérénité psychologique, ce qui re-présentait une performance. Il était de nature très ouverte et rien de ses sentiments profonds ni de ses actes ne m'a été caché pendant toute la période que j'ai passée avec lui, du début de la guerre à mon arrestation en décembre 1942. Je me rendais chez lui chaque matin, d'abord à Garches, ensuite rue de l'Estrapade. Nous déjeunions ensemble. Robert de Châteaubriant ou Henry Muller nous rejoignaient très rarement. Il ne voyait pratiquement personne. Je le quittais un peu avant 6 heures. Parfois il allait rue des Saints-Pères ou au Flore et terminait alors sa soirée dans un bar-dancing de la rue Delambre. Il aimait danser, et le lendemain il avait toujours une anecdote amusante à me raconter.
>
> Quand je fus arrêtée avec ma famille, il a fait l'impossible pour me sauver et il s'occupa aussitôt de mon fils en bas âge comme de mon jeune frère. Il les confia à une nourrice. Et puis il déprima. Je le sus après la guerre, quand je revins du camp de Bergen-Belsen. Mon arrestation l'avait terriblement affecté. Elle venait après son expulsion de sa villa de Garches et en même temps qu'il se battait contre le Comité d'organisa-tion du livre. A-t-il pris brusquement conscience de l'Occupation alle-mande dans toute sa hideur ?

Berthe Zlotykamien idéalise-t-elle son patron ? Toujours est-il que cette femme, dont la mère, les deux sœurs et l'un des frères sont morts dans une chambre à gaz, viendra témoigner en sa faveur devant les tribunaux de l'épuration.

*

Dans cet hiver 1942-1943, l'éditeur découvre aussi l'angoisse des premières défaillances sexuelles. « Je me trouve de plus en plus en défaut avec des femmes », note-t-il dans son Journal. Il a soixante-deux ans. Sa sexualité le hante. Il redoute de perdre tout à la fois sa virilité intellectuelle et sa virilité physique :

> J'ai toujours pensé que l'un ne pouvait aller sans l'autre. Il y a quelques mois à peine, je me rappelle les difficultés que j'avais à masquer à deux femmes successives, qui posèrent pour moi, les effets très voyants de leurs charmes sur moi, quand je leur parlais debout. Et je peux dire à ce Journal que mon « objet » était d'une vigueur que beaucoup d'hommes, infiniment plus jeunes, m'eussent enviée. Je parlais, hier, à un ami, de mes inquiétudes présentes à ce sujet en les reliant à mes craintes d'impuissance intellectuelle.

Pour toutes ces raisons qui le rendent un peu plus vulnérable, a-t-il été impressionné par l'assurance que dégage la personnalité de la comtesse ? Ou bien, Aymée, qui connaît les hommes, a-t-elle éprouvé un coup de foudre pour cet être dont elle devine immédiatement la fragilité et la peur panique de la solitude ?

> Même si la passion t'a conduite, lui dira-t-il plus tard, ce qui me paraît improbable, reconnais que tu n'as considéré que ta passion, que tu n'as même pas interrogé mon cœur. Je me rappelle la frayeur que j'avais à la pensée que si je ne t'épousais pas, je te perdrais comme amie. Et toi, tu ne savais que me mettre en présence du vide que me causerait ton abandon. Et je prétends, Aymée, que tu savais fort bien que je ne t'aimais pas. Tu as su si bien faire que j'ai été proprement envoûté par un sentiment auquel je ne comprenais rien, que je considérais comme hors nature, une sorte de culte que tu tenais toute ma vie à me rendre, sans aucune contrepartie... Et dès le lendemain tu devais te montrer une femme comme les autres, et même, hélas ! bien pire que les autres en certains aspects.

Après cette soirée chez Jacqueline Jung, la comtesse verra l'éditeur tous les jours et elle quittera, très vite, son studio de l'avenue de Friedland pour habiter rue de l'Estrapade. Aucune autre femme n'avait jamais vécu ni rue Rosa-Bonheur, ni à Garches. Elles passaient ; elles ne s'installaient pas. Ce n'est pas un changement, c'est une révolution.

L'évangile qui l'a toujours le plus touché, aimait-il à répéter, est celui du mardi de Pâques sur les pèlerins d'Emmaüs. Ce « Vous, si tard, Seigneur » lui semblait s'appliquer à toutes les tardives rencontres de la vie, d'où naissent, mêlés de regrets, les plus profondes reconnaissances et l'entier abandon. Connaît-il avec Aymée des élans de cette sorte ? Est-elle la « sœur aimante » qu'il a toujours appelée de ses vœux ?

> Aymée avait l'art de se rendre indispensable, confie Jacqueline Jung. Elle parasitait, elle s'incrustait. Quand elle connut Bernard, elle vivait aux crochets d'une jeune femme elle-même maîtresse d'un important

publicitaire de l'époque. Éprouvait-elle une passion amoureuse pour l'éditeur? J'en doute. Je dirai plutôt que la personnalité de Bernard la fascinait, au sens plein. Quand il mourut et bien qu'elle ne vécût plus avec lui, elle fit faire son masque mortuaire et organisa les obsèques religieuses. Ce fut grandiose. Comme pour un chef d'État[1]!

Une singulière vie de couple, à l'image des deux protagonistes, se normalise rue de l'Estrapade. Aymée n'entre jamais dans la grande chambre du fond que l'éditeur s'est réservée et où il a regroupé les quelques livres auxquels il tient le plus. De son lit, il aperçoit le campanile de Saint-Étienne-du-Mont et les marronniers du lycée Henri-IV. C'est assez pour ses rêveries du matin, qu'il prolonge alors comme si rien ne l'appelait. Il parcourt les journaux, plus qu'il ne les lit. Précieux moment où il s'accroche à sa solitude? Il ne forme plus aucun projet pour sa Maison. Suzanne Cimarosti, qui remplace Berthe Zlotykamien, s'emploie surtout à mettre un peu d'ordre dans l'énorme correspondance, entassée dans des boîtes à chaussures, qu'il a ramenée de Garches. Peu avant le déjeuner, Robert de Châteaubriant vient lui remettre le courrier de la rue des Saints-Pères et prendre des instructions qui se font de plus en plus rares.

Certains jours, il accompagne sa nouvelle gouvernante, Odette Redron, chez les commerçants du quartier pour négocier des achats au marché noir. Il avait pris l'habitude, pour son quotidien, de s'en remettre entièrement à ses gouvernantes. Il en avait fait à travers sa vie des prêtresses de son foyer, leur laissant beaucoup de libertés et la faculté d'engager quelqu'un de leur choix pour le gros œuvre, et un maître d'hôtel quand il recevait. Il n'avait qu'une seule exigence: que sa garde-robe fût toujours impeccablement tenue. La place devait être bonne puisque trois gouvernantes seulement s'étaient succédé en trente ans.

Aymée se faisait petite, discrète. Au bout de combien de temps de cette pittoresque cohabitation les futurs conjoints se trouvèrent-ils dans le même lit?

> Il n'y eut ni prières, ni résistances, ni même précise invitation, conviendra Grasset. Elle avait un corps fait pour le plaisir, plus juvénile que je ne le pensais, et si mobile. Je lui reprochais presque, après la séance, de ne m'avoir pas fait comprendre, dès que nous nous étions connus, qu'elle s'entendait à l'amour.

Après cette relation biblique, le mariage, selon l'éditeur, ne sera plus pour Aymée qu'une question de « formalité ». Le voilà pris dans les filets de la comtesse. Laissons-le nous donner sa version de l'événement à travers cette confession, écrite quatre ans plus tard, et qu'il destinait à Aymée:

Nous avions dîné rue de l'Estrapade et je m'étais étendu sur un divan. Tu t'épuisais sur une réussite. Brusquement tu te tournas vers moi et demandas :

— Quand faisons-nous cette formalité ? Comme tu le sais, Suzanne Cimarosti t'a demandé son mercredi pour le mariage d'une nièce. La journée sera perdue pour ton travail. Pourquoi ne pas en profiter pour nous marier nous-mêmes ?

Je crus que tu plaisantais.

— Mais avant de se marier, il faut réunir des papiers, dis-je.

— Ils ont été réunis...

— Même les miens ?

— Les tiens aussi...

— Mais il faut publier les bans ?

— Ils l'ont été dans ton arrondissement comme dans le mien.

Ainsi parce que ma secrétaire avait pris un jour de congé, tu allais me conduire à ce « oui » du 20 octobre 1943 qui devait être ma perte. Aymée, qu'as-tu fait ? Pourquoi m'avoir violenté ? Pourquoi m'avoir conduit aux fins que tu poursuivais dans le secret, et depuis le premier jour, m'as-tu un jour avoué ? Depuis nos promenades au Jardin des plantes des tout premiers temps [...]. Et encore, Aymée, je t'ai fait la part belle. Reconnais que si je n'avais pas eu une maison d'édition, si les plus larges avenues ne t'avaient pas paru ouvertes à ton besoin de jouer un rôle, de dominer, tu n'aurais pas précipité ce « oui » déplorable. Quand je t'ai épousée tu ne savais pas distinguer ce qui est beau de ce qui est cher, ni le vrai du faux, sauf pour les pierres précieuses, ayant là vingt-cinq ans d'observation attentive. Faire figure est tout pour toi et ce fut, pour ainsi dire, ton entrée dans le monde des Lettres. Tu devais tirer tout le parti possible de cette relation nouvelle, étant très habile à te mettre en valeur et sachant capter les gens par un art de la flatterie où je ne te connais pas d'égal. Aymée, qu'as-tu fait ? Crois-tu vraiment que la passion — même si tu n'as été mue que par elle — donne de tels droits ? Pourquoi as-tu commis ce que j'appelle un « crime » ? Crime contre moi d'abord — et crime contre toi-même par contrecoup ?

Le portrait est féroce. Il a été rédigé en 1947. Grasset est en cure, au creux d'une vague dépressive. Les interminables lettres, pleines de son mal de vivre, de sa quête d'affection et d'amour, qu'il adressait jadis à Louis Brun ou à sa sœur Guiguite, c'est à Aymée, désormais, qu'il les envoie.

En revanche, ce « oui » lui est bel et bien arraché, comme il le raconte. Un mariage à la sauvette. A tel point que ses collaborateurs, sa famille, ses vrais amis — Jean Giraudoux, Jeanne Duc, Julienne Bosset — croient à un canular quand ils apprennent la nouvelle. « Peyré est passé ici hier, lui écrit Jeanne Duc de Saint-Tropez, et il m'annonce que tu t'es marié la semaine dernière ! Il le tient de Jouglet. Je lui ai dit que c'était sûrement une blague d'un mauvais plaisantin... »

Ils sont quatre, ce mercredi 20 octobre 1943, dans le bureau du maire du 5ᵉ arrondissement : l'éditeur, Aymée, les deux témoins, Robert de Châteaubriant et Gino Rossi Landi, l'ami de la mariée. Il est 11 h 30. A 11 h 45 la cérémonie est terminée. Aymée est radieuse. Et Grasset, qui se bat alors contre la « directive 168 » ?

> J'essayais de ne pas penser. Bien ou mal, j'avais choisi. Je passai une nuit agitée et me réveillai dans les plus sombres pensées. Plus que jamais doute sur moi-même. Aymée est une « caillette », comme on disait dans l'ancien temps. Elle est snob comme je n'aurais pu imaginer qu'on le fût.

Marié « par effraction », contre tout son instinct et tout son vouloir, son « oui » d'octobre 1943 encombrera, jusqu'à sa mort, son esprit, son temps, son Journal. Aymée sera l'exutoire de tous ses malheurs, de toutes ses souffrances, de tous ses déboires, de tous ses chagrins.

Le 17 décembre 1943, deux mois après sa « déplorable union », il entre dans une maison de santé, à Ville-d'Avray. Puis il déménagera pour la villa Penthièvre, une clinique à Sceaux, et il ne réapparaîtra rue des Saints-Pères que le 5 août 1944. Huit mois de claustration, rarement éclairés par des visites, sauf celles d'Aymée, qui sont quotidiennes.

*

Ville-d'Avray, il apprend, le 31 janvier 1944, la mort de Jean Giraudoux, emporté par une hémorragie cérébrale, au moment où sa dernière pièce, *Sodome et Gomorrhe,* poursuit au théâtre Hébertot une triomphale carrière. « Ma peine est grande, écrit Grasset. Je perds le premier écrivain authentique que je sus m'attacher, le meilleur ami que j'eus dans un milieu où le dévouement trouve rarement sa contrepartie. » Physiquement et psychologiquement incapable de se rendre à Paris, c'est Aymée qui le représente à l'enterrement, à l'église Saint-Pierre-du-Gros-Caillou. La foule des grands rendez-vous parisiens. Les gens du théâtre, des lettres, de la politique, du Quai d'Orsay. Beaucoup de femmes, toutes en larmes. Giraudoux, séparé de Suzanne depuis quelque temps, vivait dans un hôtel de la rue Cambon. Il ne faillit pas, jusqu'à son dernier souffle, à sa réputation de séducteur.

A cette date, Paul Léautaud fait, dans son *Journal littéraire,* une allusion à l'ambiance qui règne rue des Saints-Pères :

> Je suis allé tantôt chez Grasset voir ce qu'on me voulait. Reçu par l'administrateur, le fils Châteaubriant, Henry Poulaille. Assauts de gentillesses, d'encouragements, de paroles sur le plaisir qu'en auraient Grasset et toute la Maison, pour que je donne quelque chose à publier : *le Petit Ami,* mon Journal, même seulement ce que je peux avoir

d'articles, ou de chroniques, restés dans des revues. Pour *le Petit Ami*, j'ai répondu: « Jamais dans son texte actuel — Et le nouveau texte, quand sera-t-il fini?... » Pour mon Journal, j'ai exposé mon raisonnement en racontant l'offre d'une avance immédiate de 150 000 francs: « Je n'ai pas besoin de cet argent. Que je l'encaisse, que ma maison soit bombardée, inondée, les billets de banque brûlés, adieu l'argent dont je ne serai pas moins comptable. De plus, les circonstances qui peuvent survenir. Donc, rien de pressé. » Réponse de l'administrateur: « On pourrait l'imprimer dès maintenant et attendre pour le sortir. » Poulaille, lui: « Si vous craignez pour l'argent chez vous, on pourrait voir un autre arrangement, en ravitaillement, du café par exemple, du tabac... » Je me suis contenté, en remerciant de toutes ces bonnes dispositions à mon égard, de répondre de façon évasive.

Ensuite, descendu avec Henry Poulaille à la librairie, bavarder là un moment avec lui... Je lui demande des nouvelles de Grasset. Dans une maison de santé. Qu'est-ce qu'il a? Neurasthénie. Je lui ai dit tout le bien que je pense de Grasset, qui est vraiment un être charmant, intelligent, distingué, original, loin des routines. Je demande à Poulaille ce qui lui a pris de se marier.

Début avril, Aymée l'invite à changer de médecin traitant. Elle a rencontré le Dr Bonhomme, directeur de la villa Penthièvre, à Sceaux, en qui elle dit avoir une totale confiance. Est-elle sa maîtresse? Grasset le pressent. Il a raison.

La villa Penthièvre lui rappelle la clinique de Garches. Un vaste domaine en retrait de la route nationale, planté des meilleures essences, avec un potager, des serres, un plan d'eau. Des pavillons sans qualité et de style composite se cachent dans cet espace. Au centre se dresse un élégant rendez-vous de chasse, de pur style Renaissance, qu'on appelle « le château » et où habite le Dr Bonhomme.

L'éditeur est au plus mal. Il partage son temps entre les parties d'échecs, la lecture d'ouvrages historiques, un flirt avec Cora, une patiente « enjouée et rousse », et le fignolage de ses réflexions sur la solitude qui le poursuivent depuis bientôt six ans. Suzanne Cimarosti passe la journée auprès de lui.

Coupé de sa maison, il signe, le 6 mai 1944, une délégation de pouvoirs en faveur d'Aymée, précisant que « lesdits pouvoirs ne sont valables qu'en son absence ». Devant l'aggravation de son état, le Dr Bonhomme décide, en juin, quelques séances d'électro-chocs.

*

Dans le Tout-Paris, la vie va son chemin. Après *la Reine morte*, chaleureusement accueillie, *Fils de personne*, la nouvelle pièce de Montherlant, connaît un succès. A la première de *Huis clos*, de Jean-Paul Sartre, au Vieux-Colombier, la salle est pleine. « L'événement qui a ouvert l'âge d'or de Saint-Germain-des-Prés, en faisant connaître ce quartier, non pas encore à la foule, mais aux salons de Paris et de province », commente un journaliste. On se presse également pour applaudir *Antigone*, de Jean Anouilh, ou pour siffler, au théâtre des Mathurins, *le Malentendu*, d'Albert Camus. Ainsi, jusqu'à ce que le rideau tombe sur quatre années d'épaisses ténèbres, le gotha de l'édition — de Gaston Gallimard à Jean Galtier-Boissière, de Robert Denoël à Robert Esménard, qui dirige Albin Michel — se mêlera à celui des lettres, du spectacle et de la Collaboration. Grasset est, alors, à mille lieues de ces mondanités. Comme il le fut — répétons-le — pendant toute l'Occupation.

Quand il quitte, début août, la villa Penthièvre, il se réfugie rue de l'Estrapade. Il fuit Aymée, sa maison et la vie parisienne. Tôt chaque matin, on le voit qui descend en compagnie de Suzanne Cimarosti la montagne Sainte-Geneviève par la rue Saint-Jacques, puis la rue Soufflot jusqu'au carrefour du Luxembourg. En passant, il revoit l'hôtel des Mathurins, rue Toullier, où il s'était installé en débarquant de Montpellier, et cette terrasse du Panthéon où, trente ans auparavant, à l'occasion de funérailles nationales, son ami Robert de Jouvenel lui expliqua « la République des camarades ». Il s'installe une heure ou deux au Grill Room du Médicis et regarde passer, lointain et las, les premiers convois allemands qui prennent la route d'Orléans. « Il est manifeste, écrit-il à la date du 17 août, que les occupants s'en vont. Des camions par dizaines chargés de lits de fer, de machines à écrire, de papier en bobines, d'étoffes et d'objets de confection les plus disparates. Plutôt que le départ d'une garnison, le déménagement d'une ville. »

Du Médicis, il pousse, en flânant, jusqu'au café de Flore, par Saint-Sulpice. « La rue m'appelle. En ces jours d'attente, on apprend tout par la rue. » La police parisienne et les chemins de fer se sont mis en grève dès le 16 août. L'insurrection éclate le 19 au matin : la Résistance occupe la Préfecture de police, le Palais de justice, les ministères. La réaction allemande est brutale et de violents combats se déroulent dans les rues de la capitale. Ce jour-là, peu avant midi, Grasset est au Flore, témoin des premières fusillades :

> Hier, une colonne allemande venant de la Concorde avait emprunté la rue de Rennes pour sortir de Paris. Beaucoup de personnes aux terrasses, mais silencieuses. Soudain un coup de feu. Et, comme à un signal attendu, les fuyards, sans ralentir leur marche, balayèrent de leur mitraillette la chaussée. D'instinct, les occupants du Flore s'étaient allongés sur le parquet ; mais sitôt l'alerte passée, les conversations reprirent. A l'entour de Saint-Germain-des-Prés on a relevé, m'a-t-on dit, plusieurs

morts. Ce matin, en me réveillant, aperçu un drapeau français qui flotte au campanile de Saint-Étienne-du-Mont.

24 août : un détachement de chars de la deuxième DB, commandé par le capitaine Dronne, atteint, dans la soirée, l'Hôtel de Ville. Toutes les cloches se mettent à sonner, aux fenêtres les Parisiens pavoisent. « Aymée est venue s'assurer que j'étais couché. Elle craignait que je ne sorte, après toutes ces nouvelles. »

25 août : la division Leclerc libère la capitale au prix de combats meurtriers. Fait prisonnier à l'hôtel Meurice, son quartier général, von Choltitz signe l'acte de capitulation de la garnison allemande de Paris, tandis que le général de Gaulle se rend au ministère de la Guerre, rue Saint-Dominique, « pour y remettre l'État » et installer le gouvernement provisoire.

L'éditeur n'a rien changé à ses habitudes :

> Sorti de bonne heure. A la porte de l'immeuble une Jeep arrêtée. Deux hommes de Leclerc, des Canadiens français, demandent leur chemin. Leur Jeep porte un nom, comme les navires : *Mes cousines*. Place de la Sorbonne un camelot vend des centaines de cartes postales que signent les soldats.

Au Flore, il trouve des spahis attablés. La France redevient française. Paris accueille l'homme du 18 juin dans un délire d'enthousiasme. Il est en retrait, et on ne le verra ni place de l'Hôtel de Ville, ni sur les Champs-Élysées. Qu'éprouve-t-il alors ?

> La journée du 25 août à Paris, halte miraculeuse entre deux temps de haine, écrira-t-il en 1947. Brèves heures où la ville, qui s'était retrouvée, respira ; où tout allait à une joie grave, faite de résolution et aussi de reconnaissance envers ceux qui rendaient la France à son destin. Nul, certes, n'aurait imaginé que le fruit de ces retrouvailles serait une guerre civile, qui dure encore.

Le 1er septembre, il réunit son conseil d'administration dans son bureau de la rue des Saints-Pères. La séance est aussi brève que la mention transcrite à cette date, sur le cahier des délibérations :

> Délégation de pouvoirs. M. Bernard Grasset signale au conseil qu'à la date du 6 mai 1944, il a délivré tous pouvoirs de direction à Mme Bernard Grasset, son épouse. Il propose au conseil de régulariser cette délégation de pouvoirs. Le conseil prend acte de cette déclaration et, en vertu de l'article 23 des statuts, délègue à Mme Bernard Grasset tous pouvoirs de direction.

Veut-il, cette fois, décrocher ? Veut-il se protéger de lui-même, de cette mélancolie qui le paralyse dans l'action ? Ou veut-il seulement soulager son emploi du temps pour réfléchir à la meilleure manière de relancer sa Maison après tous ces mois de flottement ? On le sait capable de puissants revirements, quand on l'attend le moins.

Pour moi, racontera Aymée, les pouvoirs ne changeaient rien à mes fonctions puisque, en fait, mon mari dirigeait la maison par mon truchement. Depuis des mois, il n'allait plus rue des Saints-Pères, il ne signait plus aucun papier administratif. Ça le fatiguait, ça l'ennuyait, alors qu'il lui fallait, disait-il, concentrer tous ses efforts sur de nouveaux projets. C'est pour lui que j'ai accepté cette solution à laquelle je ne tenais pas[2].

Des projets ? A cette heure fiévreuse où la France retrouve sa liberté, tout, en effet, est à reconstruire, à imaginer. S'y prépare-t-il ? L'Histoire lui a fixé un autre rendez-vous.

« Mon cher François Mauriac, ne sais-tu
pas mieux que quiconque le Français que
je suis?... Mon cœur de Français, tu le
connais depuis que tu me connais moi-
même... Ma vie durant ces quatre ans, qui
la connaît mieux que toi? »

BERNARD GRASSET

14

LE BOUC ÉMISSAIRE DE L'ÉDITION

*Dénoncé par des lettres anonymes. — Son arrestation, le
5 septembre 1944. — Drancy. — Le rôle de René Jouglet. —
Les accusations du journal* la France intérieure. *— L'acharnement des communistes. — « Aucune preuve au dossier. » — La
pusillanimité de ses « grands auteurs ». — La position de
Mauriac. — En retraite à la clinique de Sceaux. — Le Comité
d'épuration de l'édition. — Blanchi par ses pairs. — Le livre de
Goebbels. — Le rapport Choron. — Aménagement de la
solitude. — Exproprier la Maison ? — La campagne des* Lettres
françaises. *— La Société des éditions Bernard Grasset est
dissoute. — L'intervention de Robert Laffont. — La grâce de
Vincent Auriol.*

Collaboration. Épuration. Les deux mots sonnent comme la fin
d'une époque qui est loin d'avoir livré tous ses secrets. Au seuil de
l'an 2000, les Français continuent de s'interroger sur les événements qui suivirent, chez nous, la retraite allemande.

En cette fin de l'été 1944, d'interminables convois militaires
remontent vers l'est, lourds d'archives entachées d'horreur et de
sang. Les « boches » déménagent. Place de la Concorde, les longs
drapeaux rouges arborant l'araignée noire du nazisme ont disparu.
Paris, tout au bonheur de son avenir, a le cœur en fête. La France
chante *la Marseillaise,* acclame de Gaulle, et renaît à la vie après
quatre années d'occupation. Merveilleuses photographies d'une
nation enfin réconciliée avec elle-même. Las ! Sur cette image
d'Épinal va, très vite, s'étendre l'ombre de nouveaux affronte-
ments. Ceux qui rêvent d'une fraternité retrouvée découvrent
bientôt que la vengeance et la colère prévalent sur la liberté. On
juge les traîtres, les « vrais collabos ». Mais on ne juge pas que les
traîtres. La victoire des Alliés et la reconquête du pays vont
donner le signal à une explosion de haine fratricide. Tristes « ba-
vures », sur lesquelles on commence, timidement, à lever le voile,
avec un souci de vérité, et non plus avec la passion rassurante des
partisans.

Et dans ce chapitre, Bernard Grasset occupe une place que nos
historiens les plus sérieux semblent lui avoir définitivement as-
signée : celle d'un collaborateur enragé. L'accusation est-elle fondée ? Sur quoi repose-t-elle ? Peut-on, aujourd'hui, tenter de

mettre à plat ce qui devint, en 1948, « l'affaire Grasset » et qui laisse dans la mémoire des témoins une impression de malaise, de gêne ?

Pascal Fouché, dans sa magistrale étude *l'Édition française sous l'Occupation*, a démonté les mécanismes de cette « collaboration » qui fut spécifique aux éditeurs et dans laquelle on a regardé vivre Bernard Grasset. Trois éditeurs n'eurent pas à se poser de questions sur le comportement qu'ils se devaient d'adopter. Les Allemands tranchèrent pour eux : Ferenczi, Nathan et Calmann-Lévy seront « aryanisés », dans le cadre des mesures contre les sociétés juives. C'est-à-dire qu'ils seront expropriés et remplacés par des hommes à la solde du gouvernement d'occupation.

Tous les autres éditeurs ont peu ou prou collaboré. Tous ceux qui ont choisi de survivre, d'assurer un revenu à leurs employés, à leurs auteurs, ont dû signer la convention de censure et accepter la « liste Otto ». Tous, à de rares exceptions — Champion, Garnier, Perrin — ont donc pris cette voie : le droit de travailler à condition de ne rien publier contre le régime national-socialiste, contre les conditions de l'Occupation. Dans ces limites, ils étaient « libres ». Il n'y a pas eu de héros chez les éditeurs qui gardèrent pignon sur rue. C'est indiscutable et indiscuté. On a vu ce que Grasset fit de cette « liberté ».

Comment la France des « épurateurs » allait-elle juger l'attitude de ces hommes dont l'activité touchait de si près la pensée nationale ?

> On peut dire, écrit Pascal Fouché, que ceux qui se sont le plus compromis avec l'occupant sont condamnés : Albert Lejeune, Jacques Bernard, Louis Thomas et Jean de La Hire (avant d'être amnistié), par contumace. La plupart des éditeurs en vue arrivent à prouver leur bonne foi. Gallimard, Plon, Flammarion bénéficient de non-lieux. Ils ont peut-être commis des erreurs, soit, mais ils n'ont pas prêté un concours volontaire à la propagande. Le cas de Bernard Grasset est celui qui retient le plus l'attention, car l'éditeur lui-même s'est engagé par ses écrits. Même s'il s'est tu très rapidement et s'il a évité au maximum les publications compromettantes, certains ne veulent pas lui pardonner et on a l'impression que le sort de sa maison servira d'exemple pour justifier les lenteurs et la tiédeur de l'épuration d'autres éditeurs. Bernard Grasset a payé cher ses opinions et son renom[1].

Dès octobre 1946, le dossier Gallimard est classé. Robert Denoël, éditeur de Céline et de Rebatet, bénéficie en juillet 1945 d'un non-lieu. Le dimanche 2 décembre 1945, il est assassiné boulevard des Invalides. Crime politique ? Sa maison sera relaxée trois ans plus tard. Plon, Hachette, Flammarion, les Éditions de

France — qui publièrent Béraud, Henriot, Chack — n'ont pas été poursuivis ou ont, rapidement, bénéficié d'un classement. La maison Baudinière, qui édita *Notre chef Pétain*, de José Germain, et *Qu'était le Juif avant la guerre? Tout. Que doit-il être? Rien*, du comte de Puységur, fut acquittée. Quant à Fernand Sorlot, premier éditeur français de *Mein Kampf*, prosélyte de « la nouvelle Allemagne » et de « la nouvelle Asie nippone », associé au Dr List de Leipzig, il est condamné à vingt ans d'indignité nationale.

Bernard Grasset sera, le 20 mai 1948, frappé de la même peine, mais à vie, et condamné à cinq ans d'interdiction de séjour. Le 17 juin 1948, la Société des éditions Bernard Grasset est dissoute ; ses biens sont confisqués jusqu'à concurrence de quatre-vingt-dix-neuf pour cent, sa reconstitution est interdite.

*

Il ne s'agit pas tant de se demander, au regard de ce qu'il fut, s'il paya ou non trop cher. Une seule question se pose, la seule que l'on peut légitimement se poser : pourquoi lui? Pourquoi victime parmi ses pairs du procès le plus long et le plus sévère, devra-t-il attendre le 29 octobre 1953, soit neuf ans après la Libération, pour qu'un jugement du tribunal militaire permanent de Paris éteigne, par amnistie, l'action publique ouverte contre lui?

Les semaines qui suivirent la Libération de Paris, le 25 août 1944, furent pour de nombreux Français celles d'un douloureux examen de conscience. Le film de quatre années de leur vie allait brusquement se dérouler à rebours. Cruel « flash-back ». Tout, pour eux, devenait pièces d'accusation ou arguments de défense. Leur existence, réinterprétée, regardée par d'autres yeux, recommençait.

Bref, pour ces Français-là, dont Grasset, l'Histoire se contractait. Des pages secrètes, ou tout simplement oubliées, de leurs tribulations entre juin 1940 et août 1944 ressurgissaient. Leurs deux vies, celle qu'ils avaient menée sous l'Occupation et celle que l'on dévoilait à la Libération, se confondaient pour ne plus faire qu'une, qui devenait leur biographie officielle.

Ainsi, il y a ce que fit, à découvert, Bernard Grasset pendant la guerre. Les livres qu'il publia ou qu'il écrivit. Il y a ce qu'il fut pour tous ceux qui le croisèrent, ou vécurent avec lui. Quatre ans d'agitation sentimentale plus que professionnelle.

Seulement voilà : à peine la Wehrmacht a-t-elle décampé qu'un autre portrait de Grasset, le portrait d'un « salaud », le portrait d'un « Führer de l'édition », est livré au public.

*

Pour Bernard Grasset, ce « flash-back » démarre au petit matin du mardi 5 septembre 1944, quelques jours après le conseil d'administration où nous l'avons laissé. Réveillée par un inspecteur de police, Aymée Grasset va prévenir son mari qui fait chambre à part : « Quelqu'un t'attend au salon et veut t'interroger. » L'inspecteur ne pose aucune question à l'éditeur. Il s'assure de son identité, de ses date et lieu de naissance, et lui demande de le suivre au commissariat du 5e arrondissement. Comme il n'a pas de mandat d'arrêt, il ajoute : « Je pense que vous n'opposerez pas de résistance. » A peine les deux hommes auront-ils franchi la porte du commissariat que Grasset sera arrêté sans autre forme de procès. Il a été dénoncé, de façon anonyme, et cela suffit. Dès midi, Jeanne Duc vient lui rendre visite et l'informe qu'Henry Muller a joint François Mauriac au téléphone. « Je vous promets qu'on ne touchera pas à Grasset », aurait affirmé l'académicien.

Ce mardi 5 septembre, l'éditeur est loin d'imaginer les démêlés politico-judiciaires qui l'attendent. Introduit chez le commissaire, qui le reçoit courtoisement, il s'entend dire : « Je ne sais rien vous concernant. Je n'ai même pas qualité pour recueillir vos déclarations. Je dois seulement diriger sur le dépôt toutes les personnes qui me sont amenées [...]. Ne vous inquiétez pas outre mesure, vous n'êtes l'objet d'aucun mandat. » Grasset est-il victime d'une erreur, d'un malentendu ? Ou, comme il le redoute, d'une odieuse machination dont il ne s'explique pas l'origine ? En tout cas, sa femme et plusieurs de ses intimes — Jeanne Duc, Yvonne Langevin, Julienne Bosset, Henry Muller — vont l'inviter à garder son calme, à ne pas réagir. Surtout, pas de communiqué à la presse.

Il est d'ailleurs remarquable qu'aucun des grands journaux — du *Figaro* à *Libération,* de *Combat* à *l'Aube* — n'annonce son arrestation. En revanche, *Ce soir,* quotidien communiste, donne l'information dès son édition du mardi après-midi — ce qui est une performance ! — en affirmant que Grasset fut « l'un des animateurs du groupe Collaboration et un actif agent d'Abetz auprès des intellectuels français ». Il n'a jamais appartenu à Collaboration et il ne connaissait guère Otto Abetz. *Front national,* également, sous la plume de l'écrivain communisant Claude Morgan, signale aussitôt l'événement avec une joie non dissimulée, tandis qu'un écho vengeur non signé précise :

> Bernard Grasset, c'est bien connu, ressemble à Hitler. Et victime de ce qu'on appelle, en termes de journalisme du Palais, une « fâcheuse

ressemblance », caquetant et paonnant auprès des faisans les plus notoires de la haute Collaboration parisienne, ne disait-il pas, il y a peu de temps, en montrant le portrait de son prétendu sosie : « Hitler ? Lui aussi a du génie. »

Le 8 septembre, Grasset quitte le commissariat du 5ᵉ arrondissement pour les murs poisseux du dépôt, quai de l'Horloge, dans l'enceinte du Palais de justice. Il passe deux jours et deux nuits dans ce « centre de triage » avant de rejoindre le camp de Drancy, bloc 5, chambre 3.

> C'était une vaste pièce, dont les quatre fenêtres donnaient sur la cour intérieure du camp. Destinée sans doute à une quarantaine d'internés, elle en contenait alors plus du double. Sur toute la longueur de la pièce, les paillasses se touchaient. On avait juste ménagé, au centre, un étroit passage pour une installation sanitaire, assez primitive, qui répondait à la fois à l'alimentation en eau potable et à l'écoulement de toutes les eaux de l'agglomération. Pour d'autres besoins, on plaçait, chaque soir, à l'extérieur, sur le palier de la chambre, une immense tinette, nul n'ayant le droit de sortir dans la cour durant la nuit. La vaste pièce ressemblait à un cantonnement de fortune, où chacun avait déjà pris ses habitudes. Des planchettes couraient le long des murs où étaient disposés les paquetages, les boîtes de conserve et les couverts individuels. On y trouvait même des livres.

Rien de vraiment terrible. Avec lui Roland Laudenbach, futur directeur des éditions de la Table ronde, Maurice Bardèche, le beau-frère de Robert Brasillach. Grasset, visiblement, ne comprenait rien à ses mésaventures. En quittant la rue de l'Estrapade, il n'avait pas emporté un minimum de vêtements, croyant revenir dans l'heure suivante. Il était habillé comme un clochard, se souviennent ses compagnons d'infortune, écrivains, journalistes, professeurs. Au milieu de ce monde qui passait la journée à bavarder, il s'impatientait, s'agitait, se plaignait, sanglotait parfois, puis hurlait de fureur. Ou bien, avec une indécence de potache, il contait ses amours et ses prouesses sexuelles, avant de trancher, goguenard : « Et maintenant, croyez-vous que je suis cocu ? » Il jouait aussi aux échecs et quand il perdait, il renversait l'échiquier avec rage. Certains jours il se réveillait de sa paillasse, gai, drôle, éblouissant d'intelligence, et brusquement il se fermait, insultait n'importe qui à propos de n'importe quoi, saisi par l'angoisse.

Surtout, il ne supportait pas de se retrouver avec le menu fretin de Drancy, les « ploucs », comme il disait, alors que plusieurs blocs plus confortables étaient réservés au Tout-Paris de la Collaboration. S'y croisaient, dans de longues galeries à claire-voie, ouvrant sur la campagne, Sacha Guitry, Alfred Fabre-Luce, les dignitaires de Vichy.

Il avait le sentiment de n'être pas traité en fonction de son rang, ce qui redoublait son amertume. Désolant spectacle.

Ainsi débute, pathétique ironie, « l'affaire Grasset », qui allait devenir le reflet d'une période plus pitoyable que franchement cruelle. « Le cas Grasset constituera-t-il une inexplicable exception ? » interrogeait l'historien Maurice Vaussard en juillet 1948.

Grasset ne fut pas la victime innocente aux mains blanches ; si son dossier était relativement mince, il n'était pas vide. Il ne fut pas non plus le bouc émissaire d'une corporation d'éditeurs un peu piteuse et qui se serait, à travers lui, soulagée de ses péchés. Ses concurrents, y compris les plus intéressés par sa chute, ne cherchèrent guère à l'accabler, à sonner l'hallali.

Il fut — mais il ne le sait pas encore — le jouet d'une opération menée et lancée par l'un de ses collaborateurs, soutenue et orchestrée par le Parti communiste, avalisée enfin par une poignée de magistrats d'une singulière servilité, ou d'une étonnante bêtise. Au centre de l'« affaire Grasset », il y a le terrorisme intellectuel qu'exerçait alors le PCF, le « parti des fusillés », comme il se baptisa lui-même.

La manière dont le CNE, le Comité national des écrivains, va dresser, à la Libération, sa liste de tous les indésirables, de tous les réprouvés, de tous les auteurs « qui ont aidé, encouragé et soutenu par leurs écrits ou par leur influence la propagande de l'oppression hitlérienne » illustre ce terrorisme de l'arbitraire, de l'improvisation, du règlement de comptes, auquel se livrèrent avec allégresse trop de compagnons du PCF pour qu'on puisse sous-estimer le rôle déterminant de celui-ci dans cette vitupération expiatoire.

Né dans la clandestinité, autour de Louis Aragon et de l'intrépide René Tavernier en zone sud, autour de Paul Eluard, en zone occupée, le CNE sera rejoint par Paulhan, Camus, Sartre, Mauriac, Guéhenno, etc. Il rassemblait toutes les familles idéologiques, littéraires et intellectuelles de la Résistance. Très vite, après la Libération, il va, sous l'influence de Vercors, Aragon, Claude Morgan, Simone de Beauvoir, Julien Benda, s'ériger en Comité de salut public de nos lettres pour demander des comptes à une centaine d'écrivains : Drieu La Rochelle, Brasillach, Céline, Rebatet, Alphonse de Châteaubriant, Maurras, bien sûr ; mais aussi Giono, Montherlant, Morand, Chardonne, Jouhandeau, Marcel Aymé... « La vengeance, écrira Simone de Beauvoir, est vaine mais certains hommes n'avaient pas leur place dans le monde qu'on tentait de bâtir[2]. »

Cette attitude intransigeante, vindicative, indisposera de plus en plus les « grandes plumes » comme Paulhan, Guéhenno, Mauriac et Camus, qui vont quitter le CNE ou s'en éloigner, tandis que l'emprise des écrivains communistes ira en s'accroissant.

*

Rien, a priori, ne prédestinait Bernard Grasset à tomber, plus qu'un autre, dans les filets des camarades de Maurice Thorez et d'Aragon. Un homme, que l'on a déjà croisé, décida de l'y précipiter: René Jouglet.

Jouglet, alors âgé de soixante ans, a-t-il cru qu'il pourrait chasser Grasset de sa Maison et prendre sa place? Il est certain qu'au moment de la Libération les écrivains membres du PCF ou compagnons de route rêvèrent pour l'édition d'un scénario identique à celui qui prévalut dans la presse: l'expropriation des éditeurs compromis et leur remplacement immédiat par des « patriotes », avec occupation conjointe des locaux. Jouglet s'est-il persuadé que le « coup était jouable »? Ou bien avait-il, à l'encontre de Grasset, pour des raisons que l'on ignore, une vengeance à assouvir? Était-il, en particulier, convaincu que Grasset, en 1940, l'avait dénoncé à la Gestapo, comme il le laissera entendre? Interrogations sans réponses. Une certitude : en août et septembre 1944, René Jouglet est la seule personne, avec Grasset, qui puisse avoir eu connaissance de trois lettres très compromettantes, la seule personne aussi qui, à cette même date, soit susceptible de disposer d'un double de chacune d'elles. En effet, il n'y a jamais eu de perquisition rue des Saints-Pères, ni rue de l'Estrapade. Il n'y a, d'ailleurs, eu aucune perquisition dans l'édition. C'est un point capital que, curieusement, ne souligne aucun historien de cette période.

De surcroît, ce n'est que le 26 septembre qu'André Frénaud, fonctionnaire à la Direction de l'édition et de la librairie, transmet à la Justice la liste des éditeurs « qu'il y a lieu d'arrêter pour leur activité antinationale »: Gilbert Baudinière, Horace de Carbuccia, Robert Denoël, Bernard Grasset, Jean de La Hire, Henry Jamet, Dominique Sordet, Fernand Sorlot et Louis Thomas. A cette date, seul Grasset est emprisonné, alors qu'aucune instruction n'est officiellement ouverte à son encontre.

Or, ces trois lettres écrites par Bernard Grasset, au milieu de l'été 1940, sont publiées par la France intérieure dans son numéro du 15 septembre 1944. Elles sont précédées d'un chapeau de présentation qui accable l'éditeur:

> La correspondance que nous reproduisons ci-dessous émane d'un homme qui, au lendemain de la défaite de son pays, ne souhaitait — et avec quelle impatience — que de se voir désigner par l'ennemi comme le Führer de l'édition française. Ces trois lettres révèlent une bassesse d'âme peu commune. On ne pourra manquer de remarquer combien leur auteur regrette de ne pas connaître l'adresse d'Otto Strasser, que pour se faire bien voir de ses futurs maîtres, il leur aurait vraisemblablement

livré dans le cas contraire. En pleine lumière, nous apparaît ici la psychologie d'un collaborationniste de la première heure.

La France intérieure, c'est l'aile gauche des réseaux gaullistes. Celle qui flirte avec les « compagnons de route ». La « famille » de Jouglet.

Ces trois lettres, nous les connaissons, nous les avons analysées, nous les avons longuement citées, et nous nous sommes beaucoup interrogé sur leur signification véritable. Il s'agit, en effet, des trois lettres que Grasset adressa successivement, le 30 juillet 1940 à Friedrich Sieburg, le 31 juillet à Alphonse de Châteaubriant, enfin le 4 octobre à Guillaume Hamonic, grâce auquel la Maison n'avait pas été fermée par les autorités allemandes.

Dans l'ambiance de septembre 1944, la révélation d'une telle correspondance pouvait tuer civilement, sinon physiquement. D'autant que les trois lettres sont aussitôt reproduites dans la presse d'extrême gauche, accompagnées de commentaires haineux et de ragots.

*

Pendant ce temps, rue des Saints-Pères, Aymée Grasset, Henry Muller, Jeanne Duc, Suzanne Giraudoux, Yvonne Langevin s'efforcent d'organiser une contre-offensive et demandent à Mᵉ Géranton d'assurer la défense de l'éditeur. A Drancy, des commissions spéciales examinent, au jour le jour, chacun des cas qui leur sont présentés. Plusieurs des détenus ont, ainsi, pu se justifier et obtenir leur libération. C'est la stratégie de Mᵉ Géranton, qui adresse, à la commission de Drancy, une note dont l'argument central sera inlassablement repris tout au long de « l'affaire Grasset » : l'éditeur a écrit ces trois lettres pour se protéger et uniquement pour se protéger.

> Sachant qu'à son arrivée à Paris, affirme Mᵉ Géranton, il serait interrogé par la Gestapo, Bernard Grasset écrivit, pour se créer un alibi, les trois lettres publiées par *la France intérieure.* On ne sait par quel moyen elles ont été rendues publiques. Ces trois lettres, lues avec impartialité, sont tout à fait défendables et si elles contiennent quelques phrases moins heureuses, écrites dans le seul but de sauver la Maison, elles renferment des passages empreints du plus pur esprit français, comme par exemple : « Je demande seulement que, du point de vue politique, nous ne recevions pas d'ordre de publier. En somme des défenses mais pas de consignes... Qu'il me soit permis de rester français. Et, par-delà moi-même, que cette chose qui s'appelle la France, que ce ferment, que cet esprit soient maintenus... » Rentré à Paris, Bernard Grasset fut interrogé deux fois par la Gestapo, il dit habilement qu'il ne connaissait pas l'adresse de Strasser.

On connaît cet épisode. A ces justifications qui renvoient au problème Strasser, Géranton ajoute neuf autres arguments de défense, lesquels seront également repris et développés tout au long de « l'affaire ». Au fond, l'essentiel est dit dans cette « note » déposée à Drancy :

1) Pendant l'Occupation, Bernard Grasset n'a jamais appartenu à un groupe Collaboration, ou à un groupe politique quel qu'il soit.

2) Il n'a jamais fait de voyage de propagande littéraire en Allemagne, bien qu'il fût sollicité à plusieurs reprises.

3) Bernard Grasset a toujours encouragé ceux de ses employés désireux de gagner le maquis, leur garantissant le montant intégral de leur traitement pendant la durée de leur absence, et ceci au risque d'être dénoncé par un tiers.

4) Il a caché et employé, chez lui, deux réfractaires.

5) Il occupait dans sa maison une employée juive, Berthe Zlotykamien. Au moment de la mise en application des mesures antisémites, Bernard Grasset lui conseilla de rester à son service, lui assurant des appointements comme si elle ne cessait pas de travailler. Effrayée par la violence des Allemands envers ses coreligionnaires, elle tenta de se rendre en zone sud mais fut arrêtée à la ligne de démarcation et envoyée dans un camp de concentration. Bernard Grasset s'occupa de l'éducation de son fils et de son jeune frère. Il continua à lui verser la totalité de son traitement.

6) Bernard Grasset était si peu en cour auprès des autorités occupantes qu'il ne put jamais obtenir de laissez-passer pour une voiture automobile et fut même le seul éditeur à ne pas avoir de voiture personnelle, ni une camionnette pour sa maison.

7) D'autre part, le pavillon de banlieue qu'il occupait fut réquisitionné dès le début par les Allemands et ne cessa pas de l'être pendant toute la durée de l'Occupation. Il fut obligé de chercher un autre appartement.

8) Il eut, à plusieurs reprises, de sérieux ennuis avec la librairie Rive-Gauche à laquelle il refusa de livrer des ouvrages.

9) Il est enfin un argument d'ordre moral qui n'est pas de moindre valeur : Bernard Grasset a travaillé pendant trente-huit ans à la plus grande gloire des Lettres françaises ; sa maison d'édition est incontestablement celle qui a le plus grand rayonnement littéraire dans le monde, et son nom est parmi ceux des rares éditeurs français dont la renommée soit allée bien au-delà de nos frontières. Enfin, sa « Lettre sur la France » suffirait à elle seule à affirmer les sentiments patriotiques de Bernard Grasset. Il a eu le courage de faire réimprimer cette « Lettre » en 1942, en pleine période d'Occupation.

Le 19 septembre, le « cas Grasset » est examiné par la commission de Drancy. Celle-ci propose la mise en liberté immédiate de l'éditeur. Son arrêt tient en une phrase : « Serait dénoncé, par trois lettres anonymes, comme collaborateur, aucune preuve au dossier. »

Pourtant, le cabinet de Pierre-Henri Teitgen, ministre de l'Information dans le gouvernement provisoire du général de Gaulle, s'oppose à cette décision et demande que Bernard Grasset reste à Drancy comme « détenu administratif ».

A quel titre? Sous la pression de qui? On ne le saura jamais. L'internement administratif, organisé par une ordonnance du 4 octobre 1944, s'inspirait d'un décret de Vichy et de décisions prises en 1939 par le gouvernement Daladier. C'était, à l'évidence, une mesure de nature très politique, très circonstanciée, et donc souvent arbitraire. L'éditeur parle de complot.

Le 16 septembre, *les Lettres françaises* publient une liste de quatre-vingt-quatorze écrivains indésirables, dressée par les incorruptibles du CNE. Son nom y figure. Rien ne lui est épargné. L'éditeur est emprisonné, l'écrivain est banni. Il apprend également que le Syndicat des éditeurs vient de prononcer son exclusion avec celle de Baudinière, Sorlot, Bernard, directeur du Mercure de France, La Hire, directeur de la maison Ferenczi aryanisée, Jamet, directeur des éditions Balzac (anciennement Calmann-Lévy) et président de la librairie Rive-Gauche. Son collègue René Philippon, toujours président du Syndicat des éditeurs, comme au temps de la « liste Otto », a visiblement la mémoire courte et un sens fugace de la confraternité. A moins qu'il ne se venge des attaques cinglantes de l'éditeur contre le Comité d'organisation du livre dont il fut le responsable pendant l'Occupation.

Grasset, désormais, redoute le pire. Le 28 septembre, il adresse à François Mauriac, par l'intermédiaire de son avocat, une lettre des plus équivoques. Il veut, visiblement, « mouiller » l'académicien, lui forcer la main en agitant quelques souvenirs sans grandeur:

> Mon cher François Mauriac, je ne puis résister au besoin de t'écrire moi-même. Je pensais d'abord qu'une puissante intervention de toi suivrait de si près cette chose odieuse que fut mon arrestation, que je n'aurais qu'à te dire « merci ». N'avais-tu pas donné à Muller l'assurance que « jamais on ne toucherait à moi »? Et ne sais-tu pas, d'ailleurs, mieux que quiconque, le Français que je suis, ayant toujours considéré son métier comme un sacerdoce, aimant sa Maison comme un père aime ses enfants, et à ce point négligent du profit que, lorsqu'il y a huit mois à peine, tu es venu me transmettre une offre d'achat de cette Maison, je n'ai même pas voulu savoir la somme offerte? « Bien au-dessus de ce que tu peux imaginer », m'as-tu dit lors de ta visite... Je t'avouais simplement ce jour-là la peine que me causait une démarche qui me semblait négliger mes sentiments les plus forts... Quant à mon cœur de Français, tu le connais depuis que tu me connais moi-même... Ma vie durant ces quatre ans, qui la connaît mieux que toi, ne serait-ce que par Muller, mon second, avec qui tu n'as cessé d'être en liaison? Ne sais-tu pas que je suis revenu à Paris le 18 août 1940, pressé par Hamonic qui me donnait à entendre que ma Maison risquait d'être mise sous séquestre par les Allemands si je ne rentrais pas, et qu'en attendant, elle était fermée par ordre des autorités militaires? Ne sais-tu pas que je suis rentré dans le plus grand risque, que j'ai été interrogé deux fois par la

Gestapo au sujet de mes publications anti-hitlériennes, et surtout au sujet de Strasser, auteur de *Hitler et moi*, et que je n'ai dû de m'en tirer qu'à ceci que j'ai pu jurer que je ne connaissais pas l'adresse de Strasser? Ne sais-tu pas que c'est pressé par mes collaborateurs, que j'ai publié des nouveautés quand j'ai eu le droit d'ouvrir ma Maison? Mon intention à moi était de m'en tenir, le plus longtemps possible sous l'occupation allemande, à la réimpression de mes grands auteurs. Le premier « lancement » d'octobre 40 me fut en fait proposé par Muller et Fraigneau, comme d'ailleurs me furent proposés tous les lancements de ces quatre dernières années. Au point que je puis dire qu'aucun des ouvrages que j'ai publiés depuis 1940 n'est venu de mon initiative, hormis les *Cahiers* de Montesquieu et mon livre, *les Chemins de l'écriture*. Quant aux traductions de l'allemand, mon ordre était de freiner le plus possible. Et là encore je n'ai publié que quand Muller me disait: « Nous ne pouvons faire autrement. » Ainsi en est-il allé pour la seule de ces traductions que je regrette, *Roosevelt et l'Europe,* que je n'ai d'ailleurs pas lu.

Mauriac, qui avait, pendant l'Occupation, publié un texte aux Éditions de Minuit clandestines, écrit plusieurs fois par semaine en première page du *Figaro* et aspire au pardon, à la réconciliation. Le 8 septembre 1944, sous le titre « la Vraie Justice », il prévient:

Il ne s'agit pas ici de plaider pour les coupables, mais de rappeler seulement que ces hommes, ces femmes sont des accusés, des prévenus, qu'aucun tribunal ne les a encore convaincus du délit ou du crime dont on les charge... Et puis, ne l'oublions jamais: cette victoire des Alliés, notre victoire, sera une victoire de l'homme. Les démocraties demeurent unies dans une certaine idée de la dignité humaine que, dans toute l'Europe, les bourreaux de Hitler ont dégradée et bafouée. Aux yeux des marxistes, l'homme est l'être suprême pour l'homme. Nous autres chrétiens, nous avons foi en sa filiation divine, en la valeur infinie de chaque créature venue de Dieu et qui retourne à Dieu. Ainsi, par diverses routes, nous aboutissons tous à ce respect de l'être humain, qui, même coupable, même chargé de crimes, doit être châtié sans être avili.

Mauriac a-t-il usé de son prestige et de son pouvoir pour tenter de « sauver » Grasset? Le 19 septembre, en compagnie de Georges Duhamel, Paul Valéry, Jacques de Lacretelle, Alexandre Arnoux, Suzanne Giraudoux, etc., il signe, à l'intention du Comité d'épuration de l'édition, une supplique en sa faveur. En dehors de ce type d'action, est-il intervenu publiquement? De 1944 à 1951, pendant toute la durée de « l'affaire Grasset », il n'a, dans aucun de ses articles — ils furent nombreux —, fait la moindre allusion au sort qui frappait celui qui, en 1921, le lança. Le plus qu'il fit, et qui ne manquait pas d'un certain courage dans cette période, fut de préfacer *Aménagement de la solitude,* en juillet 1947.

Dans une note qu'il rédigea le 18 juin 1948, c'est-à-dire au lendemain de la condamnation de la société Grasset par la cour de justice de Paris, un des anciens administrateurs provisoires de la Maison se montre sévère :

> C'est le rôle de Mauriac qui m'a paru le plus ambigu. Bien qu'étant l'un des principaux grands « M » de la Maison, avec Maurois, Morand et Montherlant, et alors dans toute sa « gloire » d'après la Libération, je dus me disputer avec lui, oralement et par écrit. Il me reprochait de ne pas lui donner l'exclusive préférence dans la répartition du peu de papier dont je disposais pour les impressions et réimpressions. Nos relations furent cependant cordiales, comme en témoignèrent nos repas à l'Inter-allié, mes entretiens, chez lui, avenue Théophile-Gauthier, et les ami-cales dédicaces de ses œuvres. Une fois, je l'invitai à déjeuner chez moi ; A... fut conquise par sa simplicité, le brillant de sa conversation. Mau-riac soutenait Grasset par la bande. Je le soupçonnais d'avoir des vues sur la Maison, pour lui, ou pour son fils Claude. Ce grand écrivain est trop nerveux pour que son honneur ne soit pas à éclipses et ses actions désordonnées. Son attitude, lors de sa polémique avec Pierre Hervé, qui l'appelait « la corneille élégiaque », m'apparut assez enfantine. J'avais le double de ses lettres à Grasset durant l'Occupation : ses démarches pour obtenir l'autorisation de publier auraient dû lui interdire de se faire le champion de la résistance des écrivains. Des hommes aussi respectables que Guéhenno m'ont raconté sur lui des anecdotes désolantes. Ce grand homme est aussi un petit-bourgeois rusé et calculateur.

Dans sa chambrée de Drancy, Bernard Grasset est seul. Aucun de ses auteurs prestigieux ne s'est directement manifesté. Quand Gaston Gallimard a déjà un tiroir de son bureau plein de té-moignages à décharge — des lettres de Chamson, Salacrou, Paul-han, Eluard, Malraux, Sartre, Camus, etc.[3] —, lui n'a pas reçu un seul mot de soutien.

Comment a-t-il pu susciter tant de jalousies, de rancunes, pour être à ce point le pestiféré ? La réponse se trouve, nous le savons, dans cette solitude qui fut toujours la sienne. La solitude d'une personnalité orgueilleuse, tyrannique, méprisante et insolente jus-qu'à la goujaterie avec ses pairs, avec certains de ses auteurs ; la solitude aussi d'un « malade », instable, inquiétant.

N'ayant à compter que sur lui-même, il va adapter sa stratégie à son isolement. Fatigué, ou feignant de l'être, aussi vite exalté que déprimé, il se rend de plus en plus insupportable à ses compagnons et aux responsables de Drancy. Le 4 octobre, Aymée écrit au garde des Sceaux une longue lettre dans laquelle elle reprend tous les arguments de Me Géranton et insiste sur la « santé extrême-ment précaire » de son mari. Puis, sur le conseil de Mlle Lou-cheur, assistante sociale à Drancy, elle rend visite à Charles Luizet, compagnon de la Libération, préfet de police de Paris. Le 31 octobre, l'éditeur est transféré, après une intervention de Lui-zet, à l'infirmerie de la prison des Tourelles. Il y reste huit jours,

un arrêté du même Luizet l'assignant à résidence chez... le
Dr Bonhomme, où il s'installe le 8 novembre ! L'amant d'Aymée,
chez qui il avait déjà fait trois ou quatre séjours.

La manœuvre de diversion est transparente. Il prétendra, plu:
tard, qu'il souhaitait sa liberté pour revenir rue des Saints-Pères et
conduire sa défense. A l'entendre, ce fut Aymée qui manigança
son retour villa Penthièvre, à Sceaux, en le persuadant qu'il devait
d'abord se faire oublier de ses innombrables ennemis. Sa femme,
dans son obstination, était de bonne foi. Qu'elle fût la maîtresse
du Dr Bonhomme n'impliquait pas qu'elle agît, dans les circonstances du moment, contre Grasset. Elle n'y avait aucun intérêt : mariée sous le régime de la communauté des biens, elle ne
pouvait qu'être solidaire de son mari. S'il était dépossédé, elle
l'était aussi. Au vrai, l'éditeur se sent à l'abri chez le Dr Bonhomme. En effet, l'astreinte à résidence surveillée qui le frappait
est annulée par un arrêté du ministre de l'Intérieur et la décision
lui est notifiée le 19 décembre. C'est l'époque où Me Géranton
contre-attaque durement, comme en témoigne ce mot de Jean
Paulhan à Jean Schlumberger : « Les avocats de Grasset menacent
de publier les lettres de Gaston aux Allemands si leur client est
condamné... Brrr[4] ! » L'éditeur pouvait quitter, libre, la villa Penthièvre. Il choisit de rester et il y séjournera jusqu'au 31 juillet
1945, sans être l'objet d'aucun soin particulier.

*

Tandis que Grasset organise sa retraite, le gouvernement provisoire de la République conforte son autorité. A Paris, le cadre
légal de l'épuration se précise. Nathan, Calmann-Lévy et Ferenczi
retrouvent chacun la maison dont les Allemands les avaient chas-
sés. Un débat secoue la presse et l'opinion. Quelle est la responsabilité des intellectuels et des écrivains ? Les journaux procommu-
nistes continuent d'en appeler à une répression brutale.
Néanmoins, aucun éditeur important n'est directement empêché
de mener ses affaires, à l'exception de Bernard Grasset et de
Robert Denoël.

Dès septembre 1944, Maximilien Vox a été nommé administrateur provisoire des éditions Denoël. Le 15 novembre, une décision
identique intervient à l'encontre de la société anonyme Bernard
Grasset. Antonin Wast, directeur de la librairie Gédalge, ancien
résistant, est désigné comme administrateur provisoire par Robert
Lacoste, ministre de la Production industrielle. La conception
toute technique qu'il se fit de sa mission ne donna-t-elle pas
satisfaction à ceux qui considéraient que les éditions Grasset
pouvaient, en vertu de leur prestige, servir d'instrument de propa-

gande politique ? Le 10 mars 1945, Wast est remplacé par Antoine de Tavernost.

Membre de la SFIO, conseiller général de la Seine, maire de Cesseins, exploitant agricole, administrateur du *Parisien libéré* et président de la société l'Information, Tavernost est alors fort occupé. Quand il prend ses fonctions, il a été averti par Robert Lacoste que ce sera pour très peu de temps. De son côté, le procureur général Boissarie, qui suit le dossier Grasset, lui a confirmé qu'un jugement interviendra incessamment. Il s'agit d'empêcher que ne sombre une maison incarnant la littérature française et, si les événements l'imposent, de former un groupe qui reprendra la suite de Bernard Grasset.

Antoine de Tavernost appelle, à la demande de François Mauriac, Jean Blanzat au poste de directeur littéraire. Le placide et corpulent Blanzat est une figure de la Résistance. Il participa au mouvement du musée de l'Homme et c'est chez lui, rue de Navarre, que fut projetée, en décembre 1941, la création des *Lettres françaises,* qui devaient regrouper tous les écrivains antinazis. Chez lui qu'eurent lieu les premières réunions autour de Jean Paulhan et Jacques Decour, lequel allait être fusillé en mai 1942 par les Allemands. En 1945, Jean Blanzat, chroniqueur au *Figaro,* a été écarté des *Lettres françaises* qui sont à la solde du PCF et qui mènent une vigoureuse campagne contre Grasset.

Dans cette atmosphère de vengeance qui environne la rue des Saints-Pères, Tavernost et Blanzat s'efforceront d'apaiser les esprits, alors qu'un communiste jeune et ardent, Francis Crémieux, fils de Benjamin Crémieux mort en déportation, lance, avec l'appui de Jouglet, une nouvelle collection, « les Témoins », très marxisante.

En dépit de ces gages d'allégeance donnés au « parti des fusillés », en dépit de l'autorité éditoriale croissante de Jouglet et de Crémieux au sein de la Maison, les adversaires de Grasset ne relâchent pas leur pression. Le 5 juin 1946, Antoine de Tavernost apprend, en lisant le *Journal officiel,* la fin de sa mission : Marcel Paul, ministre communiste de la Production industrielle, vient de nommer son chef adjoint de cabinet, le « colonel » Manhès, administrateur provisoire. Tavernost demande aussitôt rendez-vous à Marcel Paul. Celui-ci, très gêné, s'abrite derrière des « raisons de haute politique intérieure ».

Cette précipitation tenait-elle à la crise gouvernementale — le cabinet Félix Gouin chancelait — qui augurait mal de l'avenir des ministres communistes ? C'est probable. Le PCF s'accroche et s'emploie, par tous les moyens, à consolider ses réseaux de pouvoir.

L'idée, explicitée par le « colonel » Manhès, est la suivante : la Maison disparaît et son patrimoine est dévolu à un organisme d'État qui sera chargé de l'exploiter sous une formule quelque peu analogue à celle de la Société nationale des entreprises de presse. L'imagination, donc, galopait. Il fallait aller vite. Le PCF le pressentait. En juin 1946, Grasset est, en effet, la dernière maison d'édition sous tutelle d'un administrateur provisoire choisi par l'autorité politique, quand tous les autres éditeurs « suspects » dépendent de l'administration des Domaines. Cette situation, très contestable en droit, ne pouvait pas durer éternellement. René Jouglet et ses amis le savaient.

De fait, le tribunal civil de Paris, dans un arrêt du 6 août 1946, place, enfin, les éditions Grasset sous le séquestre des Domaines. Deux mois après sa nomination, le « colonel » Manhès doit se retirer. Le 6 août 1946 marque ainsi la fin de l'ingérence politique directe dans l'activité de la Maison. La manœuvre du PCF a échoué.

En revanche, la double instruction épuratrice et judiciaire suit son cours.

Les actions contre les « collaborateurs » furent, en effet, conduites au travers de trois procédures différentes.

D'abord, une action immédiate, qui se concrétisait de la façon la plus simple : arrestation des éditeurs soupçonnés ou dénoncés, nomination d'administrateurs provisoires dans leurs sociétés, puis mise sous séquestre des Domaines. Cette procédure-là, pour Grasset, est close. Il est en liberté et sa Maison est sous séquestre.

Restent les deux autres procédures, les plus importantes. L'une est diligentée — et cela vaut pour tous les secteurs d'activité — par des représentants de la profession elle-même. Le verdict des pairs. L'autre est instruite par une juridiction spéciale, les chambres civiques, puis, après la dissolution de celles-ci, les tribunaux militaires. Le verdict des juges.

*

D'abord, donc, le verdict des pairs. Dans les jours qui suivirent la Libération de Paris, le ministère de l'Information mit en place une Direction de l'édition et de la librairie, qui se fixa pour tâche d'organiser l'épuration. Au sein de la Résistance s'était constitué un comité d'éditeurs soutenant le général de Gaulle. C'est ce comité — auquel viendront se joindre deux personnalités du CNE — qui va officiellement instruire le dossier des personnes interpellées.

Ce Comité d'épuration de l'édition est d'une composition fort curieuse. Sur les huit membres qu'il compte, trois seulement ont résisté : l'écrivain Vercors, auteur du *Silence de la mer,* représentant le CNE, cofondateur, en 1941, avec Pierre de Lescure, des Éditions de Minuit, qui publièrent dans la clandestinité près d'une trentaine de livres ; Pierre Seghers, l'un de ces rares poètes qui décidèrent de « faire quelque chose » ; Francisque Gay, le fougueux démocrate-chrétien qui diffusa *La France continue,* une feuille résistante. Un autre est présenté comme un bon patriote : Étienne Repessé, délégué du gouvernement et nouveau directeur de l'édition et de la librairie. Quant aux quatre autres, ils acceptèrent, objectivement, de se plier aux règles du jeu fixées par les Allemands : l'éditeur Raymond Durand-Auzias et le romancier Jean Fayard, héritier d'Arthème Fayard, ont appartenu aux instances dirigeantes du Syndicat des éditeurs pendant la guerre ; Robert Meunier du Houssoy est l'un des responsables de la maison Hachette, laquelle a fonctionné durant toute l'Occupation ; Jean-Paul Sartre, enfin, second représentant du CNE, qu'il est difficile de tenir pour un modèle de résistant... En fait, Sartre se trouvait là pour plaider et défendre la cause de Gaston Gallimard[5]. Ce qu'il fit avec efficacité.

On ne peut, à l'évidence, attendre d'un tel comité une répression féroce. Certes, l'époque est féconde en résistants de la onzième heure, qui sont des épurateurs de première classe. En l'espèce, les maisons d'édition vont bénéficier d'une tolérance dictée non par un souci d'apaisement ou par une courageuse magnanimité, mais par une lâcheté bien commode. Mieux valait adopter le profil bas et tenter de laver, dans le respect des convenances, son linge sale en famille. Le général de Gaulle lui-même, selon un témoignage de Vercors, préfère condamner des écrivains plutôt que des éditeurs[6].

Le Comité d'épuration de l'édition, dans sa forme initiale, fait long feu. Sans autorité légale, incapables d'imposer les sanctions, ses membres démissionnent et Vercors, dans *les Lettres françaises,* sous le titre « la Gangrène », signe son arrêt de mort le 20 janvier 1945 :

> Après quatre mois de travaux, cette commission n'a rien obtenu, pas même d'être reconnue. Les maisons qu'elle voulait frapper annoncent froidement leur production, ce qui est proprement lui faire la nique. C'est faire la nique à un cadavre : il n'y a plus de commission d'épuration.

Le mois suivant, une nouvelle instance de dix membres est mise en place : la Commission consultative d'épuration de l'édition, que préside Raymond Durand-Auzias. On y retrouve Pierre Seghers, Vercors, Francisque Gay. Jean-Paul Sartre a rendu son tablier. Libraires, cadres et employés de l'édition y sont représentés.

Toutefois, cette Commission consultative n'est nullement habilitée à sanctionner ; elle peut proposer des peines à la Commission nationale interprofessionnelle d'épuration, instance suprême, qui seule peut statuer. Ainsi, les maisons d'édition n'ont pas une place à part, comme certains l'auraient souhaité ; elles sont des entreprises comme les autres et soumises au régime général de l'épuration.

*

La Commission consultative engrange donc les pièces du « dossier Grasset ». En soi, il n'est guère épais. En revanche, il est relativement gros si on le compare à celui des autres éditeurs. Pour une raison fort simple et sur laquelle on n'insistera jamais assez : la correspondance la plus compromettante de l'éditeur a été donnée par Jouglet à la police.

Aux trois lettres déjà citées s'ajoute le *Mémoire sur le désordre présent de l'édition et de la librairie en France*, que Grasset avait envoyé à ses confrères le 2 octobre 1943. La Commission consultative fait également la recension des auteurs pro-allemands, maréchalistes ou lavalistes, qu'édita Grasset dans sa collection « A la recherche de la France ». La Maison abrita, comme on le sait, une belle brochette de collaborateurs : Drieu La Rochelle, Abel Bonnard, Charles Lesca, Georges Suarez, Jacques Doriot, Joseph Barthélemy et Giselher Wirsing.

Les avocats de Grasset reprennent les arguments qu'ils avaient développés devant la commission de Drancy. A propos du recueil *A la recherche de la France,* les avocats répliquent : « Les articles qui s'y trouvent regroupés vont du 4 septembre au 1er novembre 1940. Bernard Grasset ne fut "journaliste" que deux mois. Il écrivit pour endormir la méfiance de la Gestapo et sauver sa maison. »

La collection « A la recherche de la France » s'interrompit en juin 1941 avec l'essai de Pierre Daye, *Guerre et Révolution.* Enfin, *Roosevelt et l'Europe,* de Wirsing, est, soulignent-ils, la seule traduction d'un auteur allemand que Grasset ait publiée parmi tous les livres que le lieutenant Heller cherchait à lui imposer. « Après des discussions très vives, affirme Me Géranton, Grasset obtint personnellement que le titre initial *Roosevelt contre l'Europe* devînt *Roosevelt et l'Europe.* »

L'avocat ajoute :

> La simple équité amène à poser cette question : contre quel éditeur parisien, soumis aux consignes de l'occupant, ne serait-il pas possible, en les isolant dans son catalogue, de dresser une liste d'ouvrages plus compromettants ? Notre client n'a reçu aucune subvention d'origine

allemande... Sur un chiffre d'affaires de 44 000 000 de francs pendant l'Occupation, les ouvrages incriminés, et dont les auteurs, à des titres divers, sont poursuivis ou déjà condamnés, représentent à peine 300 000 francs: moins d'un pour cent!

Selon la Commission consultative, les livres condamnables représenteraient 2 000 000 de francs, soit cinq pour cent du chiffre d'affaires.

Voilà donc le « dossier Grasset ». Trois lettres ; un « mémoire » ; une collection de six volumes ; enfin, sept ouvrages suspects.

La Commission consultative rédige, le 31 octobre 1945, son rapport. Un feuillet et demi. La conclusion est brutale :

> Des pièces du dossier soumis à la Commission consultative d'épuration de l'édition, il ressort nettement que Bernard Grasset a largement collaboré avec l'ennemi. Cette collaboration n'est nullement intervenue sous la contrainte de l'ennemi. Elle était à l'initiative personnelle de Bernard Grasset, qui, de ce fait, a encouru les plus graves sanctions qui puissent être appliquées à un éditeur français.
> En conséquence, la Commission consultative demande pour Bernard Grasset : premièrement interdiction à vie d'exercice de la profession ; deuxièmement : suppression et liquidation de la maison d'édition Grasset.

Le président Raymond Durand-Auzias, dont l'influence est grande, n'a pu adoucir l'appréciation de ses collègues. Il a essayé. Il défend et défendra toujours l'éditeur.

Il ne va pas tarder à le démontrer. Les circonstances vont l'aider : les membres de la Commission consultative démissionnent le 1er février 1946, entraînés par Vercors et Seghers, estimant que ce qu'ils font, disent ou écrivent ne sert à rien. Ils constatent, une fois de plus, leur impuissance : la Commission nationale d'épuration, qui est seule habilitée à prendre des décisions, ignore totalement leurs avis. « Dans certains cas, des éditeurs sur lesquels l'unanimité s'était faite pour exiger leur éviction définitive de la profession ont été acquittés ou frappés d'un simple blâme. »

Raymond Durand-Auzias, président de feu la Commission consultative, devient rapporteur auprès de la Commission nationale d'épuration. Quand celle-ci se réunit, le 28 mai 1946, pour examiner le dossier Grasset, le rapporteur Durand-Auzias ne suit pas du tout l'ex-président Durand-Auzias.

Quelques jours auparavant, le 12 mai, le général Guillain de Bénouville, dont l'influence peut être alors déterminante, a écrit, en faveur de l'accusé, à M. Pépy, président de la Commission nationale :

J'ai tenté en vain de vous joindre pour vous demander de bien vouloir entendre, avec la plus grande bienveillance, Mᵉ Géranton, avocat à la Cour. Celui-ci veut vous parler du cas de Bernard Grasset... Je n'approuve certes pas les textes qui sont reprochés à Bernard Grasset... Les éditeurs français comptent dans leurs rangs d'autres coupables bien plus coupables que Bernard Grasset. Ceux-là, leur affaire s'est vite arrangée. Dans l'état actuel des choses, si Bernard Grasset était condamné, il semblerait trop évident qu'on a seulement trouvé un prétexte pour le dépouiller de sa maison. Encore une fois, je n'excuse pas ce qu'il a écrit entre l'Armistice et décembre 40 — qui, d'ailleurs, n'est pas tellement différent de ce qu'ont écrit tant de gens qui tentaient de sauver leur affaire et d'empêcher les Allemands de s'en emparer —, mais me souvenant qu'il a été interné dans un camp, mis en prison, privé de sa maison, j'estime qu'il a largement payé les erreurs commises.

L'intervention de Bénouville a-t-elle porté? En tout cas, dans son arrêt, la Commission nationale, « tenant compte de l'état psychologique particulier de Grasset », le déclare digne de reprendre la direction de sa Maison et lui inflige, pour « imprudence », une peine de trois mois de suspension. La décision est notifiée le 12 juin 1946. On est loin, très loin, de la condamnation réclamée quelques mois plus tôt par la Commission consultative.

*

Le verdict de ses pairs est tombé. A tort ou à raison, il le blanchit, quasiment. Mais la décision de la Commission nationale d'épuration n'est nullement un répit. Tout juste une petite éclaircie. La procédure judiciaire, celle qui doit déboucher sur le verdict des juges, n'est pas, pour autant, interrompue. Elle ne fait, dans le cas de Grasset, que commencer.

Le 16 mars 1945, une information visant ses actes personnels et ceux qu'il a accomplis en tant que président-directeur général de sa société d'édition est confiée au juge Zousmann. Au mois de juin, une seconde information, en application de l'ordonnance du 5 mai 1945, sanctionnant le délit de « commerce avec l'ennemi », est ouverte contre la Maison. Les deux procédures sont jointes, le 14 novembre suivant, « en raison de leur connexité ».

Dans le dossier judiciaire figurent des pièces que n'avaient pas, apparemment, la Commission consultative et la Commission nationale d'épuration. Une correspondance avec l'Arbeitführer Walter Schulz, le patron de la Propagandastaffel de Paris, avec Karl Epting, qui dirigeait l'Institut allemand, et Gerhard Heller. La plupart des lettres sont banales, très souvent signées par Henry Muller.

Il en est deux, néanmoins, qui vont retenir l'attention du juge Zousmann. Une lettre du 25 avril 1941, de Bernard Grasset à l'éditeur berlinois Eher.

> Je viens d'achever la lecture du Dr Goebbels, *Du Kaiserhof à la Chancellerie*. Inutile de vous dire que j'ai pris un grand intérêt à cette lecture et que je suis persuadé que ce Journal, tenu en pleine lutte, portera beaucoup. Donc, j'en suis de grand cœur l'éditeur pour la France. Il est de votre intérêt comme du nôtre que nous assurions à l'œuvre magistrale du Dr Goebbels tout le rayonnement qu'elle mérite. Il faut donc que son Journal soit traduit de *façon parfaite*. J'ai eu l'honneur d'être présenté tout récemment au Dr Hoevel, qui est, je crois, un des collaborateurs immédiats du Dr Goebbels. Mon ami le lieutenant Heller, de la Propagandastaffel à Paris, est en étroit rapport avec le Dr Hoevel. Voulez-vous que je lui parle de la question du livre du Dr Goebbels afin que d'abord nous cherchions ensemble le meilleur traducteur?...

Le Dr Hoevel était une personnalité importante du ministère de la Propagande sous l'Occupation.

La seconde lettre, du 21 octobre 1941, concerne le même sujet. Cette fois, Grasset écrit à Joseph Goebbels lui-même :

> Excellence, mon état de santé m'empêche de me rendre à Weimar pour la réunion que vous devez présider. Mais un de mes plus proches collaborateurs, André Fraigneau, saura vous dire d'abord tout le contentement que j'ai d'être votre éditeur, et tout l'espoir que nous fondons sur une collaboration intellectuelle franco-allemande toujours plus étroite... Je serais très content si André Fraigneau pouvait vous entretenir de ce qui nous préoccupe dans notre métier, et notamment de la question du papier qui nous inquiète grandement.

Et il termine par ce post-scriptum :

> Je me fais une joie de vous offrir en hommage un exemplaire de mon premier livre, *Remarques sur l'action,* qui, je l'espère, vous retiendra. Si mes autres ouvrages pouvaient vous être agréables, ce serait de grand cœur que je vous les offrirais.

Du Kaiserhof à la Chancellerie fut publié en Allemagne en 1934. En novembre et décembre 1937, Henry Muller chercha à s'en assurer l'exclusivité pour la France et fut en relation avec les éditions Eher Verlag. Ses démarches n'aboutirent pas. Le 8 novembre 1940, il reprit contact avec son confrère allemand. Il semble, par conséquent, que ce livre n'ait pas, à l'origine, été imposé par la Propagandastaffel. Pourquoi Grasset relance-t-il Eher Verlag en avril 1941? Pourquoi, le 26 novembre 1942, Henry Muller interroge-t-il Gerhard Heller? « Que devient l'affaire Goebbels? Avez-vous eu un coup de téléphone de Georges Gigandet? Je vous rappelle que la traduction de Gigandet a été approuvée par l'éditeur allemand et renvoyée à l'Institut allemand avec demande de quelques modifications de détail... » Pourquoi, surtout, *Du Kaiserhof à la Chancellerie* n'est-il jamais paru? A-t-il été, au moins, imprimé?

Soucieux d'éclaircir ce mystère et d'examiner d'un peu plus près la comptabilité de la Maison, le juge Zousmann confie à un expert-comptable, M. Choron, la mission d'une enquête. Il y a dix mois que Paris est libéré, et c'est la première fois que l'on mène une expertise sérieuse. Il n'en va ainsi pour aucun autre éditeur important. Chez certains, comme Gallimard, il n'y a jamais eu le commencement d'une investigation.

Le 14 mars 1946, M. Choron remet un rapport de trente pages, qu'il prend soin de résumer:

> Il n'a été trouvé dans les comptes des Éditions Bernard Grasset aucune recette paraissant constituer une subvention des autorités occupantes pour la publication des livres de propagande. En janvier 1942, il a été mis à leur disposition, par un organisme allemand, quatre mille quatre cent huit kilos de papier, qui, selon les déclarations qui m'ont été faites, étaient destinés à l'édition d'un ouvrage de Goebbels intitulé *Du Kaiserhof à la Chancellerie*; que cet ouvrage n'a jamais été édité par la Société et qu'une partie du papier reçu a été utilisée, fin 1943, pour l'édition du livre *Rhône, mon fleuve* d'Alexandre Arnoux, le surplus étant demeuré en stock chez l'imprimeur. Il n'apparaît pas, de l'examen relatif aux papiers, que la Société ait bénéficié d'aucune attribution spéciale de papier de la part des Allemands. La vente des ouvrages incriminés a produit pour le compte des Éditions Bernard Grasset des recettes s'élevant à 2 342 176 francs, dont 404 561 francs ont été versés aux auteurs.

Rappelons que le chiffre d'affaires total de la Maison, pour les quatre ans d'Occupation, fut de 41 164 796 francs. Les livres pronazis ou pro-collaborationnistes ont donc représenté 5,6 pour cent du chiffre d'affaires.

*

Que s'est-il passé avec Goebbels? M. Choron n'a pas de réponse. Goebbels était-il indifférent à la sortie de son livre? Grasset, souvent absent, a-t-il pu, habilement, faire traîner les choses? Traduit, *Du Kaiserhof à la Chancellerie* a été composé en décembre 1942. D'accord avec le traducteur, Georges Gigandet, l'éditeur prétend avoir conservé dans son coffre personnel le jeu d'épreuves. Celui-ci, remis au juge Zousmann, porte sur la première page: « Vu et bon à tirer après corrections et visa. Georges Imann-Gigandet, 19 décembre 1942. »

Au juge Grasset répétera: « J'ai promis. Je n'ai pas tenu. Sont-ils nombreux ceux qui surent éconduire ainsi le troisième personnage du Reich? »

Fin mars, Zousmann a terminé son instruction. Le commissaire du gouvernement Coissac rend ses conclusions. N'ayant rien retenu contre Bernard Grasset, président-directeur général de la Maison, il prononce lui-même, ès qualités, le non-lieu. A propos de Bernard Grasset *intuitu personae,* il invite la Chancellerie à abandonner les poursuites, mais il laisse au garde des Sceaux le soin de décider, « compte tenu de la personnalité de l'éditeur ».

En bonne logique, « l'affaire Grasset » aurait dû trouver là son épilogue. Absous par la Commission nationale d'épuration en juin 1946, l'éditeur aurait dû assez vite recevoir le pardon des juges.

Le MRP Pierre-Henri Teitgen était, en 1946, ministre de la Justice. Après un bref intermède de Paul Ramadier, le radical André Marie lui succédera place Vendôme jusqu'en octobre 1949, à l'exception des quatre semaines où il fut président du Conseil, aux mois de juillet et août 1948. Ni Teitgen, ni Marie n'avaient, semble-t-il, de raisons personnelles de nuire à Grasset.

*

Pourtant, après les conclusions de Coissac, rien n'advient. L'éditeur a quitté la clinique du Dr Bonhomme le 31 juillet 1945. A la suite d'une visite du juge Zousmann, qui lui rappelle que rien, ni mandat d'arrêt, ni astreinte à résidence, ne le frappe, il s'est résolu à rentrer chez lui, rue de l'Estrapade. Il médite. Il s'est remis à son essai *Aménagement de la solitude,* qu'il avait abandonné fin 1939, et il forme le projet de le publier. Il écrit fiévreusement sur une vaste table de bois sombre. Aux murs, des tableaux familiers, plusieurs peints par lui. Chaque matin, vers 9 heures, le caniche d'Aymée pousse la porte, le courrier entre les dents. Il parcourt rapidement les quelques lettres des amis qui lui restent. Ses yeux ont pâli. Sa mèche, qui fut si noire, a blanchi. Aymée l'insupporte de plus en plus. Ses relations professionnelles avec sa Maison se sont distendues. Il a supplié, en vain, Tavernost de le recevoir. Son équipe — Hamonic, Langevin, Blanzat, Bour, Gagnat, Poulaille — lui rend compte régulièrement des décisions qui sont prises rue des Saints-Pères mais, pour ceux qui vont lui rendre visite, il est ailleurs. Dans son Journal, il s'épanche :

> Nul temps, me semble-t-il, fut plus propice que le nôtre à des réflexions sur la valeur des jours et leur emploi, sur les diverses façons de composer avec la contrainte, voire d'accepter l'inéluctable, la personne humaine éprouvant en effet le besoin de triompher, même dans la suprême défaite. Notre temps n'a pas seulement fait retour, avec franchise, à la sauvagerie, comme il en va toujours après les grandes secousses, il a proprement codifié la vengeance, après l'avoir reconnue comme premier principe du droit des gens. Ces formidables injustices,

ces dépossessions injustifiées, ces crimes ont été commis sous le regard des éléments les plus réactionnaires du pays, presque avec la bénédiction de certains pasteurs. On continue d'évoquer la Loi de Jésus-Christ au *Figaro*.

Une allusion à François Mauriac?

*

Est-il en passe d'abandonner ce « besoin de triompher » qui fut le ressort de sa vie? Tout devrait l'inciter à rester vigilant. Ses ennemis n'ont pas déposé les armes: René Jouglet, que l'on retrouve à chaque carrefour de « l'affaire » ; Francis Crémieux, violent, tonitruant, éblouissant de drôlerie ; quelques permanents communistes et plusieurs « fonctionnaires » du Conseil national des écrivains, devenu une filiale du PCF.

Ce n'est pas, comme le dira Grasset, un « complot » organisé dans un but précis. L'occasion, durant l'hiver 1944-1945, d'exproprier la Maison au profit d'un « clan » idéologique est passée. En 1947, on peut, au mieux, imaginer un montage pour reprendre le fonds Grasset sur des bases beaucoup plus larges, avec des communistes, bien sûr, très « grand genre », comme Pierre Hervé, éditorialiste à *l'Humanité*, mais aussi d'autres personnalités indépendantes comme Druon, Martin-Chauffier, Cassou... « L'idée a été clairement esquissée. Elle n'a jamais passé le stade de l'esquisse », convient Francis Crémieux[7]. En tout cas, plusieurs personnes vont s'acharner sur le sort de l'éditeur et les attaques seront toujours amplifiées, orchestrées par la même presse: la presse communiste ou d'extrême gauche.

Cette action souterraine de Jouglet et de ses amis est attestée par plusieurs documents, dont, en particulier, une note qu'adressa Armand Ziwes au président de la deuxième chambre civique de la cour de justice. Ziwes, qui était en 1946 secrétaire général de la Préfecture de police — le poste n'existe plus —, affirme avoir reçu cette année-là, de René Jouglet, des pièces relatives à « l'affaire » et nettement dirigées contre Grasset. « Je tiens à vous faire observer que je n'avais nulle qualité à recevoir ces pièces, ni à m'occuper de l'affaire. La volonté de nuire m'a paru, là, manifeste, et je n'ai donné aucune suite à cette transmission[8]. »

*

Il est probable, pourtant, que ses adversaires qui agissaient dans les antichambres se seraient un jour fatigués si l'éditeur ne leur avait pas fourni l'occasion de reprendre l'offensive. Entre l'automne de 1945 et juillet 1947, son nom n'est plus guère apparu dans la presse. Or, ce mois-là, quelques journaux se font l'écho de

« la fin du calvaire de Bernard Grasset ». L'information est de lui. Jacques Chardonne vient de lui écrire un mot plein d'espoir.

> J'ai appris avec plaisir que mon fils s'est beaucoup occupé de ton affaire. Aujourd'hui même il examine ton dossier avec l'un des ministres qui est son ami. Un résultat favorable est probable. C'est au nom des Lettres que la solution que tu désires sera demandée. Si les choses se dessinent dans le sens probable, tu recevras une lettre de mon fils qui demandera à te voir. Si tu ne reçois rien de lui d'ici huit jours, c'est qu'il y a un accroc. Mais sur tout ceci je te demande un silence absolu. Personne au monde n'a le soupçon de la conversation qui s'est tenue ces derniers temps, qui se poursuit aujourd'hui même, et qui touche à son terme, entre Bourdan et mon fils. Une indiscrétion serait désastreuse.

Il ne put tenir sa langue. Il fanfaronna, alerta des amis journalistes, dont François Le Grix, des *Écrits de Paris*. Gérard Boutelleau, le fils de Chardonne, rédacteur en chef de l'hebdomadaire *Carrefour*, était très lié à Georges Rebattet, l'un des principaux responsables de la Résistance sous le pseudonyme de « Cheval », qui dirigeait alors le cabinet de Pierre Bourdan, ministre de la Jeunesse, des Arts et des Lettres dans le gouvernement de Paul Ramadier. Bourdan occupera cette fonction jusqu'en novembre 1947. L'année suivante, il se noiera à trente-neuf ans, en allant pêcher dans la baie du Lavandou. L'éditeur perdra un allié dont l'autorité intellectuelle et morale était grande dans les milieux politiques. Responsable de la radio française libre de Londres pendant la guerre, Bourdan fut de ceux qui luttèrent, avec Georges Rebattet d'ailleurs, contre la partialité flagrante qui entachait certaines décisions des épurateurs. Si Lucien Rebatet, homonyme du résistant, ne fut pas exécuté, c'est à lui, en partie, qu'il le dut.

Le destin ne lui laissa pas le temps d'aider Grasset. Celui-ci, après avoir propagé, durant l'été 1947, des rumeurs sur son sort, frappe un nouveau « coup » à la rentrée de septembre. Ses amis, ses avocats, Jeanne Duc, Julienne Bosset l'exhortent au silence. Ne s'est-il pas fait oublier ? Qu'il continue de se taire. Impossible. Il a terminé *Aménagement de la solitude*. Il lui faut le publier. Mieux : il demande une préface à François Mauriac. Elle est on ne peut plus tiède. Mais elle existe, et c'est l'essentiel. Elle représente le meilleur certificat de bonne vie et mœurs que pouvait souhaiter l'éditeur-écrivain.

L'événement sera lourd de conséquences. Aussitôt, *les Lettres françaises* s'engouffrent dans la brèche et un gros titre barre le numéro du 17 septembre : « le Scandale Grasset ». Francis Crémieux a bien affûté sa plume :

> Déjà les journaux littéraires commentent obligeamment le retour de l'éditeur-écrivain. Nulle part, il n'est question du passé récent de Gras-

set, collaborateur. Au ministère de la Justice, au ministère des Arts et des Lettres, les attachés de cabinet déclarent que le dossier Grasset est vide et le non-lieu inévitable. On ajoute que l'homme est sans ressources, on parle d'humanité, on met en avant le prestige de l'édition française à l'étranger. Or M. Bernard Grasset, avec ou sans non-lieu, restera l'une des figures les plus répugnantes de la trahison. Il s'est mis au service de l'Allemagne d'une façon totale, ses lettres, ses articles, son activité d'éditeur en fournissent d'abondantes preuves.

Suit une analyse intelligemment orientée des trois lettres — toujours elles — de l'éditeur à Sieburg, Châteaubriant, Hamonic, et un commentaire au vitriol sur la collection « A la recherche de la France ». La même semaine, Georges Altman, dans *Franc-Tireur,* signe une « Lettre ouverte à François Mauriac sur M. Grasset, moraliste inconnu » :

> Entouré de toutes les lumières spirituelles de l'ordre nouveau, françaises et allemandes, votre pur moraliste, monsieur Mauriac, vous le savez, ne cesse d'éditer des ouvrages nazis. Avec quel zèle, quelle bassesse, il va mendier chez l'occupant l'éloge, les promesses et l'appui ! On le voit parcourir, pèlerin de la honte, les deux zones d'une France aux abois... Et voici qu'aujourd'hui le phare du *Figaro* jette sur cette épave les rayons de sa grâce. C'est trop, cher maître, ou c'est trop peu.

L'éditeur répond dans *Combat* : « Je n'ai jamais cru le moindre mot de ce que j'écrivais. Je n'avais d'autre objectif que de réintégrer ma Maison... J'ai écrit des blagues parce que j'avais intérêt à écrire des blagues. » L'argument est faible ! *Combat,* pourtant, s'interroge : « Est-ce équitable de faire de M. Grasset la brebis galeuse de l'édition française qui aurait été magnifique de courage et d'intransigeance ? » Les autres grands quotidiens — *le Figaro, le Monde, France-Soir, l'Aurore, Paris-Presse* — ne réagissent pas.

Place Vendôme, au ministère de la Justice, « quelqu'un » se réveille et s'enquiert de l'état du dossier Grasset. Ce « quelqu'un », que nous n'avons pas pu identifier, dispose non pas d'un certain pouvoir, mais plutôt d'un pouvoir certain. Il rejette les conclusions de Coissac, commissaire du gouvernement, qui avait prononcé le non-lieu pour la société Grasset et suggéré l'abandon des poursuites à l'encontre de Bernard Grasset. C'est ainsi que le 24 septembre 1947, la Chancellerie ordonne au commissaire du gouvernement de traduire l'éditeur devant la chambre civique et sa société devant la cour de justice.

Coissac repousse l'ordre de la Chancellerie. Début décembre, il est entendu par le cabinet du garde des Sceaux. Il maintient son point de vue et se refuse à requérir. C'était courageux. Il est dessaisi du dossier, qui est confié au commissaire du gouvernement Leven. Celui-ci, le 17 janvier 1948, conclut au renvoi de l'éditeur devant la chambre civique et au renvoi de la société devant la cour de justice.

*

La procédure va s'accélérer. Le 20 mai, le procès de Bernard Grasset s'ouvre devant la cinquième chambre civique de la Seine. La salle est vide. Aucun journaliste ne s'est déplacé. L'éditeur a prévenu qu'il ne se présenterait pas. Pour justifier son absence, le bâtonnier Charpentier qui est, avec Géranton, l'un de ses avocats, a remis au juge un certificat médical. Le procureur Lacazette ne l'entend pas ainsi : « C'est une manœuvre. Ce procès a déjà été renvoyé deux fois. » Après délibération, la chambre refuse le renvoi de l'affaire. Un taxi est commis d'office pour aller cueillir l'éditeur défaillant. L'audience est suspendue. On l'attend, il ne viendra pas. « Nous avons touché M. Grasset, explique Me Charpentier. Il est hors d'état de comparaître. En tout cas nous, avocats, n'en prenons pas la responsabilité. »

Il sera donc jugé par contumace. A 20 heures, le verdict tombe : indignité nationale à vie, confiscation des biens, cinq ans d'interdiction. Il tombe dans l'indifférence générale. Sept ou huit lignes dans de rares journaux. L'éditeur, il est vrai, a fait aussitôt opposition au jugement.

Étonnante indifférence, tout de même. Plus étonnante encore, à la lumière du tapage que va provoquer, moins d'un mois plus tard, la condamnation de la Société des éditions Bernard Grasset. Si l'éditeur ne fait plus recette, sa Maison conserve tout son prestige. A moins que l'un et l'autre ne se confondent et qu'il ait fallu le procès des 16 et 17 juin pour réveiller la presse. Et quel réveil !

Ce mercredi 16 juin, c'est en effet la foule des grands jours dans le box des journalistes de la neuvième chambre du Palais de justice. A 9 h 30, l'éditeur est arrivé, le visage terreux, traversé de tics, la mèche rebelle, l'éternelle pochette blanche égayant son costume noir. Il a sur lui une petite bouteille d'eau qu'il porte à ses lèvres toutes les cinq minutes.

Il écoute, très agité, les témoins de la défense. Des éditeurs surtout, dont Raymond Durand-Auzias. Le rapporteur de la Commission nationale d'épuration est venu expliquer pourquoi il n'avait pas cru devoir frapper Bernard Grasset d'une peine supérieure à trois mois de suspension. Voilà un homme qui sait de quoi il parle. Il connaît les dossiers de ses confrères éditeurs. Il n'a aucune illusion sur la politique opportuniste qu'ils ont dû pratiquer pendant l'Occupation, sous peine de se saborder. Il sait que la plupart, devançant les désirs de l'occupant, censuraient eux-mêmes, dans leurs catalogues, dès 1940, ce qui pouvait déplaire à l'ennemi. Bref, il connaît les défaillances de chacun. Il juge Grasset dans le lot : « On ne peut pas dire qu'il y ait eu un seul éditeur résistant, du moins parmi les grandes maisons, car une attitude franche l'eût fait écrouer immédiatement par les Allemands... J'estime que rien d'antinational ne peut être reproché à Grasset. »

Le président Didier, après l'audition des témoins, recense l'un après l'autre, en en lisant quelques passages, les livres collaborationnistes que l'éditeur a publiés dont le sien, *A la recherche de la France,* ceux de Suarez, Drieu La Rochelle, Bonnard, Montigny, Lesca, Montherlant...

« Faites-moi la grâce, lance soudain Grasset, de ne pas lire ces vomissures qui ne m'intéressent pas. Ces livres m'ont été imposés sous peine de fermeture.

— Mais le vôtre, monsieur Grasset ?

— Le mot "collaboration" n'y est pas ! J'ai écrit sur la France, et rien que sur la France. Engueulez-moi si vous voulez, c'est comme ça... Je voudrais parler avec calme, écoutez-moi... »

Il lit des pages de son essai, s'arrête, sanglote. Interdit, le président Didier reprend le fil du dossier. L'éditeur ne dira plus rien. Dans l'après-midi, il provoquera un incident pour aller plaisanter, haut et fort, avec les journalistes : « On enfile des perles depuis ce matin. Qu'allez-vous raconter ? »

Le lendemain il paraît plus calme. A l'ouverture de l'audience, le président Didier donne lecture de deux lettres. L'une de Suzanne Giraudoux : « Si mon mari était vivant, il serait venu défendre Bernard Grasset. » L'autre de Serge Groussard : « Poursuivi pendant l'Occupation, j'ai toujours trouvé asile auprès de Bernard Grasset. »

Me Charpentier commence sa plaidoirie en rappelant la lettre que Francisque Gay adressa — sans en penser un mot — à son associé Bloud, pour s'attacher la confiance des autorités allemandes et pouvoir ainsi rouvrir sa maison d'édition. Interpellé à ce sujet alors qu'il était vice-président du Conseil, Francisque Gay se justifiera devant les députés en évoquant le cas de force majeure. Ses collègues se rendirent à ses raisons.

> Le cas de Bernard Grasset, explique-t-il, doit être, entre tous, jugé avec le plus grand souci des nuances et de l'intérêt national. Il s'agit d'un grand, d'un très grand éditeur, personnel et dynamique, qui peut bien avoir les défauts de ses qualités, mais qui n'en a pas moins introduit dans l'édition française des méthodes nouvelles et fécondes. Qui a rassemblé sous son toit nombre de nos meilleurs écrivains et suscité autour de nos lettres un climat d'une exaltante euphorie.
>
> Autant de circonstances aggravantes certes, convient Charpentier, si tant de prestige, qui rayonnait à l'étranger, fut allé servir nos ennemis.

Mais il a été établi : 1) Que la proportion d'ouvrages qui pourraient lui être reprochés affecte moins d'un centième de sa production pendant l'Occupation, alors que d'autres éditeurs, qui n'ont pas été inquiétés, ont consacré à la même catégorie d'ouvrages jusqu'à trente pour cent de leur production. 2) Que Bernard Grasset n'a fait partie d'aucun groupe de collaboration et qu'il a refusé de se rendre en Allemagne. 3) Que sa maison fut inquiétée dès juin 1940 par ordre de l'autorité militaire allemande, en raison des nombreux ouvrages anti-hitlériens qu'elle avait publiés. 4) Qu'il manqua de justesse d'être arrêté. 5) Qu'il refusa des manuscrits pro-collaborationnistes que publièrent d'autres éditeurs qui ne furent pas poursuivis, dont *les Décombres* de Rebatet, *l'Infanterie attaque* du général Rommel et *la Guerre en prison* de Degrelle. Alors, quoi ?

L'avocat, enfin, produit des pétitions en faveur de Grasset, signées par des centaines de libraires et des écrivains célèbres : de Gide à Mauriac, de Duhamel à Paulhan, de Lacretelle à Carco...

L'éditeur écoute, sans un mot, sans un geste ! Il ne se manifestera pas davantage durant le réquisitoire du procureur Lacazette, qui va, pourtant, provoquer des cris d'indignation dans la salle.

Lacazette balaie tous les arguments de la défense d'une seule boutade oratoire : « Si Grasset n'a fait partie d'aucun groupe, en particulier du groupe Collaboration, s'il a refusé de se rendre en Allemagne, avec d'autres, auprès de Goebbels, c'est pour mieux cacher son jeu. S'il n'y a eu dans ce procès aucun témoin à charge, c'est que nous n'en avions pas besoin. » Ce qui fait selon lui le « crime », ce n'est point tant l'œuvre elle-même que sa diffusion. Le crime grandit avec l'importance du tirage. C'est en vertu de ce principe que l'éditeur mérite le châtiment auquel ont pu échapper ses auteurs. « Dans un procès de presse, n'est-ce pas d'ailleurs le gérant qu'on poursuit ? » Ce singulier procureur réserve d'autres surprises, non moins savoureuses, au prétoire.

J'accuse Grasset d'avoir voulu être le Führer de l'édition et je n'en veux comme preuve que la façon dont il a fondé sa société, en 1930, et les hommes qu'il a appelés pour l'y aider. Croyez-vous, messieurs, qu'il ait fait appel à des hommes simples ? Pas du tout. Voici les hommes qui l'entouraient et qui ont été ses premiers actionnaires. Il y a beaucoup de particules et de titres là-dedans. Comte de patati, baron de patata... Quels furent-ils ? Je vois d'abord Paul Cambon, ambassadeur de France, M. le vice-amiral Grasset, M. André Maurois, M. Jean Giraudoux, Mme la duchesse de Clermont-Tonnerre, M. Francis de Croisset, M. le maréchal Lyautey. Je vous le demande, quand un homme fait appel au maréchal Lyautey pour être un de ses premiers actionnaires, ne porte-t-il pas la marque d'un appétit de puissance ? La maison Grasset aurait pu s'appeler « Lyautey et Cie » !

Le bâtonnier Charpentier réclamait que chacun, dans ce procès, eût « un grand souci des nuances ». Le voilà servi.

> Je vous demande que Grasset soit reconnu coupable, conclut La-cazette. Vous allez le dire avec fermeté. La maison Grasset doit dispa-raître et je vous demande de confisquer tous ses biens. Je vous demande enfin de ne pas accorder de circonstances atténuantes, l'affaire n'en comporte pas.

Avant que la cour ne se retirât pour délibérer, l'éditeur se tourna vers les jurés :

> Cette Maison est l'œuvre de ma vie. Je vous supplie de me la rendre entière. Si vous prononcez sa dissolution, il y a des candidats pour la reprendre à vil prix. Les poursuites d'aujourd'hui servent seulement des gens qui, pour des intérêts pécuniaires, se sont acharnés sur mon nom.

Ce fut le seul moment où il ne put contenir son exaltation. Il pleurait en parlant.

Les jurés et la cour ne voudront rien retenir, ni des implorations de l'éditeur, ni des arguments de la défense. Ils prononcent la dissolution de la Société des éditions Bernard Grasset et la confis-cation de quatre-vingt-dix-neuf pour cent de ses biens.

Le 28 juillet 1948, la Cour de cassation confirme l'arrêt. « Voilà donc, écrit André Billy dans *le Figaro,* définitivement réglé le sort des éditions Bernard Grasset... Ce jugement est inique et le réquisitoire d'où il est sorti demeurera dans l'histoire judiciaire comme un monument. »

*

A cette date, les adversaires de l'éditeur peuvent prétendre à une victoire totale. On pourra, pour une bouchée de pain, acqué-rir les éléments dispersés du fonds de commerce et c'est là, manifestement, le résultat cherché par certains.

Pour déboucher sur quoi ? Il semble, précisément, que personne ne soit parvenu à donner une réponse concrète à cette question. Si l'on comprend aisément que des éditeurs se bousculent pour reprendre, fort cher, l'œuvre des écrivains les plus célèbres — Mauriac, Montherlant, Giono, Maurois, etc. —, qu'en sera-t-il des cinq cents autres auteurs qui figurent au catalogue ? Qui voudra racheter les ouvrages d'Henri Duvernois, de la princesse Bibesco, de Daniel Halévy, de Léon Daudet, d'Alexandre Arnoux, d'Édouard Peisson, de Gabriel Boissy, de Francis de Croisset ou de Joseph Peyré, que la Maison, pourtant, a régulièrement réédi-tés ? La famille de Léon Daudet, par exemple, touchait quelque 200 000 francs de droits par an, ce qui n'était pas négligeable.

La lettre qu'un auteur, Louis Vaunois, adressa au directeur des Domaines — la Maison est sous séquestre — donne la mesure des complications juridiques dans lesquelles tout « repreneur » risquait de s'enliser.

En condamnant la Société Grasset, on frappe, contre toute équité, des innocents, c'est-à-dire le personnel de la maison de commerce qu'on jette à la rue et les auteurs qu'on prive de leur maison d'édition... Un grave dommage m'est ainsi causé et je réserve tous mes droits et actions pour obtenir réparation du préjudice dont j'aurai à souffrir. Si le patrimoine de la société est confisqué, il y a deux éventualités.

Ou vous prétendez vendre en bloc les contrats d'auteurs. L'arrêt condamnant les éditions Grasset leur interdit de se reconstituer sous quelque forme que ce soit. Il est donc impossible de vendre en bloc les contrats d'auteurs. Cette opération constituerait une escroquerie...

Ou vous prétendez vendre au détail mes contrats. Au nom de mon droit moral, je m'oppose formellement à ce que les traités que j'ai signés avec les éditions Grasset, tant passés que futurs, soient vendus ou attribués à qui que ce soit. Si les éditions Grasset sont anéanties, du moins n'a-t-on pas anéanti la liberté de l'écrivain. Je vous fais défense de céder à quiconque les traités que j'ai signés.

Aucun projet sérieux permettant à des concurrents ou à un organisme quelconque de récupérer le fonds Grasset ne verra le jour. Ce n'est pas le moindre des paradoxes de cette « affaire ». La Maison est dissoute et personne ne sait que faire de cette dissolution ! Voilà pourquoi l'émotion que suscite dans la presse le jugement du 17 juin va, très vite, se confondre avec un courant de sympathie en faveur de Grasset. Le retournement est aussi inattendu que brutal. Des centaines d'articles de protestation paraissent en France et à l'étranger. Des écrivains s'insurgent. le personnel de la rue des Saints-Pères, le représentant du Syndicat des éditeurs, le porte-parole des auteurs font une démarche collective auprès du ministre de la Justice André Marie et auprès du président de la République Vincent Auriol. Un climat est créé autour de la seule question qui puisse toucher et intéresser l'opinion publique : pourquoi Grasset est-il si lourdement frappé ? Le sentiment de nager dans l'incohérence et l'injustice prévaut de plus en plus. Quatre ans après la Libération, il n'y a ni véritable jurisprudence, ni philosophie en la matière, les tribunaux agissant au gré des circonstances, sous la pression directe des réseaux d'influence, que ceux-ci soient politiques, économiques ou mondains. C'est le constat qui s'impose. Il chemine dans le Paris qui compte et qui décide.

*

Dans son appartement de la rue de l'Estrapade, Grasset erre comme un fantôme, et pleure comme un enfant quand on vient lui témoigner quelque sympathie. Obsédé par cette condamnation, il a introduit une demande de recours en grâce, que viennent appuyer, dès juillet, les représentants du personnel et des auteurs, conduits par Jean Blanzat. Mais des auteurs parmi lesquels ne figure aucune célébrité de la Maison. François Mauriac, en parti-culier, n'a pas estimé devoir signer la protestation. Une absence très remarquée. Cette « manifestation d'une équipe amicale », comme la qualifiera Daniel Halévy, un autre absent, a-t-elle été inutile ?

L'intervention d'un jeune éditeur, Robert Laffont, « monté » de Marseille où il avait, pendant la guerre, édité des « auteurs Gras-set » comme Montherlant, Gabriel Boissy, René Laporte, fut peut-être plus déterminante. Comme il dînait un jour de novembre 1948 avec Jean Forgeot, secrétaire général de la présidence de la République auprès de Vincent Auriol, et Maurice Petsche, secré-taire d'État aux Finances, il apprit que le « cas Grasset », était définitivement réglé, et que la Maison allait être fermée. « J'expli-quai que ce n'était pas possible et que Vincent Auriol devait accorder sa grâce. Forgeot me promit de suivre le dossier et Petsche accepta que je vienne en parler avec lui au ministère. Dès le lendemain, je téléphonai à Grasset qui m'envoya une docu-mentation et me bombarda de coups de fil pendant deux semaines. Je vis Petsche à son bureau, très longtemps. L'ai-je convaincu ? Oui, je pense, sur deux points : d'une part le rayonnement inter-national de la maison était tel qu'on ne pouvait imaginer de la dissoudre ; d'autre part, la sanction était, selon moi, totalement disproportionnée au regard des agissements de Bernard Grasset pendant l'Occupation [...]. Ai-je été le doigt du magicien ? Je le crois. Grasset fut lamentable et raconta que j'avais voulu mettre la main sur sa maison[9] ! »

A l'époque, tout Paris, à l'entendre, veut lui prendre sa Maison. Le recours fut examiné par le Conseil supérieur de la magistrature, le 20 décembre 1948. Vincent Auriol, considérant la maison Gras-set comme une personne physique, accorda sa grâce « en raison des services rendus à la littérature française contemporaine ». Aux avocats de l'éditeur, il précisera : « Sachez que je suis surtout très sensible au fait que Grasset fit de *Maria Chapdelaine* un des best-sellers mondiaux de l'avant-guerre ». A quoi peut tenir une grâce présidentielle... La Société des éditions Grasset était réhabi-litée dans tous ses droits. Vincent Auriol fixa le prix de cette résurrection à 10 000 000 de francs d'amende. La levée du sé-questre fut prononcée le 20 janvier 1949.

Juridiquement, la situation de l'éditeur était, à tout le moins, bizarre. Le dossier concernant sa Maison était, cette fois défini-tivement clos. Tous ceux qui l'avaient enterré un peu vite en étaient pour leurs frais. Mais son procès, à lui, Bernard Grasset, continuait de courir. Sa condamnation par contumace, le 20 mai 1948, à l'indignité nationale à vie, à la confiscation de ses biens, à l'interdiction de séjour pendant cinq ans, était simplement suspendue. Il avait fait opposition au jugement. Il était en sursis, et son affaire viendrait un jour ou l'autre devant les tribunaux, pour « vider la contumace », c'est-à-dire confirmer ou infirmer le jugement, en présence de l'accusé.

Avant que ne soit vidée la contumace, l'éditeur jouit donc de tous ses droits. Il peut, maintenant que sa société est lavée de tous les péchés, retrouver son bureau de la rue des Saints-Pères et ses fonctions de président-directeur général. Ce qu'il décide : il veut, explique-t-il, ignorer son propre cas et ne voir que l'intérêt de sa Maison. Les éditions Grasset vont être dirigées par un condamné par contumace. Étonnante conjoncture qui n'est pas, on le devine, du goût de tout le monde : « La contumace doit être vidée rapidement, lit-on dans l'*Humanité* et *le Populaire*. Il y a longtemps qu'elle aurait dû l'être. En attendant, et ne serait-ce que pour le prestige des Lettres de ce pays, l'homme doit être écarté de l'édition. »

« Quand je lance un auteur, j'assure sa carrière. Je prétends qu'Hervé Bazin ne peut plus mourir de faim — et cela quoi qu'il arrive. C'est assez consolant... »

BERNARD GRASSET

LE SURSIS

Il revient rue des Saints-Pères. — Si sa Maison est graciée, son procès personnel continue. — Le Comité d'action de la Résistance déclenche « l'affaire Grasset ». — Nouvelle campagne des Lettres françaises. — Lancements d'Hervé Bazin, Marcel Jouhandeau et Jacques Laurent. — A la clinique de Sceaux, il peint un tableau par jour. — Une lettre de Dominique Auclères. — Amnistié.

Oui, « en attendant... ». L'attente sera courte. Mais, n'anticipons pas. L'effervescence est grande, le mardi 1er février 1949, au 61 de la rue des Saints-Pères, le « patron » revient. Après plus de quatre ans et demi d'errance, d'incertitudes, durant lesquels il n'a jamais franchi le seuil de sa Maison.

Il revient avec trois idées simples. D'abord, régler à ses « grands auteurs », qui menacent de le quitter, les arriérés de leurs droits. Ensuite, tirer à cinq mille exemplaires les quatre-vingt-dix titres les plus demandés de son catalogue. Il en a lui-même dressé la liste. *Maria Chapdelaine* de Louis Hémon, les *Provinciales* de Giraudoux, *le Nœud de vipères* de Mauriac, *les Jeunes Filles* de Montherlant, *les Enfants terribles* de Cocteau, le *Journal* de Carco, *les Conquérants* de Malraux, *le Diable au corps* de Radiguet, *Claire* de Chardonne, plusieurs Maurois, les douze tomes de *la Petite Histoire* de Lenotre... Il estime qu'une nouvelle génération de lecteurs veut connaître « la puissante littérature de l'entre-deux-guerres ». Il y aurait là « une immense clientèle qui attend qu'on la serve ». » Enfin, relancer « les Cahiers verts ».

Il retrouve ses fidèles collaborateurs : Jean Blanzat, directeur littéraire, François Salvat, le chef de fabrication, Yvonne Langevin, la doyenne. Henry Poulaille règne toujours sur la salle de presse transformée en capharnaüm. Quant à ses « grands auteurs », ils sont peu nombreux ceux qui passeront, durant les premiers mois de 1949, rue des Saints-Pères. André Maurois est le seul que l'on voit régulièrement. D'autres, qui ne lui doivent ni leur célébrité ni leur fortune, viendront souvent lui témoigner leur amitié, comme Emmanuel Berl, André Chamson ou Jean Guéhenno. Ce dernier fut parmi les rares écrivains qui se gardèrent de la moindre compromission avec l'occupant, en refusant d'être publiés. Il devient « conseiller » de la Maison où il dispose d'un bureau.

Il y a encore Robert Aron, avec lequel il signe le premier contrat depuis son retour. Robert Aron, qui avait, alors, osé affirmer que le monopole du patriotisme ne se trouvait ni à Londres ni à Alger, ni même, quel que fût leur héroïsme, chez les combattants du maquis. Il y avait aussi, écrivait-il, des Français sincères à Vichy. Grasset lui offrira la direction d'une collection qui restera à l'état de projet, sur les questions politiques, culturelles et morales du jour. « Il faudrait donner là tout ce qui se rattache au moment vécu. Par exemple l'idée de colonisation, l'idée de patrie, l'idée de supranationalité, la question de la bombe atomique, etc. » Aron suggéra un titre, « Cahiers de la vie réelle ». Les ouvrages auraient pour caractère commun de se situer en dehors de toute littérature et de relater des expériences concrètes ou des itinéraires spirituels. La Maison devra à ce projet de publier, en 1956, *Lettres de voyage 1923-1939,* du père Teilhard de Chardin. Aron souhaitait inaugurer sa collection avec ce texte. « Je vous propose, écrivait-il à Grasset, de mettre en premier ce livre de Teilhard de Chardin, que j'ai été très heureux de vous obtenir malgré la compétition de Gallimard et de Plon[1]. »

Il y a aussi Jean Cocteau.

> Quoique tu m'aies bien négligé pendant les durs jours que je viens de traverser, tu es un des premiers à qui je pense pour mon retour... Je compte reprendre à partir de mars la publication des « Cahiers verts ». Tu ne peux pas me refuser de me donner un texte de toi pour ces « Cahiers ». Je suis resté pendant quatre ans à l'écart de la vie littéraire, tout empêtré de cette horrible chose judiciaire et désespérant d'ailleurs qu'on me rende jamais ma Maison. Mais, comme je vais la reprendre, je suis avide de m'informer. Je n'imagine pas, bien sûr, mon cher Jean, que tu as à me présenter un nouveau Radiguet. Tu peux cependant me conseiller utilement dans mes recherches présentes. On me dit, par exemple, que ton ami Genet, dont d'ailleurs je n'ai pas lu la pièce, pourrait m'intéresser. Le penses-tu ?

Il lui fallait *recréer*. Un de ses mots fétiches. La Maison retrouve peu à peu son ambiance d'antan. La journée coule, coupée de brefs éclats, de nombreux enthousiasmes, de projets. Il arrive vers 9 heures à son bureau qui sent la poussière et la cendre froide, convoque son monde, lit à haute voix les pages qu'il a écrites la veille ou dans la nuit, dresse avec Blanzat et Guéhenno le programme du jour. Séances vivantes, pittoresques. Cette « allure Grasset » que l'on avait oubliée. « Mon petit, j'ai une idée... »

Étrange retour en fanfare. Le condamné par contumace vit sous une épée de Damoclès et sa vitalité retrouvée ne vaut que pour ses collaborateurs et ses intimes. Son état psychique reste précaire et d'ailleurs, il se partage entre la rue des Saints-Pères et la villa Penthièvre du Dr Bonhomme. Il évite le plus possible Aymée et la rue de l'Estrapade. Il l'écrit à Julienne Bosset.

> Ma chère Julienne, ceci est une lettre sacrée. Ne la perds pas. Je t'en demanderai peut-être un double, si je ne meurs pas avant que toutes les choses pour moi soient résolues. Et quand je dis les « choses », cela ne veut pas dire seulement cette pénible affaire qui traîne lamentablement ; je parle surtout de ce drame avec Aymée, qui est une véritable plaie à mon flanc, et dont vraiment j'ai peur de mourir.
>
> Peut-être t'es-tu laissé prendre au cours des derniers six mois à des apparences. Le vrai est que, à partir de juin dernier, environ, pour échapper à des drames quotidiens qui me déchiraient, j'ai résolu, guidé par mon instinct, de mettre fin à tout rapport sexuel avec Aymée. Et même à tout geste débordant les rapports de frère et sœur, renonçant moi-même à toute vie sexuelle et à toute vie du cœur, pour mon plus grand dommage. Bien plus, à partir de la date que je te dis, j'ai renoncé à lui demander des services élémentaires que j'aurais demandés à une gouvernante, comme de m'accompagner dans une course nécessaire (tu sais ma fragilité là-dessus) ou d'aller n'importe où avec elle pour me distraire, ou même seulement de m'apporter une aide élémentaire quand j'allais peindre.
>
> A ce prix, une paix relative a été obtenue...

Une paix ? Ses adversaires n'ont pas déposé les armes. Le 15 avril, René Jouglet écrit à son « cher ami » Jean Texcier, vice-président du Comité d'action de la Résistance, le CAR. « Vous m'avez représenté que mon devoir n'est pas de garder par-devers moi ces documents qui sont des documents du procès Grasset. Je les dépose entre vos mains à l'intention du Comité d'action de la Résistance. »

Jouglet n'a pu avoir connaissance de ces pièces qu'au travers de ses fonctions dans la Maison depuis 1939.

Le 26 avril, M. Dessinges, secrétaire général adjoint du CAR, adresse au procureur général une lettre à tout le moins orientée :

> Monsieur Jean Texcier, vice-président du Comité d'action de la Résistance, a été saisi récemment d'une série de documents concernant l'affaire Grasset qui revient devant la cour de justice. Ce dossier contient un certain nombre de mémoires et de notes adressés par Bernard Grasset à René Jouglet, son représentant à Vichy, lui donnant instruction de prendre des contacts étroits avec le gouvernement de Vichy et autres personnages collaborationnistes.

Au moment où les porte-plume de la collaboration avec l'ennemi reviennent à la vie publique avec une suffisance et une impudence qui devraient soulever l'indignation de la Nation, il nous a paru opportun de verser, *proprio motu*, ces pièces capitales au dossier de Bernard Grasset...

Dans la foulée, le CAR sort le premier numéro des *Cahiers de la Résistance*, entièrement consacré à « l'affaire Grasset ». Une brochure de trente pages qui se borne à reproduire les lettres et articles reprochés à l'éditeur par ses ennemis, et qui ont déjà été largement diffusés.

Le CAR avait été fondé autour de quatre personnalités symboliques de la Résistance, le général Cochet, Jean Texcier, Rémy Roure et Marie-Madeleine Fourcade, pour entretenir l'esprit qui les avait soutenues et animées pendant l'Occupation. Il s'opposera farouchement, sur la scène politique, à tout rapprochement avec les anciens pétainistes et s'efforcera d'incarner pendant plus de trente ans « la voie de la Résistance ».

L'aviateur Gabriel Cochet, qui s'était illustré durant la Première Guerre mondiale, commandait en 1940 les forces aériennes de la Vᵉ armée, et fut, dès la défaite, un partisan de la Résistance. Emprisonné par le gouvernement de Vichy, il parvint à s'évader en 1942 et gagna Londres. Au moment de la Libération, il était commandant en chef des FFI pour la zone sud.

Jean Texcier, peintre de talent, membre du comité directeur de la SFIO, fut un glorieux résistant sous les pseudonymes de François Berteval, Serge Boze, André Maulnier, et collaborait régulièrement à *Combat* et au *Populaire*.

Rémy Roure, ancien journaliste au *Temps*, avait retrouvé sa place de chroniqueur politique au *Monde*. Replié à Lyon pendant l'Occupation, il adhéra au mouvement Combat, écrivit dans le bulletin de *la France combattante*, avant d'être arrêté et déporté à Buchenwald.

Quant à Marie-Madeleine Fourcade, elle avait trente ans quand elle participa, en 1940, à la création du réseau de Résistance qui allait devenir « l'Alliance », et que les Allemands devaient baptiser « l'Arche de Noé » : les membres ne se connaissaient que sous le nom d'animaux, aigle, hermine, rossignol, tigre, colibri... Trois mille soldats de l'ombre, cent postes émetteurs, une liaison aérienne tous les mois avec Londres, « l'Arche de Noé » fut, dira de Gaulle, « l'un des premiers et des plus importants services de renseignement sous l'Occupation ».

En s'en prenant ainsi, directement, à la personne de l'éditeur, les gardiens du panthéon de la Résistance ne donnaient-ils pas à « l'affaire Grasset » une importance aussi artificielle que démesurée? En 1949, « l'affaire Grasset » méritait-elle cette dimension nationale? Méritait-elle que le premier des *Cahiers de la Résistance* lui soit réservé?

Dans sa brochure, le CAR affiche clairement ses intentions:

> Aujourd'hui, concluent les auteurs, par le fait d'une argutie juridique, en dépit d'une indignité qui ressort de ces textes d'une façon éclatante, en dépit d'une condamnation totale par la Chambre civique, Grasset se réinstalle dans son fauteuil directorial.
>
> Cela n'est pas admissible.
>
> Mais il faut bien dire que les lenteurs de la justice ont favorisé l'opération.
>
> Il faut ici en appeler aux dates.
>
> Le procès personnel de Grasset est venu, après plusieurs remises, en mai 1948. Grasset, jugé par contumace, a fait opposition. Il y a de cela bientôt un an. Le procès n'est pas encore revenu.
>
> La maison a été condamnée en juin 1948. Six mois après, elle obtenait sa grâce présidentielle, et le septième mois Grasset y reprenait ses fonctions.

Ces lenteurs ont permis le « présent scandale », estime le CAR. Pourtant, le 2 février 1949, André Marie, alors garde des Sceaux, écrivait, à propos de cette affaire: « La décision par contumace subsiste avec toutes ses conséquences de droit. »

Le 14 mars, son successeur Robert Lecourt déclarait que « la juridiction saisie devra rester compétente malgré tous les moyens dilatoires ». Sur la foi de ces informations, aucune échappatoire ne semble possible. C'est le point de vue du Comité d'action de la Résistance qui conclut ses *Cahiers* par un simple et unique vœu: « la confirmation du jugement déjà prononcé à l'encontre de cet homme indigne ».

*

Cet acharnement ne laisse pas d'étonner. Se pourrait-il encore que quelqu'un — ou un groupe de personnes — essaie, dans une ultime tentative, de s'emparer de la Maison? C'est peu probable. L'acharnement tient du règlement de comptes et ce sont toujours les mêmes — c'est-à-dire les journaux d'inspiration communiste — qui relancent, depuis 1944, « l'affaire Grasset ». La campagne qui s'amorce au printemps de 1949 ne fera pas exception. Le 12 mai, un énorme bandeau, en lettres noires, barre la couverture des *Lettres françaises*: « Le nouveau scandale B. Grasset. » Francis Crémieux, écarté de la rue des Saints-Pères tandis que sa collection « Témoins » était abandonnée, a sorti son gros calibre pour résumer la situation du « Führer de l'édition française ».

> Il se vautra, affirme Crémieux, aux pieds de l'occupant, dénonçant les éditeurs de zone libre... Ayant fait opposition au jugement de mai 1948,

Grasset devait être jugé de nouveau le 28 avril 1949. Ce jour-là, le bonhomme était malade: il obtint une nouvelle remise... Il profite du répit curieusement octroyé pour se faire interviewer par les journaux qu'il inonde de publicité. Ses amis intriguent au ministère de la Justice et à la direction des Domaines. Enfin, Bernard Grasset ose ce qu'il n'avait jamais osé avant sa condamnation: il reparaît rue des Saints-Pères et reprend physiquement la direction de sa maison, accentuant les représailles contre ceux de ses employés qui n'ont pas la mémoire courte.

Bernard Grasset se moquera-t-il encore longtemps des juges français? Quand cessera le scandale? C'est la question que posent *les Lettres françaises* pour la troisième fois. C'est la question que pose à son tour le Comité d'action de la Résistance...

Pour soutenir l'assaut que mène Francis Crémieux, *les Lettres françaises* ont suscité la réaction de huit personnalités de la Résistance: Emmanuel d'Astier de La Vigerie, Yves Farge, Pierre-Bloch, Claude Bourdet, Jean Guignebert, le général Petit, le général Cochet et Rémy Roure. Les seules qui chargent durement et lourdement Grasset sont aussi celles qui flirtent avec les communistes, celles qui figurent parmi les « compagnons de route ».

Emmanuel d'Astier de La Vigerie, l'ancien nationaliste, l'ancien monarchiste qui rejoignit Londres en 1942, vient alors d'être élu en Ille-et-Vilaine comme « progressiste » sur une liste du PCF. « C'était le monde des grands sentiments. C'était la poésie, les Soviétiques étaient vainqueurs. J'épousais une femme russe et je sortais de la Chambre des députés à côté de Thorez en chantant *l'Internationale...* » Très indulgent avec son propre itinéraire politique, il l'est beaucoup moins envers celui de Bernard Grasset, « le valet des Allemands, l'ami précieux et l'éditeur de tous les traîtres ».

Yves Farge, actif militant de la Résistance lyonnaise à partir de 1942, dirige l'hebdomadaire *Action,* contrôlé par le PCF. « L'affaire Bernard Grasset illustre bien ce temps, écrit-il. Un éditeur "français" s'est vautré aux pieds de l'occupant: cela date de huit ans ; il devrait déjà purger sa peine. En obtenant renvoi sur renvoi, Bernard Grasset spécule sur l'Amnistie. Voilà qui est intolérable ! »

Quant au général Petit, chef d'état-major du général de Gaulle après juin 1940, il est un des rares « compagnons de route » venus du corps des officiers. Ancien directeur du cabinet militaire de François Billoux, ministre communiste de la Défense nationale entre janvier et mai 1947, il est sénateur de la Seine, apparenté au groupe du PCF. Pour le général Petit, « M. Grasset bafoue la France, la Résistance et la justice. Le scandale doit prendre fin. Le jugement prononcé doit être confirmé parce que Grasset fut un collaborateur zélé, un admirateur de Hitler, parce qu'il a tenté de corrompre l'esprit français en utilisant l'hypocrisie. La collaboration avec l'ennemi, l'admiration pour Hitler sont flagrantes ; elles ne sont plus à démontrer. »

En revanche, les cinq autres résistants sollicités n'attaquent pas la personne de l'éditeur et s'en tiennent aux principes : ils demandent « avec force » que Grasset soit, enfin, jugé, qu'il n'échappe pas au droit commun. Ou bien, comme l'explique Claude Bourdet, l'activité de l'éditeur sous l'Occupation n'a pas été fondamentalement différente de celle de ses confrères et on ne peut faire, en ce qui le concerne, une exception contrastant avec la « magnanimité » montrée à l'égard de cette profession. Ou bien les actes de collaboration de Grasset ont dépassé de beaucoup le domaine commercial. « Dans un cas comme dans l'autre, il faut que la lumière soit faite rapidement. »

*

Secoué par cette nouvelle bourrasque, le personnel de la Maison va manifester publiquement sa solidarité avec le « patron » et adopter, à l'unanimité — y compris donc les représentants de la CGT —, une motion de défiance à l'encontre des « agissements » de René Jouglet. Celui-ci, invité à s'expliquer, s'en tient à la formule magique : « Cette affaire ne regarde que la justice. » A l'hebdomadaire de droite, proche des milieux pétainistes, *Parole française*, qui l'avait pris à partie, l'accusant d'avoir été sous-directeur de la censure à Vichy, il adressa une lettre plus explicite :

> Le personnel, une fois déjà, il y a environ un an, m'a demandé de m'expliquer devant lui. Je l'ai fait. Mais le cas de M. Grasset ne relève pas d'une assemblée du personnel, et l'on ne cherche, en la réunissant, qu'à provoquer des témoignages — on en provoque d'autres — difficiles à refuser et qui n'ont d'ailleurs pas de portée dans le débat... Pour le reste, je vais vous renseigner un peu mieux que vous ne l'êtes.
>
> J'ai été dénoncé dès l'arrivée des Allemands à Paris comme étant responsable de la publication du livre de Strasser. Mon appartement a été fouillé par la Gestapo. Je n'étais pas à Paris. Les ennuis n'ont été que pour ma famille.
>
> Je n'ai jamais été sous-directeur de la censure à Vichy. Mais j'ai accepté d'examiner les veto que ces services mettaient à la publication des manuscrits et qui provoquaient la protestation des auteurs. J'ai défendu les auteurs. Si, par exemple, *les Amitiés particulières* a pu paraître, c'est en bonne partie grâce à moi. J'ai le dossier.
>
> Un dernier mot. Vous souhaitez la justice que l'on attend, déclarez-vous, dans des pays voisins, dont l'Angleterre. Après la Libération, l'ambassade britannique m'a déclaré que les éditeurs et auteurs anglais refusaient tout commerce avec les éditions Grasset en raison de l'attitude

de son chef. L'administrateur et moi-même avons fait lever cet interdit. Vous ferez plaisir à l'Angleterre et aux pays voisins, au nôtre aussi, en demandant que la justice puisse enfin se prononcer. C'est tout.

C'est vrai que Jouglet fut un ardent défenseur des *Amitiés particulières,* le roman de Roger Peyrefitte. Mais la note qu'il remet le 26 septembre 1942, « pour avis à Vichy », accrédite plutôt l'idée qu'il eut le rôle d'un censeur, et non celui d'un expert chargé d'adoucir certaines décisions de censure.

> Cet ouvrage est absolument remarquable, écrit-il. Depuis plus d'un an que je pratique la censure des livres, je n'en ai pas vu qui eût cette valeur... Cependant, il ne faut pas se dissimuler que cet ouvrage qui fera du bruit, à n'en pas douter, sera sévèrement attaqué. On y verra une sorte de reviviscence de cette littérature « corrompue » dont on nous a dit qu'elle nous « avait fait tant de mal ». Le clergé surtout peut être amené à protester avec vigueur.

Il n'est pas vrai que l'ambassade britannique avait mis les éditions Grasset en quarantaine et René Jouglet devait le savoir. Cette accusation figurait dans le dossier d'instruction de l'affaire Grasset dès le mois de novembre 1947. Comment? Par qui? Mystère. Le 3 mars 1948, Tonnant, un des responsables de l'ambassade britannique à Paris, démentait l'accusation.

> Après avoir fait des recherches, je suis à même de vous signaler que les autorités britanniques n'ont jamais averti les éditeurs anglais de ne pas être en affaire avec M. Grasset. Au point de vue des autorités britanniques, l'affaire de M. Grasset regarde uniquement les autorités françaises. Les éditeurs sont donc exactement dans la même situation que tout sujet français, c'est-à-dire qu'ils ont le droit de se mettre en rapport commercial avec M. Grasset, ou bien avec sa maison d'édition, pourvu que ces activités se conforment à la loi française.

Par l'intermédiaire de Jean Blanzat, les principaux collaborateurs de la Maison furent informés de cette mise au point. Comment Jouglet aurait-il pu ne pas l'être, lui si attentif aux infortunes judiciaires de l'éditeur?

Les principaux journaux, du *Monde* au *Figaro*, de *France-Soir* à *Paris-Presse,* des *Nouvelles littéraires* à *Paris-Match,* ne réservent que de très brefs échos à cette relance de « l'affaire », tandis que le 19 mai 1949, pour la huitième fois, Mes Charpentier et Géranton obtiennent devant la chambre civique le renvoi *sine die* du procès. Depuis le 7 mai, Grasset, invisible, est en clinique. Les Drs Gouriou, Ceillier, experts aliénistes, et Dérobert, médecin légiste, ont été commis par le tribunal pour dire s'il est, oui ou non, un vulgaire « tireur au flanc ».

Le renvoi est synonyme de répit. D'un nouveau répit. On le revoit chez Lipp, au Flore, chez Alexandre, rue des Canettes. Son ancien secrétaire Rainer Biemel, rentré d'un camp de prisonniers allemands dans le Donetz, après un séjour en Roumanie, son pays natal, a repris du service rue des Saints-Pères. Bref, des jours de répit sur le front des tribunaux, et de bouillonnement autour de la Maison. Trois auteurs vont bénéficier de ce nouveau souffle, Hervé Bazin, Marcel Jouhandeau et Jacques Laurent.

*

Au moment où il écrivit *Vipère au poing,* Bazin collaborait à une revue poétique, *la Coquille,* qu'il avait fondée en 1945 avec une dizaine d'amis — dont Bernard Clavel et Robert Sabatier. Il avait eu une adolescence mouvementée sous divers précepteurs et dans divers collèges, avant de rompre, à la suite de violents démêlés, avec sa famille, vieille bourgeoisie terrienne depuis longtemps enracinée en Anjou. Ce n'est qu'à la fin de la guerre, après une participation active à la Résistance, que devait s'apaiser cette jeunesse orageuse. Le hasard le conduisit rue des Saints-Pères. L'un des collaborateurs de *la Coquille,* Jean Cathelin, écrivain et traducteur, ami de Marcel Aymé, connaissait Henry Poulaille. C'est accompagné de Cathelin que Bazin lui remit, début 1948, le manuscrit de *Vipère au poing.* Poulaille, réticent et grognon par nature, se laissera prendre dès les premières pages et le lira d'un trait dans la nuit. Il le remet à Blanzat, qui éprouve le même choc. Grasset, à l'époque, déambule entre la clinique de Sceaux et la rue de l'Estrapade, n'ayant officiellement aucun droit de regard sur sa Maison. Aymée et sa secrétaire, Berthe Zlotykamien, font le lien. Lui aussi découvre dans une « explosion d'enthousiasme » l'inoubliable portrait de Folcoche. Il convoque aussitôt l'auteur. « Votre nom est impossible ! Jean-Pierre Hervé-Bazin, c'est beaucoup trop long. Signez de votre patronyme, sans trait d'union... Je vois également que vous êtes né le 17 avril 1911... Trente-neuf ans, c'est trop vieux. Je vous suggère le 11 avril 1917. Qu'en pensez-vous ? » Hervé Bazin ne fit aucune objection. « Il me rajeunissait de six ans. Qui s'en serait plaint ? Ce n'est qu'une vingtaine d'années plus tard que j'affichai mon âge véritable. Au moment du *Matrimoine,* je crois[2]. »

A la sortie de *Vipère au poing,* la Maison n'avait pas le premier sou pour la promotion des nouveautés. Le roman d'Hervé Bazin fut lancé par la critique, le bouche-à-oreille, l'ardeur de Jean Blanzat et une circulaire, très personnelle, que Grasset adressa de lui-même aux libraires. Comme aux plus beaux jours de sa Maison, l'Éditeur se tournait vers les libraires, vers « ces hommes qui aiment jouer une partie dans le lancement d'un bon livre »,

Rentré chez lui, en février 1949, il se montra néanmoins un peu jaloux d'une réussite à laquelle il semblait étranger. Il voulut se rattraper. Bazin terminait *la Tête contre les murs* et il décida d'inaugurer la reprise des « Cahiers verts » avec ce roman. « Il éplucha mon manuscrit, proposa des corrections. C'était un lecteur remarquable. Probablement le seul homme devant qui je ne pouvais élever une objection. Il avait une sorte de puissance magnétique et je sais tout ce que je lui dois. Pour les romans qui suivirent, il exerça cette même tutelle impérieuse. »

En octobre 1950, au moment de *la Mort du petit cheval*, l'éditeur se trouvait villa Penthièvre. Il suivit au jour le jour le travail d'Hervé Bazin, s'inquiétant de sa forme physique, de ses humeurs, de son affection pour lui et sa Maison. Le soir, le chauffeur Robert passait chez l'écrivain prendre les pages terminées pour les porter à Sceaux. Il occupait sa soirée à les lire, griffonnait des remarques dans la marge, dictait des notes à sa nouvelle secrétaire, Christiane Deligand. Le lendemain matin, Robert rapportait le tout à Bazin. « Il s'identifiait à mes personnages. J'ai de lui plus d'une centaine de lettres, presque toutes "passionnelles", comme il le dit lui-même. Je n'ai connu personne qui se mettait à ce point au service de son action. Il s'y jetait tout entier, il se confondait avec elle. Ce qu'il fit pour moi, il le faisait pour quelques autres. »

Le jury Goncourt refusa de couronner *la Mort du petit cheval*. André Billy s'en était clairement expliqué avec Grasset. « Bazin est déjà trop connu. L'an dernier c'était encore possible de lui donner le prix. Cette année c'est impossible... Et puis ton lancement vaut un prix Goncourt. » Ce mot ne tomba pas dans l'oreille d'un sourd. Il occupa l'esprit de l'éditeur :

> En somme, écrivit-il à André Billy, tu n'écartais pas Bazin par manque de qualité, tu l'écartais comme trop connu. Disons : hors concours. De hors concours à hors Goncourt, il n'y avait qu'un pas. Ce pas, je l'ai franchi et tu seras, je pense, le premier à en sourire. Que veux-tu ? J'aime mon métier avec passion... Et je n'ai pas voulu que Bazin manquât de mon aide entière à l'orée de sa carrière[3].

L'auteur de *Vipère au poing* ne l'a jamais oublié, toujours fidèle à la rue des Saints-Pères.

La Mort du petit cheval, vendu avec la bande rouge « hors Goncourt », fut un énorme succès. Des opérations de cette nature rajeunissaient l'éditeur de cinquante ans. Il retrouvait toute sa fougue pour donner un grand coup d'épaule à l'écrivain qu'il aimait, pour tirer le meilleur parti d'un échec apparent, selon sa fameuse théorie : « Ce qui compte le plus, dans les prix littéraires, ce n'est pas tant la récompense que la compétition ». Interrogé en août 1951 dans *Paris-Presse*, il déclarait: « Quand je lance un auteur, j'assure sa carrière. Je prétends qu'Hervé Bazin ne peut plus mourir de faim — et cela quoi qu'il arrive. C'est assez consolant... » L'Histoire ne l'a pas démenti.

*

Si Hervé Bazin, dans ses toutes premières rencontres avec Grasset, éprouva quelque gêne liée à son passé de résistant — il était dans « l'autre camp » —, Marcel Jouhandeau n'eut probablement pas les mêmes réticences. Il avait, comme l'éditeur pendant la guerre, traversé un songe, « caressant son ignorance [de l'univers nazi] comme une chatte sur ses genoux[4] ». Il fit, avec Chardonne, le voyage en Allemagne de 1941, se laissant piéger par le Dr Goebbels. A la Libération, il n'y aura pas d'« affaire Jouhandeau ».

En 1949, Marcel Jouhandeau ne connaissait pas Grasset. Celui-ci, sur les conseils de Cocteau, l'invita à passer le voir. Professeur de sixième dans un collège privé de Passy, ce fils d'un boucher de Guéret — qu'il a rebaptisé Chaminadour — avait derrière lui une œuvre abondante. Il écrivait comme on fait oraison, disait-il, tirant d'un ragot un conte, d'un commérage une comédie. Bien que soutenu par les grands écrivains de l'entre-deux-guerres, de Proust à Bergson, de Gide à Paulhan, c'était, quand il croisa Grasset, un écrivain méconnu du grand public. Il avait soixante et un ans.

Pour échapper — vainement — à ses penchants homosexuels, il avait épousé en 1929 Élisabeth Toulemon, qu'il va immortaliser sous le nom d'Élise. Ancienne danseuse, elle avait vécu des années avec Charles Dullin. Erik Satie a composé pour elle *la Belle Excentrique*. Le mariage, ce « lien de ronces », comme l'appellera Élise, ouvre à Jouhandeau un nouveau champ d'inspiration, un champ de bataille. L'enfer du couple, peint dans sa vérité, misérable et déplaisante, ou grandiose et bouleversante, lui inspire en 1935 ses *Chroniques maritales,* puis en 1948 *Ménagerie domestique,* le premier volume des *Scènes de la vie conjugale.*

Mais ce n'est qu'avec *l'Imposteur*, le deuxième tome, qu'il remit à Grasset, que Jouhandeau découvrit le charme des gros tirages et le début de la gloire. *L'Imposteur* fut lancé avec fracas sur le thème: « le plus mauvais ménage de Paris ». Jouhandeau souffrit de cette publicité tapageuse, tout en accordant à Grasset le mérite de l'avoir fait connaître.

Entre ces deux êtres si différents, qui n'ont en commun que leur âge, naîtra une forte amitié. Elle ira jusqu'aux confidences. L'éditeur ne vit-il pas, lui aussi, un drame conjugal avec Aymée? Il s'épanchera volontiers auprès de Jouhandeau. Et celui-ci se livrera parfois sans détour:

> Cette semaine, confie-t-il un jour à l'éditeur, j'ai reçu d'un professeur une lettre qui m'invitait à collaborer à une revue qui va paraître au service de la pédérastie. J'ai répondu non. J'ai horreur des sociétés, mais surtout de celles-là. Un homosexuel tout seul m'ennuie, mais où qu'ils se regroupent, j'en suis aux vomissements.
>
> J'en suis cependant. Je le suis, mais voilà, je voudrais être seul à l'être parce que je saurais l'être sans déchoir. La virilité, le courage, l'indépendance, j'en fais mon affaire[5].

Grasset, par-delà ses réflexes violents, son ironie cinglante, pouvait être, devant quelqu'un de susceptible, d'une courtoisie instinctive. Jouhandeau affirmera qu'il s'est rarement trouvé en présence d'un homme qui ait mieux compris sa sensibilité. Il resta cinq ans rue des Saints-Pères, puis revint à son premier éditeur, Gaston Gallimard, à qui le liait une dette de reconnaissance, plus ancienne.

> Un libraire de pacotille, écrira-t-il, se fût cabré. Eh bien! Dans l'attitude de Bernard Grasset à mon endroit, rien ne fut changé. Notre amitié est demeurée la même. Son accueil fut toujours aussi cordial, aussi empreint de je ne sais quelle tendresse que je n'ai sentie la même chez personne et dont le souvenir me tire des larmes.

*

Jacques Laurent découvrit Grasset en mai 1949. L'éditeur méditait, à Sceaux, sur un sujet de dissertation proposé par l'académie de Clermont-Ferrand: « comprendre et inventer ».

Jacques Laurent était, depuis *Caroline chérie* et *les Corps tranquilles,* sous les projecteurs. Charles Frémanger, son camarade de collège, fondateur des éditions Jean Froissart, lui avait, en effet, commandé « quelque chose dans le genre d'*Ambre* et d'*Autant en emporte le vent* ». *Caroline chérie* est dicté dans une chambre d'hôtel durant l'été caniculaire de 1947. Neuf cents pages serrées. Il fallait signer d'un pseudonyme un peu féminin, un peu américain. Ainsi est né Cécil — comme Cecil Rhodes —, et Saint-Laurent — comme le fleuve canadien. Un nom destiné à emporter tous les autres.

Jacques Laurent s'attendait à trouver à la clinique de Sceaux un homme qui n'avait plus le désir de faire et qui évoquerait pour lui son rôle prestigieux dans l'histoire des lettres. « Il m'étonna en ne disant pas un mot du passé. Gaston Gallimard, que je voyais aussi, n'avait d'intérêt que pour *Caroline Chérie*. Grasset, au contraire, se moquait de Cécil Saint-Laurent. Il cherchait, en moi, l'auteur. Avec cette bonté un peu forcenée qui était la sienne, il s'énerva brusquement sur deux projets que j'avais à cœur et qui ne pouvaient l'un et l'autre atteindre qu'un public limité. Au bout de cinq minutes de conversation avec lui, j'eus l'illusion que j'allais me mettre au travail. Et lui, avec un bout de crayon, au dos d'une enveloppe, s'acharnait déjà à dessiner la maquette[6]. »

Il ne sortit rien de concret de ce premier rendez-vous.

C'est par le biais d'un singulier « kidnapping » que Jacques Laurent devint un auteur de la Maison. En même temps que sortait à la Table ronde son *Paul et Jean-Paul* — Jean-Paul Sartre et Paul Bourget —, il recevait chez lui un gros colis d'une vingtaine d'exemplaires du même *Paul et Jean-Paul,* édité par... Grasset. « C'était incroyable, mais c'était du Bernard Grasset ! »

Jacques Laurent ne lui en voudra pas. *Le Petit Canard,* l'histoire châtiée, concise, d'un lycéen de l'exode à la Libération, paraîtra dans les « Cahiers verts ». « J'ai surtout signé avec lui le contrat des *Bêtises* qui m'a valu le prix Goncourt en 1971. Le titre, à l'origine, était "les Bêtises de Cambrai". Grasset m'avait dit, et c'est en cela qu'il était un grand éditeur : "Il vous faut, mon petit, grandir, mûrir pour donner de la durée, de l'épaisseur à votre personnage. Prenez votre temps." Ce temps, je l'ai pris. *Les Bêtises* est paru quinze ans après sa mort. »

*

Ces six mois de fantaisie et d'enthousiasme communicatifs tourneront court. Au début de l'automne 1949, les juges de la chambre civique de la Seine se rappellent à son souvenir. Les médecins ont rendu leur rapport. Il ressort que « Bernard Grasset souffre depuis l'enfance d'une névrose incurable qui le rend hypocondriaque, dépressif, autodestructeur et sadique ». Mais en dépit de cette névrose, il peut, concluent les experts, se présenter devant ses juges.

Aymée lui conseille de s'installer définitivement à Sceaux, en attendant d'être convoqué devant la chambre civique.

L'invitation ne tarde pas : il doit comparaître dans l'après-midi du 17 novembre. Ses avocats affirment qu'il traverse une crise aiguë de neurasthénie et annoncent qu'il ne viendra pas. Sur la demande du commissaire du gouvernement, Faucher, la cour refuse d'accorder un nouveau sursis et confirme le jugement prononcé le 20 mai 1948. Le « sieur Grasset » est donc condamné, pour la deuxième fois, à la confiscation de ses biens et à la dégradation nationale.

Le Comité d'action de la Résistance m'a chargé de vous remercier de l'aide efficace que vous lui avez apportée, écrit le général Cochet à René Jouglet. Je le fais d'autant plus volontiers que vous avez compris en agissant ainsi qu'il était de votre devoir d'apporter des preuves dans une affaire qui, comme tant d'autres issues du régime de Vichy, risquait de continuer à troubler la conscience française.

Mes Charpentier et Géranton font aussitôt opposition. Mais la sentence est malgré tout exécutoire, à moins de prouver que l'éditeur n'a pu se présenter pour des raisons de force majeure. Ce qui prendra du temps. Or les Domaines, qui, depuis un an, ont accepté de fermer les yeux sur la situation paradoxale de Grasset, et les deux principales banques de la Maison — la Société générale et le Crédit lyonnais — décident à ce moment-là de refuser la signature de l'éditeur.

« L'affaire » prenait un tour de plus en plus délicat, auquel seul le conseil d'administration pouvait faire face : il fallait, en vertu de la loi sur les sociétés, déléguer les pouvoirs de Grasset à un autre administrateur.

Pierre Mimerel, agriculteur à Saint-Georges-sur-Loire, membre du conseil, ayant derrière lui trente années de complicité affectueuse avec l'éditeur qu'il avait connu étudiant, vint spécialement à Paris dans les premiers jours de décembre pour débrouiller cette situation critique. Il provoqua aussitôt la réunion des amis les plus sûrs de Grasset, ces « barons » inconnus mais qui, au sein de son conseil d'administration, ne lui manquèrent jamais, en dépit de ses toquades : Guillaume Hamonic ; Henri Durteste, lieutenant-colonel en retraite, très chatouilleux sur l'honneur ; Maurice Liorit, homme d'affaires, retiré à Dinard. Avec eux, Aymée Grasset et le notaire Hussenot-Desenonges.

Il n'y avait que deux solutions pour sortir de l'impasse. Ou prendre acte de la situation juridique de Grasset et nommer un autre PDG, en attendant la révision du procès : Aymée fit ressortir qu'il était impossible d'entériner, dans une délibération du conseil qui devait à jamais rester au registre, ce qu'elle considérait comme un déni de justice. Ou bien s'appuyer sur l'état de santé de l'éditeur. Le Dr Bonhomme assura qu'il pouvait, en toute conscience professionnelle, délivrer un certificat médical constatant l'incapacité momentanée de Grasset.

J'étais personnellement d'avis, racontera Pierre Mimerel, de choisir Guillaume Hamonic, qui avait été autrefois président du conseil, pour remplacer temporairement Bernard. Malgré mon insistance, il s'y refusa. Nous avons donc appelé, le 16 janvier 1950, par cooptation, Aymée Grasset, lui déléguant pour une durée limitée les pouvoirs précédemment confiés à son mari. En une précédente occasion, Bernard, empêché d'exercer ses fonctions, lui avait déjà accordé cette délégation. D'autre part il nous avait souvent demandé d'accepter que sa femme assistât aux réunions du conseil, et il nous avait même fait part de son intention de l'y faire entrer. Enfin, le ménage Grasset n'avait d'autre ressource que les appointements mensuels, qu'il nous était impossible de maintenir à Bernard dans sa situation. En considérant ces émoluments comme attachés à la fonction et en transmettant celle-ci à Aymée, nous ne privions pas le ménage de ses moyens d'existence[7].

Aymée, sur laquelle l'éditeur va bientôt concentrer toute son énergie procédurière, toutes ses obsessions de mari prétendument abusé, trompé, escroqué, Aymée le sauvait. « Les dévouements passionnés qu'il suscita, explique Maurice Chapelan, ne sont explicables que par le don mystérieux qu'il avait de séduire en exaspérant... »

*

Chaque matin vers 10 heures, chaque après-midi vers 16 heures, Aymée, que les journaux présentent comme « une grande dame élégante aux cheveux feuillage d'automne, qui parle avec l'accent de Popesco », rejoint son mari villa Penthièvre. Grasset joue au ping-pong et aux échecs avec quelques malades d'élite. Complet croisé gris très strict venant de chez son tailleur Rampolo, faubourg Saint-Honoré. Cravate bleue à pois blancs. Par-dessus, le plus souvent, une salopette dégoûtante de peinture. Il peint un tableau par jour. Des natures mortes et des nus. Des sexes de femmes, de toutes les formes, de toutes les couleurs, et dans des perspectives très variées. Sa chambre en est pleine. La salle de bains est envahie. Il fume trois paquets de gitanes pour un tableau. Quand on le visite — Bazin, Guéhenno, André Frossard, Jacques Laurent, Gabriel Boissy, surtout, il raccompagne ses amis à la gare de Robinson et, sur le chemin, s'arrête boire un verre dans un petit café devenu « son quartier général ».

Christiane Deligand, qui vit un bloc de sténo dans une main, le téléphone dans l'autre, ne le quitte pas de 9 heures à 18 heures. « Il téléphonait nuit et jour. Sans téléphone il était perdu. Il pouvait m'appeler à 3 heures du matin pour me dicter un rêve. Il disait "mes téléphonages". Téléphonages, c'était un mot à lui qui est né à cette époque-là. Il aimait l'employer dans ses lettres et parlait des "longs téléphonages d'Aymée", des "téléphonages de Suzanne Giraudoux", etc. J'avais vingt et un ans et il m'appelait "mon lapin", mais ça n'allait pas au-delà... Il inondait Jean Blanzat, son directeur, de notes. Pour ses nus, j'engageais des modèles de l'école académique. Il leur proposait de coucher avec lui. Quelquefois, ça marchait. Son intelligence était intacte mais certains jours, il se laissait aller et broyait du noir. Alors il se négligeait, ne se rasait plus, ne s'habillait plus[8]. »

Aymée passe souvent rue des Saints-Pères. Jean Blanzat a failli mourir. Une égratignure au genou qui a mal tourné. Septicémie-phlébite. Malgré Bazin, malgré Jouhandeau, malgré les sept ou huit mois d'exubérance, cet hiver 1949-1950 sonne pour lui et sa Maison comme une fin de règne. Ses couleurs ne font plus l'actualité littéraire. C'est Gallimard, avec *le Deuxième Sexe*, l'essai féministe de Simone de Beauvoir, qui crée l'événement. Gallimard encore, avec *Week-end à Zuydcoote* de Robert Merle et *le Jeu de patience* de Louis Guilloux, qui rafle le Goncourt et le Renaudot. Tandis que Plon, avec *la Vingt-Cinquième Heure* de Virgil Gheorghiu, Charlot, avec *la Belle Romaine* d'Alberto Moravia, Robert Laffont avec *la Puissance et la Gloire* de Graham Greene, découvrent et imposent les meilleurs auteurs étrangers.

Fin de règne? Depuis cinq ans, Grasset, le « sourcier des lettres » — la formule est dans tous les journaux —, le père spirituel de la Maison, attend son procès définitif, et depuis cinq ans la justice, aussi, l'attend. Le rendez-vous, enfin, aura-t-il lieu?

Le 27 mars 1950, l'éditeur décide brusquement de quitter la villa Penthièvre. Ce jour-là la chambre civique doit entendre ses avocats qui ont fait opposition au jugement par défaut du 17 novembre 1949. Il veut être présent, bien que, cette fois, il n'ait pas été formellement convoqué. Le Dr Bonhomme l'invite à se calmer. « Si vous ne me laissez pas sortir, s'écrie l'éditeur, je fais déposer au parquet une plainte pour séquestration. »

Et de courir vers le café qui lui sert de QG, d'où il appelle Christiane Deligand. Sa dévouée secrétaire réquisitionne le chauffeur Robert et la camionnette de la maison. C'est ainsi que l'évadé de la villa Penthièvre, qui tremble des pieds à la tête, débarque dans la salle d'audience et interpelle le président Deloncle:

« Je viens rendre mes comptes!

— Nous ne sommes pas en mesure de vous entendre. Vos avocats demandent un supplément d'information qui a été accepté. L'affaire est renvoyée au 27 mai. »

Il pâlit, chancelle, s'écroule aux pieds des juges, évanoui. Il se réveille dans sa chambre de la rue de l'Estrapade, entre Aymée, Christiane et Odette Redron.

Rocambolesque journée. Il refuse de retourner villa Penthièvre et, le 30 mars, il loue une suite — chambre et petit salon — au Montalembert, l'hôtel qui voisine, rue Sébastien-Bottin, les bureaux de... Gaston Gallimard. Ce sera, jusqu'à sa mort, son adresse parisienne.

En acceptant l'ouverture d'un supplément d'information, le président Deloncle, qui connaît « l'affaire » sur le bout du doigt, a souhaité qu'un nouveau commissaire du gouvernement, Tréglos, réentende l'accusé et les principaux témoins. Ce qu'il fera durant le mois d'avril. Le 15 mai, Tréglos remet ses conclusions et demande, comme son collègue Coissac, trois ans plus tôt, l'abandon des poursuites. Est-on, cette fois, au terme de « l'affaire Grasset » ?

Quand la chambre civique, avec son quantum de jurés, se réunit l'après-midi du lundi 22 mai dans la salle dite de l'Odéon, c'est l'impression qui prévaut. Grasset, le visage éprouvé, est entré, soutenu par deux de ses avocats.

Le président Deloncle ouvre la séance par une brève intervention : « Cette affaire dure depuis très longtemps. Le dossier s'est enflé de pièces nouvelles qui ont amené des suppléments d'information. Je pensais que cette fois, il n'y aurait plus aucune difficulté. Or ce n'est pas le cas. Monsieur le commissaire du gouvernement, vous avez la parole.

— Moi aussi, enchaîne Tréglos, je pensais que nous pouvions en terminer aujourd'hui avec ce dossier. Mais voici que samedi la Chancellerie m'a transmis un nouveau document : la photocopie d'une lettre adressée par Mme Dominique Auclères à M. Jean-Pierre Giraudoux, fils du regretté Jean Giraudoux, et qui a une importance capitale pour expliquer l'attitude de l'accusé à l'égard d'Otto Strasser, considéré par Hitler comme l'antéchrist numéro un... »

Tréglos demande un renvoi pour supplément d'information. Grasset lève le doigt pour manifester son intention de dire quelques mots. Il les dit : « Je pensais que cette affaire viendrait enfin, après un martyre de cinq ans. Le Français que je suis a été emmerdé comme on ne peut pas l'être. Je demande pardon du mot. Mais j'ai toujours été français... »

Les avocats veulent que l'affaire soit jugée séance tenante. La cour se retire pour délibérer. Deux heures plus tard, elle revient et ordonne un complément d'information.

*

Dominique Auclères était reporter au *Figaro*. Sollicitée en juin 1948 par Jean-Pierre Giraudoux d'intervenir en faveur de l'éditeur, elle lui avait longuement expliqué pourquoi il lui était impossible d'accéder à son désir, tout en soulignant sa « résolution irrévocable » de ne rien faire qui pût nuire à Grasset.

> Premièrement, écrivait-elle, le procès de Bernard Grasset d'abord, et le procès de sa maison ensuite, ont été plaidés sans qu'il soit question de l'affaire Otto Strasser, sans que mon nom soit mentionné. En quoi mon intervention pourrait-elle être utile à Bernard Grasset puisque je ne suis pour rien dans sa condamnation ?
>
> Deuxièmement, vous accusez René Jouglet d'avoir ourdi un complot, d'avoir inventé l'histoire de ma dénonciation aux Allemands par Grasset, enfin de m'avoir lui-même dénoncée. Nous nous mouvons là en pleine mythomanie.

J'ai reçu, à Lyon, en octobre ou novembre 1940, grâce à un messager que j'ignore, à une époque où Jouglet était en zone libre, une lettre d'un « secrétaire » de Grasset, m'informant que mon nom avait été donné par Grasset aux Allemands, comme auteur du livre *Hitler et moi*, et me demandant de ne pas entrer en zone occupée sous peine de me faire arrêter. La lettre n'était pas signée. Je l'ai montrée à l'époque à Pierre Brisson, et j'ai pris conseil de lui. Comme moi, il pensa qu'il n'y avait rien de mieux à faire que de continuer à vivre à Lyon, le plus discrètement possible.

En novembre 1944, je rentrai de Lyon à Paris, et j'allai à la maison Grasset pour essayer de trouver des exemplaires de *Hitler et moi*. J'y fus reçue par René Jouglet. René Jouglet fit venir une vieille secrétaire de la maison et la pria de répéter devant moi la scène qui s'était passée à la maison Grasset en 1940.

Voici ce que raconta la secrétaire :« Quand les Allemands reprochèrent à M. Grasset d'avoir publié *Hitler et moi* d'Otto Strasser, M. Grasset s'écria: "Je n'ai même pas lu ce livre ! Jouglet m'a forcé à le sortir parce qu'il était l'amant de Dominique Auclères et que Dominique Auclères, étant très bien avec Strasser, désirait écrire en français les Mémoires de ce dernier." »

Ici j'ouvre une parenthèse : cette calomnie m'a semblé si odieuse et si ridicule que j'ai tenu à rétablir la vérité sur le livre de Strasser et sa publication chez Grasset dans un volume de Mémoires qui va paraître incessamment sous le titre: *Mes quatre vérités*.

Mais revenons aux faits. Quand la secrétaire eut terminé son récit, Jouglet demeuré seul avec moi me demanda si je consentais à déposer contre Bernard Grasset dans un procès qui ne devait pas tarder à avoir lieu... Même si j'avais eu des preuves écrites de la délation de Bernard Grasset, je n'aurais jamais consenti à le dénoncer à mon tour. Vous pensez donc que le simple récit de sa secrétaire et la lettre préalablement reçue ne pouvaient pas m'y inciter.

Après avoir expliqué cela à Jouglet, je quittai la maison Grasset, et je n'y remis pas les pieds et je ne revis pas Jouglet qui, de son côté, ne me fit jamais signe.

... Vous, cher Jean-Pierre, qui me connaissez bien, vous savez que j'ai beaucoup voyagé à l'étranger durant ces trois dernières années — que je vis le plus souvent dans la lune — et qu'en conséquence « l'affaire Grasset » ne m'a jamais préoccupée depuis 1944, ni en bien, ni en mal. J'ignorais jusqu'en mai qu'elle ne fût pas réglée — et, jugeant que la justice n'est pas de ce monde, je n'ai jamais eu le moindre désir de vengeance contre Bernard Grasset... Je n'affirmerai ni pour le bien, ni pour le mal, des choses dont les dernières preuves me manquent.

La lettre fut reprise dans la presse avec une extrême précaution. On ne voit pas, en effet, que l'éditeur ait eu besoin, en septembre 1940, quand la Gestapo enquêtait sur Strasser, de « dénoncer » Dominique Auclères et René Jouglet puisque ceux-ci, comme responsables de la traduction de *Hitler et moi*, figurent expressément dans le contrat que signa Otto Strasser avec la Maison. Un contrat qui était entre les mains de la police allemande. Très troublante, également, cette lettre anonyme que reçut, en octobre ou novembre 1940, Dominique Auclères à Lyon. Qui peut l'avoir envoyée sinon quelqu'un qui se trouve en zone dite « libre »? Son appartement parisien venant d'être perquisitionné par la Gestapo, René Jouglet se serait-il alors convaincu que l'éditeur l'avait « donné » aux occupants? En mai 1950, Dominique Auclères était loin de soupçonner que ce passé qu'elle aurait aimé oublier ressurgirait dans des conditions très suspectes. Sa réaction dans *le Figaro* fut immédiate et violente:

> A l'instant où je rentre de Lisbonne, et quarante-huit heures avant de repartir pour Berlin, j'apprends que la lettre adressée par moi à M. Jean-Pierre Giraudoux le 23 juin 1948 (lettre strictement privée) a été transmise au parquet de la Cour par le général Cochet, afin d'accabler l'éditeur Bernard Grasset.
>
> ... Je ne puis croire que cette lettre d'ordre personnel, dont les deux uniques doubles se trouvent en ma possession depuis deux ans, ait été divulguée par son destinataire — une pareille bassesse serait inconcevable de la part de M. Jean-Pierre Giraudoux. Il semble néanmoins qu'une négligence impardonnable a fait tomber ces pages entre les mains d'un tiers qui en a abusé...

Jean-Pierre Giraudoux répliqua:

> Il m'apparaît que la déclaration de Mme Auclères, composée sous l'effet d'une colère trop justifiée mais quelque peu irréfléchie, me met implicitement en cause [...]. La longue lettre formelle que m'avait adressée en juin 1948 Mme Auclères a été communiquée à M. et Mme Bernard Grasset, ainsi que l'impliquait son contexte et que l'ordonnait son esprit.
>
> Est-il nécessaire d'ajouter que je partage en tout point l'indignation de Mme Auclères quant à l'usage vil, et d'ailleurs maladroit, qui en a été fait par la suite par des personnes que je n'ai pu identifier ?

Quant à l'éditeur, qui ne voyait plus en Aymée, Suzanne Giraudoux et Jean-Pierre Giraudoux que les agents de ses malheurs, les « petits-bourgeois » qui voulaient lui « voler » sa Maison, il livra lui aussi sa version de ce pitoyable imbroglio. Affirmant qu'il n'a jamais eu connaissance de la lettre de Dominique Auclères, il précise dans *le Figaro* du 25 mai:

> Pour ce qui est de la communication de ladite lettre à Mme Bernard Grasset, la chose me paraît vraisemblable ; mais je tiens à déclarer ici que depuis longtemps je n'ai plus aucun rapport avec la personne qui porte encore mon nom et qu'elle a même pris un avocat personnel dans cette affaire.
>
> En tout cas je suis obligé de m'en tenir au texte de la protestation de Mme Dominique Auclères.

Or Mme Dominique Auclères reconnaît que, quel que soit le tiers qui a remis au dernier moment sa lettre de 1948 à la justice, la responsabilité personnelle de M. Jean-Pierre Giraudoux, et à tout le moins sa « négligence impardonnable », est à l'origine du coup de force tenté sur la justice le 22 mai dernier.

Otto Strasser, enfin, retiré à Bridgetown, la capitale de la Barbade, écrivit quelques mois plus tard à Jean Blanzat sa « stupéfaction » dans une lettre qui fut versée au dossier :

> J'apprends avec stupéfaction le complot stalinien mis en scène par René Jouglet contre Bernard Grasset. Est-ce possible ? Grasset a fait preuve de courage non seulement en publiant mon livre contre Hitler mais ensuite en me couvrant. Je vivais caché dans le midi de la France avant de pouvoir rejoindre le monde libre, grâce à l'aide de mes amis français et anglais et jamais Bernard Grasset n'aurait pensé à me dénoncer. Cette accusation me paraît purement et simplement monstrueuse. Je sais tout ce que la maison Grasset a eu à souffrir parce qu'elle m'a édité. Hitler et la Gestapo ont fait une chasse impitoyable à tous ceux qui ont été prêts, à un moment donné, à soutenir ma lutte contre le Troisième Reich. Dites-moi ce que je puis faire pour témoigner de l'aide que Grasset m'a prêtée et tenez-moi au courant de cette histoire.

Un seul journal s'empara du nouvel incident, toujours le même : les Lettres françaises. « Grasset délateur ? » titrait le numéro du 1er juin, tandis que Francis Crémieux, reprenant ses imprécations, tenait pour acquis que l'éditeur avait dénoncé Strasser, Auclères et Jouglet, le qualifiant « d'indicateur (en puissance) de la Gestapo ». Ce fut la dernière salve. Après juin 1950, la presse n'évoqua plus « l'affaire Grasset ».

La chambre civique de la Seine allait être dissoute le 31 janvier 1951 et le dossier était transmis au tribunal militaire permanent de Paris. Le commissaire du gouvernement qui rédigea, le 17 juillet 1951, l'acte d'accusation reprenait, presque mot pour mot, les conclusions de ses prédécesseurs Coissac et Tréglos :

> Ainsi l'activité de Bernard Grasset pendant l'Occupation ne semblerait pas devoir donner lieu à une action de justice, compte tenu de ce que son activité comme éditeur semble, selon les déclarations du sieur Durand-Auzias, rapporteur au Comité d'épuration interprofessionnel, avoir été peu importante et de ce que certains des auteurs des ouvrages incriminés n'ont pu être inquiétés.

Néanmoins, le dossier transmis au tribunal militaire ne sera définitivement clos que le 23 octobre 1953. Grasset est amnistié, dans l'indifférence de ses pairs, dans le silence des journaux.

« J'ai dit que la leçon de ma vie serait
recueillie comme la leçon d'un métier. »

BERNARD GRASSET

MORT EN SAUVAGE...

Découverte de Dominique Lapierre et de Christine Garnier. —
Bernard Privat, le successeur. — Aymée, victime expiatoire. —
*Son procès avec Montherlant. — L'*Évangile *de l'édition selon*
Péguy. — La vente de la Maison *à la librairie Hachette —*
L'Admirable Madame Vontade. — Candidat malheureux à
l'Académie française. — Ses derniers écrits de « philosophe ».
— La fin d'un métier. — Son agonie à l'hôtel Montalembert.

« Était-ce l'occasion, pour lui, d'un bain de jouvence? J'avais
dix-huit ans et j'entrais dans une nécropole de géants. J'étais
fasciné. Dans la salle où officiait Poulaille, des classeurs entassés sur
des étagères murales vomissaient des kilos d'articles sur Mauriac,
Cocteau, Giraudoux, Radiguet, Hémon, La Varende, Ramuz,
Montherlant, Giono, Morand... Et un jour il y eut un classeur au
nom de Dominique Lapierre! Je croyais rêver. Pendant toute cette
année de 1950, j'eus l'impression de vivre auprès de lui à deux cents
à l'heure et surtout de découvrir un éditeur. Il m'emmenait partout.
Je me revois intimidé chez Cendrars, ou devant Beuve-Méry, le
directeur du *Monde*, à qui il imposa, c'est le mot, un article que
j'avais écrit. »

Après l'épisode Auclères-Giraudoux, l'éditeur avait, en effet,
repris les rênes de sa maison, avec, disait-il, l'élan et le courage de
ses débuts. Il continuait d'étonner, d'ensorceler ou d'exaspérer
ceux qui le côtoyaient.

Qui saura jamais quels étaient les ressorts de ce personnage
extravagant? Ayant mis une croix sur la villa Penthièvre, il se
réfugiait, parfois, dans une clinique de la rue de Lisbonne, derrière l'église Saint-Augustin. C'est là qu'il lut *Un dollar les mille*
kilomètres, le récit des aventures d'un jeune lycéen, Dominique
Lapierre, qui, de Rotterdam, s'était embarqué pour le Mexique
avec vingt-cinq dollars en poche. Trois mois plus tard, il débarquait gare du Nord, ayant parcouru trente-deux mille kilomètres et

quasi fait le tour du monde, en découvrant les vertus alimentaires des « petits boulots » — laveur d'autos, cireur de parquets, jardinier ou matelot... Grasset s'enthousiasma pour le manuscrit et signa, en guise de préface, une note de l'éditeur.

> Cet ouvrage est la simple relation d'une promenade dans le monde que fit l'été dernier un lycéen français, Dominique Lapierre... Ce n'est pas un nouveau Radiguet que je prétends ici révéler. Je ne suis même pas certain que Dominique Lapierre se donne durablement à l'écriture. Il avait quelque chose à dire et a su le dire. C'est tout. On verra d'ailleurs par ce livre qu'il a mis sa fierté en d'autres objets.

Un dollar les mille kilomètres aura une couverture de presse exceptionnelle pour un premier livre et sa vente dépassera les quinze mille exemplaires.

« Avec mes premiers droits d'auteur, j'ai acheté une Amilcar 1923, qui servit à balader Grasset. Il m'avait adopté avec un mélange de tyrannie et de paternalisme filial. Je l'emmenais peindre sur les hauteurs de Meudon. Roger Frémy, aujourd'hui "Monsieur *Quid*", nous accompagnait souvent. Pour mon deuxième bouquin, *Lune de miel autour de la terre,* il demanda une préface à Maurois. Que pouvais-je, à vingt ans, demander de plus[1] ? »

Dominique Lapierre, avec Larry Collins, a fait, depuis, son chemin, et quel chemin ! *Paris brûle-t-il ? O Jérusalem, Cette nuit la liberté, la Cité de la joie*, autant de best-sellers qui ont une audience mondiale.

*

Comme il lance Lapierre, il s'entiche d'inédits de Balzac dont lui a parlé Maurice Bardèche et qu'il édite sous le titre *la Femme auteur* dans la nouvelle série des « Cahiers verts ». Il imagine d'organiser un « gros coup » autour de cet ouvrage qui réunit des ébauches de textes, des fragments, des esquisses, et qui permet d'éclairer l'histoire des œuvres de Balzac. « Ce sera un triomphe », dit-il à Bardèche. Ce fut un échec.

Il découvre, enfin, Christine Garnier. Jeune et belle journaliste, elle rencontra l'éditeur d'une assez curieuse manière. Vingt-quatre heures après qu'elle eut déposé chez lui le manuscrit de *Va-t'en avec les tiens,* un roman qu'elle rapportait du Togo, elle reçut un coup de téléphone :

> « Ici Bernard Grasset. Vous êtes bien de race noire, n'est-ce pas ? fit une voix autoritaire.
> Déconcertée, elle balbutia :
> — Mais non...
> — Dommage, vraiment dommage ! Votre ouvrage m'avait laissé à penser qu'il s'agissait de l'autobiographie d'une Africaine. Il me plaisait

qu'il en fût ainsi. Enfin, nous arrangerons la chose. Dès à présent,
oubliez que vous vous appelez Christine Garnier: il faut que tout le
monde vous prenne pour une Noire. Venez me voir, je vous attends[2]. »

Elle lui trouva des prunelles incolores, assez insolites, et il lui fit
peur. « Il ne cessa jamais de me faire un peu peur: ses façons
brusques, ses phrases coupantes et ses colères imprévues me
laissaient sans voix... » Comme Hervé Bazin, comme Jacques
Laurent, comme Dominique Lapierre, ce qui l'impressionnait, ce
qu'elle n'oublierait jamais, c'était de le voir réfléchir sur un passage dont il doutait, rejeter en maugréant la feuille, la reprendre
et, en cinq coups de crayon, rétablir miraculeusement l'ordre,
l'équilibre et la musique d'un paragraphe. Comme un accordeur
de pianos.

L'éditeur eut un coup de foudre pour Christine Garnier. Le
dernier de sa vie, dira-t-il. Mais ce fut plus qu'une histoire
d'amour. « Ce fut une amitié qui naquit, ce qui est chose plus
rare... Je me suis beaucoup dépensé pour Christine, comme on se
dépense dans l'amitié. » Christine Garnier eut son heure de gloire
dans les années cinquante. Journaux et revues se disputaient ses
enquêtes, tandis que ses romans, *Va-t'en avec les tiens, Les héros
sont fatigués* ou son récit *Vacances avec Salazar* connaissaient le
succès. De tous les coins du monde où elle voyagera, elle écrira à
son éditeur de longues lettres chaleureuses et tendres, à travers
lesquelles on devine les sentiments que pouvait susciter cet homme
meurtri, se cachant derrière un orgueil démesuré, fuyant dans sa
« folie ».

*

En dépit de ce maelström où il cherche à se perdre, et où il est
seul, terriblement seul, il ne parviendra plus à relever la Maison,
sa Maison. Son intuition, il ne l'a pas perdue, mais c'est celle d'un
homme vieillissant qui regarde s'éloigner son œuvre trop aimée, en
sachant que bientôt elle lui échappera.

C'est un autre Bernard qui, entouré d'une bonne équipe, va
renflouer la Maison, la fera renaître de toutes ces années
d'épreuves de l'après-guerre et qui, en même temps, sera la
dernière bouée vers laquelle ira l'éditeur, pour apaiser ses angoisses ou soulager ses humeurs.

Bernard Privat, qui vient d'avoir trente-cinq ans, a, jusque-là,
très peu fréquenté son oncle Grasset. Il aurait pu le retrouver à
travers sa passion pour la peinture, un même parcours universitaire — il est licencié en droit — et aussi l'écriture. Il a publié en
1944 un recueil de poèmes, *Cet ange en moi*, au Mercure de
France. Mais dans sa jeunesse le « drame de famille de 34 », puis

la guerre n'ont pas facilité ses relations avec son oncle. Fait
prisonnier en juin 1940, Bernard Privat va rester pendant cinq ans
à l'Oflag XVII A.

Ce sont les hasards d'une rencontre avec Grasset, un jour
d'automne 1949, qui l'amèneront rue des Saints-Pères. L'éditeur,
alors à Sceaux, « s'éprend » de ce neveu, le fils de sa sœur
Mathilde, qu'il découvre, au fond, pour la première fois et, très
vite, il lui proposera d'entrer dans sa Maison.

> J'ai fait appel à Bernard, confessera-t-il à Jean Blanzat, comme au seul
> être répondant pour moi à l'idée de famille. C'était pour me donner une
> raison de vivre que je l'ai appelé. Et aussi, j'en conviens, parce que je
> pensais qu'il tiendrait à ce que je vive. Et j'étais si douloureux que j'avais
> besoin, pour durer, qu'on tienne à moi. [...] C'est vraiment pour moi un
> fils : je pense là tout dire.

Existait-il pourtant, en tous points, deux hommes plus différents
que l'oncle et le neveu, que le fondateur et le successeur ? Écou-
tons Julien Gracq, avec sa précision de géomètre, nous décrire la
naissance de ce compagnonnage insolite :

> Partout poussaient de jeunes maisons aventureuses, nées de rien, que
> faisait verdir pour une saison, déjà menacée, le printemps hâtif de la
> Libération. Privat tranchait, pour moi, parmi tant de figures neuves, par
> l'éclat de sa voix nasale, fortement timbrée, qui contrastait avec la
> réserve, cordiale et en même temps presque timide, de son accueil. Il ne
> semblait pas participer à la course au trésor enfiévrée dont l'édition toute
> neuve de l'après-guerre donnait l'image. Il faisait penser plutôt à ces
> amateurs bien doués qu'on catapulte dans les hauts grades de la fonction
> publique au *tour extérieur*. Héritier d'une maison illustre, il évoquait
> vivement pour moi un neveu de province intimidé, *monté* à Paris pour
> recueillir une succession flatteuse, le collatéral, bardé de modestie, d'un
> héros fondateur et éponyme dont il enrichissait de ses souvenirs et de ses
> anecdotes, avec une cocasserie inépuisable, la légende haute en couleur[3].

A l'ombre d'une « légende », et dans ce rôle de dauphin d'un
homme aussi fabuleux qu'incommode, la vie de Bernard Privat ne
fut pas une sinécure. « Il est mort et je n'arrive pas à m'en
débarrasser », confiera-t-il à Maurice Chapelan, plusieurs mois
après la disparition de l'éditeur.

Celui-ci, qui s'attelle à ses « confessions », un récit inachevé en
forme d'autoportrait — *l'Admirable Madame Vontade* —, a-t-il
trouvé auprès de son neveu cette affection, cette présence, cette
« famille » sans lesquelles il prétend « périr » ? Les plaies caracté-
rielles qui firent son martyre ont toujours empêché de répondre à
ce genre d'interrogation et jamais on ne saura qui lui fut vraiment
secourable, qui l'aida dans ses crises de dépression morbide.

Pour ma Maison, et aussi pour mon travail personnel, l'arrivée de Bernard a été heureuse. Quant à ma vie personnelle, je ne puis pas dire qu'elle ait été essentiellement changée. Je veux dire que je souffre des mêmes dimanches et des mêmes vacances, et que j'éprouve même, depuis lui, le regret précis d'un être.

Il aura bientôt soixante-dix ans, et il continue de se débattre lui, l'éditeur légendaire, lui, le provocateur d'antan, comme un adolescent déchiré, comme un écorché vif. Il devait y avoir quelque chose d'étrangement brûlant dans cette âme blessée.

Comprenez, Blanzat, que du jour où un homme peut se croire anormal du fait des besoins trop grands qu'il éprouverait, il s'en prend à lui-même, pour ses besoins, qu'on prétend anormaux. Il s'en fait le reproche : il se traite en ennemi, ce qui est le commencement des névroses... Si les autres ne sont pas responsables, on est responsable soi-même. Et alors, commence cette attaque de soi-même, à quoi je me livre présentement, et que, par un suprême effort, j'essaie d'atténuer, en donnant mes raisons. Cette attaque de soi-même peut aller *jusqu'au refus de vivre* de certains névrosés. Voyez-vous, Blanzat, la chose que je ne parviens pas à pardonner à ceux qui disaient m'aimer, c'est de m'avoir contraint à livrer ma souffrance morale à des médecins, quand je m'étais si courageusement délivré de cette emprise médicale qui a faussé ma vie entière.

Voilà qu'en effet, au déclin de son existence, le souvenir du comportement des médecins à son égard, en particulier celui du Dr Bonhomme, qui rédigea un certificat confirmant sa fragilité psychique, lui sera de plus en plus intolérable, et l'idée qu'on ait pu le tenir pour « fou » deviendra sa hantise. Il agira de plus en plus comme si les nombreux séjours qu'il fit — et qu'il continue de faire — en clinique ou dans des maisons de santé lui avaient été imposés par son entourage, par une série de mensonges soigneusement organisés, par un chantage à la maladie. Et, dans sa correspondance aux amis les plus intimes, il reviendra inlassablement sur le « courage », sur la « patience exceptionnelle » qu'il lui fallut pour endurer cet enfermement, cet isolement.

Ce désir intense, violent, d'effacer un pan entier de son histoire — « J'en ai marre qu'on me prenne pour un fou », répète-t-il — va l'entraîner dans de nouvelles et invraisemblables machinations procédurières, dont Aymée sera, désormais, la victime expiatoire. Aymée, qui porte la responsabilité de toutes ses « traverses », comme il dit. Jusqu'à sa radiation des cadres de la Légion d'honneur ! C'était Jean Giraudoux qui lui avait remis, en 1930, le ruban d'officier, lui déclarant : « Vous devez avoir bien du charme puisque, bien que mon éditeur, vous êtes resté mon ami. » Cette décoration qui le flattait énormément lui fut retirée aussitôt après sa condamnation par contumace, en mai 1948. Aymée n'y entrait pour rien.

Elle est sa phobie. A peine son « affaire » auprès des tribunaux de l'épuration paraît-elle s'éteindre sans bruit qu'il entame une nouvelle bataille juridique. S'agit-il, pour lui, d'un nécessaire défoulement, d'une thérapie? En tout cas, c'est à ce moment qu'il demande l'annulation de son mariage, non pour regagner sa liberté de célibataire — il ne l'a jamais perdue —, mais dans le but, précisément, de prouver... sa bonne santé mentale.

Par quel artifice? La chambre civique avait accepté, le 27 mars 1950, le jour où il s'était évanoui devant les juges, « l'opposition » réclamée par ses avocats. Il pouvait reprendre sa pleine activité. Dès le 14 avril, le conseil d'administration en prit acte et mit fin au mandat temporaire qu'il avait confié à Aymée dans sa séance du 16 janvier. Grasset retrouvait ses fonctions de président-directeur général. Le « règne » d'Aymée avait duré trois mois.

L'éditeur ne veut pas l'entendre ainsi et va monter de toutes pièces un gigantesque scénario afin de confondre son épouse de « délit d'escroquerie ». Mais l'argument juridique qu'il développe n'est qu'un prétexte. Ce qui le met en mouvement, c'est l'attestation sous serment produite le 12 janvier 1950 par le Dr Bonhomme, selon laquelle il était alors incapable de diriger sa Maison. Cette attestation, on s'en souvient, l'avait sauvé.

Il ne veut plus qu'elle ait existé: c'est une pièce qui témoigne de sa maladie. Et, il n'a jamais été malade. Jamais. Il n'en démordra plus. Cette attestation est donc un « faux », qui a été rédigé, explique-t-il, sur la demande de « la dame Grasset » afin de le déposséder. Aymée n'est plus qu'un « monstre ». Et lui, il endosse le costume de Sherlock Holmes pour démontrer qu'elle l'a trompé sur sa qualité et son identité.

Le jour de son mariage, en effet, Aymée, n'ayant pu, en raison de la guerre, obtenir un acte de naissance, avait produit ce qu'on appelle un « acte de notoriété » — un document dans lequel plusieurs personnes affirmaient la connaître sous le nom de « comtesse Ferniani ». Or, après plusieurs démarches auprès du ministère des Affaires étrangères, auprès du consulat de France à Florence, après avoir mobilisé un professeur de droit, un détective privé et une kyrielle d'avocats italiens, Grasset finit par découvrir la véritable identité de sa femme.

Aymée, née le 15 octobre 1901, est la fille de la comtesse Maria Adelina Lamare, épouse du comte Clemente Ponte Bordino di Pino Castelvecchio. Le couple vivait entre son palais florentin et une somptueuse maison niçoise. Mais le comte di Pino Castelvecchio refusa de reconnaître l'enfant comme étant le sien, et son désaveu de paternité fut retenu par le tribunal civil et pénal de Florence, le 23 août 1902. Aymée est une « bâtarde ».

De surcroît, elle ne s'était jamais mariée au comte Ferniani, dont elle avait seulement été la maîtresse, et de tous les témoignages recueillis par l'éditeur, il ressortait qu'elle alimenta, sous l'affectueuse protection d'une certaine comtesse Kennedy Laurier, la chronique amoureuse de l'aristocratie florentine. Grasset, que l'on devine habité par l'excitant frisson du voyeur, poussa loin son enquête. Rien, cependant, dans ce passé d'Aymée n'était de nature à justifier la nullité de son mariage, comme lui expliquera Me Albert Naud, à qui il avait confié le dossier. Il s'entêtera, au point d'entraîner derrière lui son conseil d'administration.

Celui-ci, dans sa séance du 16 avril 1951, accepta d'introduire contre « la dame Grasset » une plainte en escroquerie et en violation de la loi sur les étrangers.

> Selon les informations très précises qui lui sont parvenues, lit-on dans le registre, Mme Grasset aurait surpris la bonne foi du conseil en se faisant conférer les pouvoirs qui lui ont été attribués dans la séance du 16 janvier 1950. Mme Grasset, pour obtenir lesdits pouvoirs, s'est prévalue de sa qualité d'épouse de Bernard Grasset. Elle a en outre prétendu que Bernard Grasset était malade... Il a été constaté par la suite que ces allégations étaient fausses. Mais ce qui est plus grave encore, c'est que Mme Grasset a caché au conseil sa qualité d'étrangère, qualité qu'elle a elle-même révélée dans une procédure dirigée contre son mari. Or, un étranger ne peut être un mandataire d'une société de commerce que s'il est muni de la carte d'identité de commerçant étranger, carte que Mme Grasset n'a jamais possédée.

Le seul résultat concret de sa frénésie procédurière tournera à l'avantage d'Aymée : il fut d'abord condamné à payer 70 000 francs par mois — 10 000 de nos francs environ — de pension alimentaire à son épouse. Après quoi, Aymée obtint la séparation de corps avec le droit de se maintenir dans l'appartement de la rue de l'Estrapade, où elle devait s'éteindre en 1980.

Jusqu'à son dernier souffle, l'éditeur refusera cet aboutissement, il est vrai assez cocasse, de son contentieux marital. Un mois avant sa mort, il était encore à se pourvoir en cassation, à écrire, et au président du tribunal civil, et à Robert Schuman, garde des Sceaux, des lettres de sept ou huit feuillets... Avec ce leitmotiv : qu'Aymée reconnaisse — ce qu'elle avait accepté dix fois plutôt qu'une! — que les certificats médicaux délivrés par le Dr Bonhomme étaient « entièrement mensongers ».

Y avait-il, dans sa rage, un détournement d'élan vital? Qu'il s'acharne ainsi, avec une énergie indomptable — ses notes sur « l'histoire véridique » de son mariage représentent plus de quatre cents pages dactylographiées —, à poursuivre Aymée, comme s'il s'agissait, pour lui, d'expier une faute inconnue, voilà qui passait encore. Mais un autre procès, le « procès Montherlant », l'occupait avec le même entêtement et dans la presse on l'avait définitivement baptisé « l'abonné du Palais ».

*

Montherlant n'aimait pas Grasset et réciproquement. Quand, sous l'Occupation, l'éditeur lui demanda de renouveler le contrat de dix ans qui les liait jusqu'en 1942, Montherlant, de plus en plus jaloux de sa liberté à l'égard de la rue des Saints-Pères comme de toutes les maisons d'édition, refusa et s'obstina dans son refus. Quand on connaît l'esprit chatouilleux de Grasset dès qu'il est question du fameux « traité général », la pierre angulaire de son métier, ce refus valait déclaration de guerre.

Le 1er février 1942, répondant à Montherlant, venu le féliciter pour ses *Chemins de l'écriture,* il précisait :

> J'ai donc d'abord à m'excuser de vous tenir un langage ferme touchant les intérêts vitaux de ma Maison, en particulier pour ce qui est de votre œuvre, quand je voudrais n'avoir qu'à vous remercier de votre jugement sur la mienne qui m'est allé au cœur... Suivez-moi, je vous prie, dans mon cheminement. Vous savez, mon cher Montherlant, que, depuis votre retour à Paris (que je souhaitais plus que quiconque, puisque j'en ai même écrit), mon principal souci a été le renouvellement pour dix ans de votre contrat général avec nous. Je vous ai exprimé ce vœu dès notre première rencontre. Mais sans vous demander de réponse immédiate. Je ne vous ai en rien pressé. Je vous ai fait transmettre par Henry Muller les propositions les plus précises [...]. En tout cas, je tiens à vous dire, en toute admiration, affection et dévouement, mais en toute fermeté, que je ne répondrai à aucune question particulière vous concernant qu'après le renouvellement de notre contrat général. Je serais vraiment une poire si je faisais autrement... Imaginez, en effet, un instant que vous passiez un contrat général avec un de mes concurrents (il n'en manquera pas certainement qui vous feront des offres élevées, ne serait-ce que pour vous enlever à moi), pensez-vous que je consacrerais des tonnes de papier à réimprimer toute votre œuvre antérieure, sachant que vous me privez de vos livres à venir ? C'est en face de cette chose précise, Montherlant, qu'il faut que vous vous mettiez.

Il y eut d'autres lettres, l'éditeur ne cédant en rien sur le fond : il voulait son « contrat général ». Montherlant se cabrait. Pour lui, ces procédés relevaient de la menace, du chantage, de la mauvaise foi, du mouvement d'humeur... « La correspondance qui en reste, où interviennent aussi des lettres éplorées de Muller, note-t-il, me suppliant de faire en sorte que la mauvaise humeur du patron ne retombe pas sur lui, est un témoignage saisissant de la sorte de calvaire qui peut être imposé à un écrivain par son éditeur[4] ».

Dès 1943, Montherlant donna ailleurs ses nouveaux livres et on ne le vit plus rue des Saints-Pères jusqu'au début de 1946. La Maison était sous séquestre et les contacts qu'il eut alors furent uniquement alimentaires: demandes d'information sur ses tirages, mises à plat de ses comptes, etc. Rien ne le poussait à multiplier à l'endroit de Grasset les signes d'amitié. Il lui fit pourtant le service de ses deux pièces *le Maître de Santiago* et *Malatesta*, assorties de dédicaces cordiales.

Ce n'est qu'après juin 1948 — date du premier jugement condamnant la Société des éditions Grasset à la dissolution et à la confiscation de quatre-vingt-dix-neuf pour cent de ses biens — qu'il déclenche les hostilités. Il avait, à plusieurs reprises, sous forme de sommation, menacé l'administrateur-séquestre des Domaines:

> Je veux croire, lui écrivait encore celui-ci le 29 juillet, que, tenant compte de la situation faite à la maison Grasset, vous tiendrez à honneur de ne pas ajouter à des difficultés qu'elle peut encore surmonter, et que vous voudrez bien différer toute action de procédure à son encontre. La décision rendue contre elle n'est pas définitive et il est permis de penser qu'elle pourra prochainement retrouver son équilibre. Mais, pour cela, elle a besoin de la fidélité de ses auteurs, en particulier de ses auteurs de choix dont vous êtes le plus éminent représentant.

Le 10 août suivant, le directeur des Domaines en personne en appelait de nouveau à son honneur et l'invitait à patienter. Montherlant resta sourd à toutes ces sollicitations. Invoquant des droits d'auteur restés impayés, des réimpressions promises et non exécutées, des fautes graves dans la publicité, la diffusion et la vente de plusieurs de ses ouvrages, il assigne la Maison et demande la résiliation de tous ses contrats, 1 000 000 de francs de dommages et intérêts, la désignation, enfin, d'un expert aux comptes.

Grasset ne marqua, à cette date, aucune inquiétude. Il avait d'autres préoccupations, et l'action engagée par l'auteur des *Célibataires* visait, à l'origine, les Domaines. Jean Blanzat, pourtant, le mit en garde: « Bien que par le nombre des réimpressions, le chiffre des tirages, et la part qui lui a été consacrée des ressources de la Maison, Montherlant ait été l'auteur le plus favorisé du fonds, il reste celui dont l'attitude générale et les prises de position devant les tribunaux sont les plus dangereuses. » Blanzat se révélait prophète. L'éditeur, lui, rêvait de réconciliation.

> Je relisais l'autre jour, lui écrit-il le 28 janvier 1949, non sans émotion, une correspondance que nous eûmes au moment de la publication des *Jeunes Filles*. Vous étiez alors si amical et confiant. Il y a vraiment là des lettres de vous d'un grand prix. Que de choses depuis... Mais l'objet de

cette lettre n'est pas de vous faire des reproches sur le passé ; même sur un passé tout récent. Je viens seulement vous dire : je sais que vous avez tout discuté en mon absence de nos accords. Je sais même qu'il n'est plus guère que des rapports judiciaires entre la Maison et vous. Je suis maintenant revenu. Voulez-vous que nous ne songions plus qu'à l'avenir et que nous examinions ensemble l'un et l'autre, dans l'amitié, toutes les questions qui nous divisent ? J'ai souffert, Montherlant, dans ma personne et dans mes intérêts, infiniment plus que vous. Ne l'oubliez pas, je vous prie, dans les rapports nouveaux et directs que je souhaite avec vous.

Rainer Biemel verra Montherlant pour lui parler de la résurrection des « Cahiers verts » et lui demander un texte. *Port-Royal* par exemple, va suggérer l'éditeur. Mais la rencontre amicale qu'espère Grasset et qui lui aurait permis de mettre sur pied un nouveau contrat « à l'abri de toute menace » n'aura jamais lieu. Montherlant se dérobe et d'ailleurs, il confie à Georges Robert, secrétaire général de la Société des gens de lettres, le soin de gérer ses intérêts.

Dans un souci d'apaisement, les Domaines avaient épongé en 1948 les deux tiers des droits qui étaient dus à l'auteur et qui n'avaient pu lui être réglés depuis la Libération. Soit 1 350 000 francs. Au moment où s'engage la procédure, la Maison lui doit 740 000 francs. Les intérêts pécuniaires en jeu n'étaient pas minces.

Ce n'était pas tout. Il y avait aussi un « contentieux moral » lié au *Solstice de juin*. Au moment de « l'affaire Grasset », le fameux procureur Lacazette avait qualifié *le Solstice de juin* de « livre déplorable ». Non seulement l'éditeur ne protesta pas, mais il souligna la différence de traitement qui existait entre lui et son auteur. Montherlant fit valoir — ce qui était exact — que *le Solstice de juin* avait été, aussitôt sa parution, interdit par les autorités occupantes et qu'il fallut l'intervention de son traducteur, Karl Heinz Bremer, directeur adjoint de l'Institut allemand, pour « débloquer », après plusieurs semaines, la situation. *Le Solstice de juin* resta interdit en Belgique comme en Hollande et, après la Libération, il ne figura jamais sur les listes des ouvrages dits « collaborationnistes », que le Contrôle militaire de l'information adressa aux éditeurs.

Grasset avait-il oublié le sort qui fut réservé au *Solstice de juin* ?

Son animosité à mon égard, dira Montherlant, l'a poussé à ne pas faire à Lacazette la réponse qui non seulement devait lui être inspirée par le souci de vérité, mais encore était un argument *propre à servir sa défense* : « Comment pouvez-vous me reprocher une œuvre que les Allemands ont interdite, et que le gouvernement né de la Libération n'a pas interdite ? »

Une fois de plus — car cela est presque la règle — on a vu un homme préférer sa haine à son intérêt. La condition naturelle d'un auteur et de son éditeur est d'être *des alliés*. Quelles craintes n'aura pas un auteur devant un éditeur qui se conduit avec lui en *ennemi*[5]?

De son côté, Grasset ne s'attachera guère aux différends financiers qui l'opposent à Montherlant. Ce procès ne soulevait qu'un seul problème, essentiel à ses yeux: celui de la pérennité du contrat d'édition. En droit français, les contrats sont la loi des parties. Le 8 juillet 1953, dans un arrêt de décision, les juges prononcèrent « la résiliation aux torts exclusifs des éditions Bernard Grasset des conventions passées entre Montherlant et Grasset ». La Maison était condamnée à payer 913 000 francs de droits d'auteur et 400 000 francs à titre de dommages-intérêts.

*

Cet arrêt sera à l'origine du « testament » en forme de philippique de Grasset, *Évangile de l'édition selon Péguy,* ouvrage posthume, qui paraîtra chez André Bonne en décembre 1955. Si l'amertume lui inspira ce pamphlet, ce règlement de comptes, il nous y montre surtout, et comme jamais, sa double personnalité, ses deux visages, le Grasset douloureux, agressif, blessant, et le Grasset chargé de vertus aussi éclatantes que soigneusement contenues: générosité, hauteur, gentillesse. « Ultime message », comme il le dit lui-même, non seulement d'un homme qui va mourir, mais d'un « professionnel » qui assiste au déclin de son métier, du moins d'un métier auquel il s'est trop parfaitement identifié, pour concevoir qu'il puisse désormais être exercé autrement et surtout par d'autres que lui.

Plus encore, peut-être, qu'un testament, ce pathétique monologue est aussi un plaidoyer où l'éditeur, s'adressant à ses juges, se souvient qu'il fut avocat. De là ce ton mi-détaché, mi-passionné, de son *Évangile*. « Vous vous étonnez, peut-être, monsieur le juge, de me trouver à l'aise dans un domaine qui est le vôtre. Je vais vous faire une confidence. Je suis docteur en droit, et d'une date où, certainement, vous n'aviez pas encore abordé *Rosa, la rose...* »

Sachant qu'on plaide rarement bien pour soi, il s'est retranché derrière Péguy, ce « piéton du style », avec qui « [il a] toujours entretenu commerce d'amitié ». Chez l'un comme chez l'autre le goût de l'action l'a, sans cesse, disputé à celui de l'écriture. Tous deux ont eu à lutter pour sauvegarder « leur Maison ». Tous deux ont vécu le drame mensuel de « l'échéance ». Tous deux, auteurs eux-mêmes, ont eu, comme éditeurs, le privilège, si c'en est un, d'envisager la littérature sous son aspect matériel et commercial.

Et puis, Péguy n'est pas seulement ici un paravent : il est surtout le prétexte à un réquisitoire contre Montherlant. Au moment du procès, l'éditeur n'est pas encore dégagé des menaces de l'épuration. Qu'il soit directement attaqué par ceux — comme Montherlant — à la réputation desquels il a le sentiment d'avoir consacré la plus grande partie de son temps, voilà qui lui est insupportable. Son style un peu sec et forcé, le côté volontaire, travaillé, surveillé de son écriture, le faux classicisme de sa phrase, tout cela se trouve ainsi corrigé, ou plutôt emporté, par le vent de colère et de dépit qui souffle au plaideur battu sa dernière réplique.

« Malheur aux magistrats qui m'ont condamné ! » lance-t-il. En tuant cette fidélité, en brisant la stabilité des contrats, en autorisant les auteurs à écouter la surenchère des concurrents, ils ont tué l'édition.

> Ma Maison est une sorte de plaque tournante. Chacun y vient et s'exprime. Personne ne mit en doute, dès le prononcé de l'arrêt, que l'édition ne fût plus protégée [...]. Aussi peut-on dire que cette sorte d'effacement de la personne devant l'argent, dans notre métier, est né directement de l'arrêt de 53. L'édition découragée, dans sa forme personnelle, c'est, demain, le talent aux abois. Mais c'est aussi le public sans guide.

Tout se rapporte à son expérience d'un demi-siècle. « L'incroyable difficulté » du métier d'éditeur, le pari que représente le choix d'un livre, l'influence du « lancement » sur la carrière de l'écrivain... Il s'insurge contre l'idée, reprise par l'arrêt de la cour, selon laquelle l'auteur, en signant un contrat, confierait à l'éditeur la gestion de « son patrimoine ». Celui-ci, au moment de la signature du « traité », n'existe pas. C'est l'éditeur, et l'éditeur seul, qui, par son effort et son ingéniosité, forge peu à peu ce patrimoine, en devient comptable vis-à-vis de l'écrivain, cependant que ce dernier, en retour, doit fidélité entière et aveugle à celui qui a, très exactement, « fait » sa fortune.

Tout, en effet, lui revient en mémoire. Mais le vieil éditeur, rattrapé par les jeunes, dépassé par le siècle, n'a-t-il pas préparé, de ses propres mains, l'étranglement dont il se plaint ? Ces gros tirages, ces prix littéraires derrière quoi se cacherait « la mort de la littérature », cette publicité dont il dénonce les excès, ces « lancements » qu'il présente aujourd'hui comme une des formes du bluff, qui, plus que lui, a contribué à les imposer comme autant de nécessités ? C'est en vain qu'il se sera évertué à concilier la « dignité » de son métier et la réussite commerciale. Son mérite initial, cette espèce de génie dont il fit preuve, le caractère surtout commercial et publicitaire — c'est-à-dire extra-littéraire — de sa révolution, de ces « années Grasset », bref, son action de pionnier aura eu pour conséquence naturelle, et probablement inévitable, ce « fléchissement du goût » contre lequel il s'insurge.

Insoluble paradoxe. S'il le reconnaît avec honnêteté, il s'octroie des circonstances atténuantes, pour délivrer, à nouveau, l'essentiel de son message, ce qui est, et restera, explique-t-il, « l'enseignement » de sa vie :

> Il n'est guère, par génération, que cinq ou six écrivains qui comptent. Le public, qui détient le goût, est aussi une constante. Mille ou quinze cents personnes, disait Balzac. C'est là ce que j'appelle, après Péguy, l'ordre des choses. Nul n'y pourra rien changer. Reste les badauds. Ceux-là sont le nombre. Disons que nous avons agi sur les badauds, mais avec discernement et pour le bien des Lettres. Certes, le vulgaire ne peut être gagné que par des moyens vulgaires. On n'en sert pas moins l'esprit si, par ces moyens vulgaires, on obtient que le don qui, en soi, est une offense soit pardonné.

Le propos est plus touchant que réaliste. Par-delà, en effet, l'arrêt Montherlant, par-delà la mode, l'esbroufe ou l'ingratitude des auteurs, par-delà même la « décadence des éditeurs », devenus des « marchands de renommée », plutôt que ces mécènes cultivés et avisés, au rang desquels Grasset se place volontiers, un homme nouveau, un monstre nouveau a fait son apparition, qui s'appelle « le diffuseur ». Au début des années cinquante, le débat sur l'avenir de l'édition n'est plus entre Grasset et Gallimard, ni entre Fasquelle et Fayard. Il est entre Hachette et la MLF — la Maison française du livre —, ou entre Hachette et Sequana, les diffuseurs qui dominent le marché.

*

Bientôt Grasset, devra, pour sauver sa Maison, passer par les fourches caudines de la librairie-messageries Hachette. L'édition et la distribution du livre changeaient de vitesse. Elles s'industrialisaient. S'il avait pressenti, orchestré et accompagné le chambardement des années vingt, cette « ère des cent mille », il était resté, il était avant tout, un artisan du livre. D'ailleurs, la conception d'une couverture, la présentation graphique du manuscrit étaient sa grande affaire. « Ma récréation », disait-il à François Salvat, qui, après le départ de Maximilien Vox, fut son chef de fabrication pendant trente ans. Pour lui, le livre était un objet que l'on aime « voir », que l'on « tripote », un objet dont l'architecture, claire et motivée, doit obéir aux lois profondes du texte. « C'était sa joie que de venir se délasser dans mon bureau de fabrication, dont l'apparence d'échoppe de village lui plaisait par-dessus tout. Un air actif d'artisanat l'enchantait[6]. »

Son passé, néanmoins, ne l'aveuglait pas et, conscient des métamorphoses de son métier, il voulut prendre le train en marche, en particulier sur ce terrain qui lui était si étranger, le livre à bon marché, le « livre de poche ».

Dès que la maison Hachette envisagea de créer une collection de grande diffusion, à prix modiques, il accepta de s'associer au projet et alerta ses principaux auteurs, leur faisant miroiter, pour certains d'entre eux, des droits importants « à la mise en vente ». Mais c'était trop tard. La Maison, engluée dans des problèmes insolubles de trésorerie, n'avait plus les moyens de se redresser sans un apport important de capitaux frais.

Grasset ne pensait probablement pas que ses conversations à propos du « Livre de poche » le conduiraient, très vite, à la vente de sa Maison : en 1954, Hachette prendra une participation de 90,7 pour cent de son capital. Il sera le premier des éditeurs prestigieux à tomber dans l'escarcelle des héritiers de Louis Hachette. Aussitôt après lui, viendra le tour de Fasquelle, puis, en 1958, ce sera Arthème Fayard et, en 1961, les éditions Stock.

Si donc, le 6 février 1953 demeure, pour l'édition française, une date historique puisque ce jour-là parut le numéro 1 du « Livre de poche », *Koenigsmark* de Pierre Benoit, il marque, pour Grasset et plusieurs de ses pairs, la fin d'une époque. Lorsque Robert Meunier du Houssoy, président de la librairie Hachette, et surtout Henri Filipacchi vinrent lui offrir, en mai 1950, de rééditer les principaux titres de son fonds, dans une collection alors à l'étude, il ne le savait pas encore. Qui d'ailleurs le savait ? Qui avait prévu que la naissance du « Livre de poche » serait aussi une étape décisive dans l'éclosion de l'empire Hachette ? Un empire qui gère plus des deux tiers du patrimoine littéraire français.

*

Bien avant la guerre, Henri Filipacchi, l'un des pères de « la Pléiade » avec Jacques Shiffrin, et de la « Série noire » avec son ami Marcel Duhamel, avait lancé une collection à bon marché, la collection « Pourpre », publiée par la Librairie générale de France — une filiale d'Hachette —, en association avec Calmann-Lévy.

Fuyant la Turquie où la guerre faisait rage entre Grecs et Turcs, Filipacchi avait débarqué à Marseille en 1922, son violon sous le bras et habillé d'un pyjama. Après différents métiers, il eut l'idée d'un« camion-librairie » dans lequel il circulait à travers la France et qui le conduirait tout droit à la maison Hachette. Celle-ci, inquiète des plaintes des dépositaires concurrencés par sa librairie ambulante, lui racheta son camion et l'engagea. Homme éclectique, fervent des surréalistes, son ascension sera très rapide et il terminera secrétaire général des Messageries.

Avec sa collection « Pourpre », Filipacchi s'était heurté à l'hostilité de beaucoup de lecteurs qui considéraient les ouvrages à bas prix et de petit format, comme des « sous-livres ». Il pensait que, dans le pays de Montaigne, Victor Hugo et Proust, on allait, comme à New York, jeter le « bouquin » après l'avoir lu. Il se trompait. Quand il rencontra Grasset, il avait tiré des leçons de cette expérience et conçu un livre de poche adapté au goût des Français, c'est-à-dire joliment présenté, fait pour être conservé.

Cette conception avait l'assentiment de l'éditeur. Imagina-t-il alors de participer en coédition avec Hachette au « Livre de poche »? Dans ses relations personnelles ou professionnelles, il ne fonctionna jamais qu'aux « coups de cœur » et l'univers de la famille Hachette lui était étranger. Louis, le fondateur, était pourtant de sa race, totalement au service de son action. Il avait, dans son siècle, bousculé les mœurs de la librairie et laissé, comme lui cent ans plus tard, le souvenir d'un esprit inventif, percutant, anticonformiste, autocrate. Il avait vingt-six ans — c'était l'âge de Grasset en 1907 — quand, le 9 septembre 1826, il racheta le petit fonds de la librairie Brédif: six cents volumes pour six titres et les droits sur la traduction des *Catilinaires* de Cicéron par Burnouf. Ce sont les manuels scolaires qui, à partir de 1833, feront sa première fortune, doublés d'ouvrages au titre prometteur comme *Cornélie ou le latin sans pleurs, Sidonie ou le français sans peine, Eulalie ou le grec sans larmes*... Bientôt paraissent les grands dictionnaires, celui de Littré, plus tard, de Quicherat... Mais, l'intuition de génie de Louis Hachette sera d'associer lecture et voyage. Il reprend une idée anglaise et, la perfectionnant, conclut des accords avec les diverses compagnies de chemin de fer pour la construction de petits édicules destinés à la vente des livres dans les gares. Il crée la « Bibliothèque des chemins de fer », dont les auteurs s'appelleront Lamartine ou Guizot, ce qui n'est pas si mal pour une collection dite « populaire ». Enfin, il s'intéresse aux enfants avec la fameuse « Bibliothèque rose », à laquelle la comtesse de Ségur donnera tant de lustre, tandis que le rachat du fonds Hetzel, où se trouve l'œuvre de Jules Verne, sert de point de départ à la non moins célèbre « Bibliothèque verte ».

Hachette-Grasset: le mariage aurait pu être heureux. Allier deux passés légendaires, sous les auspices de la révolution technologique et commerciale. Le mariage n'aura pas lieu. L'éditeur ne se battra pas pour trouver une formule d'association dans le cadre du « Livre de poche », ce que saura faire Gaston Gallimard. Et quand débuteront, concrètement, les négociations durant l'hiver 1952-1953, il s'en remettra à Guillaume Hamonic, qui a, depuis qu'il le découvrit en février 1936, gardé toute sa confiance. Les tractations seront longues. Elles ne l'intéresseront pas.

Étranglé par les échéances, ayant remis « au pot » de sa Maison le peu de liquidités dont il dispose, il vendra en viager, par lassitude, conservant son titre de PDG. La vente prit effet le 1ᵉʳ octobre 1954. Il mourait douze mois plus tard. Hachette venait d'acheter le fonds de Grasset pour une bouchée de pain: 45 millions de francs, soit moins de 4 millions de nos francs...

Au moment du vingt-cinquième anniversaire du « Livre de poche », en 1978, quatre titres du fonds Grasset figuraient parmi les douze meilleures ventes de la collection: *Vipère au poing* et *la Mort du petit cheval* d'Hervé Bazin, *Thérèse Desqueyroux* et *le Nœud de vipères* de François Mauriac. Quatre titres sur douze. Aucun autre fonds des éditeurs français du xxᵉ siècle ne rivalisait, là, avec celui qu'il avait constitué.

*

Il aurait pu avoir, à travers le « Livre de poche », à travers Filipacchi, un autre rendez-vous avec l'Histoire, un second souffle. Il aurait pu être partie prenante de cette expansion du groupe Hachette, devenu aujourd'hui l'un des plus puissants d'Europe. Il aurait pu... Son temps est passé. Il sait l'éditeur qu'il fut et il n'a plus rien à prouver. Il sait aussi que l'écrivain qu'il aurait voulu être ne sera jamais:

> Quelle joie ai-je? Je ne possède même pas la petite maison de campagne qui m'aurait été si nécessaire. Je sens quelques signes de vieillesse dans les jambes et dans le souffle. N'aurais-je donc plus qu'à laisser? [...] Cela peut surprendre, mais, au fond, si j'ai manqué ma vie quant à sa construction personnelle et quant au bonheur, c'est que je suis un homme qui n'a pas osé. D'abord qui n'a pas osé l'amour. Qui n'a même pas osé, avec franchise, l'écriture[7].

Pourtant, ce n'est pas un naufrage. Il se détache chaque jour un peu plus de ce qui restera, à jamais, son œuvre, pour essayer enfin — et en vain — de vivre. Cette lente dérive, qu'il avait amorcée voilà maintenant une quinzaine d'années, approche de son terme. « J'ai soixante et onze ans, et je découvre beaucoup de choses ces temps-ci. La vie est merveilleuse mais on apprend à vivre bien tard. »

Aurait-il vraiment appris à vivre? Las... C'est le moment où il a, en chantier, *l'Admirable Madame Vontade*, qui représente pour lui à la fois une libération et un témoignage. « Comme un papier de famille », explique-t-il à son « cher et grand ami » Henry Bordeaux:

> Mon écrit m'est apparu comme le seul moyen de supporter les lenteurs de la justice et même mes propres traverses; car il n'est pas d'autre

moyen de se détacher de sa souffrance que de l'exprimer. Je puis même vous dire qu'ayant longtemps douté d'obtenir jamais justice, je voyais dans ce récit l'unique moyen de redresser l'opinion quant à moi... Je vais même jusqu'à l'idée de ne pas publier ce récit, quoique — pardonnez-le-moi — j'en sache la valeur.

Il veut laisser une « image exacte de lui-même », ce qui n'implique pas nécessairement une publication de son vivant. Mais Henry Bordeaux, son aîné, son protecteur quand il inaugurait sa Maison, ne se gêna pas pour lui exprimer ses réserves et son scepticisme, l'invitant à reprendre entièrement son texte « qui se réclame du genre romanesque sans appartenir à ce genre ».

Sensible au jugement sévère mais juste de l'auteur des *Roquevillard*, il ne terminera pas cette pesante autobiographie déguisée en fiction dans laquelle il évoque l'épuration et instruit le procès d'Aymée.

C'est le moment où, poussé par son désir farouche de se réhabiliter, par son goût enfantin des honneurs, il se porte candidat à l'Académie française, à la succession de Jérôme Tharaud. Ce fauteuil, qu'occupa Edmond Rostand, avait été surnommé « le siège des habits verts galants »... Son premier occupant fut, en effet, Pierre de Boissat, immortalisé à trente et un ans, et qui prononça devant les Quarante, le seizième discours académique, intitulé « De l'amour des corps ». L'anecdote enchantait l'éditeur. Il mena aussitôt campagne. On est en juin 1952. Sa déconvenue sera à la hauteur de ses illusions et de son inconscience. Il est toujours sous le coup d'une condamnation par contumace, le tribunal militaire n'ayant pas encore clos son « affaire ». Ce qui lui interdisait, bien évidemment, d'entrer sous la Coupole.

De tous les académiciens qu'il connaît, qu'il a édités, célébrés — une bonne vingtaine, de Mauriac à Léon Bérard, d'Henry Bordeaux à Maurois, de Maurice Genevoix à Edmond Jaloux — un seul le mettra en garde, Jacques de Lacretelle :

Pourquoi vous lancer dans cette aventure semée d'embûches ? On me dit déjà que jeudi dernier (je n'étais pas à la séance) des esprits mal intentionnés à votre égard, ou qui ont déjà un candidat, ont fait observer qu'il fallait savoir où en était votre procès... Et même si l'on écarte rapidement — je m'y emploierai — ce mauvais argument, on vous dira que votre rôle et votre gloire ont été de faire des académiciens, et que cela suffit. A première vue, je ne crois pas qu'une majorité puisse se grouper avec efficacité sur votre candidature. Et vous n'êtes pas de ceux qui ont besoin d'une candidature pour donner de l'éclat à leur nom. Alors, prenez conseil, réfléchissez [8].

Saisi par le démon des vanités, il rend les visites d'usage et il demande à Henri Massis — qui acceptera sans condescendance —

de classer et de commenter l'essentiel de ses écrits. *Textes choisis de Bernard Grasset* paraît à la Table ronde deux semaines avant le scrutin académique. Le recueil s'ouvre sur un portrait de l'auteur : un dessin au trait de Jean Cocteau, d'une vérité profonde. Grasset aurait souhaité, en plus du commentaire élogieux et affectueux de Massis, une préface de Jean Rostand. Celui-ci refusa. Il avait trop de travail. « Des livres à terminer (parmi lesquels *Ce que je crois* que j'aimerais vous donner en novembre), un film, des recherches... Et d'ailleurs, avez-vous besoin d'être préfacé, autrement que par vous-même ? »

Le jeudi 29 janvier 1953, vers 4 heures de l'après-midi, son sort était scellé : il avait obtenu cinq voix. Aucun prétendant n'était élu au fauteuil de Jérôme Tharaud. Les Quarante attendront plus de deux ans avant d'y installer Jean Cocteau, le jour où, absurde coïncidence de l'Histoire, l'éditeur agonisait dans sa chambre du Montalembert.

Ce 29 janvier, il était bien vivant, attablé au Voltaire, entouré des « siens », Christiane Deligand et ses plus intimes collaborateurs. Il attendait, à quelques pas du quai Conti, habité par une puérile impatience, les résultats du vote. Quand le verdict lui arriva, sa colère et son dégoût furent un spectacle. Il y croyait vraiment.

« Les candidats prennent toujours nos politesses pour des promesses », avait souvent répété devant lui un expert, André Chaumeix, le critique de *la Revue des Deux Mondes*, élu en 1930. Son premier appel téléphonique sera pour Gaston Gallimard. « Les salauds », lui dira-t-il[9]. Le lendemain matin, rue des Saints-Pères, devant Hervé Bazin qui venait lui parler du roman auquel il travaillait, *l'Huile sur le feu*, il laissera tomber, pâle, défait : « J'ai eu cinq voix et ils sont douze qui les réclament. » Bazin eut une réplique de théâtre : « Bernard Grasset ne se présente pas à l'Académie, il la peuple ! »

Dans une lettre qu'il fera porter, le 30 janvier, chez Maurice Garçon, l'un des Immortels, il redira son amertume.

Tu parais me faire un reproche, lui répondra le célèbre avocat. Tu as tort. Je ne t'avais absolument rien promis. Tu m'as exposé tes pronostics. Ils ne paraissaient pas concorder avec la réalité, mais la réalité surprend quelquefois et je pouvais me tromper. Ton erreur est maintenant de vouloir découvrir les cinq. Tu n'y parviendras jamais. Sur l'honneur, moi qui ai assisté à l'affaire, je serais bien incapable de me prononcer... Toutes les fois que j'ai voulu faire des pronostics, je me suis trompé dans mes pointages. Les élections académiques sont bien compliquées et j'y ai souvent découvert des stratégies auxquelles je n'ai compris quelque chose qu'après le coup joué. Le mieux est de ne pas chercher. Tant de facteurs interviennent qu'on s'y perd. Certains qui semblent voter *pour* votent en réalité *contre un autre,* et réciproquement. Un scrutin secret contient toujours d'impénétrables secrets. Sois plus philosophe.

Philosophe? N'a-t-il pas cherché, désespérément, à l'être, pour lui-même et ses lecteurs, lui, l'éditeur-écrivain, l'éditeur « philosophe et moraliste »?

                                    *

Observée à distance, sa vie depuis la Libération n'est plus — si l'on excepte la découverte de Bazin et le lancement de Jouhandeau — qu'une succession d'infortunes. Son mariage est un échec, les tribunaux de l'épuration l'ont traîné dans la boue, sa Maison ne lui appartient plus, il a perdu son procès contre Montherlant, l'Académie française l'a boudé, François Mauriac est passé chez Flammarion...

Il se repose de plus en plus sur Bernard Privat, qui a eu l'idée d'une nouvelle collection, « Ce que je crois », promise au succès. André Maurois ouvrira la série en 1952. Jean Blanzat, le « placide Blanzat », épuisé par ses confidences et sa nature accaparante, l'a quitté pour Gallimard, en décembre 1953. Pour le remplacer, il a rappelé le journaliste Maurice Chapelan, son « homme de compagnie » du temps où il vivait à la clinique du château de Garches. « Le seul type fumable du *Figaro* », disait-il de lui. « Il me reçut comme si nous nous fussions vus la veille, mais en manifestant beaucoup d'attendrissement, de séduction. Je l'ai senti écrasé par sa définition. Lui qui prenait l'écriture au sérieux. qui avait la faiblesse de se prendre trop au sérieux en écrivant, il était, pour le public, « Bernard Grasset, éditeur ». Il aurait voulu être « Bernard Grasset, écrivain ». Il avait le malheur d'être un des éditeurs les plus célèbres du monde. Personne ne semblait pouvoir aimer vraiment ses livres et je n'en finirai pas de chercher à m'expliquer la désaffection à l'endroit d'une œuvre que je respecte et que j'admire[10]. »

                                    *

Son œuvre écrite, en effet, est tombée dans l'oubli. Sa fréquentation est difficile, la pensée semble s'y pétrifier, la langue est abstraite jusqu'à la froideur. Son style ne sourit jamais. Oubli injuste? Oubli involontaire? Il le pressentait. D'où sa fascination pour l'étude « génétique » d'un texte, pour les « avant-textes », pour cette dimension symbolique des manuscrits, comme s'il était à la recherche de sa propre genèse d'écrivain, comme s'il voulait comprendre le mécanisme de la séduction par l'écriture. « Comment retenir un être avec de simples mots écrits sur du papier? » interrogeait Kafka... Comment peut-on, comment arrive-t-on à séduire en écrivant? Ces questions reviennent, en filigrane, dans tous ses ouvrages. Et quand il s'emballait pour les *Cahiers* de Montesquieu, pour le *Journal* de Marie Leneru, pour les *Lettres* de Rilke, ou pour les fragments inédits de Balzac, que faisait-il, sinon chercher une réponse à cette énigme qui l'obsédait?

Maurice Chapelan l'avait, mieux qu'aucun autre, percé: « Mis à part sa névrose, c'était un homme du XVIIIe siècle, un nostalgique de l'épître au roi, qui n'eut de goût véritable que pour les "chemins de l'écriture" — celle de ses auteurs, puis la sienne propre, d'où naquit en lui le conflit entre l'éditeur et l'écrivain, qui fut son drame — et pour le libertinage[11]. »

*

Entre Bernard Privat, tout en gentillesse lucide et poivrée, au charme complexe et malicieux, « chez qui le cœur et le talent faisaient bon ménage[12] », et Maurice Chapelan, le conteur tendrement cynique de *Rien n'est jamais fini*, le moraliste désinvolte d'*Amours Amour*, le libertin exemplaire et spirituel des *Mémoires d'une petite culotte* sous le pseudonyme d'Aymé Dubois-Jolly, la sympathie réciproque fut immédiate. Ils devinrent vite amis et complices au milieu des innombrables difficultés qui les attendaient. « Chapelan, écrivait "Bernard II" à son oncle, est plein de qualités et met beaucoup de cœur aux choses. Tu as eu la main rapide et heureuse. »

Le tandem faisait face, et d'ailleurs le programme de l'année 1954 se présentait sous de meilleurs auspices. On attendait *les Quatre Vérités* de Marcel Aymé, *l'Huile sur le feu* d'Hervé Bazin, *le Petit Canard* de Jacques Laurent, *De Londres à Moscou*, les souvenirs de Ribbentrop, l'ancien ministre des Affaires étrangères du Troisième Reich, l'initiateur du Pacte germano-soviétique d'août 1939. Quant aux *Secrets du Vieux Paris*, quatorzième volume de *la Petite Histoire* de Lenotre, et *le Championnat du monde de bridge* de Pierre Albarran et José Le Dentu, ils devaient se vendre très convenablement.

Privat et Chapelan espéraient convaincre Maurice Martin du Gard de leur confier ses Mémoires. Il les donnera à Flammarion. Henri Mondor leur avait promis un « Cahier vert ». Il ne paraîtra qu'en 1957, *Propos familiers de Paul Valéry*. Jean Cocteau, après *Journal d'un inconnu*, publié en 1953, songeait à un petit livre intitulé *Démarches du poète*. Colette ne pouvait pas, dans son état de santé, donner un texte, mais elle n'en refusa pas le principe. Elle mourra, le 3 août 1954, dans sa petite chambre du Palais-Royal, entourée de sa collection de sulfures, regardant les fleurs et les arbres du jardin, écoutant le chant des oiseaux qui lui rappelaient les sauvages années de sa jeunesse.

Privat avait rencontré Raymond Aron pour un « Ce que je crois ». Il s'efforçait aussi d'entretenir de bonnes relations avec François Mauriac.

> Je l'ai vu l'autre soir, écrivait-il à Grasset, en décembre 1953. L'accueil a été aimable. Résumé de la conversation : « Vous avez presque toute mon œuvre romanesque. Je n'écris presque plus de romans maintenant. Je suis bien chez Flammarion. Un jour ou l'autre vous passerez chez Hachette et je n'aime pas le trust Hachette, Gallimard, etc. Cependant je ne suis pas lié à Flammarion et je ne dis pas du tout que je ne vous donnerai pas un "Cahier vert" un jour. » C'est à moi de ne pas laisser s'établir une zone de silence entre lui et nous.

Le Fils de l'homme paraîtra, en 1958, dans « les Cahiers verts ».

*

L'éditeur, régulièrement informé par son neveu des projets et de l'actualité de la Maison, s'éloignait chaque jour un peu plus. Il « philosophait » et terminait son essai sur la connaissance, *Comprendre et inventer*.

Plutôt que d'opposer les deux termes « comprendre » et « inventer », Grasset estime qu'ils définissent un seul et même acte, un seul et même mécanisme constitutif de l'intelligence : le rapprochement. « Comprendre, c'est rapprocher deux choses que l'on a déjà rapprochées ; inventer, c'est rapprocher deux choses qu'on n'a pas encore rapprochées. » Partant de ce postulat, stimulé par les questions de Christine Garnier, par un échange de courrier avec Louis de Broglie, prix Nobel de physique, par l'objection d'un mathématicien de ses relations, par l'instinct d'un chien qu'il observa enfant, par l'analyse des démarches de Pasteur et de Claude Bernard, par l'humanité de *la Princesse de Clèves* et la recréation d'un Balzac, par la foi d'un Descartes et par celle, enfin, de Pascal — ouf ! — l'éditeur se penche non plus, cette fois, sur le sort de l'écrivain, mais sur celui du chercheur, du savant. Étrange dissertation d'un néophyte qui avait l'art d'utiliser ses connaissances les plus fraîches comme si elles fussent siennes de toujours. Le philosophe Jacques Chevalier, doyen de la faculté des lettres de Grenoble, ancien ministre du gouvernement de Vichy, lui donna une préface.

> J'ai lu, relu, tes pages magistrales, écrivit à Grasset Jacques Chardonne qui se reposait à Megève. Quelle puissance de l'esprit ! Quelle démarche aisée dans les chemins abrupts ! Quelle prouesse de style ! Et comme tout cela est neuf. Je suis consterné par le procès Montherlant. J'espère que les conséquences financières ne seront pas trop graves. Montherlant est un personnage ignoble. La « justice » immonde. Je le savais ; et pourtant, cela m'étonne.

Parmi les lettres qu'il reçut, c'est bien la seule de cette veine et l'extase de Chardonne paraît bien suspecte! Savait-il, comme Grasset, assener aux gens des compliments excessifs ou des reproches outranciers, dont il ne pensait pas un mot?

La critique, inspirée par la préface plus distante que franchement amicale de Jacques Chevalier, fit un accueil réservé et un tantinet ironique à son essai, qui ne reçut pas davantage la faveur du public. Il mit pourtant « le paquet » pour intéresser la terre entière à son livre, alertant Vincent Auriol, Paul Reynaud, alors vice-président du Conseil, le père Teilhard de Chardin, les scientifiques en vue, tous les membres de l'Institut... « Non, certes, que j'aie manqué d'encouragements au cours de la poursuite que j'avais entreprise; mais je n'ai, convenait-il lui-même, jusqu'ici recueilli le sentiment d'aucun savant, par la considération du temps, si limité, que laisse la recherche aux échanges. » Pour autrement dire, selon une tournure qu'il affectionnait, il fut poliment éconduit et la dernière lettre que lui adressa le physicien Louis de Broglie résume le sentiment général de ses correspondants:

> En principe, je suis d'accord avec vous sur le fait que la comparaison (généralement l'analogie) tient une place considérable dans l'acte de comprendre ou celui d'inventer. Je ne saurais cependant affirmer que comprendre et surtout inventer ramènent entièrement à la comparaison et à l'analogie: c'est là une affirmation qui ne pourrait se justifier qu'après un examen très approfondi. En m'excusant de manquer de temps pour approfondir cet intéressant problème, je vous prie d'agréer, [etc.].

Il ne posa pas la plume. Il continua d'écrire. S'il s'éloignait, s'il se détachait, s'il « laissait », comme il le dit, son orgueil était intact. Il voulait exister, non plus pour sa Maison, mais pour lui, pour son image, pour le destin qui fut le sien. « Il y a toujours profit pour les autres à livrer son destin: c'est comme un message. » A ses médecins, il expliquait que l'écriture lui était « fonctionnelle » et qu'arrêter une fonction, c'était porter atteinte à tout l'organisme. Il aimait aussi, comme aux plus beaux jours de sa gloire, à parler, à donner des entretiens aux journaux, à terroriser par ses « téléphonages » les collaborateurs de la Maison, les auteurs et les célébrités parisiennes. Il n'avait rien perdu de sa bonne voix d'un Bernanos, de son regard tour à tour appuyé ou fuyant, qui offrait « un mélange de sorcellerie caressante et comme un reflet de sinistres songes[13] ».

Il écrit au Montalembert, à Saint-Tropez, à Saint-Paul-de-Vence, ou encore à Aix-les-Bains.

Au Montalembert, il a recréé sa « famille » sous la tutelle impériale de Juliette, la directrice, une personnalité forte et en-

jouée, qui avait gardé l'accent de son terroir, la région de Pontar-
lier. Autour de lui, Antonio, un Portugais joueur d'échecs, qu'il
avait installé au sixième étage dans une chambre mansardée, sa
secrétaire, son chauffeur, et quelques pensionnaires de l'hôtel avec
lesquels il se lie d'amitié, dont l'exquise Célia Bertin, prix Renaudot en 1953 pour son roman *la Dernière Innocence*.

A Saint-Tropez, un de ses refuges favoris, il a ses habitudes et
retrouve Jeanne Duc, sur qui il se repose pour l'organisation de
ses séjours :

> Mets-toi en rapport, ma chère Jeanne, avec tante Rose. Je lui écris
> aujourd'hui même pour lui demander si elle veut bien m'accueillir à
> l'Aïoli, et, en particulier, si je pourrais avoir la très jolie chambre avec
> une terrasse sur la mer, dont je disposais à Pâques dernier. J'espère
> qu'elle acceptera et qu'elle ne me fera pas payer des prix astronomiques.
> Pour l'émouvoir, je lui ai écrit de ma main sur papier à fleurs, c'est un
> authentique papier à fleurs qui m'a coûté cent balles rue Jacob [...]. J'ai
> reçu la visite, l'autre jour, de ton amie, Mme Gonzalès. Elle me disait
> que l'Escale était fermée pour cause de réparations, mais que le bistrot
> serait rouvert pour Noël. Est-ce vrai? Car, évidemment, Saint-Tropez
> sans l'Escale ne s'imagine guère. Dis-moi aussi si le clan du Capitaine
> anglais est dans le lieu et si j'y trouverai aussi quelques femmes de ma
> connaissance.

Il emporte dans ses déplacements, pour sa « nourriture », une
dizaine d'ouvrages, toujours les mêmes, dont le *Port-Royal* de
Sainte-Beuve ; les *Poésies* et les *Œuvres morales* du poète philosophe italien Giacomo Leopardi, où un lyrisme profus, l'évocation
d'états d'âme, se mêlent à des récits mythologiques ; *les Réflexions
et Maximes* de Vauvenargues ; la correspondance entre Schiller et
Goethe ; et, bien sûr, les *Essais* de Montaigne...

En même temps qu'il s'éloignait, il perdait le sommeil. Dès 4 ou
5 heures du matin, il se mettait à écrire ou s'évadait dans ses
« téléphonages ». Après *Comprendre et inventer*, il écrit *Sur le
plaisir*, lui qui semble l'avoir si peu croisé, y avoir si peu goûté.
Mais cette poursuite du plaisir, de l'apaisement, de l'exaltation,
qu'il attend d'une œuvre comme d'une femme, est aussi — surtout
— la poursuite de la conscience qu'il a de ce plaisir et de l'utilisation artistique, littéraire qu'il pourra en faire. « Est-ce que je
cherche le bonheur? dit Zarathoustra. Je cherche mon œuvre. »
Telle est bien sa quête. Faut-il lui trouver des accents pathétiques
ou est-elle, plus simplement, l'écho d'une conviction qui, après
tout, pourrait être justifiée? Pourquoi le « Grasset écrivain » ne
serait-il pas un jour connu? Qu'il en fût lui-même persuadé, on
n'en doute pas, et d'ailleurs dans la « Lettre-dédicace » à Léon
Bérard qu'il met en tête de son essai *Sur le plaisir*, il l'avoue avec
une ingénuité confondante.

S'il revient, en effet, sur l'un de ses postulats favoris, selon lequel la valeur en littérature ne peut être que tardivement reconnue, s'il reprend la formule de Balzac « Il faut un demi-siècle pour qu'une grande œuvre soit comprise », s'il réaffirme enfin qu'il y a, tout au plus, deux mille personnes capables de goûter et d'apprécier la qualité d'un texte, c'est précisément qu'il attend du jugement de Bérard la caution d'une postérité ! « Cher Léon Bérard, vous ranger parmi ces douze ou quinze cents personnes desquelles un écrivain puisse attendre quelque gage de survie, est-ce pour vous un hommage ? Ai-je suffisamment rendu claires, mon cher Léon Bérard, les raisons qui me conduisent à vous dédier cet écrit ? »

Léon Bérard, plusieurs fois ministre sous la Troisième République, ambassadeur au Vatican de 1940 à 1944, avait publié chez lui son discours de réception à l'Académie française. Frappé d'inéligibilité à la Libération, il venait de rentrer en France, après un long séjour à Rome. L'éditeur éprouvait de l'admiration pour cet esprit réputé brillant qui fut son avocat avant la guerre et que lui avait présenté Raymond Poincaré au moment de *Maria Chapdelaine*. Ne peut-on pas, néanmoins, douter de cette capacité à jauger les véritables talents, de cette force d'intuition qu'il lui prêtait ?

*

Sur le plaisir, qui paraît en mars 1954, est mieux accueilli que *Comprendre et inventer*. Les journaux, à de rares exceptions, rendirent compte de ce petit livre, d'un « hédoniste douloureux », comme le dira Jean Rostand dans *les Nouvelles littéraires*, où l'auteur s'emploie, donc, à nous démontrer que le plaisir est une nécessité, une obligation imposée à l'homme par la nature et qu'il procède d'une sorte d'instinct génésique, du besoin inné de créer, que ce soit création de la chair ou de l'esprit. La vie nous aurait avancé un capital « plaisir », sous réserve de restitution.

Nous chercherions partout et toujours notre plaisir : telle est sa thèse, dont la vérité, qui ne fait sans doute pas question, renvoie au sophisme de La Rochefoucauld : « Tout nous est intérêt. » N'est-ce pas le destin de tout créateur d'osciller sans fin entre les exigences d'une œuvre qui envahit et consume la vie et la revendication d'une vie qui n'accepte pas de s'abolir dans l'œuvre et de s'y résoudre ? A tout moment, chacun n'est-il pas tenu de faire, entre ses sentiments, ses instincts, un choix qui se ramène à un arbitrage entre des plaisirs ?

La forme où s'incarne le plus naturellement ce conflit est celle qui partage l'écrivain entre le besoin d'amour et de solitude, entre la tentation des plaisirs et le nécessaire isolement. Montherlant a consacré à ce problème toute la série des *Jeunes Filles*. Il n'en est pas qui ait davantage inquiété l'éditeur.

> C'est l'emploi créateur de la vie, écrit-il, qui, je n'ai pas à le cacher, m'a lancé dans ces notes [...]. Il faut bien reconnaître que la poursuite du beau dans l'art, du vrai dans les sciences, s'apparente étroitement aux démarches de l'amour. Et même, de façon précise, à la recherche du plaisir [...].
>
> Ainsi, doit-on convenir que c'est à la jouissance qu'il trouve dans son « faire » que se reconnaît un véritable créateur. Pour autrement dire, le plaisir est la seule preuve de la sincérité dans l'art...

*

Il avait cru que les règles de l'action, du bonheur, existaient en idée et il avait voulu, au tournant de sa cinquantième année, se délivrer dans des maximes. Maintenant, habité par un ardent désir de durer, il résumait, dans un petit recueil teinté de gravité et de nostalgie, l'ultime reflet de son tempérament, tendu vers l'activité et l'analyse, vers les audaces de la création et le besoin anxieux de les confronter avec sa propre pensée, avec son existence.

> C'est que l'homme, conclut-il, ne peut être entièrement contenté. Pour ceux qui mirent le plaisir dans le faire, ils doivent reconnaître qu'ils se privèrent de satisfactions qui, pour d'autres, sont tout le bonheur. Ainsi, quand on les interroge sur la vie — pour si utile à d'autres qu'elle fût — leur ferait-on aisément convenir qu'ils l'ont manquée.

Il ressemble à ces joueurs de casino qui jettent leur va-tout et qui comptent les bonds de la bille sur la roulette, en même temps que les pulsions de leur cœur. Lui, que l'on donne volontiers, dans les dîners en ville, pour un hâbleur, pour un homme avide de reconnaissance, s'en va, miné par le doute, par l'insignifiance des choses.

A-t-il, vraiment, « manqué » sa vie? Au moins, pour une partie de son œuvre — son grand jeu d'éditeur —, il s'est mis à l'écart, et quand la Maison Grasset retrouvera sa place, et l'une des premières dans la compétition éditoriale, ce n'est pas à lui qu'elle devra cette renaissance.

*

Pour que les derniers mois de sa vie fussent complets, dignement achevés, que lui aurait-il fallu, par-delà ses écrits, sinon qu'il découvrît, comme il le confessait à Jean Cocteau, le « Radiguet » des années cinquante? C'était, dans les rares instants où il réappa-

raissait rue des Saints-Pères, son rêve. Ce « Radiguet » allait
exister, au féminin. Il s'appellera Françoise Sagan, mais il n'était
pour rien dans la nouvelle aventure littéraire qu'inaugurait *Bonjour tristesse*, édité chez Julliard. En mai 1954, Sagan recevait, à
dix-neuf ans, le prix des Critiques, et dans la liste des lauréats de
cette distinction littéraire du printemps, son nom venait s'ajouter à
celui d'Albert Camus. L'éditeur laissa percer, à la date du 28 juillet, des regrets empreints de dédain et d'envie :

> On apprécie le succès d'un ouvrage à la hauteur des colonnes de
> journal qu'il a inspirées, ajoutées bout à bout. La presse de *Bonjour
> tristesse* atteindrait, paraît-il, huit cent cinquante mètres. Presque trois
> fois la tour Eiffel. Ce serait un record... En littérature, le mot « ve-
> dette » a aujourd'hui son plein sens. Tout un public ne se montre-t-il pas
> plus curieux de Françoise Sagan que de Bobet ? Certes, les triomphes des
> Lettres ne revêtent pas l'apparat des fêtes du cyclisme. Mais on viendra
> vite à bout des dernières pudeurs. L'autre jour, ici même, au Montalem-
> bert, s'est donnée une « signature », et c'est une grande marque d'apéri-
> tif qui a payé la fête.

Il semble, passant d'un hôtel à l'autre — « les chambres d'hôtel
m'ont toujours donné beaucoup d'idées. Pour que je prenne conscience de moi, il ne faut pas que je me trouve dans du familier »,
— que le temps n'existe plus pour lui, et que, le dénouement étant
proche, il veuille remettre en ordre le passé et le présent de sa vie
pour en tirer un enseignement, un « message », comme s'il était
sûr de n'avoir été compris par personne. « C'est la fin d'un métier.
je me trouve contraint, après quarante-sept ans de travail, de
composer avec l'argent, et je peux dire, comme Péguy: "J'ai
épuisé l'ingratitude." Si l'on fait quelque jour mon histoire, on
pourra dire que je fus le dernier Don Quichotte de l'édition. »

*

Ce bilan, on le sait, ce sera son *Évangile de l'édition*, écrit avec
la ferveur d'un esprit qui jette ses derniers feux. Et au milieu de
tous les thèmes familiers qui lui reviennent, composant un final, il
évoque avec une pointe de nostalgie, comme en signe d'adieu, la
fraternité qui le lia à son complice Gaston Gallimard et que
n'entamèrent jamais leurs disputes d'éditeurs. Le départ de Blanzat lui fournissait un bon prétexte. C'est une de ses belles pages :

> Cher Gaston Gallimard, Jean Blanzat est retourné vers vos limbes...
> Ce qui le prédestinait à être des vôtres, je le vois surtout dans les façons
> qui sont particulières à votre maison et qu'exprime assez bien le mot
> « ouaté » ou le mot « clos ». En ceci que les alvéoles de votre grande
> ruche — à l'inverse de celle d'où sort le miel — sont presque sans lien

entre elles ; en tout cas, qu'on peut y travailler sans le souci de ce quotidien, à quoi j'asservis les miens, comme je m'y suis asservi... D'un mot, ce qui distingue votre maison de la mienne, c'est qu'elle est un ensemble de « particuliers », ce qui donna sans doute à penser à notre Blanzat, que, là seulement, il pourrait mener une vie particulière. Cette vie de l'ensemble, cette circulation quasi sanguine, commune à l'ensemble, frappe rue des Saints-Pères. Jouhandeau se plaît même à dire que, chez moi, on vient voir tout le monde à la fois, et il se plaît aussi à la chose. Chez vous, me semble-t-il, on est tout de suite canalisé. Et si l'on est annoncé à Claude, il ne conviendrait pas qu'au passage on parlât à Raymond. Mais, si la vie de l'ensemble n'apparaît guère dans votre maison, quand celle-ci est au travail, son unité, comme corps, s'affirme dans les fêtes que vous donnez. Et même avec un caractère quasi religieux. Disons qu'y apparaît une mystique où votre personne est l'objet d'un culte, à forme familière, qui fait que le plus grand nombre disent « Gaston », alors que je ne suis appelé « Bernard » que par mes intimes. Qui fait aussi que vous êtes certainement l'un des hommes les plus embrassés de Paris.

Ce culte un peu japonais, un peu patriarcal, qui sied si bien à la personne d'un Gaston Gallimard entouré de sa tribu, de ses héritiers, il aurait, au fond, aimé en savourer les charmes rassurants. Son nom seul, qui était désormais une « enseigne », une image de marque, lui survivrait, tandis que sa Maison appartenait déjà à des mains étrangères.

Comment désigner cette nouvelle période qui s'ouvrait dans l'histoire de l'édition ? C'est une autre interrogation qui le tourmente :

> La foire sur la place dit bien tout : et la parade, et l'appel aux vedettes pour ajouter à l'attrait de la marchandise, et ces signatures que l'on rougirait de vendre, mais qu'on ne dédaigne pas de livrer, comme prime, à qui achète... La critique a presque disparu, comme genre, avec Thibaudet. C'est un symptôme des temps que la critique n'est même plus représentée à l'Académie, alors que, en 1907, on se plaisait à dire que les maîtres du genre donnaient le ton à la Compagnie. Et ce n'est pas le moindre méfait de la fiction, aujourd'hui souveraine, d'avoir *annexé* la critique au point que ce genre ne semble plus qu'un moyen offert à ceux qui débutent dans le roman pour gagner leur premier public, et à ceux qui sont, comme on dit, « arrivés », de se ménager la jeunesse.

La fin d'un métier, la fin des « vrais » romanciers, la fin des critiques. La fin, somme toute, de son histoire. Telle est sa conclusion, comme si, à l'instar de son maître Charles Péguy, ses combats, sa solitude sans terme avaient développé en lui des « humeurs âcres et de mauvaises tristesses de l'âme[14] ».

Alors qu'il regarde l'époque qui naît, qu'il évoque les temps anciens avec un intérêt d'entomologiste, la maladie du corps, cette fois — il souffre d'un emphysème pulmonaire —, le gagne. Certains jours, sa respiration, de plus en plus haletante, l'empêche de faire dix pas. Les médecins se succèdent à son chevet, où qu'il soit. Dans ses moments de rémission, il lui arrive de passer rue des Saints-Pères, cachant ses douleurs.

Il a confié la direction d'une collection à Hervé Bazin, « Rien que la vie », dont le premier roman, *Main basse*, de l'écrivain néerlandais Guillaume Van Iependal, paraîtra en 1956. Il veut convaincre Jean Cocteau de lui céder le droit de publier son théâtre complet en édition de luxe. « Bien heureux de t'avoir retrouvé, lui écrit-il le 16 mars 1955. Content aussi — pardonne à l'éditeur que je suis — de tes si fraternelles dispositions pour ton théâtre complet. Là, je crois vraiment, mon cher Jean, qu'il faut que les choses commencent par un accord entre nous deux... » L'accord sera signé.

Paul Morand lui a donné *l'Eau sous les ponts* pour les nouveaux « Cahiers verts ». Il se soûle encore de mots, il est toujours aussi inquiet des auteurs qui pourraient l'abandonner, le trahir « pour la concurrence ». Aux uns et aux autres, il continue d'adresser des lettres « passionnelles », comme il les définit lui-même. Son besoin de compagnie, son obsession des femmes, sa manie d'imposer aux autres de régler leur goût sur le sien ne se sont guère atténués avec l'âge. Quand il est seul à l'heure du déjeuner ou du dîner, il convie, sans préambule, comme jadis, l'auteur ou le collaborateur qui passe à sa portée: « Viens, mon petit, je t'invite... » Et on le retrouve chez Lipp ou au Flore, décidant lui-même du menu de son convive...

Il va aussi se réfugier à Senlis, parfois avec Nathalie Clifford Barney, celle que François Mauriac surnommait à mi-voix « le pape de Lesbos ». L'ancienne compagne de Liane de Pougy, l'héroïne de *l'Idylle saphique*, âgée de soixante-quinze ans, séduisait encore. Évoquaient-ils ensemble les célèbres « vendredis » de la rue Jacob où Nathalie Barney avait reçu toutes les grandes ombres du demi-siècle, de Rainer Maria Rilke à Ezra Pound, de Gide à Drieu La Rochelle, d'Oscar Milosz à Thomas Eliot, de Rémy de Gourmont à Paul Valéry?

Chaque fois qu'il le peut, il aime à passer le week-end à Chartres, « sur les pas de Péguy », en compagnie de Bernard et Jeannette Privat. « Je suis croyant et je tiens à bien finir — car je crois dur comme fer au problème de l'au-delà. Nous sommes ici pour mourir. » On est le 15 avril 1955.

*

Plus qu'à *la* vie, il s'accroche à *sa* vie. Celle d'un homme de légende, qui régnait, qui séduisait, qui lançait ses meilleurs écrivains avec cette vigueur du discobole et cette adresse dont tout Paris s'émerveillait ou s'agaçait. Il « laisse », mais lui il veut vivre. Il veut qu'autour de lui chacun le sente présent, vivant, bouillonnant de projets.

> Je mets — et je mettrai jusqu'au bout — du cœur dans tout... Le matin dans mon plumard je note mes plans de journée. J'ai eu tout récemment un essai de liaison et je notais des mots pour une conversation avec elle et mon plan de journée était foutu. Un homme, en effet, n'a pas le droit de dire des cochonneries s'il ne peut plus en faire... Il est bon, d'ailleurs, que parfois des plans de journée soient foutus.

A la veille de mettre les dernières lignes à son *Évangile de l'édition*, il rédige, en juin 1955, le plan d'un nouvel ouvrage qu'il consacrerait à la prose française pour démontrer que celle-ci est un genre, au même titre que la poésie, et pour développer un sujet qu'il avait esquissé dans *les Chemins de l'écriture* : il n'y a pas de style en soi, le style n'est pas une chose surajoutée à la pensée, c'est, tout au contraire, la pensée dans son contour le plus exact et le plus nu.

Au fond, il se refuse à écrire ce que l'on attendrait plus que tout de lui, ses Mémoires, et il continue, inexorablement, de fuir dans l'abstraction, campant sur des frontières équivoques, entre le théoricien de son métier, l'écrivain en quête d'une identité, le moraliste-philosophe, et lui, le vieil homme seul.

*

Le 17 septembre 1955, cinq lignes anodines se perdent dans une page du *Figaro littéraire* : « Bernard Grasset souffre actuellement d'une pleurésie tardivement décelée. Aussi son ouvrage *Évangile de l'édition selon Péguy* ne pourra paraître, en octobre, chez André Bonne ».

De ce jour, il ne quittera plus sa chambre du Montalembert. Bernard Privat, Christine Garnier, Robert, son chauffeur, et Dacosta, son « homme de compagnie », avec qui il jouait aux boules sur le port de Saint-Tropez, furent les derniers témoins de son agonie. Quand son mal s'aggrava, à la mi-octobre, il refusa toute visite. Au fond de lui, jusqu'à son ultime soupir, quelles furent les images qui défilèrent, plus faibles et plus pâles à mesure que venait la mort ?

> Je ne garde jalousement que mes papiers, dira-t-il à Christine Garnier, quelques jours avant le grand voyage. Je n'ai aucun souci du bien propre... J'aurais aimé posséder au moins un champ. Un champ m'appartenant ne serait pas contraire à mon désir de pauvreté : je crois que tout poète désire un champ à lui...

Le jeudi 20 octobre, il meurt, un peu avant midi, dans sa chambre d'hôtel. Ni médecin, ni prêtre. Durant une bonne partie de la matinée, pour couvrir les râles de l'agonisant, la direction du Montalembert avait demandé aux femmes de ménage de passer l'aspirateur dans les couloirs du cinquième étage. Les derniers bruits de la terre que l'éditeur emporta. Sa sœur Mathilde, Bernard Privat, Christine Garnier, Maurice Chapelan et Robert arrivèrent vers 10 heures. « Parfaitement immobile, les paupières closes, l'air déjà d'un mort... L'aspect de la chambre était sinistre... Avec Christine et Bernard, nous nous retirions souvent dans une petite pièce adjacente pour échapper à la banale horreur du spectacle[15]. »

Il mourait à soixante-quatorze ans, comme il avait vécu, seul, au milieu de ce « presque rien » qui témoignait de sa totale indifférence aux signes extérieurs de richesse: quelques livres, des boîtes de médicaments, quatre malles dans un coin et, sur sa table de chevet, l'édition complète des œuvres de Montaigne. Trois volumes, usés, annotés, éventrés. « J'ai trouvé, écrivait-il à la date du 28 septembre 1952, mon bien dans un chapitre des *Essais* qui porte comme titre: "Que philosopher c'est apprendre à mourir". »

*

A cent mètres de là, quai Conti, l'Académie se préparait à recevoir Jean Cocteau et c'était André Maurois qui donnerait la réplique au récipiendaire. Un jour de fête pour deux noms illustres de la Maison.

Il y eut à cette occasion, raconte Maurice Chapelan, une réception chez Mme Francine Weisweiller. Au sortir de l'ascenseur, qui débouche de plain-pied dans l'appartement, je trouvai Cocteau seul, debout à l'entrée du salon.

« Je suis heureux, mon cher maître, de vous apporter les félicitations des éditions Grasset et les miennes. Malheureusement, je vous apporte aussi une mauvaise nouvelle. Bernard Grasset est mort.

— Mon Dieu! soupira-t-il. Il ne peut pas y avoir de bonheur sans qu'une tristesse le ternisse. J'aimais beaucoup Bernard... »

Comme je traversais ensuite un petit salon, je vis venir vers moi, tout sourire, Mme Weisweiller. Je me présentai, m'inclinai, lui baisai la main et la mis au courant de la mort de Grasset... Elle eut un geste violent de recul, fronça les sourcils, leva le menton, me toisa et me lança avec colère: « Ah! non. Ce n'est pas le moment. Si vous n'avez que des histoires pareilles, gardez-les pour vous! » Et, me tournant le dos, s'éloigna « d'un petit derrière pincé », selon une expression de Jules Renard[16].

Ce n'était pas, en effet, le moment, et la fête l'emporta sur le deuil. L'entrée de Cocteau sous la Coupole fit la une des quotidiens nationaux. La mort de l'éditeur fut on ne peut plus brièvement signalée.

« Depuis la mort de Grasset, écrira Chardonne, je n'ai plus aucune estime pour lui. Il est mort en sauvage. Je n'aime pas ça. » Citant ce propos qu'il qualifie d'« incroyable », Montherlant, dans *Tous feux éteints*, fait un commentaire qui résume probablement l'embarras que dut provoquer dans le monde des lettres la disparition soudaine et solitaire de l'éditeur : « Il s'agit de faire une fin qui plaise à l'aimable société. Sinon, gare : vous perdez l'estime que vous aviez gagnée par toute une vie. »

L'enterrement eut lieu le lundi 24 octobre, à l'église Saint-Thomas-d'Aquin, qui s'adosse à l'hôtel Montalembert. Il faisait beau. On ne se bousculait pas sous la voûte. Des « quatre M », il y avait François Mauriac et André Maurois. On reconnaissait le maréchal Juin, Maurice Genevoix, Jean Guéhenno, Jules Romains, Hervé Bazin, revenu exprès de Bretagne, les éditeurs René Julliard et Gaston Gallimard, Robert Meunier du Houssoy, le président de Hachette... Il y avait aussi, mêlés au personnel de la Maison, quelques visages éplorés de femmes anonymes. « Toutes les veuves sont là », murmura Bernard Privat à l'oreille de Maurice Chapelan[17].

Aymée, soucieuse d'un décorum poussé au paroxysme, avait fait précéder le corbillard motorisé d'une sorte d'obélisque vêtu de noir, galonné d'argent, destiné au transport des couronnes et des croix de fleurs. Leur nombre ne justifiait pas l'emploi de ce char pompeux. Le curé de Saint-Thomas-d'Aquin fit un bref éloge du disparu et parla « d'estime, de sympathie, de reconnaissance ».

De tous les journaux, seul *Combat* lui rendit hommage en demandant à François Mauriac, André Maurois, Henry de Montherlant, Gaston Gallimard et Henry Muller d'évoquer sa mémoire. Ils le firent avec une élégance discrète. « Le drame de sa vie, déclara Mauriac, c'est qu'il se voulait écrivain, ce qui est impossible pour un éditeur. Je me considère comme son débiteur et j'ai appris sa mort avec beaucoup de peine. » Montherlant livra quelques mots : « Pour des raisons qui me sont personnelles, je ne puis rien dire sur l'homme et sur son œuvre. Mais je m'incline devant la mort. » Quelques années plus tard, il confiera à Henry Muller qu'il regrettait « par certains côtés » de n'être plus chez Grasset[18]. Maurois fut un peu plus chaleureux : « Grasset est un éditeur qui a vraiment fait de l'édition un art. Il cherchait à susciter des talents et, d'autre part, à construire une maison comme un tout harmonieux... Après cette guerre, où des malheurs l'ont contrarié, il s'est consacré à son œuvre littéraire qui avait du mérite. Grasset était un écrivain classique et de talent. »

Quant à Gaston Gallimard, il dit exactement ce que Grasset aurait aimé entendre de son vivant : « J'aimais Bernard Grasset pour ses défauts mêmes. Car ils venaient de la passion. Sa concurrence était stimulante. Ce fut le plus grand éditeur après Alfred Vallette. »

Mais, parmi tous ceux qui avaient connu les « années Grasset », au plein de leur gloire, Henry Muller était le mieux qualifié pour parler de l'homme comme de son œuvre. Et c'est lui qui vint saluer son départ avec cette justesse que dicte l'amitié :

> Il était un artisan [...]. Il a créé avec des moyens originaux ce qu'aucun éditeur contemporain n'aurait réussi à créer seul : un catalogue où se chevauchent les plus grandes réputations d'écrivains de ce temps. D'autres se sont entourés, d'autres ont fait appel à des conseillers ; pas lui. Il voulait que tout relevât de lui, il voulait que le choix fût de lui, que son nom seul enfin figurât sur ses volumes [...]. Le secret de Bernard Grasset et de son œuvre, comme de sa tristesse, est peut-être qu'il s'est voué à l'action, qu'il a sacrifié sa vie affective. Il en a souffert, car sa maison, « sa rue des Saints-Pères » finalement ne lui enlevait pas sa solitude... Comme d'autres laissent une descendance, lui laisse une marque. Une marque qui demeurera prestigieuse pour tous ceux qui étudieront l'histoire de nos lettres dans les cinquante premières années de ce siècle... Et je souhaite que sur la dalle sous laquelle il va reposer on inscrive ces trois mots qui ont été la fierté de sa vie : BERNARD GRASSET, ÉDITEUR.

*

Dans la semaine qui suivit, *les Nouvelles littéraires*, et surtout l'hebdomadaire *Arts* accueillirent plusieurs témoignages qui rendaient à l'éditeur la place qui lui revenait. « Grasset : homme de la vieille France », sous la plume de Marcel Jouhandeau, « Un amoureux du rare », sous celle de Jean Cocteau ; « l'Inventeur des quatre M », par Paul Morand » ; « le Condottiere de l'édition », par Jacques Laurent ; « le Créateur des "Cahiers verts" », par Daniel Halévy... De quoi enfin combler le héros de la rue des Saints-Pères.

> Ne craignez rien, insupportable vieux patron ! concluait Hervé Bazin. Si vous vous êtes identifié avec la Maison, la Maison s'identifie avec vous. L'équipe est en place qui, lors de vos absences, a déjà su la maintenir. L'esprit demeure. Et le mythe. Et le nom. Et l'exigence qui limitait vos choix. Ne vous inquiétez pas, ne vous retournez pas dans votre caveau... Même si l'édition se rénove, si vos formules se trouvent un jour dépassées, ce sera en votre nom et pour suivre un exemple que vous avez donné... Allons ! Vous ne serez que très peu mort car, pour vous continuer, la Maison continue.

Sa Maison. « Mon unique maîtresse », comme il le disait. Elle est toujours là, au 61 de la rue des Saints-Pères, avec une tradition

à poursuivre. Elle a gardé cette ambiance artisanale, ce goût des
« coups » publicitaires, et elle continue d'avoir ce besoin d'identifi-
cation à « un personnage » — après Grasset, Bernard Privat,
aujourd'hui Jean-Claude Fasquelle — comme si elle était frappée,
sur le modèle des être vivants, d'une espèce d'hérédité, d'une
généalogie éditoriale.

Pour lui, ce fut une triste fin de partie. Pour son nom, une belle
revanche sur la mort. Il survit, imprimé au-dessous des auteurs les
plus illustres de ce temps. Son délire était toujours proche. Mais à
côté du délirant, il y avait l'éditeur, le vagabond de l'esprit, le
nomade du cœur, il y avait le destin d'un homme d'ombres et de
panache.

NOTES

Pour ne pas alourdir la lecture par des notes de renvoi trop nombreuses, nous avons adopté deux principes.

D'une part, toutes les lettres de Bernard Grasset, de Louis Brun ou des auteurs qui sont cités et qui ne sont pas assorties d'une note de renvoi sont inédites.

Cette correspondance est datée au fil même du texte et n'appelait par conséquent aucune autre précision.

D'autre part, toutes les citations de Bernard Grasset sont extraites, sauf précisions contraires, de son Journal personnel, de son récit inédit, *l'Admirable Madame Vontade,* et de ses ouvrages.

Là encore, mention est généralement faite, pour la nécessité des enchaînements chronologiques, des différents documents d'où sont tirées les citations.

Chapitre 1
LES TRACES

1. *Arts*, 2 novembre 1955.
2. *Ibid.*
3. Jacques Bourgeois, « Éloge funèbre d'Eugène Grasset », 2 mai 1896.
4. *L'Admirable Madame Vontade.* Les citations suivantes sont également extraites de ce récit inédit de Bernard Grasset.
5. Bernard Grasset, dans *le Petit Journal*, 23 décembre 1937.

Chapitre 2
« MOUNETTE »

1. Antoine Albalat, *Souvenirs de la vie littéraire*, Fayard.
2. Léon Lafage retient plutôt cette seconde hypothèse dans *l'Européen*, 13 avril 1929.
3. *Vendre*, n° 417, 1964.
4. Pierre Assouline, *Gaston Gallimard*, Balland, 1984.
5. Auguste Anglès, *André Gide et le premier groupe de la* Nouvelle Revue française : *la formation du groupe et les années d'apprentissage, 1890-1910*, Gallimard, 1978. Cité par Pierre Assouline, *op. cit.*
6. Jacques Rivière, *Aimée*, Gallimard. Cité par Pierre Assouline, *op. cit.*
7. Léon Lafage, *op. cit.*
8. Entretien avec Édith Mora, *les Nouvelles littéraires*, 1ᵉʳ octobre 1953.
9. Gabriel Boillat, *la Librairie Bernard Grasset et les lettres françaises*, Première partie : *les Chemins de l'édition, 1907-1914*, Honoré Champion, 1974.
10. J.A. Néret, *Histoire illustrée de la librairie et du livre français*, Lemerre, 1953. Cité par Gabriel Boillat, *op. cit.*
11. J.A. Néret, *op. cit.*.
12. Paul Léautaud, *Journal littéraire*, Mercure de France.
13. Gabriel Boillat, *op. cit.*
14. Lettre du 15 mai 1914. Citée par Gabriel Boillat, *op. cit.*
15. *Ibid.*
16. *Ibid.*
17. *Ibid.*
18. *Ibid.*
19. *Ibid.*
20. Fernand Gregh, dans *Candide*, 26 juin 1924.
21. Gabriel Boillat, *op. cit.*
22. *Ibid.*
23. Daniel Halévy, *Péguy et les Cahiers de la Quinzaine*, Grasset, 1942.

Chapitre 3
L'ÉCLOSION

1. Alphonse de Châteaubriant, *Les pas ont chanté*, Grasset, 1938.
2. Alphonse de Châteaubriant, *Cahiers (1906-1951)*, Grasset, 1955.
3. Gabriel Boillat, *op. cit.*
4. *Ibid.*
5. Lettre inédite, juin 1914.
6. Les lettres de Brun et de Mauriac sont citées par Gabriel Boillat, *op. cit.*

Chapitre 4
PROUST, CE « GAILLARD »

1. Dans ce chapitre, la correspondance entre Proust et Grasset est tirée de *la Correspondance de Marcel Proust*, texte établi, présenté et annoté par Philip Kolb et publié chez Plon.
2. Gabriel Boillat, *op. cit.*
3. Cette lettre est inédite.

Chapitre 5
LE PATRIOTE

1. Pierre Miquel, *la Grande Guerre*, Fayard.
2. Gabriel Boillat, *op. cit.*, deuxième partie : *le Temps des incertitudes*.
3. *Ibid.*
4. *Ibid.*
5. Pierre Assouline, *op. cit.*
6. Gabriel Boillat, *op. cit.*
7. *Ibid.*
8. *Ibid.*
9. Lettre du 11 décembre 1916. Cité par Gabriel Boillat, *op. cit.*
10. Lettre à Émile Ripert, 22 février 1917. Citée par Gabriel Boillat, *op. cit.*
11. Auguste Anglès, *op. cit.*
12. Gabriel Boillat, *op. cit.*
13. *Ibid.*
14. *Ibid.*
15. André Maurois, *Mémoires*, Flammarion, 1957.

Chapitre 6
LE MIRACLE DE « MARIA CHAPDELAINE »

1. Maurice Martin du Gard, *les Mémorables*, tome I, Flammarion, 1957.
2. Daniel Halévy, dans *le Cri de Paris*, 26 juin 1921.
3. Préface de Daniel Halévy à *Écrits*, d'André Chamson, André Malraux, Jean Grenier, Henri Petit, P.J. Jouve, « les Cahiers verts », n° 70, dernier de la première série, Grasset.
4. Gabriel Boillat, *op. cit.*
5. Lettre du 17 juillet 1913 à Mme Cordier, citée par Boillat, *op. cit.*
6. Gabriel Boillat, *op. cit.*
7. *Ibid.*

Chapitre 7
LES ANNÉES GRASSET

1. Anne Boschetti, « Légitimité littéraire et stratégie éditoriale », dans *Histoire de l'édition française,* tome IV, Promodis.

2. *Correspondance de Max Jacob,* tome I, 1876-1921, présentée par François Garnier, Éd. de Paris, 1953.

3. Maurice Martin du Gard, *op. cit.*

4. Gabriel Boillat, *op. cit.*

5. Jean Lacouture, *André Malraux, une vie dans le siècle,* le Seuil, 1973.

6. Pierre Assouline, *op. cit.*

7. Gabriel Boillat, *Un maître de dix-sept ans, Raymond Radiguet,* La Baconnière, 1973.

8. *Lettres de l'oiseleur* (lettres inédites de Jean Cocteau), Éd. du Rocher, 1989.

9. Gabriel Boillat, *op. cit.* Lettre du 20 mars 1922.

10. Gabriel Boillat, *op. cit.* Lettre du 1er mars 1923.

11. J.A. Néret, *op. cit.*

12. Gabriel Boillat, *op. cit.* Lettre du 19 mars 1923 à Jacques Chenevière.

13. Gabriel Boillat, *op. cit.*

14. Henry Muller, *op. cit.*

15. Gabriel Boillat, *op. cit.*

16. Henry Muller, *op. cit.*

Chapitre 8
L'ÉDITEUR-ÉCRIVAIN

1. Maurice Martin du Gard, *op. cit.*

2. Jean Lacouture, *François Mauriac,* le Seuil, 1980.

3. Henry Muller, *op. cit.*

4. Gabriel Boillat, *A l'origine Cendrars,* Hughes Richard, 1985.

5. Philippe Soupault, *Vingt mille et un jours,* entretien avec Serge Fauchereau, Belfond, 1980.

6. *La Revue française,* 1er avril 1931.

7. Gabriel Boillat, *op. cit.*

8. Conversation de l'auteur avec André Fraigneau.

9. *Ibid.*

10. *Les Nouvelles littéraires,* 6 novembre 1931.

Chapitre 9
LE BLESSÉ DE L'ÂME

1. Henry Muller, *op. cit.*

2. *Ibid.*

Chapitre 10
L'ÉLOIGNEMENT DU « FOU »

1. Georges Bernanos, *Combat pour la vérité,* correspondance inédite, 1904-1934, Plon, 1972.

2. Lettre du 6 mars 1932.

3. Lettre du Dr Hesnard à Bernard Grasset, 23 janvier 1932.

4. Henry Muller, *op. cit.*

5. *Ibid.*

6. Jean-Louis Loubet del Bayle, *les Non-Conformistes des années 30,* le Seuil, 1969.

7. Robert Aron, *Fragments d'une vie,* Plon, 1978.

8. Henry Muller, *op. cit.*

9. Rapporté par Henry Muller dans une lettre du 20 avril 1935 à Louis Brun.

10. Maurice Chapelan, *Rien n'est jamais fini,* Grasset, 1977.

11. Confidence rapportée dans son Journal à la date du 7 février 1947.

12. Lettre d'Olivier Garrand à Bernard Grasset, avril 1935.

13. Lettre de Bernard Grasset à Benjamin Crémieux, 12 janvier 1936.

14. Lettre citée, 12 janvier 1936.

Chapitre 11
LE RETOUR

1. Lettres de Maurice Thorez à Louis Brun, 19 juin et 7 octobre 1936.

2. Henry Muller, *op. cit.*

3. Pierre Assouline, *op. cit.*

Chapitre 12
NI HÉROS, NI LÂCHE

1. Berthe Zlotykamien et André Fraigneau à l'auteur.

2. *L'affaire Grasset,* n° 1 des *Cahiers de la Résistance,* publiés par le Comité d'action de la Résistance, 1949.

3. Déclaration de Guillaume Hamonic au juge d'instruction Zousmann, 3 janvier 1945.

4. Déclaration de Bernard Grasset au juge Zousmann. Cet interrogatoire a eu lieu en juillet 1945.

5. Déclaration de Bernard Grasset au juge Zousmann.

6. Note citée par Pascal Fouché, *l'Édition française sous l'Occupation,* tome I: *1940-1944,* Bibliothèque de littérature française contemporaine de l'université de Paris VII, 1987.

7. Selon Pascal Fouché, rien ne prouve que cette appellation vienne du prénom de l'ambassadeur Abetz.

8. Note d'Henry Muller à René Jouglet, 6 mai 1941.

9. Entretien paru dans *la Gerbe,* 19 septembre 1940.

10. Pascal Fouché, *op. cit.*

11. Lettre d'Henry de Montherlant à Bernard Grasset, 24 août 1940.

12. Lettre de Gaston Gallimard à René Jouglet, 16 avril 1941.

13. Pascal Fouché, *op. cit.*

14. Déclaration de M. Durand-Auzias au juge d'instruction Tréglos, chargé du « dossier Grasset » à partir d'avril 1950.

15. Pierre Assouline, *op. cit.*

16. Lettre d'Henry Muller à Karl Epting, 16 février 1942.

17. Paul Léautaud, *op. cit.*

18. Jean Lacouture, *op. cit.*

19. Henry Muller, dans une note qu'il adresse à François Mauriac, citée par Jean Lacouture, *op. cit.*

20. Lettre de Bernard Grasset du 5 septembre 1940, citée par Jean Lacouture, *François Mauriac.*

21. Jean Lacouture, *op. cit.*

22. Réponse de Bernard Grasset au juge Tréglos, 26 avril 1950.

Chapitre 13
NUIT DE NOCES

1. Conversation avec l'auteur.

2. Conversation avec l'auteur.

Chapitre 14
LE BOUC ÉMISSAIRE DE L'ÉDITION

1. Pascal Fouché, *op. cit.*

2. Simone de Beauvoir, *la Force des choses,* Gallimard, 1960.

3. Pierre Assouline, *op. cit.*

4. Lettre de décembre 1944. Témoignage de Daniel Brun, fils de Louis Brun, à l'auteur.

5. Pierre Assouline, *op. cit.*

6. *Ibid.*

7. Conversation avec l'auteur.

8. Note adressée par M. Ziwes, 17 mai 1950.

9. Conversation avec l'auteur.

Chapitre 15
LE SURSIS

1. Lettre de Robert Aron à Bernard Grasset, 24 novembre 1954.

2. Conversation avec l'auteur.

3. Lettre de Bernard Grasset à André Billy, 18 décembre 1950.

4. Marcel Jouhandeau, *Journal sous l'Occupation,* Gallimard.

5. Lettre de Marcel Jouhandeau à Bernard Grasset, 22 mars 1951.

6. Conversation avec l'auteur.

7. Pierre Mimerel au juge Tréglos.

8. Conversation avec l'auteur. A noter que Proust utilisait « téléphonage » dans sa correspondance.

Chapitre 16
MORT EN SAUVAGE

1. Conversation avec l'auteur.

2. « Bernard Grasset au jour le jour », Christine Garnier, dans *la Table ronde,* juin 1956.

3. *Portraits de Bernard Privat,* Grasset, 1986. Hors commerce.

4. Note de Montherlant à son avocat, février 1949.

5. *Ibid.*

6. François Salvat dans *Arts,* 2 novembre 1955.

7. Confidence qu'il fit à Christine Garnier, *les Nouvelles littéraires,* 27 octobre 1955.

8. Lettre de Jacques de Lacretelle à Bernard Grasset, 4 juillet 1952.

9. Maurice Chapelan, *op. cit.*

10. Conversation avec l'auteur.

11. Maurice Chapelan, *op. cit.*

12. Jacques Laurent, dans *Portraits de Bernard Privat, op. cit.*

13. Maurice Chapelan, *op. cit.*

14. Daniel Halévy, *op. cit.*

15. Maurice Chapelan, *op. cit.*

16. *Ibid.*

17. Conversation avec l'auteur.

18. Henry Muller, *op. cit.*

BIBLIOGRAPHIE

Abetz, Otto, *Histoire d'une politique franco-allemande*, Fayard, 1953.

Aron, Robert, *Histoire de l'Épuration 1944-1953*, Fayard, 1975.

Fragments d'une vie, Plon, 1978.

Assouline, Pierre, *Gaston Gallimard*, Balland, 1984 et Points, le Seuil.

Bernanos, Georges, *Correspondance inédite*

Tome I (1904-1934), *Combat pour la vérité*, Plon, 1971.

Tome II (1934-1948), *Combat pour la liberté*, Plon, 1971.

Lettres retrouvées 1904-1948, Plon, 1983.

Billy, André, *Intimités littéraires*, Flammarion, 1932.

Propos du samedi. Mercure de France, 1969.

Boillat, Gabriel, *les Éditions Bernard Grasset et les lettres françaises*.

Tome I: *Les chemins de l'édition, 1907-1914*.

Tome II: *Le temps des incertitudes, 1914-1919*, Librairie Honoré Champion 1974 et 1988.

Un maître de 17 ans, Raymond Radiguet, La Baconnière, 1973.

A l'origine Cendrars, éd. Hughes Richard, 1985.

Brenner, Jacques, *Tableau de la vie littéraire en France, d'avant guerre à nos jours*, Luneau-Ascot, 1982.

Buchet, Edmond, *les Auteurs de ma vie*, Buchet-Chastel, 1969.

Chapelan, Maurice, *Rien n'est jamais fini*, Grasset, 1977.

Châteaubriant, Alphonse de, *Les pas ont chanté*, Grasset, 1938.

Cahiers 1906-1951, Grasset, 1955.

Cocteau, Jean, *Journal d'un inconnu*, Grasset, 1953.

Journal 1942-1945, Gallimard, 1989.

Charensol, Georges, *D'une rive à l'autre*, Mercure de France, 1973.

Descaves, Pierre, *Mes Goncourts*, Robert Laffont 1944.

Diesbach, Ghislain de, *la Princesse Bibesco*, Librairie académique Perrin, 1986.

Donnay, Maurice, *Mon journal (1919-1939)*, Fayard, 1953.

Fouché, Pascal, *l'Édition française sous l'Occupation*. Deux tomes. Bibliothèque de littérature française còntemporaine de l'université Paris 7, 1987.

Galtier-Boissière, Jean, *Mémoires d'un Parisien*, en trois tomes, la Table ronde, 1963.

Giraudoux, Jean, *Cahiers Jean Giraudoux*, Grasset, depuis 1972.

Lettres de Jean Giraudoux, présentées et annotées par Jacques Body, Klincksieck, 1975.

Guéhenno, Jean, *Journal d'un homme de quarante ans*, Grasset, 1934.

Journal des années noires, Gallimard, 1947.

Haedens, Kléber, *Une histoire de la littérature française*, Gallimard, 1954.

Grasset, les Cahiers rouges, 1989.

Halévy, Daniel, *Péguy et les Cahiers de la Quinzaine*, Grasset, 1941.

Heller, Gerhard, *Un Allemand à Paris 1940-1944*, le Seuil, 1981.

Jouvenel, Bertrand de, *Un voyageur dans le siècle*, Robert Laffont, 1976.

Lacouture, Jean, *André Malraux, une vie dans le siècle,* le Seuil, 1973.
François Mauriac, le Seuil, 1980.
Léautaud, Paul, *Journal littéraire.* Trois tomes. Mercure de France, 1986.
Lottman, Herbert R., *La Rive gauche,* le Seuil, 1981.
L'Épuration, Fayard, 1986.
Martin du Gard, Maurice, *les Mémorables.* Trois tomes. Flammarion 1957 et 1960. Grasset 1978.
Maurois, André, *Mémoires.* Deux tomes. La Maison française, New York, 1942.
Massis, Henri, *Évocations, Souvenirs 1905-1911,* Plon, 1931.
Au long d'une vie. Plon, 1967.
Montherlant, Henry de, *le Fichier parisien,* Gallimard, 1974.
Tous feux éteints, Gallimard, 1975.
Mauriac, François, *Lettres d'une vie (1904-1969),* Grasset, 1981.
Nouvelles Lettres d'une vie, Grasset, 1989.
Mugnier, abbé, *Journal de l'abbé Mugnier 1879-1939.* Texte établi par Marcel Billot. Mercure de France, 1985.
Muller, Henry, *Trois pas en arrière,* la Table ronde, 1952.
Retours de mémoire, Grasset, 1979.
Ory, Pascal, *les Collaborateurs 1940-1945,* le Seuil, 1976.
Painter, George D. *Marcel Proust,* tome 2 : *les Années de maturité,* Mercure de France, 1966.
Proust, Marcel, *Correspondance,* tome XII au tome XVI, Plon 1984 à 1988.
Correspondance avec Jacques Rivière, présentée par Philip Kolb, Plon, 1955.
Lettres retrouvées de Marcel Proust, présentées par Philip Kolb, Plon, 1966.
Correspondance Marcel Proust-Gaston Gallimard. Édition établie, présentée et annotée par Pascal Fouché.
Quint, Léon-Pierre, *Marcel Proust, sa vie, son œuvre,* le Sagittaire, 1935.
Romains, Jules, *Souvenirs et confidences d'un écrivain,* Fayard, 1958.
Amitiés et rencontres, Flammarion, 1970.
Rousseaux, André, *Ames et visages du XXᵉ siècle,* Grasset, 1932.
Sachs, Maurice, *Au temps du Bœuf sur le toit,* Nouvelle Revue critique, 1939 et Grasset, les Cahiers rouges, 1987.
Sipriot, Pierre, *Montherlant sans masque,* Robert Laffont, 1982.
Suffel, Jacques, *André Maurois,* Flammarion, 1963.
Stock, Pierre-Victor, *Mémorandum d'un éditeur,* trois tomes, Delacroix et Boutelleau, 1935 à 1938.
Thérive, André, *Galeries de ce temps,* Éd. de la Nouvelle Critique, 1931.
Touzot, Jean, *Jean Cocteau,* la Manufacture, 1989.

ŒUVRES DE BERNARD GRASSET

Aux Éditions de la NRF:

REMARQUES SUR L'ACTION, 1928.
LA CHOSE LITTÉRAIRE, 1929.
PSYCHOLOGIE DE L'IMMORTALITÉ, 1929.
REMARQUES SUR LE BONHEUR, 1931.
COMMENTAIRES, 1936.

Aux Éditions Grasset:

PSYCHOLOGIE DE L'IMMORTALITÉ, 1929.
INTRODUCTION À LA CHOSE JUDICIAIRE, 1930.
LETTRE À FRIEDRICH SIBURG SUR LA FRANCE, 1930.
INTRODUCTION AUX SOUVENIRS DE GEORGETTE LEBLANC, 1931.
REMARQUES SUR LE BONHEUR, 1931.
COMMENTAIRES, 1937.
REMARQUES SUR L'ACTION, 1937.
LA CHOSE LITTÉRAIRE, 1938.
A LA RECHERCHE DE LA FRANCE, 1940.
UNE RENCONTRE (roman), 1940.
LES CHEMINS DE L'ÉCRITURE, 1942.
AMÉNAGEMENT DE LA SOLITUDE (préface de François Mauriac), 1947.
LETTRE À ANDRÉ GILLON SUR LES CONDITIONS DU SUCCÈS EN
   LIBRAIRIE, 1951.
COMPRENDRE ET INVENTER (avant-propos de Jacques Chevalier), 1953.
SUR LE PLAISIR, 1954.

Aux Éditions de la Table ronde:

TEXTES CHOISIS DE BERNARD GRASSET (classés et commentés par Henri
   Massis), 1953.

Aux Éditions André Bonne:

ÉVANGILE DE L'ÉDITION SELON PÉGUY, 1955.

Index

des noms de personnes

ABETZ, Otto, 341, 390
ACHENBACH, Ernst, 341
AGOSTINELLI, Alfred, 96, 98
AJALBERT, Jean, 114, 170, 222
ALAIN, 114
ALAIN-FOURNIER, 121, 122, 374
ALBALAT, Antoine, 34, 57
ALBARRAN, Pierre, 462
ALBERTINI, Georges, 361
ALEXEIEFF, Alexandre, 167
ALTERMANN, abbé, 168
ALTMAN, Georges, 411
ANDREAS-SALOMÉ, Lou, 262
ANET, Claude, 169
ANOUILH, Jean, 370, 382
APOLLINAIRE, Guillaume, 124, 210
ARAGON, Louis, 73, 121, 176, 180, 208, 211, 369, 392, 393
ARGENSON M. et Mme d', 80
ARLAND, Marcel, 370
ARNOLDI Mme d', 47
ARNOUX, Alexandre, 107, 296, 397, 407, 415
ARON, Raymond, 463
ARON, Robert, 279, 335, 343, 422
ARTAUD, Antonin, 211
ARTHAUD, Benjamin, 353
ASSOULINE, Pierre, 135
ASTIER DE LA VIGERIE, Emmanuel d', 426
ASTRUC, Gabriel, 235

AUBRY, Raoul, 98
AUCLÈRES, Dominique, 437, 438, 439, 440
AUDIBERTI, Jacques, 370
AURIOL, Vincent, 94, 416, 417, 464
AYMÉ, Marcel, 369, 392, 429, 462

BAILBY, Léon, 159
BAILLY, Auguste, 78
BAINVILLE, Jacques, 180
BAKST, Léon, 107
BALIVET docteur, 242, 248
BARATIER, Léo, 251, 270, 271, 275, 285, 286, 295, 296
BARBUSSE, Henri, 114, 135, 281
BARDÈCHE, Maurice, 391, 444
BARDOUX, Agénor, 25
BARONCELLI, Jean de, 363, 388
BARRAULT, Jean-Louis, 370
BARRÈS, Maurice, 27, 55, 60, 61, 62, 68, 69, 75, 76, 78, 80, 94, 111, 115, 181, 185, 195, 209, 315
BARTHÉLEMY, Joseph, 345, 348, 403
BARTHOU, Louis, 162, 231
BAUDINIÈRE, Gilbert, 393, 396
BAUDRILLART, Alfred, 110
BAUER, Ludwig, 189, 335, 343
BAUMANN, Émile, 27, 50, 52, 55, 66, 78, 109, 170, 171, 250, 305
BAZIN, Hervé, 77, 150, 158, 319, 331, 429, 430, 431, 435, 445, 458, 460, 462, 470, 473, 474

BAZIN, René, 76, 150, 151
BEAUPLAN, 115
BEAUVOIR, Simone de, 369, 392, 436
BEDEL, Maurice, 270
BEHAINE, René, 66, 173
BELLESSORT, André, 353
BELL, Monta, 138
BENDA, Julien, 74, 75, 154, 189, 195, 196, 392
BENOIST-MÉCHIN, Jacques, 261, 262, 263, 264, 265, 266, 269, 270, 271, 273, 283, 284, 330, 354, 359
BENOIT, Pierre, 135, 157, 278, 456
BÉNOUVILLE, Guillain de, 404, 405
BÉRARD, Léon, 284, 287, 296, 459, 465, 466
BÉRAUD, 389
BÉRAUD, Henri, 168, 172
BERGSON, 60, 146, 431
BERGSON, Henri, 60, 94
BÉRIMONT, Luc, 318
BERL, Emmanuel, 189, 207, 375, 422
BERNANOS, Georges, 180, 215, 250, 255, 258, 294, 304, 312, 371
BERNARD, Jacques, 312, 388, 396
BERNARD, Tristan, 241
BERNSTEIN, Henry, 186
BERR, Émile, 127
BERTHELOT, Philippe, 112, 117, 162
BERTIN, Célia, 465
BERTRAND, Juliette, 310
BESSAND-MASSENET, Pierre, 164, 269, 280, 303
BETZ, Maurice, 217
BEUVE-MÉRY, Hubert, 262, 443
BIBESCO, prince, 88, 107
BIBESCO, princesse Marthe, 88, 107, 178, 197, 236, 269, 276, 296, 415
BICHELONNE, Jean, 359, 360
BIDAULT, Georges, 262
BIEMEL, Rainer, 313, 314, 429, 452
BILLOUX, François, 426
BILLY, André, 34, 94, 98, 107, 108, 127, 176, 296, 297, 335, 415, 430
BLANCHE, Jacques-Émile, 88, 163, 181, 236
BLANZAT, Jean, 400, 408, 416, 421, 423, 428, 429, 435, 440, 446, 447, 451, 461, 468, 469
BLOND, Georges, 318, 349
BLOY, Léon, 44
BLUM, Léon, 88, 118, 307, 321, 346
BLUM, Maxime, 48
BLUM, René, 88, 89, 93, 99, 100
BOILLAT, Gabriel, 136, 139
BOISSARIE, procureur, 400
BOISSY, Gabriel, 34, 43, 221, 229, 270, 296, 415, 417, 435

BONHOMME, docteur, 381, 399, 408, 423, 434, 436, 447, 448, 449
BONNARD, Abel, 280, 297, 337, 349, 360, 403, 413
BORDEAUX, Henry, 16, 20, 42, 46, 47, 51, 60, 121, 150, 151, 458, 459
BORGHÈSE, Giovanni, 94
BOSSET, Julienne, 140, 237, 241, 261, 269, 273, 274, 379, 390, 410, 423
BOUQUINET, Marius, 164, 303
BOUR, Jacques, 303, 328, 408
BOURDAN, Pierre, 410
BOURDAULT, Yvonne, voir à LANGE-VIN, Yvonne
BOURDEL, Maurice, 353
BOURDET, Claude, 426, 427
BOURDET, Denise, 276
BOURDET, Édouard, 189, 190, 276, 370
BOURGES, Élémir, 74
BOURGET, Paul, 69, 75, 76, 151, 165, 169, 185, 186, 315, 433
BOUSQUET, Marie-Louise, 276
BOUTELLEAU, Gérard, 318, 410
BOUTROUX, Émile, 145
BOVE, Emmanuel, 281, 282
BRADLEY, 269, 310
BRASILLACH, Robert, 180, 304, 306, 318, 360, 375, 392
BREMER, Karl Heinz, 361, 363, 365, 452
BREMOND, Abbé Henri, 168
BRÉMONT D'ARS, M. et Mme, 80
BRENTANO, Bernard von, 335
BRETON, André, 73, 121, 208, 209, 210, 211, 371
BRIEUX, Eugène, 188
BRINON, Fernand de, 267
BRISSON, Alphonse, 47
BRISSON, Pierre, 335, 438
BROGLIE, Louis de, 463, 464
BROMFIELD, Louis, 363
BROUSSON, Jean-Jacques, 98
BRUN, Louis, 7, 36, 37, 42, 46, 47, 49, 50, 52, 53, 54, 56, 58, 59, 79, 80, 82, 83, 94, 97, 102, 105-110, 112, 115, 117, 119, 124, 133, 134, 137, 139, 148-150, 164, 166, 168-171, 173, 183, 187, 198, 206, 207, 210, 213, 220, 230, 231, 239, 241, 243-249, 251, 257-270, 272, 273, 275-277, 281-283, 285, 286, 288, 293, 295, 303, 305-309, 311, 316, 318, 327-331, 374, 379
BRUNETIÈRE, Fernidand, 44, 69
BUCHET, Edmond, 81, 82, 344
BULOZ, François, 162

BULTEAU, Augustine, 58, 88, 109
BUNAU-VARILLA, Maurice, 123
BURNAND, David, 138, 139
BURNAND, Robert, 138, 139, 229
BUVAT, docteur, 274

CAILLAVET, Simone de, 163
CAMBON, Paul, 414
CAMI, Pierre, 241
CAMUS, Albert, 72, 369, 382, 392, 468
CAPUS, Alfred, 26, 186
CARBUCCIA, Horace de, 393
CARCO, Francis, 414, 421
CARCOPINO, Jérôme, 353
CARIO, Louis, 243
CARREL, Alexis, 315, 363
CASSOU, Jean, 409
CATHELIN, Jean, 429
CÉLINE, Louis-Ferdinand, 312, 375,
    388, 392
CENDRARS, Blaise, 13, 158, 208, 210,
    211, 235, 258, 331, 374, 443
CHACK, Paul, 389
CHAMSON, André, 398, 422
CHAPELAN, Maurice, 49, 287, 289,
    291, 330, 435, 446, 461, 462, 472,
    473
CHAPLIN, Charlie, 137, 154
CHARDONNE, Jacques, 13, 21, 73,
    107, 120, 150, 158, 167, 198, 213,
    214, 215, 250, 269, 282, 287, 303,
    305, 311, 331, 350, 360, 369, 370,
    392, 410, 421, 431, 463, 464, 473
CHARMES, Francis, 75, 76
CHARPENTIER, bâtonnier, 412, 413,
    414, 428, 434
CHATEAUBRIAND, René, 68
CHÂTEAUBRIANT, Alphonse de, 13,
    27, 60, 62, 66, 67, 68, 69, 78, 80, 94,
    97, 158, 165, 174, 178, 179, 184,
    198, 215, 235, 269, 304, 305, 311,
    318, 337, 338, 340, 351, 374, 392,
    394, 411
CHÂTEAUBRIANT, Robert de, 330,
    351, 375, 376, 378, 380
CHAUMEIX, André, 98, 176, 283, 460
CHEVALIER, Jacques, 463, 464
CHEVASSON, Louis, 166
CIMAROSTI, Suzanne, 378, 379, 381,
    382
CLAIR, René, 39
CLARETIE, Jules, 61, 75, 76
CLAUDEL, Paul, 48, 55, 80, 119, 121,
    165, 168, 206, 211, 318, 369
CLEMENCEAU, Georges, 118
CLERMONT, Émile, 27, 49, 66, 67, 69,
    70, 71, 73, 74, 75, 76, 77, 78, 80, 81,
    94, 97, 109, 144, 150, 173, 312, 313

CLERMONT-TONNERRE, duchesse de,
    414
CLIFFORD BARNEY, Nathalie, 162,
    276, 470
CLOUARD, Henri, 60, 61, 134, 287,
    296
COCHET, Gabriel, 424, 426, 433, 439
COCHIN, Denys, 152
COCTEAU, Jean, 13, 40, 55, 78, 80, 82,
    119, 148, 158, 164, 165, 166, 167,
    171, 173, 174, 177, 213, 214, 215,
    223, 235, 237, 239, 250, 269, 274,
    276, 281, 282, 311, 318, 369, 370,
    421, 422, 431, 460, 462, 467, 470,
    472, 474
COHEN, Albert, 312
COISSAC, 408, 411, 436, 440
COLETTE, 158, 215, 267, 309, 310,
    374, 462
COLLIARD, 118
COMNÈNE, Anne-Marie, 91, 296, 297
CONRAD, Joseph, 108
COPEAU, Jacques, 87, 107
COURTELINE, Georges, 77
CRÉMIEUX, Benjamin, 112, 165, 296,
    297, 298, 313
CRÉMIEUX, Francis, 400, 409, 410,
    425, 426, 440
CREVEL, René, , 73, 211
CROISSET, Francis de, 207, 312, 414,
    415
CURTIUS, Ernst Robert, 262, 263, 335
CUSTOT, Pierre, 185

DANDIEU, Arnaud, 279
DANEL, 39
D'ANNUNZIO, Gabriele, 315
DANTE, 16
D'ARC, Paul, 117
DAUDET, Alphonse, 34, 44
DAUDET, Léon, 55, 74, 94, 150, 151,
    165, 169, 170, 221, 276, 296, 331,
    374, 415
DAUDET, Lucien, 78
DAUDET, Mme Alphonse, 162
DAUPHIN-MEUNIER, 279
DAVRAY, Henry, 52
DAYE, Pierre, 345, 348, 403
DÉAT, Marcel, 306, 354
DECOUR, Jacques, 400
DECROIX, Charles, 251, 261, 269, 276
DEGLI UBERTI, Farinata, 15, 16
DEGRELLE, Léon, 306, 361, 414
DELACROIX, Eugène, 198
DELAMAIN, Maurice, 214, 352
DELANGE, René, 328, 370

DELESALLE, 65
DELIGAND, Christiane, 430, 435, 436, 460
DELLUC, Louis, 136, 137
DELONCLE, 436, 437
DELTEIL, Joseph, 154, 158, 208, 209, 210, 211, 219, 374
DELUERMOZ, Henri, 46
DELZANGLES, maître, 284
DEMAISON, André, 267
DENOËL, Robert, 320, 382, 388, 393, 399
DÉRENNES, Charles, 34, 43, 45
DESBORDES, Jean, 165, 166
DESCAVES, Lucien, 51, 75, 128, 151, 179
DESCHANEL, Paul, 118
DESCOSTES, François, 16, 17
DESSINGES, 423
DOMINIQUE, Pierre, 171, 178
DONNAY, Maurice, 75, 76, 151
DORGELÈS, Roland, 114, 135, 221
DORIOT, Jacques, 345, 348, 403
DOSTOÏEVSKI, 313
DOUMIC, René, 76
DOUMERGUE, Gaston, 278
DRANEM, 176, 240
DREYFUS, (affaire), 26, 195.
DREYFUS, Pierre, 258, 296
DRIEU LA ROCHELLE, 108, 154, 180, 189, 219, 304, 306, 312, 345, 346, 348, 353, 360, 369, 370, 392, 403, 413, 470
DRUON, Maurice, 409
DUBAR, Jean, 275
DU BOS, Charles, 151, 165, 168
DUBREUIL, Hyacinthe, 279
DUCHAMP, Marcel, 211
DUCHESNE, monseigneur, 152
DUC, Jeanne, 135, 241, 269, 273, 327, 328, 379, 390, 394, 410, 465
DUCLAUX, Mary, 144
DUHAMEL, Georges, 44, 73, 115, 128, 138, 306, 312, 397, 414
DUHAMEL, Marcel, 456
DUHOURCAU, François, 270
DUMAS, Roger, 43
DUPUY, Paul, 111, 138, 139
DURAND-AUZIAS, Raymond, 354, 402, 404, 412, 440
DURAS, Marguerite, 369
DURTESTE, Henri, 434
DUVERNOIS, Henri, 40, 267, 415
DUVIVIER, Julien, 277
DYSSORD, Jacques, 34

EHER, 405
ELIAT, Hélène, 217
ELIOT, Thomas, 470
ELUARD, Paul, 208, 369, 370, 392, 398
EPTING, Karl, 335, 340, 341, 343, 345, 350, 361, 363, 364, 365, 405
ERNST, Max, 211
ESCARRA, Jean, 321
ESMÉNARD, Robert, 343, 352, 382
EYRIAULT, Claire, 288, 291
FABRÈGUES, Jean de, 279
FABRE-LUCE, Alfred, 391
FABRE, Lucien, 206
FAGUET, Émile, 44, 55, 57, 69, 75, 109
FARGE, Yves, 426
FARGUE, Léon-Paul, 67, 165
FASQUELLE, Charles, 352
FASQUELLE, Eugène, 43, 249
FASQUELLE, Jean-Claude, 475
FAUCHER, 433
FAURE, Paul, 94
FAURÈS, Louis, 231
FAUSTO LAMARE, Aymée, 375, 376, 378, 379, 380, 381, 382, 383, 384, 390, 394, 398, 399, 408, 423, 429, 431, 433, 434, 435, 439, 447, 448, 449, 450, 459, 473
FAYARD, Jean, 344, 352, 402
FAŸ, Bernard, 337, 353
FERENCZI, 388, 399
FERNANDEZ, Ramon, 360
FERRERO, Guglielmo, 117
FILIPACCHI, Henri, 456, 457, 458
FLAMMARION, Ernest, 43
FLAMMARION, Charles, 344, 352, 388
FLERS, Robert de, 163
FLOCH, 337
FLUCHAIRE, Octave, 125, 134, 145, 147, 164
FOCH, Ferdinand, 152
FOREL, docteur, 266
FORGEOT, Jean, 417
FOUCAULT, Michel, 26
FOUCRAULT, Lucienne, 251, 258, 261
FOURCADE, Marie-Madeleine, 424
FRAIGNEAU, André, 164, 207, 213, 303, 308, 328, 329, 330, 351, 361, 397, 406
FRANCE, Anatole, 44, 58, 115, 143, 185, 186
FRANCIS, Robert, 279
FRANCO, Francisco, 304
FRÉMANGER, Charles, 432
FRÉMY, Roger, 444
FRÉNAUD, André, 393

FREUD, Sigmund, 232, 255, 313
FROSSARD, André, 435
FROSSARD, Louis, 331

GAGNAT, 408
GALEY, 353
GALLIMARD, Gaston, 40, 41, 42, 67, 71, 73, 81, 87, 94, 99, 101, 102, 107, 108, 122, 135, 160, 164, 168, 187, 188, 190, 199, 207, 211, 221, 303, 312, 320, 322, 329, 343, 346, 352, 361, 369, 370, 382, 388, 398, 399, 407, 432, 436, 457, 460, 468, 469, 473
GALTIER-BOISSIÈRE, Jean, 241, 283, 382
GARÇON, Maurice, 231, 272, 460
GARNIER, Christine, 21, 444, 445, 463, 471, 472
GARRAND, 296
GARRAND, Olivier, 274, 287, 288
GASQUET, Joachim, 34, 78, 144, 147
GAUBERT, Ernest, 25, 43, 50
GAULLE, Charles de, 316, 383, 387, 402, 424
GAY, Francisque, 402, 413
GEFFROY, Gustave, 69, 75
GENET, Henri, 182
GENET, Jean, 422
GENEVOIX, Maurice, 114, 121, 219, 459, 473
GÉRANTON, maître, 394, 395, 398, 399, 403, 405, 428, 434
GERBAULT, Alain, 207, 312
GERMAIN, José, 389
GHÉON, Henri, 168
GHEORGHIU, Virgil, 436
GIDE, André, 41, 48, 71, 87, 90, 94, 95, 96, 97, 122, 159, 162, 165, 166, 176, 180, 185, 197, 296, 297, 304, 313, 369, 370, 414, 431, 470
GIGANDET, Many, 234, 235
GILLET, Louis, 76
GILLON, André, 353, 357
GILLOUIN, René, 34, 69, 296
GILSON, Étienne, 168
GIONO, Jean, 13, 73, 154, 158, 213, 215, 219, 250, 282, 311, 363, 369, 371, 374, 392, 415
GIRARDIN, Émile de, 203
GIRAUDOUX, Jean, 13, 34, 55, 56, 62, 69, 73, 94, 112, 118, 119, 121, 122, 123, 124, 134, 137, 138, 154, 158, 165, 167, 170, 171, 184, 186, 195, 198, 207, 215, 269, 272, 278, 281, 282, 287, 310, 311, 312, 318,

329, 331, 363, 364, 369, 370, 374, 379, 380, 414, 421, 437, 447
GIRAUDOUX, Jean-Pierre, 437, 439, 440
GIRAUDOUX, Suzanne, 56, 394, 397, 413, 435, 439
GIRODIAS, Maurice, 357, 358, 360
GLAESER, Ernst, 335, 343
GODEBSKI, Cyprien, 47, 67, 88
GODOY, Armand, 49, 50
GOEBBELS, Joseph, 406, 407
GONTCHAROVA, Natalia, 107
GORKI, Maxime, 94
GOURMONT, Rémy de, 58, 162, 470
GOYAU, Georges, 110
GRACIAN, Baltasar, 196, 197, 235
GRACQ, Julien, 446
GRASSET, Adrienne, 229
GRASSET, Eugène, 14, 15, 16, 17, 18, 20
GRASSET, Félix, 15
GRASSET, Joseph, 19, 28
GRASSET, professeur Joseph, 15, 20, 21, 22, 23, 25, 28, 35, 37, 51, 57, 69, 107, 232
GRASSET, Joseph Bruno, 14
GRASSET, Marguerite, 19, 111, 134, 228, 229, 232, 270, 379
GRASSET, Marie, 15, 18, 21, 28
GRASSET, Marie-Marthe, 15
GRASSET, Mathilde, 19, 134, 228, 229, 270, 287, 446, 472
GRASSET, Pierre, 20, 37, 52, 75, 229
GREEN, Julien, 318, 371
GREGH, Fernand, 59, 127
GRIMM, Friedrich, 361
GROUSSARD, Serge, 413
GSELL, Paul, 120, 174
GUÉHENNO, Jean, 188, 189, 282, 335, 369, 392, 398, 422, 423, 435, 473
GUENNE, Jacques, 159
GUEYMARD, Clément, 260, 263, 264, 265, 271, 272, 273, 275, 285, 286
GUIGNEBERT, Jean, 426
GUILLOUX, Louis, 73, 158, 189, 282, 436
GUITRY, Sacha, 391

HACHETTE, Louis, 457
HACHETTE, Louis (fils), 43, 108, 113
HALÉVY, Daniel, 52, 82, 128, 141, 143, 144, 145, 146, 147, 148, 149, 164, 165, 167, 173, 174, 182, 183, 187, 189, 195, 207, 237, 238, 258, 259, 269, 275, 286, 331, 363, 415, 417, 474

HALÉVY, Ludovic, 143
HAMONIC, Guillaume, 298, 299, 305, 306, 329, 335, 336, 338, 339, 394, 396, 408, 411, 434, 457
HANOTAUX, Gabriel, 76
HARDY, Thomas, 94
HAULLEVILE, Bernard, 76
HAULLEVILLE, Éric de, 211
HAYWARD, Cœcilia, 87
HEIDEN, Conrad, 331, 335, 343
HELLA, Alzir, 311
HELLER, Gerhard, 340, 346, 361, 363, 365, 403, 405, 406
HÉMON, Louis, 144, 145, 147, 150, 151, 152, 153, 154, 157, 173, 178, 179, 277, 421
HENNIQUE, Léon, 74, 75
HENRIOT, Philippe, 389
HENRIOT, Émile, 121, 151, 270
HEPP, François, 321
HERBART, Pierre, 166
HERMANT, Abel, 60, 61, 128, 138, 151
HERRIOT, Édouard, 113, 115, 116, 118, 271
HERVÉ, Pierre, 398, 409
HESNARD, docteur, 256, 258, 259, 260, 261, 262, 266
HEUDEBERT, Raymonde, 276
HILSUM, René, 208
HITLER, Adolf, 307, 311, 316, 328, 331, 347, 361, 390, 391
HOEVEL, 406
HOFFET, Frédéric, 198, 232
HONEGGER, Arthur, 370, 375
HUMBLOT, 88, 94
HUSSENOT-DESENONGES, maître, 434

IMANN-GIGANDET, Georges, 234, 406, 407
JACOB, Max, 160, 210
JALABERT, Pierre, 53, 54, 55
JALOUX, Edmond, 139, 141, 144, 164, 169, 171, 176, 181, 187, 210, 459
JAMET, Henry, 393, 396
JAMMES, Francis, 59, 80
JANSON, André, 189
JAURÈS, Jean, 117
JOFFRE, Joseph, 152
JOHANNET, René, 134
JOUGLET, René, 330, 333, 334, 352, 353, 371, 379, 393, 394, 400, 401, 403, 409, 423, 427, 428, 433, 437, 438, 439, 440
JOUHANDEAU, Marcel, 360, 369, 370, 392, 429, 431, 432, 435, 461, 469, 474

JOUHAUX, Léon, 118
JOUVENEL, Robert de, 60, 66, 82, 109, 112, 113, 137, 204, 382
JOUVET, Louis, 335
JOYCE, James, 369
JUIN, Alphonse, 473
JULLIARD, René, 473
JÜNGER, Ernst, 369
JUNG, Jacqueline, 376, 377
JUVEN, 59

KAYSER, Freidhelm, 346
KEMP, Robert, 221
KESSEL, Joseph, 239

LABARRE, Marius, 53
LACAN, Jacques, 274
LACAZETTE, procureur, 412, 414, 415, 452
LACOSTE, Robert, 399, 400
LACOUTURE, Jean, 78, 80
LACRETELLE, Jacques de, 73, 172, 206, 276, 397, 414, 459
LACRETELLE, Pierre de, 235
LAFAGE, Léon, 34, 36, 45, 46, 51, 52, 66, 115, 123, 134, 137, 140, 169, 258, 261, 275, 277, 287
LAFFONT, Robert, 417
LAFITTE, Pierre, 171
LAFON, Jeanne, 80
LAFOND, Jean, 275
LAFORGUE, René, 250, 251, 255, 256, 257, 270
LAGARDE, Pierre, 276
LA HIRE, Jean de, 393, 396
LA HIRE, Marie de, 208
LA MÉZIÈRE, Pierre, 235
LAMOUR, Philippe, 279
LAMY, Étienne, 76
LANGEVIN, Yvonne, 58, 106, 112, 125, 134, 164, 175, 230, 269, 285, 286, 303, 328, 336, 390, 394, 408, 421
LANSON, Gustave, 44
LA PAGERIE, René de, 171
LAPIERRE, Dominique, 443, 444, 445
LAPORTE, Maurice, 216
LAPORTE, René, 417
LARBAUD, Valery, 165
LA ROCQUE, François de, 279
LAUDENBACH, Roland, 391
LAURENCIN, Marie, 184
LAURENT, Jacques, 14, 429, 432, 433, 435, 445, 462, 474
LAVAL, Pierre, 334, 337, 339, 340, 354, 355

La Varende, Jean de, 363
Lavelle, Louis, 203
Lavisse, Ernest, 62, 76
Léautaud, Paul, 65, 143, 243, 247, 275, 306, 312, 336, 362, 370, 380
Leauzun le Duc, maître, 231
Leblanc, Georgette, 304
Lecourt, Robert, 425
Le Dentu, José, 462
Leduc, Émile, 136
Lefèvre, Frédéric, 159, 176, 235, 283
Lefranc, Jean, 221
Le Goffic, Charles, 151
Le Grix, François, 80, 410
Lejeune, Albert, 388
Leleu, (Mme), 106, 108, 109, 110, 112
Leleu, comptable, 106, 110, 115, 125, 134, 135
Lemaitre, Jules, 27, 44, 46, 69
Lemeunier, Henry, 234, 241, 242
Leneru, Marie, 314, 315, 462
Lenotre, 303, 421, 462
Léon-Martin, Louis, 117
Lesca, Charles, 350, 403, 413
Leschinsky, docteur, 233, 240
Lescure, Pierre de, 402
Leven, 412
Lévy, Maxime, 272, 273
Liorit, Maurice, 434
Lo Duca, 361
London, Jack, 138
Loti, Pierre, 74, 94
Luchaire, Jean, 354
Luizet, Charles, 398, 399
Lyautey, Louis, 118, 128, 279, 414

Mac Orlan, Pierre, 128, 373
Maeterlinck, Maurice, 165, 199, 297, 315
Maigret, François Guillaume de, 139
Maistre, Joseph de, 16, 17, 18, 26, 27
Majesté, Léon, 106, 108, 109, 112
Malaparte, Curzio, 158, 250, 310
Malraux, André, 13, 129, 154, 158, 165, 166, 167, 180, 189, 207, 219, 304, 312, 398, 421
Mandel, Georges, 339
Manevy, 139
Manhès, 400, 401
Marcel, Gabriel, 143, 147, 164, 189, 330
Margueritte, Paul, 75
Margueritte, Victor, 115, 153

Marie, André, 408, 416, 425
Marion, Paul, 353
Maritain, Jacques, 165, 166, 168, 304, 371
Maritain, Raïssa, 168
Martin-Chauffier, Louis, 304, 409
Martin du Gard, Maurice, 166, 176, 178, 184, 205, 236, 297, 335, 370, 462
Martin du Gard, Roger, 71, 72, 73, 134
Martine, Claude, 14
Martin, Germain, 280
Massis, Henri, 27, 83, 90, 115, 151, 152, 174, 180, 234, 269, 304, 314, 459, 460
Massis, Louise, 234
Masson, André, 372
Masson, Frédéric, 75, 76, 151
Mathot, Albert, 59
Mauclair, Camille, 159
Maulnier, Thierry, 279, 304
Maupassant, Guy de, 43
Mauriac, François, 13, 60, 65, 66, 73, 78-83, 87, 90, 94, 121, 122, 128, 144, 154, 157, 158, 162, 165-168, 176, 178, 180-189, 198, 205, 206, 228, 235, 267, 272, 276, 304, 306, 311, 312, 317, 318, 319, 331, 361, 363-365, 369, 374, 390, 392, 396-398, 400, 409-411, 415, 417, 421, 443, 458, 459, 461, 463, 470, 473
Maurois, André, 13, 60, 73, 119, 123, 124, 125, 126, 127, 128, 129, 138, 154, 158, 163, 165, 167, 178, 179, 184, 187, 188, 195, 198, 206, 270, 272, 276, 281, 282, 287, 311, 312, 322, 323, 371, 374, 398, 414, 415, 421, 444, 459, 461, 472, 473
Maurras, Charles, 26, 27, 55, 115, 143, 165, 180, 181, 195, 297, 304, 306, 312, 322, 374, 392
Maxence, Jean-Pierre, 279
Mazauric, Lucie, 167
Menabréa, Henri, 34, 229
Mendès, Catulle, 45, 94
Merle, Robert, 436
Messiaen, Olivier, 148
Meunier du Houssoy, Robert, 402, 456, 473
Michaux, Henri, 369
Michel, Albin, 43, 135, 157, 190, 249
Michelin, André, 116
Milhaud, Edgar, 117
Mille, Pierre, 74, 112, 126, 127, 128
Millerand, Alexandre, 37, 77, 141, 231, 269, 271

MILOSZ, Oscar, 470
MIMEREL, Pierre, 332, 434
MIRBEAU, Octave, 69, 75
MISTRAL, Frédéric, 150
MITCHELL, Margaret, 312
MONDOR, Henri, 462
MONFREID, Henry de, 207, 293, 312
MONNIER, Adrienne, 119
MONTESQUIEU, 371, 372, 373, 462
MONTHERLANT, Henry de, 13, 81, 82, 109, 121, 157, 158, 165, 171, 180, 184, 187, 188, 206, 228, 235, 272, 280, 307-309, 318, 350, 363, 369, 370, 374, 381, 392, 413, 415, 417, 421, 443, 450-455, 461, 463, 467, 473
MONTIGNY, Jean, 350, 363, 413
MORAND, Paul, 13, 46, 73, 112, 119, 121, 122, 137, 158, 162, 165, 167, 184, 187, 188, 206, 207, 208, 235, 272, 311, 312, 335, 353, 369, 370, 374, 392, 398, 470, 474
MORAVIA, Alberto, 436
MORÉAS, Jean, 27, 34, 44, 52, 182
MORGAN, Claude, 390, 392
MOULIN, 284, 285, 286
MOUNIER, Emmanuel, 279, 304
MOUSSET, Paul, 363
MÜHLFELD, Adrien, 162
MÜHLFELD, Jeanne, 162, 236
MULLER, Henry, 22, 75, 163, 164, 189, 206, 215, 217, 235, 246, 258, 261, 272, 274, 275, 285, 286, 295, 303, 307, 312, 316-318, 328-330, 343, 351, 353, 356, 361, 363, 364, 371, 373, 375, 376, 390, 394, 396, 397, 406, 450, 473, 474
MULLER, Charles, 59, 107
MUN, Albert de, 76, 125
MUSSOLINI, Benito, 304

NATHAN, Fernand, 388, 399
NELSON, Thomas, 57
NÉMIROVSKY, Irène, 158, 213, 214, 215, 250, 267, 297, 343
NESMY, Jean, 55
NIELSEN, Sven, 358
NIZAN, Paul, 164, 267, 343
NOAILLES, Anna de, 47, 58, 80, 88, 162, 235, 266, 315
NOAILLES, Marie-Laure de, 309
NOTH, Ernst Erich, 189, 335, 343

OBEY, André, 219
OLLIVE, François, 359
OLLIVIER, Émile, 76

ORMESSON, Wladimir d', 49

PAGNOL, Marcel, 370
PAILLERON, Marie-Louise, 162
PAINLEVÉ, Paul, 118
PAULHAN, Jean, 165, 167, 370, 392, 398, 399, 400, 414, 431
PAUL, Marcel, 400
PAYOT, Charles, 146, 147
PÉGUY, Charles, 14, 27, 48, 51, 52, 53, 60, 61, 62, 65, 66, 76, 78, 94, 97, 102, 108, 109, 119, 141, 158, 181, 210, 374, 453, 454
PEIGNOT, Charles, 162, 356
PEISSON, Édouard, 282, 415
PÉPY, 404
PEREIRA, 118, 119, 125, 127, 134, 136
PERRIN, André, 17
PERROT, Charles, 54
PÉTAIN, Philippe, 334
PETIT, Émile, 426
PETITPIERRE, docteur, 266, 269
PETSCHE, Maurice, 417
PEYRÉ, Joseph, 280, 281, 305, 363, 371, 379, 415
PEYREFITTE, Roger, 288, 428
PEYRONNET, Joseph, 24, 134, 164, 206, 230, 239, 242, 243, 244, 245, 247, 248, 251, 256, 257, 261, 263, 265, 266, 267, 269, 270, 272, 273, 275, 276, 277, 278, 286, 287, 293, 295, 296, 298, 299
PHILIPPE, Charles-Louis, 48, 89
PHILIPPON, René, 341, 343, 351, 352, 354, 355, 356, 359, 396
PIAF, Édith, 316
PICABIA, Francis, 208, 209, 211
PICASSO, Pablo, 119
PICHON, Stephen, 118
PIÉCHAUD, Martial, 81, 110
PIERRE-BLOCH, 426
PIERREFEU, Jean de, 71, 83, 140, 141, 164, 173, 178, 183, 221, 235
PIETRI, François, 333, 334
PIGASSE, Albert, 235
PLON, Henri, 43, 352
POINCARÉ, Raymond, 151, 207, 466
POIRIER, Alice, 309
PONGE, Francis, 369
PORCHÉ, François, 197, 297
POSTEL DU MAS, Henry, 76
POULAILLE, Henry, 164, 184, 235, 239, 240, 280, 281, 303, 351, 360, 380, 381, 408, 421, 429, 443
POUND, Ezra, 470
POURRAT, Henri, 363

POURTALÈS, Guy de, 187
PRÉVOST, Marcel, 76
PRINCE, Albert, 278
PRIVAT, Bernard, 445, 446, 461, 462, 463, 471, 472, 473, 475
PRIVAT, Jean, 133, 134
PRIVAT, Jeannette, 470
PROUST, Marcel, 13, 28, 66, 68, 73, 77, 80, 87, 88, 89, 90, 91, 92, 93, 94, 95, 96, 97, 98, 99, 100, 101, 102, 108, 119, 121, 150, 162, 186, 197, 276, 313, 314, 315, 374, 431
PSICHARI, Ernest, 75, 76
PUYSÉGUR, comte de, 389

QUENEAU, Raymond, 369

RADIGUET, Raymond, 13, 150, 157, 158, 165, 166, 169, 171, 172, 173, 174, 175, 176, 178, 179, 209, 210, 234, 235, 237, 238, 276, 307, 421
RADIOLO, 241
RAMUZ, Charles-Ferdinand, 13, 154, 158, 235, 267, 369
RAULT, Jean, 321
RAVEL, Maurice, 67
REBATET, Lucien, 361, 363, 370, 388, 392, 410, 414
REBATTET, Georges, 410
REBOUX, Paul, 59, 60, 66, 107, 109, 145
RECLUS, Maurice, 57
RECLUS, Élisée, 58
REDRON, Odette, 378, 436
RÉGNIER, Henri de, 44, 58, 75, 76, 89
RÉGNIER, Paule, 171
RENAN, Ernest, 180
RENARD, Jules, 55, 114
REPESSÉ, Étienne, 402
REVUZ, François, 16
REY, Étienne, 69
REYNAUD, Paul, 77, 464
RIBARDIÈRE, Marcel, 275
RIBBENTROP, Joachim von, 462
RIBEMONT-DESSAIGNES, Georges, 209, 211
RICHAUD, André de, 164
RICHEPIN, Jean, 76
RICHTER, Charles de, 91, 92
RIGAL, Henry, 33, 35, 36, 40, 42, 55
RILKE RAINER MARIA, 34, 158, 217, 314, 315, 462, 470
RIVES, Marcel, 351, 354, 355, 356, 357, 359
RIVIÈRE, Jacques, 96, 97, 122, 165, 171, 176, 238, 239

ROBERT, Georges, 452
ROBERT, Louis de, 88, 92, 94
ROBERT-ROBERT, 241
RODIN, Auguste, 120, 174
ROHAN, duchesse de, 94
ROLLAND, Romain, 60, 61, 62, 68, 69, 73, 75, 76, 107, 114, 189, 304
ROMAINS, Jules, 55, 65, 73, 371, 473
ROMMEL, Erwin, 414
ROSNY AÎNÉ, Joseph-Henri, 74, 221, 296
ROSNY JEUNE, Séraphin, 75, 297
ROSTAND, Edmond, 94
ROSTAND, Jean, 198, 369, 460, 466
ROTHSCHILD, Henri de, 235
ROUANET, Léon, 164, 206
ROUBAUD, Louis, 25, 258, 269, 303
ROUGEMONT, Denis de, 331
ROUJON, Henry, 76
ROULX, Didier de, 54
ROURE, Rémy, 424, 426
ROUSSEAUX, André, 283, 318
ROUSSEAUX, Marguerite, 256, 261, 269
ROUVEYRE, André, 196, 197
ROUX, Joseph-Victor, 167

SABATIER, André, 164, 258, 265, 269, 273, 286, 303
SAGAN, Françoise, 468
SAINT-EXUPÉRY, Antoine de, 312, 318, 369
SAINT-JOHN PERSE, 119
SAINT-POL, Geneviève de, 262, 263
SAINT-POL-ROUX, 211
SALACROU, Armand, 369, 398
SALVAT, François, 303, 421, 455
SANDELION, Jeanne, 308, 309
SANSOT, Edward, 107
SARAGNON, Numa, 34
SARTRE, Jean-Paul, 73, 180, 304, 312, 369, 370, 381, 392, 398, 402, 433
SATIE, Erik, 67, 119
SAVIGNON, André, 66, 74, 75, 78, 80, 139
SCHAER, docteur, 266
SCHLUMBERGER, Jean, 48, 399
SCHNEIDER, Raymond, 138, 139
SCHULZ, Walter, 357, 405
SCHWAB, Raymond, 144
SEGHERS, Pierre, 402, 404
SEGOND-WEBER, Eugénie, 43
SÉGUR, Pierre de, 76
SEMBAT, Marcel, 118
SERGE, Victor, 331
SERRE, Louis, 37

SERRIGNY, Bernard, 331
SERT, Misia, 107
SHAW, George Bernard, 94
SHIFFRIN, Jacques, 456
SIEBURG, Friedrich, 158, 217, 218, 303, 304, 336, 337, 338, 340, 361, 373, 394, 411
SIEGFRIED, André, 353
SIMONE, Mme, 297
SIPRIOT, Pierre, 196
SORDET, Dominique, 393
SORLOT, Fernand, 389, 393, 396
SOUDAY, Paul, 34, 75, 80, 83, 94, 151, 175, 178, 179, 183, 207
SOUPAULT, Philippe, 121, 208, 209, 210, 211
STAVISKY, Alexandre, 278
STEINHEIL, Robert, 113, 118, 136
STENDHAL, 167
STOCK, Pierre-Victor, 78
STRASSER, Otto, 331, 332, 335, 336, 339, 340, 341, 343, 346, 393, 394, 395, 397, 427, 437, 438, 440
STRAVINSKI, Igor, 107, 119
SUARÈS, André, 267, 268, 282
SUAREZ, Georges, 266, 280, 345, 348, 363, 403, 413

TALLANDIER, Jules, 170
TARDIEU, André, 271, 318
TAVERNIER, René, 392
TAVERNOST, Antoine de, 400, 408
TEILHARD DE CHARDIN, Pierre, 422, 464
TEITGEN, Pierre-Henri, 395, 408
TERRASSE, 50
TERRASSE, Renée-Claude, 328
TEXCIER, Jean, 423, 424
THARAUD, (frères), 34, 60, 144, 180, 182, 276, 318
THARAUD, Jean, 52, 270
THARAUD, Jérôme, 459
THÉOPHILACTOS, Mlle, 140
THÉRIVE, André, 169, 171, 312, 330, 375
THIBAUDET, Albert, 44, 55, 144, 151, 185, 266, 469
THOMAS, Albert, 118
THOMAS, Louis, 388, 393
THOREZ, Maurice, 306, 393
TINAN, Jean de, 35
TISNÉ, Pierre, 164, 166, 209, 230, 266, 303
TONNANT, 428
TOULEMON, Élisabeth, 431
TOULET, Paul-Jean, 34

TRAZ, Robert de, 243
TRÉGLOS, 436, 437, 440
TRIOLET, Elsa, 370
TUDESQ, André, 34
TURPIN, Alice, 164, 274, 310
TZARA, Tristan, 121, 209

VACHET, Pierre, 231, 232, 233, 240, 242, 246, 249, 250, 266
VALÉRY, Paul, 108, 119, 162, 165, 185, 294, 369, 397, 470
VALLERY-RADOT, Robert, 80, 180, 181, 279, 331
VALLETTE, Alfred, 43, 44, 51, 52, 65, 78, 249, 275, 276, 474
VANDEREM, Fernand, 102, 151, 283
VANDERPYL, Fritz, 164, 236
VAN IEPENDAL, Guillaume, 470
VAUDOYER, Jean-Louis, 92, 94
VAUNOIS, Louis, 415
VAUSSARD, Maurice, 392
VERCORS, 392, 402, 404
VEYRIER, Yvonne, 229
VIAL, Marie-Thérèse, 21, 22, 34
VICTOR, Paul-Émile, 312
VIEUX, docteur, 242, 248
VIGNEAU, Jean, 288, 298, 335, 353
VIGNERAS, 152
VONTADE FOEMINA, Jacques, 88, 109
VOX, Maximilien, 148, 329, 399, 455

WAST, Antonin, 399, 400
WEBB, Mary, 158, 172, 217, 374
WILDE, Oscar, 197
WIRSING, Giselher, 350, 403
WOOG, Raymond, 125, 126

YOURCENAR, Marguerite, 158, 164, 213, 214, 215, 250

ZAHAROFF, Basil, 169
ZAY, Jean, 319, 320, 321, 322, 334
ZIWES, Armand, 312, 409
ZLOTYKAMIEN, Berthe, 328, 351, 376, 378, 395, 429
ZOUSMANN, 405, 407, 408
ZWEIG, Stefan, 217, 311, 343

TABLE

1. *Les traces*.. 13

2. *« Mounette »*... 33

3. *L'éclosion* 65

4. *Proust, ce « gaillard »*..................................... 87

5. *Le patriote*... 105

6. *Le miracle de « Maria Chapdelaine »* 133

7. *Les années Grasset*... 157

8. *L'éditeur-écrivain* 195

9. *Le blessé de l'âme* 227

10. *L'éloignement du « fou »* 255

11. *Le retour* 303

12. *Ni héros, ni lâche* 327

13. *Nuit de noces* 369

14. *Le bouc émissaire de l'édition*............................. 387

15. *Le sursis*... 421

16. *Mort en sauvage*... 443

Notes... 477

Bibliographie 485

Œuvres de Bernard Grasset...................................... 487

Index des noms de personnes 489

Cet ouvrage a été réalisé sur
Système Cameron
par la SOCIÉTÉ NOUVELLE FIRMIN-DIDOT
Mesnil-sur-l'Estrée
pour le compte des Éditions Grasset
le 25 septembre 1989

Imprimé en France
Dépôt légal : septembre 1989
N° d'impression : 12901
N° d'édition : 8046
ISBN 2-246-38281-5